中国科学院大学研究生教材系列

城镇化与城市地理学

方创琳 著

科学出版社

北 京

内 容 简 介

　　城镇化是工业化发展到一定阶段的必然产物，是人类社会发展与文明进步的客观趋势。推进城镇化高质量发展是中国基本实现现代化的必由之路，也是城市地理学研究的重点方向。本书通篇以城镇化发展的国家战略为主线，从城镇化过程到城镇化主体，再到城镇化的未来，一贯到底，按照时间和空间两个维度分 9 章 36 节内容系统介绍了城镇化发展的国家战略地位、城镇化进程与基本规律、城镇化的资源环境效应、城镇化的空间组织格局、城市群的形成与发展、世界城市与国家中心城市、城市规划与国土空间规划、城市发展新动向与新模式、未来城市的发展愿景等。全书内容不是面面俱到，而是突出了现实问题、重点问题和热点问题的科学分析，贴近国家战略需求，贴近城镇化发展的客观规律，贴近中国城市发展实情，更好地为落实城镇化发展的国家规划蓝图培养高级实用型人才。

　　本书可作为高等院校城市地理、城市经济、城市管理研究的研究生、本科生教材，也可作为各地发展改革部门、自然资源部门、城市建设部门管理干部参考用书等。

审图号：GS 京（2023）0406 号

图书在版编目（CIP）数据

城镇化与城市地理学. / 方创琳著. —北京：科学出版社，2023.3
中国科学院大学研究生教材系列
ISBN 978-7-03-075195-9

Ⅰ.①城… Ⅱ.①方… Ⅲ.①城市化－关系－城市地理学－研究生－
教材 Ⅳ.①F291.1②C912.81

中国国家版本馆 CIP 数据核字(2023)第 046825 号

责任编辑：文　杨 / 责任校对：周思梦
责任印制：师艳茹 / 封面设计：迷底书装

科 学 出 版 社 出版
北京东黄城根北街 16 号
邮政编码：100717
http://www.sciencep.com

北京九天鸿程印刷有限责任公司 印刷

科学出版社发行　各地新华书店经销
*

2023 年 3 月第 一 版　开本：787×1092　1/16
2023 年 3 月第一次印刷　印张：21
字数：541 000

定价：158.00 元
（如有印装质量问题，我社负责调换）

前　言

　　城镇化是伴随工业化发展，农业人口转为城镇人口、农业用地转为建设用地、农业经济转为工商业经济、农村生活方式转为城市生活方式的自然过程，是人类文明进步的必然产物，是人类社会发展的客观趋势。中国城镇化已进入高质量发展的新阶段，新型城镇化不仅决定着中国城镇化的未来，而且影响着世界城镇化的发展前景。2013 年首次召开的中央城镇化工作会议明确提出要推进新型城镇化，着力提高城镇化发展质量，走绿色、集约、高效、低碳、创新、智能的新型城镇化发展道路，这既是对中国做贡献，也是对世界做贡献。城镇化已经上升到国家战略，推进城镇化高质量发展是到 2035 年中国基本实现现代化的必由之路。

　　为了贯彻落实国家城镇化战略及其总体部署，中国科学院紧扣国家发展战略需求，始终秉承"面向世界科技前沿、面向国家重大需求、面向国民经济主战场"的办院方针，自 2015 年起在中国科学院大学开设了"城镇化与城市地理学"研究生专业核心课，自 2019 年起连续 4 年在中国科学院大学开设了"城市地理学"本科专业核心课。笔者承担教学任务至今，已连续 8 年圆满完成研究生教学任务，连续 4 年完成本科生教学任务，积累了丰富的教学经验。该课程先后获得北京市优质本科课程、中国科学院大学数字精品课程和中国科学院大学优秀课程。正是在此基础上，按照中国科学院大学统一部署启动《城镇化与城市地理学》著作的编写，并经专家盲审通过后经过 3 次大幅度修改查重成稿。著作名称既体现了国家战略需求，也体现了学科发展，是二者有机结合的创新，体现了中国科学院的办院方针、办学特色和为国家培养实用型高级人才的培养模式。

　　《城镇化与城市地理学》通篇以城镇化的国家战略为主线，以笔者近 20 年来系统研究得出的科研成果为主导，从城镇化过程到城镇化主体，再到城镇化的未来，一贯到底，按照时间和空间两个维度设置了 9 章内容。从空间维度设置的内容包括了从宏观尺度的城镇化、到中观尺度的城市群、再到微观尺度的城市三个空间尺度；从时间维度设置的内容包括从审视城镇化发展的过去、现状到规划城镇化与城市发展的未来，并展望未来城市发展的愿景。另外，从要素层面设置的内容既考虑了城镇化与城市发展的人文要素，更重要的是兼顾了水资源、土地资源、生态环境、能源、环境污染、气候变化等自然要素对城镇化和城市发展的影响；既考虑到了近程要素的影响，也考虑到了远程要素的影响。

　　《城镇化与城市地理学》突出了国家战略需求、学科创新、现实问题、实际应用和国际学科前沿 5 大导向，具有战略性、创新性、针对性、实用性和前瞻性特点，本书内容贴近国家战略需求，贴近城镇化发展的客观规律，贴近中国城市发展实情，更好地落实城镇化发展的国家规划蓝图。考虑到大多数学生在本科生阶段已经学习过城市地理学的相关基础理论和知识，所以本书并没有从城市的形成发展和城市内部空间结构演变讲起，而是在充分吸收已有城市地理学经典内容的基础上，重点突出了城镇化发展质量与模式、城镇化发展的资源环境效应、城市群与都市圈建设、国家中心城市、国际大都市与世界城市建设、新型城市发展、城市多规合一、城市国土空间规划等新内容，把真实的城市和虚拟的城市同时作为城市地理学的研究对象。本书的编排内容不是面面俱到，不刻意追求系统性、完整性和逻辑性，而是从城市发展面临的实际问题和城市病出发，突出了现实问题、重点问题、热点问题的研究分析导向。

本书由中国科学院大学教材出版中心资助出版。在编写过程中，先后得到蔡建明研究员、高晓路研究员、鲍超研究员、陈明星研究员、黄金川副研究员等的大力支持并提供编写素材，在第 9 章编写中先后得到 8 届研究生和 4 届本科生课堂报告"未来城市发展愿景"积累素材的支撑，同时参考了大量的文献，并对引用部分一一做了标注，但仍恐有挂一漏万之处，敬请谅解。本书在编写过程中，吸纳了作者近 30 年有关城镇化与城市发展方面的研究成果与核心观点。由于城镇化与城市发展一直处在快速变化之中，对过去的分析、现实的把握和对未来的预判都存在认知的局限性、感知的主观性和预知的不确定性，书中不足之处在所难免，诚请阅读本书的老师、同学提出宝贵意见，期待我们共同为国家的城镇化与城市发展尽到责任，做出贡献，通过知识改变城市的命运，让城市成为我们生活的美好家园！

2022 年 9 月于奥运村科技园区

目　　录

第一章 引 论

> **导 读**

　　城市作为人口、经济、社会等各种要素的高度集聚地，在国家城镇化及经济社会发展中具有举足轻重的战略地位。城市作为一个自然有机体，一直是支撑国家发展的战略支点和重要引擎。1949 年中华人民共和国成立以来，党中央先后召开了四次城市工作会议，并于 2013 年召开了首次城镇化工作会议，历次会议均把城镇化发展和城市建设作为国家战略。本章从国家城镇化的战略需求入手，分析城市地理学的研究对象、学科体系、研究内容和研究重点。以城镇化的国家战略为主线，突出国家战略需求、学科创新、现实问题、实际应用和国际学科前沿等 5 大导向，从城镇化过程到城镇化主体，再到城镇化的未来，构建本书的总体框架结构，突出战略性、创新性、针对性、实用性和前瞻性特点。以满足在新形势下培养适应新型城镇化和现代化城市建设应用型科技人才的战略需求，这也是新时代城市地理学肩负的历史使命。

第一节　城镇化发展的国家战略需求

一、城市发展的国家战略地位

（一）城市

　　城市是特定区域人口、经济、社会等各种要素的高度集聚地，也是区域政治、经济、贸易、交通和文化交流中心，是社会生产力发展到一定阶段的产物。《辞源》将城市定义为人口密集、工商业发达的地方；《辞典》（修订版）将城市定义为相对于乡村而言具有宽广繁盛的街道，人口集中，为政治、经济、文化中心；《汉语大词典》将城市定义为人口较集中、工商业经济发达、居民以非农业人口为主的居住地，通常是周围地区的政治、经济和文化中心；《城市地理学》将城市定义为有一定的人口规模，并且以非农业人口为主的集居地，是聚落的一种特殊形态（许学强等，2009）；《城市经济学》把城市定义为在相对较小的面积里居住了大量人口的地理区域（阿瑟，2008）。城市是"城"与"市"的组合词，"城"主要是为了防卫，并且用城墙等围起来的地域，起初用于防御野兽侵袭，后来演变为防御敌方侵袭，但有的防御城郭的居民点不一定是城市，有的村寨也有设防的城墙。《管子·度地》说"内为之城，外为之郭"。《吴越春秋》一书则记载："筑城以卫君，造郭以卫民"。

城以墙为界，有内城、外城的区别，因此内城叫城，外城叫郭。"市"则是指进行交易的场所，"日中为市"、"五十里有市"。《说文解字》中释："市，买卖所之也。"这两者都是城市最原始的形态，严格地说，都不是真正意义上的城市。

城市是大部分人类活动的中心，不仅仅是文明中心，还是人类社会发展和变化的形态，在悠久的历史中，城市已成为社会进步、知识发现、国家和文明兴衰的主要场所。真正意义上的城市是以人为本的多功能地域空间。城市的多功能包括：

（1）满足人的居住需要，提供固定居所的居住功能；

（2）满足人的生计需要，提供就业岗位和机会的就业功能；

（3）满足人的休闲需要，提供放松游玩场所的休憩功能；

（4）满足人的出行需要，提供便捷交通方式的交通功能；

（5）满足人的发展需要，提供经济发展、生产制造和商务服务的经济功能；

（6）满足人的教育与文化交流需要，提供教育服务及文化传承的文化功能；

（7）满足人的科技创新需要，提供科技研发、科技中介服务、科技成果转化的功能；

（8）满足人的管理管控需要，提供行政管理服务和管治的政治功能；

（9）满足人的国际交往需要，提供国际交流服务与贸易的国际商贸功能；

（10）满足人的安全需要，提供军事防御功能等。

城市多功能的发挥使城市成为人类文明进步的产物。

（二）城市是一个自然有机体，也是国家发展的战略支点

城市作为自然有机体的发展过程是一个漫长的自然生长过程与历史过程，遵循诞生、成长、壮大、繁荣、衰落和再生的客观规律，一般有着发生、成长、成熟和鼎盛的演化规律，处在每一个特定阶段的城市发展，都需要与该阶段的资源环境承载力相适应，都需要与特定时期的城市经济发展阶段相匹配，都需要确保城市发展规律、经济发展规律与自然演替规律基本保持一致。

城市的扩展使其逐步成为带动周围地区政治、经济、商贸、社会、文化和交通中心，自古以来都是国家发展的重要战略支点，也是加快实现现代化的重要引擎，在国家工作全局中具有举足轻重的地位。城市的发展历来得到国家的高度重视，新中国成立以来党中央先后召开了四次城市工作会议，多次强调城市在不同发展阶段肩负的重要历史使命（表 1.1）。

表 1.1　党中央四次城市工作会议的主要议题与具体措施表

序号	会议时间	会议主题	主要内容与具体措施
第一次	1962 年 7 月	讨论农业、财贸、城市等方面的问题	下发了《关于当前城市工作若干问题的指示》。作了十二方面的规定，包括：已完成和基本完成减少职工任务的大中城市，集中力量组织生产；妥善安置大中城市中的闲散劳动力和不能就学的学生；逐步改善大中城市的市政建设；调整市镇建制，缩小城市郊区，完成减少城镇人口计划；按集中统一、分级管理原则，改进管理体制等
第二次	1963 年 9 月	加强对城市的集中统一管理和解决城市经济生活的突出矛盾	下发了《第二次城市工作会议纪要》，分析了城市工作的形势和主要任务，指出做好城市工作九方面要求，即：努力做好商业工作，更好地为生产和生活服务；进一步做好工业的调整工作；大力发展城市郊区的农业生产；加强房屋和其他市政设施的维修；妥善安置城市需要就业的劳动力；积极开展计划生育；试办职业教育；加强城市的管理工作

续表

序号	会议时间	会议主题	主要内容与具体措施
第三次	1978年3月	加强城市建设工作，提出了城市整顿工作的一系列方针、政策	下发了《关于加强城市建设工作的意见》，明确了城市建设的七项任务：建立合理城镇体系，走计划发展道路；提高对城市建设重要性的认识，坚持城市建设与经济协调发展；搞好城市规划，加强规划管理；加强城市基础设施建设，创造良好的投资环境和生活环境；改革城市建设体制，增强活力，提高效益；管好用好搞好城市建设资金，充分发挥投资效益；集中力量搞好城市的规划、建设和管理
第四次	2015年12月	明确当前和今后一个时期我国城市工作的指导思想和重点任务	当前和今后一个时期，我国城市工作的指导思想是：贯彻创新、协调、绿色、开放、共享的发展理念，坚持以人为本、科学发展、改革创新、依法治市，转变城市发展方式，完善城市治理体系，提高城市治理能力，着力解决城市病等突出问题，不断提升城市环境质量、人民生活质量、城市竞争力，建设和谐宜居、富有活力、各具特色的现代化城市，提高新型城镇化水平，走出一条中国特色城市发展道路

根据以下文献整理：王黎锋，中国共产党历史上召开的历次城市工作会议，党史博采，2016年第7期；人民网-中国共产党新闻网，2016年8月1日。

尤其是2015年12月20日召开的第四次中央城市工作会议，是在中国经济发展进入新常态、城市化进入新阶段这一特殊历史时期，召开的一次具有重要里程碑意义的工作会议。会议部署了未来城市发展的指导思想、战略目标和总体任务。按照第四次中央城市工作会议精神，新时期城市发展与建设中需要突出如下重点[①]：

1. 遵循一个规律

遵循城市发展的自然规律，将城市看做为一个自然有机体，才能有效根治城市病，科学建市，科学管护。违背城市发展规律，盲目推动城市发展，必将导致更为严重的城市病乃至城市灾难。

2. 抓住两个基点

即围绕以人为本的新型城镇化发展模式，做好城市工作的出发点和落脚点。一是把城市工作的出发点确定为以人民为中心的城市发展思想，不断完善城市管理和服务，让人民群众在城市生活得更方便、更舒心和更美好。二是将城市工作的落脚点确定为人民城市人民建，人民城市人民管，人民城市保民安，人民城市为人民。

3. 依托三手合力

是指借助政府有形之手、市场无形之手、市民勤劳之手这"三手"，同向发力，共同推动城市的精明增长和精细管理。把市民当做城市发展的体验者和守护者，把市场培育成为城市发展的驱动者，把政府视为城市建设的管理者。推动市民、政府、社会同心同向行动，真正实现城市共治共管，共建共享。

4. 调控五个变量

在城市可持续发展中正确处理好城市发展的规模与速度、数量与质量、快变量与慢变量之间的辩证关系，框定总量，限定容量，盘活存量，做优增量，提高质量，立足国情，尊重自然，顺应自然，保护自然，改善城市生态环境。通过五大变量的优化调控，确保城市发展形成健康的"体质"，适速的"节奏"和适度的"体量"，推动城市由亚健

---

① 方创琳，把握城市现代化的着力点，人民日报，2016年2月21日。

康状态转为健康状态。

5. 实现五个统筹

统筹空间、规模、产业三大结构，统筹规划、建设、管理三大环节，统筹改革、科技、文化三大动力，统筹生产、生活、生态三大布局，统筹政府、社会、市民三大主体，提升城市建设与管理的全局性、系统性、持续性、宜居性和积极性，实现城市生态空间山清水秀，城市生产空间集约高效，城市生活空间宜居适度，努力把城市建成人与人、人与自然和谐共处的美丽家园。

6. 划出六条红线

城市发展要在尊重自然、传承历史、倡导绿色低碳的前提下，将环境容量和城市综合承载能力作为确定城市定位和规模的基本依据，科学划定城市开发边界，控制城市开发强度，划定水体保护红线、绿地系统红线、永久基本农田保护红线、生态保护红线、基础设施建设控制线和历史文化保护线，推动城市形成绿色低碳的生产生活方式和城市建设运营模式，确保城市可持续发展。

7. 建成七类城市

在城市发展科学规律指引下，不断转变城市发展方式，创新城市发展新模式，提高城市治理能力，完善城市治理体系，提升城市人居环境质量，将城市建成为创新城市、智慧城市、紧凑城市、精明增长城市、低碳城市、平安城市和法治城市，建成富有活力、和谐宜居、各具特色的现代化城市。

（三）城市规模划分的最新国家标准

城市的大小通过城市规模度量，城市规模一般包括城市的人口规模与建设用地规模两种指标，通常将人口规模作为衡量城市规模大小的决定性指标。按城市聚居人口多少可区分城市规模大小，但各国的具体分级标准不尽一致。

联合国定义城市规模的标准为，小城市人口规模为不低于 2 万人，大城市的人口规模不低于 10 万人，特大城市的人口规模不低于 100 万人。

中国在 2014 年以前对城市规模的分类标准为：按市区非农业人口，其人口规模在 20 万人以下的为小城市，介于 20 万～50 万人的为中等城市，介于 50 万～100 万人的称为大城市，大于 100 万人以上的称为特大城市。

伴随着城镇化进程和工业化进程加速发展，城市数量和规模都有了明显增长，原有的城市规模划分标准呈现出越来越多的局限性，已难以适应城镇化发展等新形势要求，需要与时俱进调整城市发展方针，将城市规模等级按照新的标准划分为超大城市、特大城市、大城市、中等城市和小城市五类（方创琳，2013，2014），以便更好地实施人口和城市分类管理，满足城市经济社会发展需要，

2014 年 11 月 20 日国务院以国发〔2014〕51 号文件下发了《关于调整城市规模划分标准的通知》，采用城区常住人口指标，将城市规模的最新标准划分为五类七档（表 1.2）：城区常住人口 1000 万人以上的城市为超大城市，500 万人以上 1000 万人以下的城市为特大城市，100 万人以上 500 万人以下的城市为大城市（其中 300 万～500 万人为 I 型大城市，100 万～300 万人为 II 型大城市），50 万人以上 100 万人以下的城市为中等城市，50 万以

下的城市为小城市（其中 20 万～50 万人为 I 型小城市，20 万人以下为 II 型小城市）（以上包括本数，以下不包括本数）。

表 1.2　中国城市规模划分的国家最新标准

级别	城市规模名称		城区常住人口规模/万人	备注
1	超大城市		≥1000	城区是指在市辖区和不设区的市、区、市政府驻地的实际建设连接到的居民委员会所辖区域和其他区域。常住人口包括：居住在本乡镇街道，且户口在本乡镇街道或户口待定的人；居住在本乡镇街道，且离开户口登记地所在的乡镇街道半年以上的人；户口在本乡镇街道，且外出不满半年或在境外工作学习的人
2	特大城市		500～1000	
3	大城市	I 型	300～500	
		II 型	100～300	
4	中等城市		50～100	
5	小城市	I 型	20～50	
		II 型	<20	

根据国务院的《关于调整城市规模划分标准的通知》（国发〔2014〕51 号）整理。

二、城镇化发展的国家战略部署

（一）城镇化的概念及其国家战略意义

城镇化过程是由农业人口转化为非农业人口、由农业用地转化为非农业用地、由农业经济转化为非农经济、由农村生活方式转化为城市生活方式的自然历史过程，是人口城镇化、土地城镇化、经济城镇化和社会城镇化四大过程的有机统一。

一般情况下，城镇化过程可理解为城市化过程，但针对一个特定区域而言（例如国家尺度、省域尺度或地区尺度等），可称为城镇化过程，而针对一个特定城市而言（例如直辖市、地级市、县级市等），可称为城市化过程。无论是城镇化还是城市化，都是人类文明进步的产物，都是人类社会发展的必然趋势，也是一个国家实现现代化的重要标志。

城镇化是伴随工业化发展，非农产业在城镇集聚、农村人口向城镇集中的必然过程，是推动区域产业结构转型升级、保持区域经济高质量持续发展的强大引擎，是推动区域协调均衡发展、促进社会全面进步的必然要求，也是解决农业、农村、农民"三农"问题的有效途径，积极稳妥推进城镇化高质量发展，有利于加快社会主义现代化建设进程，实现中华民族伟大复兴的中国梦。

中国的城镇化进程已步入快速发展阶段，快速城镇化不仅决定着中国的未来，而且决定着世界城镇化的发展进程，不仅决定着中国现代化的成败，也决定着世界城市化的未来。积极稳妥推进城镇化，着力提高城镇化质量，把生态文明理念和原则全面融入城镇化全过程，坚定不移地走集约、智能、绿色、低碳的新型城镇化道路，这既是对中国做贡献，也是对世界做贡献。

（二）城镇化发展的国家战略部署

中央城镇化工作会议于 2013 年 12 月 12 日召开，这次会议是党中央召开的第一次城镇化工作会议，也是从中央层面战略高度召开的一次具有里程碑意义的会议，本次会议从国家顶层对新型城镇化发展做出的战略部署。具体体现在：明确了一个主体，突出了两大核心，肯定了三大过程，守住了四条红线，构筑了五大主轴，提出了实现的六大目标[①]。

1.明确一个主体：把城市群作为新型城镇化的主体

中央城镇化工作会议首次提出把城市群作为推进国家新型城镇化的空间主体。可以说，中国的城市群不论在过去，还是在未来都是国家经济发展格局中最具活力和潜力的核心区，是中国主体功能区划中的重点开发区和优化开发区，也是中国城市未来发展的重要方向，在中国国土空间格局中起着战略支撑点的重要作用。发展到今天，中国的城市群已成为国家参与全球竞争与国际分工的全新地域单元，城市群的发展正在深刻地影响着中国的国际竞争力，主宰着中国经济发展的命脉，影响着 21 世纪全球经济的新格局。

2.突出两大核心：把以人为本和提质为上视为城镇化发展的核心

一是把以人为本，推进以人为核心的城镇化作为首要核心任务，不断提高城镇人口素质和居民生活质量，把促进有能力在城镇稳定就业和生活的常住人口有序实现市民化作为首要任务。二是紧紧围绕提高城镇化发展质量，稳步提高户籍人口城镇化水平；切实提高能源利用效率，降低能源消耗和二氧化碳排放强度；提高城镇土地利用效率和建成区人口密度、城镇化建设水平和管理水平，这些都是全面提升城镇化发展质量的具体体现。

3.肯定三大过程：把城镇化视为历史过程、自然过程和长期过程

可以肯定地认为，城市是一个自然有机体，城镇化过程是一个自然过程，是国家经济社会发展到一定阶段必然经历的一种经济社会发展过程。推进城镇化发展必须遵循自然规律，因势利导，使城镇化过程成为一个水到渠成、顺势而为的自然发展过程。同时，肯定了新型城镇化过程是一个历史过程，符合城镇化发展的历史演变轨迹和阶段性规律，超越城市发展历史违背历史规律推进城镇化必然会走弯路。另外，肯定了新型城镇化过程是一个漫长的过程，需要遵循阶段性规律积极稳妥地科学推进，不能急于求成，操之过急，违背客观规律拔苗助长，要推行适速适度紧凑型城镇化发展模式，确保新型城镇化、新型工业化、农业现代化和信息化"四化"的同步协调发展。

4.守住四条红线：耕地红线、生态红线、城市空间增长边界线和资金保障生命线

一是严守生态红线，扩大绿色生态空间比重，高度重视生态安全，增强水源涵养能力和环境容量，依托现有山水脉络等独特风光，让城市融入大自然，让居民望得见山、看得见水、记得住乡愁。二是严守耕地红线，适当增加生活用地特别是居住用地，减少工业用地，切实保护耕地、园地、菜地等农业空间，确保国家粮食安全。三是严守城市空间增长边界线，把绿水青山保留给城市居民，把城市置于大自然中，把城市规划由扩张性规划转为限定城市边界、优化空间结构的规划。四是建立资金保障生命线，建立农业转移人口市民化同财政转移支付挂钩机制，鼓励社会资本参与城市公用设施投资运营。

---

① 方创琳，把握国家新型城镇化战略航向，中国经济导报，2013 年 12 月 24 日。

5. 构筑五大主轴："两横三纵"的城镇化战略格局

"两横"是指以陆桥通道、沿长江通道为两条横轴，"三纵"是指以沿海、京哈京广、包昆通道为三条纵轴，"两横三纵"城市化战略格局是国家推进新型城镇化的总骨架。以此骨架为基础，将国家优化开发和重点开发的城市化地区作为支撑点，将轴线上其他城市化地区作为重要组成部分，形成与资源环境承载力相适应的城市化战略格局。

6. 明确六大任务：推进城镇化发展的重点目标

具体包括加快农业转移人口市民化，快速提高城镇建设用地利用效率，逐步建立多元可持续的资金保障机制，最大限度地优化城镇化布局和形态，努力提高城镇建设水平，采用高新技术手段加强对城镇化的管理。这些任务同时也是推进国家城镇化发展的具体目标。

（三）城镇化发展的国家规划蓝图

加快城镇化发展是解决农业、农村、农民问题的重要途径，是推动区域协调发展的有力支撑，是扩大内需和促进产业升级的重要抓手，是国家基本实现可持续现代化的必由之路，更是实现中华民族伟大复兴中国梦的重要实践。为了推进国家城镇化高质量发展，中共中央、国务院于 2014 年 3 月发布了首个《国家新型城镇化规划（2014—2020 年)》，规划按照走中国特色新型城镇化道路、全面提高城镇化质量的新要求，通过对我国城镇化发展现状与挑战的科学分析，提出了新型城镇化发展的总体指导思想和目标，提出了有序推进农业转移人口市民化、推进农业转移人口享有城镇基本公共服务、推进符合条件农业转移人口落户城镇、建立健全农业转移人口市民化推进机制、提高城市可持续发展能力、强化城市产业就业支撑、优化城镇化布局和形态、优化城市空间结构和管理格局、提升城市基本公共服务水平、提高城市规划建设水平、推动新型城市建设、推动城乡发展一体化、完善城乡发展一体化体制机制、加快农业现代化进程和建设社会主义新农村等。这是指导全国城镇化健康发展的宏观性、基础性和战略性规划，为我国城镇化发展描绘了战略蓝图，指明了战略航向。

2022 年 5 月，国家出台了《国家新型城镇化规划（2021—2035 年)》，这是面向 2035 年的新一轮新型城镇化顶层设计。提出以新型城镇化建设为契机，用新理念构建新格局，推动经济实现质的稳步提升和量的合理增长。提出发展集聚效率高、辐射作用大、城镇体系优、功能互补强的城市群，使之成为支撑全国经济增长、促进区域协调发展、参与国际竞争合作的重要平台，推进以县城为重要载体的城镇化建设，以县域为基本单元推进城乡融合发展，坚持以工补农、以城带乡，推进城乡要素双向自由流动和公共资源合理配置。

2022 年 7 月，国家发改委发布了《"十四五"新型城镇化实施方案》，明确了"十四五"时期推进新型城镇化的目标任务与推进新型城镇化的措施。到 2025 年，全国常住人口城镇化率稳步提高，户籍人口城镇化率明显提高。农业转移人口市民化质量显著提升，城镇基本公共服务覆盖全部未落户常住人口。"两横三纵"城镇化战略格局全面形成，城市群承载人口和经济的能力明显增强，重点都市圈建设取得明显进展，京津冀、长三角、粤港澳大湾区城市群基本建成。超大特大城市中心城区非核心功能有序疏解，大中城市功能品质进一步提升，小城市发展活力不断增强，以县城为重要载体的城镇化建设取得重要进展。

第二节　面向国家战略需求的城市地理学

一、国家需求导向下的城市地理学研究对象与学科体系

（一）研究对象

传统的城市地理学主要研究城市的形成与发展历史、作用机理、空间结构演变与组织、空间分布规律等，受技术手段的限制，把真实的城市或城镇作为研究对象，告诉人们城市是什么？有什么功能？城市的形成条件是什么？城市是怎样长大的？城市空间形态是什么样？城市发展有什么规律？就城市论城市，很少涉及城市人地关系、城市发展对生态环境的影响、城市发展转型、城市可持续性、城市与城镇化对国家发展的影响等问题，也很少涉及城市发展的未来和新型城市建设模式的研究。在全球化、互联网和大数据时代，城市地理学除了研究真实的城市以外，还要同时研究虚拟的城市。因此，城市地理学的研究对象就包括了真实的城市和虚拟的城市。

1. 第一研究对象——真实的城市

将真实的城市作为城市地理学的第一研究对象，把城市作为一个自然有机体，重点研究城市或城镇的形成发展条件、自然成长过程、近远程驱动机制、网络和流空间运行机制、空间结构演变特征和空间分布规律，揭示城市人地关系作用机制，分析城市化和城市发展对生态环境的影响，提前预测城市发展的资源环境承载力，分析评估城市发展存在的问题，科学提出城市发展的若干新模式。将城市认为是物质空间与场所集合的传统认识已经过时，网络和流作为城市系统的构成部分，原本的"区位"在这个意义上说，就是各种活动网络和流的交汇之处，对城市的理解必须扩展到流和网络，而不能仅仅建立在观察的基础上。

注重将城市地理学的研究对象与全球及国家城镇化发展的战略需求密切结合起来，以国家发展战略需求牵引城市地理学理论与方法的不断创新，通过城市地理学的创新更好地服务于国家发展战略，使城市地理学真正成为一门解决城市发展实际问题、高质量满足国家发展战略需求的应用型学科，培养的城市地理学人才成为规划城市、建设城市和管理城市的专业优秀人才。

2. 第二研究对象——虚拟的城市

虚拟城市是综合运用 GIS、遥感、遥测、网络、多媒体、感知技术及虚拟仿真等技术，将光、电、色、能、数与信息集于一体对城市内的基础设施、功能机制进行自动采集、动态监测管理和辅助决策的高度信息化、数字化、概念化与符号化的城市。虚拟城市可为现实城市创造更多的新空间，例如新的科技园、科学城、工业园、创意产业基地、电子产业基地等。受电子通信系统发展的影响，虚拟城市使人类日常生活发生许多质的改变，

地理空间中的城市和地区之间关系的重要性与日递减。它将推动未来巨型城市的形成与发展，今天不只是美国、日本等发达国家的"科学城"具有虚拟城市性质，就是原本古老的城市，如纽约、东京、伦敦、香港、巴黎、洛杉矶、旧金山等也都由于包括金融、保险、安全、地产、设计、法律服务、广告、信息搜集、行销、公共关系、信息管理等先进服务业的全球化、网络化而失去传统城市的基本概念，转变为新型的世界城市，也带有更多的虚拟城市性质（刘晓燕等，2003）。

虚拟城市不是自然时空中的城市，不仅没有城墙和护城河，也没有区界和固定的地理位置。在虚拟城市中，不论其节点的地理位置在哪里，人们都能够将生产系统分散到类似的全球链接里，人们用先进的互联网技术同样可以从事文化与教育活动、生活、生产和经营活动。虚拟城市越来越成为对现实城市的重要补充，能帮助现实城市更加充分地利用、扩充和创造了地理几何空间。这是因为，先进的互联网技术可创造任何意义上无所不在的办公机构和办公区位，可让企事业总部离开那些租金昂贵、人口拥挤、污染严重的商业中心区，迁移到全球各地景色宜人、环境优美的基地。

（二）与地理学和城市科学学科体系的关联关系

1. 与地理学学科体系的关联关系

在地理学的学科分类体系中，城市地理学是地理学二级学科人文地理学的分支学科，属于地理学的三级学科，是自然科学和社会科学交叉的应用学科。城市地理学在中国属于自然科学，在国外常常被划归于社会科学，是一门以时间、空间为视角研究城市形成发展、结构规律的综合科学。

在人文地理学二级学科下属的学科分类中，城市地理学与经济地理学、农业地理学、旅游地理学、文化地理学、政治地理学、交通地理学、人口地理学、商业地理学等同属于三级学科，城市地理学与这些学科之间有着密切的互补关联关系（图1.1）。城市经济发展与经济地理学关联，城市旅游业发展与旅游地理学关联，城市文化传承与文化地理学关联，城市交通发展与交通地理学关联，城市人口发展与人口地理学关联，城市商业发展与商业地理学关联，城市地理学的发展和学科建设离不开这些学科的支撑。

2. 与城市科学相关学科的关联关系

目前，城市科学尚未形成学科分类体系，但城市地理学与城市经济学、城市社会学、城市文化学、城市生态学、城市环境学、城市人口学、城市地理信息系统、城市历史学、城市景观学、城乡规划学等多门学科密切相关，共同构成有机联系的关系。城市地理学中研究的城市经济发展及产业布局与城市经济学密切关联，城市社会问题与城市社会学密切关联，城市生态环境问题与城市生态学和城市环境学密切关联，城市人口问题与城市人口学关联，城市遥感和土地利用与城市地理信息系统关联，城市发展历史与城市历史学密切关联，城市规划及布局与城乡规划学密切相关。城市地理学的发展离不开这些学科的理论、方法和技术手段的支撑。

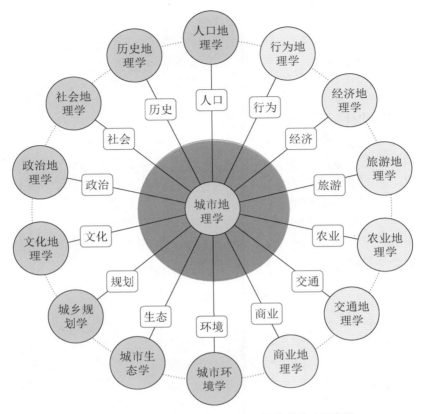

图 1.1   城市地理学与其他学科之间的关联关系示意图

二、面向国家战略需求的城市地理学研究内容

（一）研究城市化与城市扩展过程、空间分布格局及规律性

城市是各种社会经济活动的集中地，目前更多的学科将现实城市作为研究对象，从自然科学到人文社会科学、从理学到工学都在研究城市。而城市地理学重点是研究世界各国城市化进程与城市扩张过程、空间分布格局及规律性，这也是传统的城市地理学研究的主要内容（方创琳等，2011）。具体研究内容包括：

1. 分析城市化发展进程

包括全球及国家城市化发展的阶段性规律、城市化发展质量、发展模式，研究城市化增长速度和质量之间的辩证关系，研究不同社会制度下城市化发展方针及发展道路。

2. 分析城市形成发展条件

包括地理位置、区位条件、自然条件、经济社会发展条件、交通条件、市场条件、互联网条件等。

3. 揭示城市体系及城市网络的形成发育格局

包括分析全球及国家城市体系规模结构、职能结构和空间结构格局，分析互联网和大数据背景下全球城市网络形成发育的机制与规律。

4. 研究城市内部的空间组织

分析城市功能分区、城市土地利用、城市生态空间、生产空间和生活空间、城市社会空间、城市行为空间、城市虚拟空间等各种空间组织形式与空间优化模式。

5. 诊断城市病发病机理与病因

分析城市高密度集聚和高速度扩张引发的城市环境污染问题、城市交通拥堵问题、城市住宅紧张问题、城市贫困问题等各种城市病的发病机理与成因，提出缓解城市病的对策。

（二）研究城市人地关系，揭示城市人地关系近远程耦合机理与规律

从系统论的角度分析，城市是一个开放的复杂巨系统，不仅系统内部人与自然要素之间存在非线性耦合关系，而且系统内部各要素之间与系统外部的各要素之间也存在着复杂的非线性耦合关系。城市内部要素与外界输入要素耦合关系存在着自组织、自适应、自协调、自反馈、自我放大等耦合机制，这些机制的相互作用推动城市向着健康有序的状态发展。城市作为一个开放系统的发展，不仅受到城市内部（近程）各要素、各城市之间相互作用的影响，还受到来自城市以外的外部（远程）输入要素的影响，对某些城市甚至是决定性的影响。这就需要把城市作为一个开放系统，从近程（城市系统内部）和远程（城市系统以外）两个空间尺度，分析城市可持续发展和城市资源环境承载力，研究城市人与人、人与地、地与地之间相互作用近程耦合关系、远程耦合关系以及近远程耦合关系，揭示城市人地关系近远程耦合机理，总结城市人地关系近远程耦合规律。

1. 近程耦合关系

近程耦合关系是指从区内尺度分析城市内部各近程要素之间存在的一对一、一对多和多对多的非线性交互胁迫与促进关系，其中的近程要素为城市所在地域范围内产生的一切促使城市发展的要素，包括水资源、土地资源、食物、矿产资源、能源等。

2. 远程耦合关系

远程耦合关系则是从区际尺度分析城市各远程要素之间存在的一对一、一对多和多对多的非线性交互胁迫与交互促进关系；其中的远程要素为由城市外部输入到城市内部的一切要素和从城市内部输出到外部区域的一切要素，包括进口水资源量、矿产资源量以及对外贸易量、出口量等（图 1.2）。

3. 近远程耦合关系

近远程耦合关系是从尺度耦合的角度分析城市各远程要素与远程要素之间存在的一对一、一对多和多对多的非线性交互胁迫与交互促进关系，其中尺度耦合是指区内尺度与区际尺度的空间耦合。真正意义上的城市是存在着内外部物流能量输入输出的开放系统，因而存在着极为复杂的内外部要素交互胁迫与交互促进的近远程动态耦合关系。从城市发展的近远程耦合过程来看，城市本身自给的近程要素为城市提供了发展基础，外部要素向城市进一步供给所需远程的物质和能量输入，为城市经济发展提供了源源不断的动力，自下而上的来自于不同空间尺度要素向城市集聚的结果最终导致城市人地系统耦合关系发生了变化。变化的原因来自于近远程要素在城市人地系统中进行了物质与能量的交换（方创琳和任宇飞，2017）。

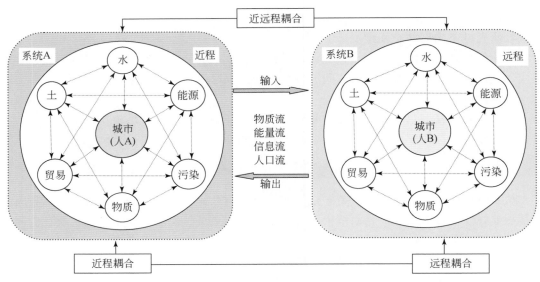

图 1.2 城市人地系统各要素近远程耦合关系的理论框架图

（三）研究城镇化与城市群发展的资源环境承载力及资源环境保障效应

过去对城镇化与城市群的研究主要集中在其本身的发展和演化上，由于城镇化水平较低，城市建设缓慢，对资源环境造成的影响较小，因而对城镇化及城市群发展造成的生态环境影响研究不够。随着中国城镇化进入加速发展阶段，城市建设规模的急速扩张，对资源环境带来的威胁越来越大，城镇化与城市群发展日益受到资源环境承载力的刚性约束。如何协调好城镇化与资源环境之间的关系，如何提升城市建设和城市群发展对资源环境的保障程度，是我们必须抓紧研究的科学命题。

1. 研究城镇化与城市群发展的过程、动力机制与未来情景

总结城镇化与经济社会发展水平的相互关系，判断和识别中国城镇化过程的不同阶段及其特征；分析不同阶段城镇化发展的动力机制与模式；采用多方案模型预测与情景分析的方法，对城镇化发展情景与空间战略选择进行前瞻性分析与预测。

2. 研究城镇化与城市群发展的资源与环境保障程度

从全国、城市群地区和城市等不同空间尺度，揭示不同类型地区城镇化进程中面临的资源环境问题，预测未来中国及不同类型地区城镇化水平达到 70%、80% 时对应的资源环境保障程度，选择基于资源环境保障的中国城镇化发展道路与发展模式。

3. 研究城镇化与城市群发展的演变趋势

系统划分中国城镇化与城市群发展的不同区域类型；阐述中国都市圈、城市群等重点城镇化地区空间组织格局变化特征，分析影响重点城镇化地区区域格局的关键要素及变化趋势；预测城镇化与城市群发展的演变趋势。

4. 研究城镇化与城市群发展的资源环境效应

在诊断与评估中国城镇化与城市群发展中面临的主要资源环境问题的基础上，探讨城镇化与区域资源环境约束性因子的相互作用机理，比较不同类型城镇化地区空间形态的资源环境效应，提出基于资源环境约束下的城镇化空间形态选择原则与标准，提出重点城镇化地区产业集聚与空间扩展模式。

（四）研究编制城市发展战略与多规合一的国土空间规划理论及方法

地理学服务国家战略需求的一个重要任务就是编制好城市发展战略规划和城市规划。城市发展到今天，城市发展战略比城市规划更为重要。以往城市发展中注重规划本身的研究，但却忽视了对城市发展战略的方向性研究，对城市发展性质、战略定位、发展功能、战略布局等研究不够，导致城市建设千城一面，重复建设、重复定位现象屡有发生，城市发展缺乏顶层设计，陷入盲目性，长达 40 多年之久的"多规演义"和各类空间规划"分治"冲突，导致城市国土空间走了一条开发、破坏、保护、利用的曲折演变历程，付出了巨大代价（方创琳，2017）。

新形势下，城市地理学需要特别重视城市发展战略的研究，需要对城市发展做出全局性、前瞻性和战略性部署，需要落实《关于建立国土空间规划体系并监督实施的意见》（中共中央、国务院，2019 年 5 月）。在做好城市发展战略规划的前提下，研究高质量编制城市国土空间规划的理论及技术方法，在编制《城市国土空间规划纲要》时，突出"多规合一"、"多审合一"和"多证合一"的主线思维，突出生态功能保障基线、环境质量安全底线、自然资源利用上线、生态保护红线"四线"管控要求，按照统一的测绘基准和测绘系统、统一的规划用地分类体系、统一的规划技术标准体系、统一的规划编制审批体系、统一的规划监督实施体系、统一的规划法规政策体系的"六统一"规划要求，提出城市国土空间高水平保护、高质量发展、高品质利用、高效率修复、高强度协同的总体思路，研发城市国土空间规划智能化生成系统，实现城市国土空间开发保护向更高质量、更高效率、更加公平、更可持续方向发展。

（五）研究城市韧性和城市可持续发展问题

城市韧性（resilience）也叫城市弹性或城市恢复力，由城市基础设施、生态、经济、社会、制度等物理、社会层面组成的高度复杂耦合系统，在应对各种自然和人为灾害等干扰时所展现出城市系统当前和未来时期的适应、恢复和学习能力。其中，城市基础设施韧性是指基础设施韧性的分配；城市生态韧性是指生态和环境恢复力；城市经济韧性包括经济绿色发展、工业清洁水平、居民收入等；城市社会韧性是指健康、教育、生活、社会保障等多方面的韧性能力；城市制度韧性是指城市治理和缓解政策的执行力。

城市韧性作为城市可持续性的核心目标和具体体现，是城市健康安全领域的重要研究环节，其形成、影响及转化不仅与自然灾害风险要素、人为因素密切相关，而且也是一种解决城市经济、社会、环境等可持续性问题的创新途径，受到学术界、政府、公众的广泛关注。提高城市韧性可以有效应对各种变化或冲击，减少发展过程的不确定性和脆弱性，城市韧性越高则城市发展的可持续性越强。

2016 年第三届联合国住房与城市可持续发展大会发布《新城市议程》，倡导将"城市的生态与韧性"作为新城市议程的核心内容之一，为韧性城市的可持续发展设定了新的全球标准（石楠，2017）；城市韧性已成为城市可持续性、人与环境相互作用、人地系统耦合机理等方面的研究热点。近年来，城市韧性思想也逐渐被灾害学、城市规划学、生态学、地理学、管理学所吸收，广泛用于灾害影响模拟、基础设施风险评估、城市功能损失预测、城市风险识别、城市韧性评估与决策、防灾减灾可视化管理。

城市地理学应将城市韧性的研究作为推进城市可持续发展的重要内容，贯彻落实《新城市议程》，从多种要素（灾害风险、基础设施、制度管理）分析城市韧性提升机理，开展城市韧性的动态模拟与决策预警，提出化解城市发展风险和城市脆弱性的可行措施，探索城市韧性的应用模式，制定差异化的韧性策略，开展韧性城市建设试点，推动城市可持续发展。

通过韧性城市的建设与发展，总结城市高质量发展升值论。把蓝色作为城市高质量发展的顶色，把绿色作为城市高质量发展的底色，界定城市人口承载的"限值"，确定城市资源环境的"阈值"，提升城市生态环境的"颜值"和城市经济发展的"绿值"，提升城市文化传承的"品值"和城市要素流动的"比值"，提升城市社会和谐的"价值"。

（六）研究城市收缩与收缩城市重生问题

城市收缩（shrinking cities）是城市人口、社会经济发展遇到问题，失去增长动力的综合反映。目前，国际上对城市收缩的定义尚未达成一致，但普遍认为人口减少是城市收缩的主要标志（杨振山和孙艺芸，2015）。

城市收缩是一个由多元因素导致、多种后果综合交叉影响下的系统过程。由于城市的人口老龄化、人口流失、资源枯竭、环境变化（气候变化、环境污染等）、经济转型导致产业结构调整、产业萎缩、就业岗位减少等复杂原因，导致城市缺乏动力产业支撑、缺乏足够的社会保障、生态环境严重破坏，导致城市衰退。可见，收缩城市包括资源型城市的收缩、结构型城市的收缩、小城镇和乡村的收缩、特殊性收缩城市（战争、气候变化、恐怖活动等特殊因素导致的城市衰退）等。美国的底特律就是典型的收缩城市，该城市曾拥有世界上最大的综合工厂，1950 年顶峰时期城市总人口达 180 万人，成为美国第四大城市。此后开始陷入持续衰退之中，至 2013 年人口降至 70 万人，在人口流失的同时，底特律的经济也开始慢慢衰退，城市建设大幅迟缓，市中心的商业和服务业逐渐流失，城市服务质量下降，犯罪率急剧上升等，这一切又进一步加速了底特律的人口外迁。底特律的税收无法支持本地经济建设，其又没有能力偿还外债，在负债累累的情况下，2013 年底特律宣告破产，成为美国历史上规模最大的破产市政府。

我国的不少城市，尤其是资源枯竭型城市面临着城市收缩危机，人口大量流失、产业发展萎缩、产业结构单一、内生发展动力不足，这种情况在东北地区的部分城市已经暴露出来。城市地理学就是要研究城市形成、发展、繁荣、衰退的生命周期，分析城市收缩的机理、诱发因素、收缩规律，提出城市复兴计划，及时提出摆脱单一产业陷阱、发展多样化产业、遏制收缩、激发重生的路径和政策措施，确保城市处在可持续发展状态。

（七）研究气候变化与建设气候适应型城市

当今世界以及今后长时期内，人类共同面临全球气候变化的巨大挑战，气候变化导致高温热浪、雾霾、暴雨等自然灾害增多，已经在持续影响城市的生命线系统、人居环境质量和居民生命财产安全。尤其是人口密度大、经济集中度高的城市受气候变化的影响尤为严重。积极应对气候变化，是实现城市可持续发展的内在要求。适应气候变化事关城市建设，事关人民群众切身利益，事关城市可持续性和韧性城市建设。为积极应对全球气候变化带来的不利影响，落实《国家适应气候变化战略》的要求，有效提升我国城市适应气候变化的综合能力，2016 年 2 月国家发展和改革委员会、住房与城乡建设部共同发布了《城市适应气候变化行动方案》[①]，提出将适应气候变化纳入城市群规划、城市规划、城市国民经济和社会发展规划、土地利用规划、生态文明建设规划等，按气候风险管理要求，考虑城市适应气候变化面临的主要风险、优先领域和重点措施，将适应目标纳入城市发展目标，在城市相关规划中充分考虑气候变化的影响与气候承载力。

越来越多的全球城市开始在城市规划中考虑应对气候变化问题，将城市政府的气候承诺植入到城市规划目标和行动计划中，将适应气候变化相关指标纳入国土空间规划体系、城乡规划体系和产业发展规划中，通过建设低碳城市、海绵城市、宜居城市、生态城市等方式，创建气候适应型城市。

城市地理学家要与气候学家密切合作，共同研究气候变化与城镇化的交互影响关系，共同研究气候变化对城市化、城乡规划、国土空间规划、城市基础设施布局、城市空间布局、城市热场环流、民居建筑布局与营造模式等的影响，提升城市适应气候变化的能力，评估气候变化对城市群、城市规模、人口迁移、城乡居民点建设的影响；评估气候变化对城市敏感脆弱领域、区域和人群的影响和风险，评估气候变化对城市空气环境质量和居民健康的影响。综合考虑极端气候事件对城市的持续性影响，将建设气候适应型城市落实到城市规划、建设与管理的各个环节，加强城市交通、能源、生态、建筑和水资源等关键领域的高质量建设、精细化管理与人性化服务，构建气候友好型城市生态系统，超前研究建设气候适应型城市的策略与模式。

（八）研究新型城市建设与城市发展新模式问题

处在不同城市化发展阶段的城市，有着截然不同的发展驱动力（图 1.3）。一般地，处在城镇化初期阶段的城市主要依靠资源驱动，重点建设资源密集型城市；处在城镇化中期阶段的城市主要依靠资本驱动，重点建设资本密集型城市；处在城镇化后期阶段的城市主要依靠创新驱动，重点建设技术密集型的创新城市；处在城镇化终期阶段的城市主要依靠知识驱动，建设知识密集型的智慧城市。城市地理学者需要顺应城市发展驱动因素的转变，研究城市发展由资源型城市转向资本型城市、再转向创新型城市和智慧城市的机制、路径和模式。采用新技术、新方法和新手段，研究建设世界城市、国际大都市、国家中心城市、创新型城市、低碳城市、紧凑城市、智慧城市、共享城市、韧性城市、生态城市、海绵城市、数字城市、折叠城市、航母城市、美丽城市等新型城市发展模式，探索城市可持续发展新路径，走低碳、高效、生态、环保、节约、创新、智慧、安全的新型城镇化发展模式，预知城市的未来和未来城市的发展愿景。其中：

---

① 国家发展和改革委员会，住房城乡建设部《关于印发城市适应气候变化行动方案的通知》，发改气候〔2016〕245 号，2016 年 2 月 4 日。

创新型城市是指以自主创新为主导，以科技进步为动力，以创新文化为基础，主要依靠科技、知识、人力、文化、体制等创新要素驱动发展的城市。

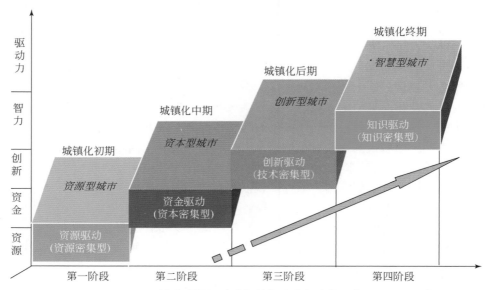

图 1.3　城市发展驱动路径的战略升级阶段示意图

智慧城市是指借助传感网和物联网等先进技术手段，构建城市发展的智慧环境，形成基于海量信息和智能化处理的全新城市发展模式，重点以智慧城区建设为依托，大力发展数字经济和各类智慧产业，包括智慧交通产业、智慧物流产业、智慧贸易产业、智慧公共服务产业、智慧安居服务产业、智慧教育产业、智慧健康产业、智慧安全、智慧社会管理等。

生态城市是一定地域空间内经济高效、生态良性循环、人与自然和谐、可持续发展的人类住区，是自然、城市与人融合为一个有机整体所形成的最理想人居模式。

低碳城市是以低能耗、低污染、低排放为理念的新城市发展模式，涉及低碳经济、低碳社会、低碳消费、低碳政治、低碳外交等。

国际大都市是指在全球城市体系和全球产业体系中具有显著的国际地位，拥有雄厚的经济实力、旺盛的科技创新活力和重要的政治文化影响力，对全球性经济社会发展具有强大决策控制能力的城市。

（九）研究城市网络与网络城市形成发育及对现实城市空间结构的影响

随着网络技术的广泛应用，网络对城市的发展产生了深远影响，网络城市越来越成为新的城市空间发展模式，其空间发展由新的空间逻辑（流动空间或虚拟网络空间）所支配。网络城市是一个由相互重叠、功能互补的子系统构成的城市系统，它同时涵盖多重空间尺度，是由物质空间网络和虚拟空间网络联结的相互重叠的功能地域的群体（Bertolini and Dijst，2003）；通过构建多中心网络城市来促进均衡、可持续的地域发展，网络城市不仅是构建形态上的网络，更重要的是成为具备关键功能性关联的功能实体（卢明华等，2010）。

在互联网高度发达的时代，需要研究网络城市的形成发育规律、空间结构形态、功能互补整合及对现实城市生产方式和生活方式的深刻影响。

（十）研究和建设虚拟城市，实现城市信息的三维可视化

虚拟城市是相对于真实城市而言的一种发生在虚拟空间里的新兴城市形态。通过建立三维城市模型，实现城市专题信息的查询分析功能，实现城市信息的三维可视化，使用VRML（虚拟现实造型语言）等专用的三维虚拟开发工具，实现系统仿真、动画模拟，构造一个全交互的世界，通过编制虚拟城市规划，为现实的城市规划提供决策支持服务。一个立体的虚拟城市，因其制作精细，就像是把现实中的城市搬到了电脑里，在电脑里可看到虚拟城市的全貌，并实现人机交互。目前，世界上较为成熟的虚拟城市是美国林登实验室开发运营的"第二人生"，它是一个完全开放的平台，完全照搬了现实世界，并且用户可以通过客户端展示自己的一切创意。在国内，虚拟城市建设尚处起步阶段（刘晓燕等，2003；朱庆和林珲，2004）。城市地理学在研究真实城市的同时，需要将虚拟城市作为第二研究对象，充分利用大数据、云计算、数字孪生和空间仿真技术研究虚拟城市，拓展城市发展的新空间、新动力和新模式。

第三节　框架结构与核心要点

根据国家城镇化发展的战略需求和中国科学院大学本科生和研究生培养的战略目标，以中国科学院大学课程设置中"城镇化与城市地理学"课程名称作为本书的名称，这一名称既体现了国家的战略需求，也体现了学科发展，是二者有机结合的创举，体现了中国科学院的办院方针和办学特色。

一、框架结构

本书从国家城镇化的战略需求入手，兼顾城市地理学学科建设。通篇以城镇化的国家战略为主线，从城镇化过程到城镇化主体，再到城镇化的未来，一贯到底，框架设置遵循了时间和空间两个维度，分9章内容，形成了总体框架结构，如图1.4所示。

从空间维度分析，设置的内容包括了从宏观尺度的城镇化、到中观尺度的城市群、再到微观尺度的城市等三个空间尺度；

从时间维度分析，设置的内容包括了从审视城镇化发展的过去、现状到规划城镇化与城市发展的未来，并展望未来城市愿景；

从要素层面分析，设置的内容既考虑到了城镇化与城市发展的人文要素，更重要的是兼顾了水资源、土地资源、生态环境、能源、环境污染、气候变化等自然要素对城镇化和城市发展的影响；既考虑到了近程要素的影响，也考虑到了远程要素的影响。

为了方便学生获取更多的最新城市地理知识，拓展专业知识覆盖面，在每章之后增加了主要参考文献；

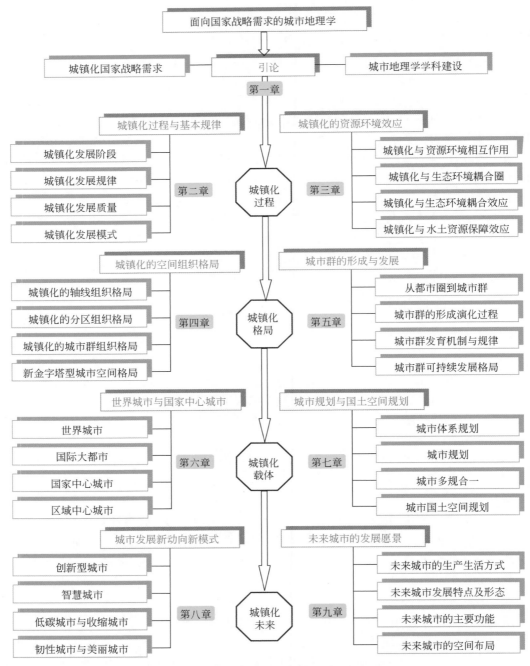

图 1.4   城镇化与城市地理学框架结构组织图

　　为了锻炼学生的语言交流能力、规划预见能力和团队合作精神，在课程结束时以"未来的城市愿景"为题专门增加了课堂报告，请学生分组提前准备，采用视频、音频和动画相结合的形式描绘心目中的未来城市，希望未来城市是什么样？提出未来城市的发展模式、发展方向和发展图景。

二、突出特点

本书始终坚持中国科学院"面向世界科技前沿、面向国家重大需求、面向国民经济主战场"的"三个面向"办院方针，突出了国家战略需求、学科创新、现实问题、实际应用和国际学科前沿等5大导向，具有战略性、创新性、针对性、实用性和前瞻性5大特点。

（一）突出国家需求导向，具有战略性

本书紧扣国家新型城镇化发展的战略需求，按照城镇化发展的国家战略部署，将中央城镇化工作会议精神、中央城市工作会议精神贯穿到教材编写的全过程中，并以此为主线统领教材编写，把国家关于城镇化发展的主体、重点任务、重点方向和重点举措编入教材，将国家推进建设的创新型城市、低碳城市、智慧城市、韧性城市、美丽城市等新型城市建设模式纳入到教材中，确保教材内容贴近国家战略需求，贴近城镇化发展的客观规律，贴近中国城市发展的实情，更好地落实城镇化发展的国家规划蓝图。

（二）突出学科创新导向，具有创新性

本书在充分吸收已有城市地理学著作有关经典内容的基础上，为避免跟同类著作传统内容的重复，重点突出了城镇化发展质量与模式、城镇化发展的资源环境效应、城市群与都市圈建设、新型城市建设、虚拟城市与网络城市建设、城市多规合一、城市国土空间规划等新内容，把真实的城市和虚拟的城市同时作为城市地理学的研究对象，把城市空间划分为生态空间、生产空间和生活空间，同时区分出实体空间和虚拟空间，分析大数据、互联网对城市发展与繁荣的影响。对于这些内容的系统介绍鲜见于同类著作，因而具有创新性。

（三）突出现实问题导向，具有针对性

与传统的城市地理学著作相比，本书的编排和设计思路不是从概念到特征、从理论到规律、从历史到现在的学究式教学，这些内容在大学本科阶段的城市地理学课程中已经做过系统介绍。正因为如此，本书的编排内容不是面面俱到，不刻意追求系统性、完整性和逻辑性，而是从当今城市发展面临的实际问题和城市病出发，突出现实问题，重点问题、热点问题的研究分析导向，例如快速城镇化带来的资源环境保障问题、城市收缩问题、城市脆弱性问题、城市群形成发育问题等，而对长期存在的城市交通问题、住房问题、人口问题、社会问题、城市基础设施与公共服务设施问题不做重点描述。通过学习思考，让学生在课堂上对城市问题有一个基本了解，毕业后走上工作岗位后就能学以致用。

（四）突出实际应用导向，具有实用性

本书特有的国家战略需求导向和现实问题导向，决定了其应用价值在于，除了作为学生专业教材、培养城市地理学的有用人才外，还可以用于指导各级各类城市政府推进城镇

化和城市建设实践，成为落实国家城镇化发展战略和城市建设的行动指南，成为解决现实城市发展问题的主要手段，成为指导编制城市国土空间规划的理论依据，甚至成为制定有关城镇化和城市发展重点战略决策的重要参考依据。本书融入了笔者长期从事科研实践的成果，汇入了其主持的国家重大项目、国家重大规划的成果内容，全书内容贴近实际，拿来即用，实操性强。

（五）突出国际前沿导向，具有前瞻性

本书在教会学生学习掌握好中国城镇化与城市发展的特点、过程、机制和规律的基础上，引入联合国人居三的《新城市议程》、《改变我们的世界——2030年可持续发展议程》的相关内容，增加了世界城市、国际大都市、国家中心城市、韧性城市、城市网络等方面的国际专家观点，力求让学生掌握国际研究最新动向，在全球化大背景下完善中国城市地理学理论与方法，以此作为指导中国城镇化发展的理论基础，并与国际上城市地理学研究的理论与技术方法接轨。

三、核心要点

本书的核心要点包括：城镇化的国家战略需求导向、城镇化进程与基本规律、城镇化的资源环境效应、城镇化的空间组织格局、城市群的形成与发展、世界城市与国家中心城市、城市规划与国土空间规划、城市发展新动向与新模式、未来城市的发展愿景等九大要点。

（一）城镇化的国家战略需求导向

重点分析城镇化的国家战略意义，介绍城镇化发展的国家战略需求、战略部署和规划蓝图，提出把城市作为一个自然有机体，建成国家发展的战略支点；提出面向国家战略需求的城市地理学研究对象与学科体系，把真实的城市和虚拟的城市同时作为城市地理学研究对象。提出了城市地理学研究内容包括：研究城市及城市化形成发展、空间分布格局及规律性；研究城市人地关系，揭示城市人地关系近远程耦合机理与规律；研究城镇化与城市群发展的资源环境承载力及资源环境保障效应；研究编制城市发展战略与多规合一的国土空间规划理论及方法；研究城市韧性和城市可持续发展问题；研究城市收缩与收缩城市重生问题；研究气候变化与建设气候适应型城市；研究新型城市建设与城市发展新模式问题；研究城市网络与网络城市形成发育及对现实城市空间结构的影响；研究和建设虚拟城市和数字孪生城市，实现城市信息的三维可视化。

（二）城镇化进程与基本规律

重点分析城镇化过程的基本内涵、转变过程、发展阶段、发展规律、发展质量、提升模式、分区发展思路与发展路径。在分析城镇化发展的三阶段规律及局限性的基础上，提出城镇化发展的四阶段规律，即认同城镇化进程在遵循一条稍被拉平的"S"型曲线的演进规律前提下，充分考虑与经济增长阶段和经济发展阶段的对应关系，将这条"S"型曲线划分为城镇化初期（城镇化水平介于 1%～30%）、城镇化中期（介于 30%～60%）、城镇化后期（介于 60%～80%）和城镇化终期（大于 80% 以上）四大阶段。通过分析城镇化发展速度-质量-水平的互动关系，建立城镇化发展质量的三维目标空间综合测度指标球，构建城镇化发展质量的分要素测度模型和分段测度模型，评价城镇化发展质量及其空间分异特征，提出走"高效、低碳、生态、环保、节约、创新、智慧、平安"的高质量城镇化发展路径，通过建设环境友好型城市、低碳城市、生态文明城市、精明增长城市、创新型城市、资源节约型城市、智慧城市和平安城市，推动城市由亚健康城市转变为健康城市，推进城镇化向更高质量发展。

（三）城镇化的资源环境效应

随着城镇化进程的快速发展，全球和中国出现了一系列资源环境问题，包括水土资源和能源短缺，以及生态破坏和环境污染。同时，水资源、土地资源、能源、生态、环境等越来越成为城镇化进程的主要制动因素。如何协调城镇化过程与资源环境之间的关系，促进二者实现良性互动，已经上升为世界性的战略问题和国家发展的重大需求。针对这些问题，重点分析城镇化与生态环境交互耦合机理、耦合阶段、耦合类型、耦合图谱、驱动力和交互耦合的规律性，提出了城镇化与生态环境耦合圈理论及耦合器调控方法；进一步从水土资源保障角度分析了城镇化与水资源利用、城镇化与土地利用的交互胁迫与耦合关系及规律性，为协调城镇化与资源环境之间的关系提供科学决策依据。

（四）城镇化的空间组织格局

在全球化和新型城镇化大背景下，城镇化的空间格局是基于国家资源环境格局、经济社会发展格局和生态安全格局而在国土空间上形成的等级规模有序、职能分工合理、辐射带动作用明显的城市空间配置形态及特定秩序。影响城镇化空间格局组织的因素包括全球因素和本土因素两大方面，在不同城市和城镇化发展的不同阶段，全球因素与本土因素发挥作用的力度各不相同。在全球化和本土化因素综合影响下形成的城镇化空间组织格局包括轴线组织格局、分区组织格局、城市群组织格局和大中小城市协同发展的新金字塔组织格局，这些格局形成由点、线、面共同组成的城镇化空间组织格局。其中，中国城镇化发展的轴线组织格局由"三纵两横"共 5 条国家城镇化主轴线组成，分区组织格局由城市群地区城镇化发展区、粮食主产区城镇化发展区、农林牧地区城镇化发展区、连片扶贫区城镇化发展区、民族自治地区城镇化发展区共 5 大类型区和 47 个亚区组成；城市群组织格局由 20 个大小不同、发育程度不一、规模不等的城市群组成"5+9+6"的空间格局；大中小城市协同发展的新金字塔组织格局由 770 个城市组成。

（五）城市群的形成与发展

重点分析从都市圈发展为城市群的空间演变过程，分析城市群在全球和国家发展中的重要战略地位，分析城市群的空间拓展过程、高度一体化过程和基本同城化过程，揭示城市群形成发育的驱动机制，把经济全球化因素、新型工业化因素、交通快捷化因素、政策因素、市场因素、技术创新因素、文化因素、金融因素等八大因素作为主要驱动力；总结城市群可持续发展的基本规律，包括阶段性规律、城市群空间多尺度集约利用传导规律、城市群有机成长的晶体组合规律、城市群可持续发展的梯度爬升规律等。介绍全球及中国城市群的空间组织格局，从推进国家新型城镇化的政策角度出发，构建了由五大国家级城市群、九大区域性城市群和六大地区性城市群组成的"5+9+6"的中国城市群空间结构新格局，形成"以轴串群、以群托轴"的轴群式国家城镇化发展战略格局（方创琳等，2018）。

（六）世界城市与国家中心城市

世界城市是全球城市体系中发挥着全球金融中心、国际贸易中心、跨国公司总部聚集中心、全球研发中心和国际文化交流中心等核心职能的城市，是全球城市体系中的顶级城市，是对全球性战略资源、全球性战略产业和全球性战略通道具有绝对控制力和重要影响力的国际最顶端特大城市。国际大都市是指在全球城市体系和全球产业体系中具有显著的国际地位、拥有雄厚的经济实力、旺盛的科技创新活力和重要的政治文化影响力，对全球性经济社会发展具有较强的决策控制能力的城市。国家中心城市是在全国城市体系中发挥着国家金融中心、全国贸易中心、跨国公司总部聚集中心、全国研发中心和国际文化交流中心的城市，是处在国家城市体系最顶端的城市。重点介绍世界城市、国际大都市和国家中心城市的相关理论、基本功能、建设条件和综合测度方法等。

（七）城市规划与国土空间规划

城市规划是对一定时期内城市的经济社会发展、土地利用、空间布局以及各项建设所做的总体部署、具体安排和实施管理；城市多规合一是指推动城乡总体规划、城市国民经济和社会发展规划、城市土地利用总体规划、城市生态环境保护规划等多个规划相互融合到一张可以明确边界线的城市市域地图上，实现一个城市、一本规划、一张蓝图，解决现有城市多个规划自成体系、内容冲突、缺乏衔接协调等突出问题。国土空间规划是指一个国家或地区对所辖国土空间范围内的资源和布局进行长远谋划和统筹安排，旨在实现对国土空间有效管控和科学治理，促进高质量发展与高水平保护的平衡。重点介绍城市规划的编制体系、编制内容、编制方法、审批体系和法规体系；介绍城市多规合一的背景、核心实质及技术路径；介绍国土空间规划编制的战略意义、五级三类四体系和编制内容、编制思路与方法。

（八）城市发展新动向与新模式

伴随着全球城市化与工业化进程的持续推进，人口与产业在城市和城市群高密度集聚，世界各国正在从"农村社会"逐步迈入"城市社会"，中国经过近半个世纪的城镇化进程，到 2010 年城镇化水平超过 50%，正式进入城市社会。在快速城市化整体推进过程中，不可避免地引发了交通严重拥堵、环境严重污染、生态系统严重退化、资源保障严重短缺、气候极端变化等突出的城市病问题。为缓解日趋严重的城市病问题，全球城市均在探索新的城市发展理念和新的城市发展模式，科学技术的进步和互联网、云计算技术的兴起为革新城市发展模式、促进城市可持续发展提供了可能性。为此，重点介绍创新型城市、韧性城市、智慧城市、低碳城市、收缩城市和美丽城市的基本内涵、主要特征、影响因素、识别标准和评价指标体系等。

（九）未来城市的发展愿景

　　重点分析未来城市的生产方式、生活方式、发展特点、基本功能、空间布局和主要形态等，介绍未来城市的发展愿景，勾画未来城市的发展蓝图，探索城市发展的未来之路。认为未来城市的发展将呈现出立体性、浮动性、智慧性、包容性、公平性、安全性、活性和韧性等发展特点，城市向着更加多维、更加智慧、更加包容、更加公平、更加安全、更具活力和韧性的可持续方向发展，未来将建设智慧城市、漂浮城市、垂直城市、折叠城市、海下城市、海上城市、共享城市、文化城市、品质城市、活性城市、韧性城市等多种形态和模式的城市类型。未来的农业、未来的智能工厂、未来的旅游、未来的快递服务、未来的无人驾驶交通、未来的城市文化、未来的游戏、未来的影视、未来的博物馆、未来城市主题公园、未来的智能住宅和太空住宅、未来的购物、未来的电子家庭、未来的衣物、未来的食物等等都将使得城市更加智能化，未来智慧城将确保城市让生活更加美好！

主要参考文献

阿瑟·奥沙利文. 2008. 城市经济学. 6 版. 周京奎译. 北京：北京大学出版社.

方创琳. 2013. 与时俱进优化城市发展方针. 瞭望，46：44-45.

方创琳. 2014. 中国城市发展方针的演变调整与城市规模新格局. 地理研究，33（4）：674-686.

方创琳. 2017. 城市多规合一的科学认知与技术路径探析. 中国土地科学，31（1）：28-36.

方创琳，陈田，刘盛和. 2011. 走进新时代的中国城市地理学. 地理科学进展，30（4）：397-408.

方创琳，任宇飞. 2017. 京津冀城市群地区城镇化与生态环境近远程耦合能值代谢效率及环境压力分析. 中国科学·地球科学，47（7）：833-846.

方创琳，王振波，马海涛. 2018. 中国城市群形成发育规律的理论认知与地理学贡献. 地理学报，73（4）：651-665.

理查德·P. 格林，詹姆斯·B. 皮克. 2011. 城市地理学. 中国地理学会城市地理专业委员会译. 北京：商务印书馆.

刘晓艳，林晖，张宏. 2003. 虚拟城市建设原理与方法. 北京：科学出版社

卢明华，孙铁山，李国平. 2010. 网络城市研究回顾：概念、特征与发展经验. 世界地理研究，19（4）：113-120.

迈克尔·巴蒂. 2019. 新城市科学. 刘朝辉，吕荟译. 北京：中信出版集团.

石楠. 2017. "人居三"、《新城市议程》及其对我国的启示. 城市规划，41（1）：9-21.

许学强，周一星，宁越敏. 2009. 城市地理学. 2 版. 北京：高等教育出版社.

杨振山，孙艺芸. 2015. 城市收缩现象、过程与问题. 人文地理，（4）：6-10.

朱庆，林珲. 2004. 数码城市地理信息系统——虚拟城市环境中的三维城市模型初探. 武汉：武汉大学出版社.

Bertolini L，Dijst M. Mobility Enviroment and network cities. Journal of Urban Design，2003，8（1）：27-43.

第二章　城镇化进程与基本规律

---◯ 导读 --------------------------------◦

　　城镇化过程是一个自然的长期历史过程，其发展演化遵循阶段性规律。本章重点介绍了城镇化过程的基本内涵、转变过程、发展阶段、发展规律、发展质量、提升模式、分区发展思路与发展路径。在分析城镇化发展的三阶段规律及局限性的基础上，提出了城镇化发展的四阶段规律，即在认同城镇化进程在遵循一条稍被拉平的"S"型曲线的演进规律前提下，充分考虑与经济增长阶段和经济发展阶段的对应关系，将这条"S"型曲线划分为四大阶段，即城镇化初期阶段（城镇化水平在1%～30%，为起步阶段），城镇化中期阶段（城镇化水平在30%～60%，为成长阶段），城镇化后期阶段（城镇化水平在60%～80%，为成熟阶段），城镇化终期阶段（城镇化水平在 80%～100%，为顶极阶段）。在分析城镇化发展速度-质量-水平的互动关系的基础上，建立了城镇化发展质量三维目标空间综合测度指标球，构建了城镇化发展质量的分要素测度模型和分段测度模型，评价了城镇化发展质量及其空间分异特征。提出了城镇化发展质量测度方法与发展模式，提出了走"高效、低碳、生态、环保、节约、创新、智慧、平安"的高质量城镇化发展路径，通过建设环境友好型城市、低碳城市、生态文明城市、精明增长城市、创新型城市、资源节约型城市、智慧城市和平安城市，推动城市由亚健康城市转变为健康城市，推进城镇化向更高质量发展。

第一节　城镇化的基本内涵与转变过程

一、城镇化过程的基本内涵

　　城镇化过程是指乡村人口转变为城市人口，乡村地域转变为城市地域的过程。这种过程化不仅表现为农业人口由乡村向城市的集中，农业人口向非农业人口的转换，还表现为城市数目的增加和城市地域范围的不断扩展；不仅表现为农业经济向非农业经济的转换、产业结构的转换与升级，还表现为城市生活方式、价值观念和城市文化等逐步向农村地区的渗透、影响、扩散和传播等过程。因此，根据城镇化过程的内涵和表现形式，可将城镇化过程分解为四个主要过程，即反映城市人口集散的人口城镇化过程、反映城市经济增长的经济城镇化过程、反映城镇空间扩张的土地城镇化过程和反映城市文明扩散的社会城镇化过程。城镇化的经济增长过程是推动城镇化的内在动力；城镇化的人口集散过程和空间扩张过程是城镇化的外在表现；而城镇化的文明扩散过程则是城镇化的最终结果。完整的城镇化过程是人口城镇化、土地城镇化、经济城镇化和社会城镇化四大过程的有机统一（图 2.1）。对于特定区域而言，其城镇化过程可能是单一的人口城镇化过程、经济城镇化过程、土地城镇化过程或社会城镇化过程，也可能是两两组合的城镇化过程，例如人口-经济城镇化过程、人口-土地城镇化过程、人口-社会城镇化过程、土地-社会城镇化过程、土地-经济城镇化过程、经济-社会城镇化过程，也可能是三组合的城镇化过程，例如人口-土地-经济城镇化过程、人口-经济-社会城镇化过程，人口-土地-社会城镇化过程、土地-经济-社会城镇化过程等。

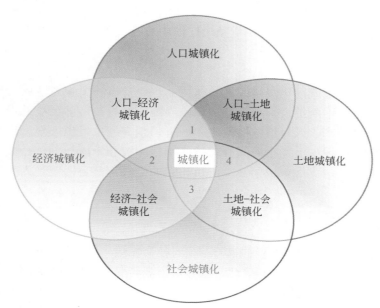

1.人口-土地-经济城镇化过程　　2.人口-经济-社会城镇化过程
3.土地-经济-社会城镇化过程　　4.人口-土地-社会城镇化过程

图 2.1　城镇化过程基本内涵示意图

（一）人口城镇化

人口城镇化过程是城镇化发展的第一过程。反映的是人口向城市集聚和农业人口向非农业人口转换的过程，也就是农业人口市民化过程。狭义的城镇化过程就是指人口的城镇化，表现为城市数量的不断增多，城市规模的逐步扩大，人口在一定时期内向城市不断地聚集。其本质就是，人类进入工业化时代，经济社会发展和产业结构的升级使得农业活动的比重逐渐下降、非农业活动的比重逐步上升，与这种经济结构的变动相适应，出现了就业结构的变化，表现为乡村人口比重逐渐降低，城镇人口比重稳步上升，农村居民点的物质面貌和居民的生活方式逐渐向城镇性质转化和强化。一般来说，人们通常采用非农业人口占总人口的比重或城镇常住人口占总人口的比例来计算特定区域在一定时期内的城镇化水平。人口城镇化过程是城镇化的最基本过程或者说是第一过程，只有农民真正进城后才算完成了农转非的第一步，城镇常住人口的数量、规模直接影响着城镇化的发展速度和水平。通常用人口城镇化水平的高低基本代表特定国家和地区的城镇化水平。

（二）经济城镇化

经济城镇化过程是城镇化发展的第一动力。没有工业化驱动城市经济增长、增加就业岗位，进城农民就无法实现就业和基本生存。经济城镇化过程不仅表现为农业活动向非农业活动的转换，还表现为城市经济发展水平的提高和产业结构的优化与升级，进城农民从传统的农业经济中解放出来，从事工业制造、商业贸易、生产性服务业和知识性服务业等非农经济，创造出比农业更多的财富。鉴于工业在拉动城市经济增长过程中的重要作用，一般采用工业经济的增长来反映经济城镇化过程，采用工业化水平反映经济城镇化水平。

（三）土地城镇化

土地城镇化过程是城镇化发展的第一体现。主要是指一个特定区域内城市数量的不断增多，城市规模的不断扩大，城市地域范围不断向农村扩展甚至蔓延占用农村建设用地，土地开发和房地产收入对地方财政收入的贡献越来越大，也表现为耕地、林地、草地面积受建设用地面积扩大而不断减少，城乡用地冲突和矛盾加剧。在城市发展中，划定的城镇化空间增长边界线就成了一个不可逾越的红线，其目的就是为了管控过度的土地城镇化过程。

（四）社会城镇化

社会城镇化过程是城镇化发展的第一结果。社会城镇化过程是农村生活方式转变为城市生活方式、农村文化转变为城市文化、农村价值观转变为城市价值观的过程，表现为城市现代化的生活方式、先进的价值观念、城市文化等逐步向农村地区的不断渗透、扩散和传播等，表现为城市文明向农村逐步扩散的过程。真正意义上的社会城镇化过程体现农民进城后，城市提供给市民比农村更为先进的交通等基础设施服务和教育、医疗、科技等公共服务设施服务，让进城农民市民化后享受到城市发展的成果，一旦出现城市基础设施和公共服务设施严重滞后的现状，即为社会城镇化过程严重滞后，城镇化发展质量低下。

二、城镇化水平的度量方法

城镇化水平用于反映人口向城市聚集的过程和聚集程度，是衡量一个国家和地区社会经济发展水平的重要标志，城镇化水平的计算方法包括单一计算法和综合计算方法。

（一）单一城镇化水平的计算

单一城镇化水平是指该区域城镇常住人口占区域常住总人口的比重，也叫城镇化率。其中：

区域城镇常住人口是指居住在城市或集镇地域范围之内，享受城镇公共服务设施、以从事城市二、三产业为主的特定人群，既包括城镇中的非农业人口（户籍人口），也包括在城镇从事非农产业或城郊农业的一部分农业人口，这些农业人口的一部分长期居住在城镇，但属于人户分离的流动人口，只要在本地区居住超过半年以上，就按城镇常住人口计算。

区域常住人口是指城镇常住人口与农村常住人口之和。

农村常住人口按照国家统计局规定，从 2000 年第五次全国人口普查开始起，农村常住人口=农村总人口-外出半年以上的农村本地人口。

这样，单一城镇化水平的计算公式为：

城镇化水平=城镇常住人口/常住总人口=（城镇非农业人口+居住在城镇半年以上的农业人口）/（城镇非农业人口+居住在城镇半年以上的农业人口+农村总人口-外出半年以上的农村本地人口）。

（二）综合城镇化水平的计算

综合城镇化水平通过构建城镇化综合水平测度指标体系，采用城镇化综合指数法进行测算。城镇化综合测度指标体系一般由人口城镇化指标、土地城镇化指标、经济城镇化指标和社会城镇化指标 4 个一级指标，若干个二级指标构成。

可采用标准化方法对各项一级指标、二级指标进行无量纲的归一化处理，采用熵技术支持下的层次分析法对指标的权重进行赋值，采用模糊隶属度函数模型或加权法计算城镇化水平综合指数。

城镇化综合指数可作为综合城镇化水平的度量值，其值越高，体现出该区域城镇化总体发展程度和发展水平越高。该指数可反映特定区域在人口城镇化、土地城镇化、经济城镇化和社会城镇化发展水平方面的差异及发展短板，进而有针对性地提出城镇化水平提高的措施。

三、城镇化发展的新旧转型

新型城镇化与传统城镇化发展之间有着截然不同的本质区别，有着完全不同的发展思路、发展目标、发展方向和发展模式，如表 2.1 所示。

表 2.1　新型城镇化与传统城镇化的本质区别比较分析表

比较内容	新型城镇化	传统城镇化	转型的战略路径
城镇化水平	适度适速，提速与提质兼顾，质量型城镇化	过分追求城镇化增长速度，数量型城镇化	由数量型转为质量型
城镇化核心	以人为本	以地为本	由土地型转为人本型
城镇化驱动要素	创新驱动和智慧驱动	资源与资本驱动	由要素驱动型转为创新驱动型
城镇化驱动模式	低资源消耗、低速增长、低碳排放、低环境污染、高综合效益的集约型经济增长模式驱动，属于"四低一高"的集约型城镇化	高资源消耗、高速增长、高碳排放、高环境污染、低综合效益的粗放型经济增长模式驱动，"四高一低"的粗放型城镇化	由粗放型转为集约型
城镇化路径	"分步到位"的渐进式城镇化	"一步到位"的激进式城镇化	由激进型转向渐进型
城镇化过程	包括土地、人口、经济、社会在内的综合城镇化过程	过分注重以地生财的单一土地城镇化过程	由单一型转为综合型

续表

比较内容	新型城镇化	传统城镇化	转型的战略路径
城镇化主体	以民为本的城镇化，主动型城镇化	以政为本的城镇化，被动型城镇化	由被动型转为主动型
城镇化主导	市场主导型城镇化	政府主导型城镇化	由政府型转为市场型
城镇化状态	城市向持续稳定方向发展的健康城镇化	城市病问题越来越严重的亚健康城镇化	由亚健康转为健康型
城镇化前景	可持续城镇化，推进城市可持续发展	不可持续城镇化，城市脆弱性增强	由不可持续型转为持续型

（一）传统城镇化

传统城镇化是一种高资源消耗、高速经济增长、高碳排放、高环境污染、低综合效益的"四高一低"型城镇化发展模式，这种城镇化过程过分追求城镇化的增长速度、过分关注以地生财的土地城镇化过程，是一种以地为本的单一型城镇化、数量型城镇化、被动型城镇化、激进式城镇化和政府主导型城镇化，这种城镇化诱发的"负效应"导致城市病问题越来越严重，因而是一种处在亚健康状态的不可持续城镇化，与中国实现可持续现代化的战略目标格格不入（方创琳，2014）。

（二）新型城镇化

新型城镇化是一种低资源消耗、低速增长、低碳排放、低污染、高综合效益的"四低一高"型城镇化发展模式，是一种高效低碳、节约创新、生态环保、智慧平安的可持续健康城镇化，这种新型城镇化发展模式把以人为本的城镇化作为核心，把追求城镇化发展质量作为重中之重，是一种以人为本、人地和谐的综合型城镇化、主动型城镇化、质量型城镇化、渐进式城镇化和市场主导型城镇化，这种城镇化释放的"正能量"推进城市可持续发展，因而是一种可持续的健康城镇化，完全符合中国式现代化的战略目标。

（三）由传统城镇化转为新型城镇化

实现中国城镇化从传统城镇化转向新型城镇化，由传统模式转变为新型模式，需要实现以下五大战略转型（方创琳，2014）。

1. 由数量型城镇化转为质量型城镇化

健康的城镇化发展道路是城镇化速度与质量的有机协调，是城镇化的经济效益、社会效益和生态环境效益的有机统一，而且城镇化质量比城镇化速度更为重要。如果把追求速度和数量的城镇化过程比作是"开小汽车"过程，那么新型城镇化过程就是"骑自行车"的过程（方创琳，2014）。

（1）数量型城镇化是一味追求速度的"开小汽车"过程。"开小汽车"的快速城镇化过程可在原料充足前提下加速到极限，但这种加速过程最终会受到汽车燃料加速枯竭的限制，如果遇到了日益严重的资源环境保障危机，则小汽车将最终以"停止"而告终。因此，从可持续发展的长远眼光看，这种"开小汽车"的数量型城镇化过程不可能一直延续下去，这就告诉我们不能过分陶醉于城镇化水平逐年提高几个百分点的数量指标，而要积极稳妥地推进城镇化适速适度发展，把提高城镇化发展质量作为重中之重，要坚定不移地走集约、智能、绿色、低碳的新型城镇化发展道路。

（2）质量型城镇化是追求质量和效益的"骑自行车"过程。如果把追求速度和数量的城镇化过程比作"开小汽车"过程的话，那么新型城镇化过程就是追求稳健与质量的"骑自行车"过程，"骑自行车"的城镇化过程是一种积极稳妥的城镇化过程，不能过慢，也不能过快，过慢了自行车会摔倒，过快了自行车会崩溃，只有正确把握好自行车的节奏和速度，才能保持持久的匀速稳定前行状态，而且不受资源环境保障的限制，因为自行车不需要充电加油。从这种意义上来说，需要正确处理好城镇化提质和提速的辩证关系，以提升城镇化质量为核心，逐步强化城镇化的质量考核指标，淡化城镇化的数量指标，推进城镇化由数量型城镇化转向质量型城镇化，不断提升城镇化的空间质量、经济质量和社会质量。

2. 由"一步到位"的激进式城镇化转向"分步到位"的渐进式城镇化

（1）终结"一步到位"的激进式城镇化。激进式城镇化模式一味强调城镇化的速度与数量，追求"一步到位"，把农业人口直接转移到大城市和特大城市里，导致大城市和特大城市人口数量越来越多，由此引发的城市病问题越来越严重。毋庸置疑，在城镇化发展初期阶段和中期阶段的前期，激进式城镇化模式对推动城镇化进程起到了重要的推动作用，但在城镇化发展中期阶段的中后期和后期阶段，就成了一种不可持续的城镇化，就需要将激进式城镇化模式转变为渐进式的城镇化发展模式。

（2）推行"分步到位"的渐进式城镇化。渐进式城镇化发展模式重点强调城镇化的质量与效益，倡导有序的"分步到位"，把农村人口逐步转移到小城市和小城镇里，然后根据条件的变化再逐步把小城镇和小城市里的常住人口有序转移到大城市和特大城市里。具体讲，第一步先把自然村的农村人口先集中转移到中心村建成新农村社区、实现社区化；第二步把新农村社区的农村人口逐步转移集聚到小城镇，实现农民镇民化；第三步逐步把小城镇人口转移集聚到小城市（或县城），实现农民市民化；第四步是逐步把小城市（县城）的常住人口逐步转移集聚到中等城市（地级市）；第五步是将中等城市的常住人口逐步转移到大城市和超大城市。这种通过层层向上的"梯度转移"集聚过程就是渐进式城镇化过程。一方面，渐进式城镇化过程强调循序渐进、逐步推进、公平公正、量力而行的城镇化原则，促进小城镇和中小城市逐渐壮大，成为拉动不同空间尺度的区域发展的辐射极；另一方面，强调城镇化的以人为本、均衡分配、城乡统筹、富民强镇的城镇化原则，把改善民生摆在突出重要位置，旨在缩小城乡发展差距。渐进式城镇化过程是提升城镇化质量、解决城市病问题的有效手段，在城镇化发展中期阶段的中后期和后期阶段，是一种可持续的健康城镇化发展模式。

3. 由诱发"负效应"的被动城镇化转为释放"正能量"的主动城镇化

（1）被动城镇化模式诱发的负效应。被动城镇化模式是指以政府调控为主导，通过政府手段将达不到城镇化条件的区域，或者达到城镇化条件但农民不愿意被城镇化的区域强行城镇化，这在表象上短期内实现了城镇化，农民也进城变成了市民，住进了高楼，但城镇化的后果会导致农民失去土地、找不到就业岗位、社会保障不到位，增加社会不稳定因素，进而降低居民生活质量。实践证明，被动城镇化模式脱离了城镇化发展的基本规律和阶段性特点，违背了农民城镇化的基本意愿，把农民土地征为国有土地，把农民被动地变为市民，出现了一系列维权保障和违背意愿等问题，激化了政府与农民之间的矛盾，不但加重了农民被市民化后的生活负担，而且加大了政府负债风险，引发了越来越多的负面效应，以至于质疑城镇化是不是"拆出来"的城镇化，这种被动城镇化模式不符合以人为本的城镇化建设目标。

（2）主动城镇化模式释放的正能量。主动城镇化模式是以农民为核心，以市场和政府调控为引导，通过农民自愿提出、农村集体组织有序引导的自主实现城镇化的过程。这种主动城镇化过程充分尊重了农民的城镇化意愿，是一种自愿评估、自愿拆迁、自主筹资、自主建设、自主管理的自主城镇化进程。在主动城镇化过程中，农民变为市民后社会保障纳入城市社保体系，可得到部分经营铺面，提供了相应的就业保障，农民充分享受到了城市基础设施和公共服务设施提供的各种服务，解决了农民城市化后的各种后顾之忧。同时，农村集体组织也相应成立多种形式的经营公司，包括集中建设蔬菜基地、集中建设养殖场、集中建设农机具储藏基地、集中建设文化教育设施和休闲娱乐设施，集体组织开办各种企业等，将市民化的居民变为股民参与其中，年底还可分得一部分农村企业经营的红利，多渠道增加了收入，大幅度提高了居民生活质量，社会稳定和谐，城镇化释放出的一系列正能量驱动城镇化进一步健康发展。

4. 由"地为本"的土地城镇化转为"人为本"的人地和谐城镇化

新型城镇化过程应该是人口城镇化、经济城镇化、土地城镇化和社会城镇化四大过程同步推进的过程，也是促进人地关系和谐、人与自然和睦共处的城镇化过程。

（1）以地生财的土地城镇化过程。这种城镇化过程过分强调把土地作为推进城镇化、获得最大收益的重要手段，部分地区就出现了以提升城镇化水平为由，一味地把农民"赶进"城里，通过增加城市常住人口的总量，来增加城镇建设用地的增量，进而获得巨额的土地财政收益。由于土地市场基本控制在决策者手中，因此以地生财的土地城镇化过程就成了决策者主导下的"卖地生财"过程，期间出现的拆迁征地补偿给农民的费用过低，由此带来的农民损失和如何提高农民生活水平等关乎民生的问题往往关注不够。可见，以往的城镇化过程过多地强调了以地为本，把城镇化片面地理解为农村用地转变为城市建设用地的过程，忽视了城乡基础设施建设、公共服务均等化以及保障民生等内容的社会城镇化过程，这是导致城市病严重、城镇化发展质量低下的主要原因。

（2）以人为本的人地和谐城镇化过程。在新形势下推进人地和谐的城镇化过程，就是要正确处理好土地城镇化与社会城镇化之间的相互促进关系，正确处理好人口增加与土地财政的关系，遏制过去单纯地靠卖地获取财政收入的单一城镇化过程，把科学有序推进土地城镇化同广大农民的切身利益有机结合起来，保证每个公民都能够平等享受到城市居民已享受到的教育、就业、社保、医疗、居住等各项普惠待遇，使得改革开放的红利和成果能够惠及到城乡千家万户。可见，新型城镇化进程是一个受资源与生态环境强约束的过程，更是一个非常复杂的经济社会发展过程，推进新型城镇化必须优先突出"以人为本"的城镇化，把协调好城乡人地关系作为我国新型城镇化的重要任务。

5. 由政府主导型城镇化转向市场主导型城镇化

（1）政府主导型的城镇化过程过多体现了决策者意志，基本上是决策者决定，而不是市场决定或者农民自己决定。决策者作为强势群体，在城镇化进程中淡化了市场机制的作用，某种程度上违背了城镇化发展的市场规律，忽视了公众参与民主决策的过程和社会公平正义的内容，其结果导致城镇化水平虚高，城镇化质量过低。这是一种在市场经济条件下必须抛弃的城镇化过程。

（2）市场主导型城镇化过程是顺应新型城镇化发展时代背景的城镇化过程，这种城镇化过程充分体现了市场机制在城镇化中的重要作用，充分体现了公众参与和民主决策过程，不只是决策者决定，而是基本由市场决定或者农民自己决定，政府作为调控引导的主体，确保城镇化进程有一个科学合理的速度、节奏、规模和体量，避免市场失灵导致过度城镇化。在城镇化进程中，民间资本将顺应市场经济规律成为推动城镇化的重要资本和调控城镇化快慢的阀门，民间力量将成为推进城镇化的一支新生力量，促进城镇化水平与城镇化质量同步提高。这是一种在新型城镇化背景下大力倡导的积极城镇化过程。

四、城镇化发展的基本方针

方针是"指引事业前进的方向和目标"（《新华字典》2001 年修订版第 261 页），城市发展方针是国家为实现一定时期的城市发展目标而制定的具体行为准则，是指导城市持续健康发展、把握城市发展大局与方向的总体纲领。处在不同发展阶段的城市需要与之相适应的城市发展方针来指导。1980 年以来我国划定并实施的"严格控制大城市、合理发展中等城市和小城市、积极发展小城镇"的城市发展方针，经过多年的实施，对加快我国城镇化健康发展、形成城镇化总格局、推进我国城镇化进程及城市建设均发挥了重要的指导作用（陈锦富，1999），但这一发展方针在新形势下日益暴露出一系列问题，需要与时俱进地进行调整，需要提出一个符合城镇化发展客观现实和未来发展目标的指导方针，以此指导形成城市化发展的新格局（方创琳，2014）。

（一）城镇化发展战略方针的演变过程

从新中国成立至今，中国完成了十三个五年规划（计划），每个五年规划时期政府从国家层面上确立的路线、方针、政策，直接或间接地都对中国城市化发展产生了重要的或根本性影响（陈雯，1995）。正是在这些国家政策的引导和宏观调控下，中国的城市化发展才取得了今天举世瞩目的显著成就，但由于城市化方针与道路在不同时期表现出不同的特点，受历史条件和特定政治经济环境所控，甚至伴随经济发展政策出现过部分失误，由此体现出城市化发展方针与道路的曲折性。具体表现为，中国城市化发展先后历经了"一五"时期项目带动的自由城市化道路，"二五"时期盲进盲降的无序城市化道路，"三五"、"四五"时期动荡萧条的停滞城市化道路，"五五"时期改革恢复的积极城市化道路，"六五"时期抓小控大的农村城市化道路，"七五"、"八五"时期大中小并举的多元城市化道路，"九五"时期大中小并举的健康城市化道路，"十五"时期大中小并进的协调城市化道路，"十一五"时期中国特色的和谐城市化道路，"十二五"、"十三五"时期积极稳妥的健康城市化道路，"十四五"时期的中国式新型城镇化道路（表 2.2）。城市发展总方针历经数次调整，确保了中国城市化道路在曲折演变中总体朝着多样化、协调化和健康化方向发展。

表 2.2　中国城镇化发展方针演变历程与指导效果一览表

发展时期	时间/年	城镇化发展方针或政策的主要内容	对国家城镇化进程的指导效果
"一五"时期	1953~1957	项目带动，自由迁徙，稳步前进	项目带动的自由城镇化
"二五"时期	1958~1962	调整巩固，充实提高	盲进盲降的无序城镇化
"三五"时期 "四五"时期	1966~1975	控制大城市规模，积极发展小城市	动荡萧条的停滞城镇化
"五五"时期	1976~1980	严格控制大城市规模、合理发展中等城市和小城市	改革恢复的积极城镇化
"六五"时期	1981~1985	严格控制大城市规模，积极发展小城镇	抓小控大的农村城镇化
"七五"时期	1986~1990	严格控制大城市规模、合理发展中等城市和小城市	大中小并举的多元城镇化
"八五"时期	1991~1995	以开发区建设带动大城市发展	大城市主导的多元城镇化
"九五"时期	1996~2000	严格控制大城市规模，突出发展小城镇	大中小并举的健康城镇化
"十五"时期	2001~2005	大中小城市和小城镇协调发展	大中小并进的协调城镇化
"十一五"时期	2006~2010	以城市群为主体，大中小城市和小城镇协调发展	中国特色的健康和谐城镇化
"十二五"时期	2011~2015	城市群与大中小城市和小城镇协调发展	符合国情的积极稳妥城镇化
"十三五"时期	2016~2020	城市群与大中小城市和小城镇协调发展，中心城市与城市群为承载生产要素的主要空间形式	符合国情的积极稳妥城镇化
"十四五"时期	2021~2025	以城市群、都市圈为依托促进大中小城市和小城镇协调联动及特色化发展	中国特色新型城镇化

（二）城镇化发展战略方针的基本内容

以对城市规模划分的最新标准为依据，兼顾考虑城市群和小城镇的发展，提出城镇化发展方针确定的基本原则为：严控"两大"，激活"两小"，抓稳"组群"，合理布局，均衡发展。进一步将新型城镇化发展方针确定如下：

培育发展城市群，严格控制超大和特大城市，合理发展大城市，鼓励发展中等城市，积极发展小城市和小城镇，形成城市群与大、中、小城市及小城镇协同发展的城镇化发展新格局。把城市群作为推进中国城镇化积极稳妥发展的主体空间形态和生产要素承载的主要空间形式，把小城镇作为中国推进城乡统筹发展、农民市民化的主要载体和提升城镇化发展质量的重要手段。

第二节　城镇化发展的阶段性规律

城镇化发展的阶段性是各国城镇化进程中普遍遵循的基本规律，与经济发展的阶段性规律相对应。城镇化发展具有时间的阶段性规律和空间的阶段性规律。超越经济发展阶段或滞后于经济发展阶段的城镇化进程都是不健康的城镇化进程，不利于城市的可持续发展。1975 年美国地理学家诺瑟姆（Northam）提出的城镇化三阶段规律对推动全球城镇化进程发挥了重要指导作用，但随着时间的推移日益暴露出局限性，为了克服局限性，进一步将城镇化发展的三阶段规律修正为四阶段规律，以此判断中国城镇化发展阶段与进程。

一、城镇化发展的三阶段规律及局限性

（一）城镇化发展三阶段规律的基本内容

城镇化发展的三阶段性规律，又叫城镇化发展的"S"型曲线规律。1975 年美国地理学家诺瑟姆通过研究世界各国城镇化发展轨迹，把城镇化进程概括为一条稍被拉平的"S"型曲线（图 2.2），并将城镇化进程分为三大阶段（刘勇，2004）。

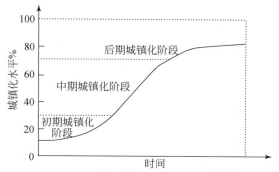

图 2.2　城镇化过程的"S"型曲线示意图

（1）城镇化起步发展阶段。城镇化水平低于30%，也称初期城镇化阶段，对应于工业化初期阶段。

（2）城镇化加速发展阶段。城镇化水平介于 30%～70%，也称中期城镇化阶段，对应于工业化中期阶段。

（3）城镇化成熟稳定发展阶段。城镇化水平大于70%，也称后期城镇化阶段，对应于工业化后期阶段。

城镇化发展的初期（<30%）、中期（30%～70%）、后期（>70%）三个阶段，总结了各阶段人口流动、职业构成、产业结构、城镇化水平等的特点和判定标准，成为引用极为广泛的经典规律。同时，为保持社会必须的农业规模，农村人口最后稳定在 10%左右，后期的城镇化不再表现为农村人口转变为城镇人口的过程，而是城镇人口内部职业构成由第二产业向第三产业转移。从国际经验来看，城镇化水平达到 30%左右确实会出现城镇化快速发展时期，并由此进入稳定阶段。例如，日本用了 20 年的时间进入了城镇化后期阶段，城镇化水平由 1950 年的 37.5%上升到 1970 年的 72.2%；韩国城镇化水平由 1960 年的 20%上升到 1981 年的 56%，仅用了 21 年的时间。

城镇化发展的三阶段性规律已经被大多数学者所接受，但在每个阶段的具体划分比重上又有所不同，大多数学者还是倾向于将城镇化水平小于30%确定为城镇化发展初期阶段、将城镇化水平介于30%～70%确定为城镇化发展中期阶段，将城镇化水平大于70%确定为城镇化发展后期阶段（姜爱林，2004）。

（二）城镇化发展三阶段规律的主要缺陷

在正常情况下，一个国家的城镇化发展遵循"S"型曲线规律，这是世界所公认的（周一星，2006）。但将这条"S"型曲线划分为三大阶段，提出城镇化发展的三阶段论似乎过于粗略。笔者认为，主要有以下四点缺陷（方创琳和刘晓丽，2008）：

1. 城镇化发展的三阶段规律无法与经济发展的四阶段规律一一对应

城镇化发展必须与经济发展相适应，城镇化发展阶段也必须与经济发展阶段相对应。

经济发展到今天，世界各国经济发展阶段陆续经过或正在经过工业化初期（人均 GDP 不超过 300 美元，工业化率在 1%～30%）、工业化中期（人均 GDP 在 300～1500 美元，工业化率在 30%～70%）、工业化后期（人均 GDP 在 1500～10000 美元，工业化率下降至 70%～30%）和后工业化（人均 GDP 超过 10000 美元，工业化率下降至 30% 以下）四大阶段。从发达国家城镇化与工业化发展历程分析，城镇化发展阶段一般与工业化发展阶段相对应，即工业化初期对应城镇化初期阶段，工业化中期对应于城镇化中期，工业化后期对应于城镇化后期，而后工业化阶段对应城镇化的哪一阶段就无法确定了。

2. 城镇化发展的三阶段规律无法与经济增长的四阶段规律一一对应

根据经济增长过程（Logistic 过程）原理，设经济总量为 P，$P(t)$ 表示经济总量 P 随时间 t 变化的函数，$\mathrm{d}p/\mathrm{d}t$ 代表经济增长速度，则 Logistic 曲线可用微分方程表达为：$\mathrm{d}p/\mathrm{d}t = r(1-P/K) \cdot P_0$。公式中，$r$ 表示经济增长的限制因子所能推动的区域最大的相对增长速度，K 表示区域经济增长的限制因素所能推动的区域最高发展程度，即 $\max P = K$，将 Logistic 微分方程分别求二阶导数和三阶导数并令其等于零，则得到经济增长的三个拐点 A_1、A_0、A_2，用这三个拐点可将经济增长过程划分为起步阶段、成长阶段、成熟阶段和顶峰阶段四大阶段，如图 2.3 所示。在起步阶段，经济增长缓慢，逐渐上升至 $rK/6$，经济总量缓慢上升至 $P_1 = K/2 - K/(2 \cdot 3^{1/2})$，经济总量总体较小；到了成长阶段，经济开始快速增长，由 $rK/6$ 快速上升到 $rK/4$ 并达到增长的最大值，相应地经济总量也增加到 $P_0 = K/2$；再到了成熟阶段，经济增长速度开始由最大值转为逐年下降，但仍能保持较高的增长速度（$> rK/6$），经济总量继续增大但幅度开始变小；最后到了顶峰阶段，经济发展速度逐渐下降直至出现零增长，经济总量接近最大值并趋于稳定在一个相应的水平上。由此分析可知，经济增长起步阶段对应城镇化发展的初期阶段，经济增长成长阶段对应城镇化发展的中期阶段，经济增长成熟阶段对应城镇化发展的后期阶段，而经济增长的顶峰阶段对应城镇化的哪一个阶段就无法确定了。

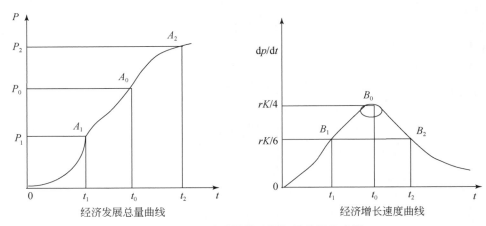

图 2.3 区域经济增长的逻辑斯蒂曲线示意图

3. 城镇化发展的三阶段规律过多地照搬或迁就了诺瑟姆的观点

20 世纪 70 年代美国地理学家诺瑟姆提出了城镇化发展三阶段的划分观点，而这种划分是基于美国 20 世纪 70 年代所处的经济发展阶段和城镇化发展阶段进行的，未能站在全球城镇化和经济全球化的战略高度，审视世界各国城镇化发展的阶段性问题，不能反映 20 世纪 70 年代以后世界各国城镇化发展的总体变化趋势和基本规律，因而具有时代的必然性、认识的局限性和视野的局限性。

4. 城镇化发展的三阶段论中对第二阶段的划分区间过长过粗

在城镇化发展的三阶段规律中，将城镇化中期的城镇化水平确定为 30%～70%，无法反映城镇化水平达到 50% 这一重要转折点对应的全球经济发展和全球城镇化的总体态势，对这一阶段的划分区间过长过粗，而这一阶段正是经济发展阶段和经济增长阶段发生重大变革的时期，城镇化发展相应发生何种重大变化无法体现出来。

二、城镇化发展的四阶段规律

基于城镇化发展三阶段规律存在的上述四大缺陷，笔者通过修正提出城镇化发展的四阶段规律。即在认同城镇化进程在遵循一条稍被拉平的"S"型曲线的演进规律前提下，充分考虑与经济增长阶段和经济发展阶段的对应关系，将这条"S"型曲线划分为四大阶段，即城镇化初期阶段（城镇化水平在 1%～30%，为起步阶段），城镇化中期阶段（城镇化水平在 30%～60%，为成长阶段），城镇化后期阶段（城镇化水平在 60%～80%，为成熟阶段），城镇化终期阶段（城镇化水平在 80%～100%，为顶峰阶段）（方创琳和刘晓丽，2008），见图 2.4 所示。

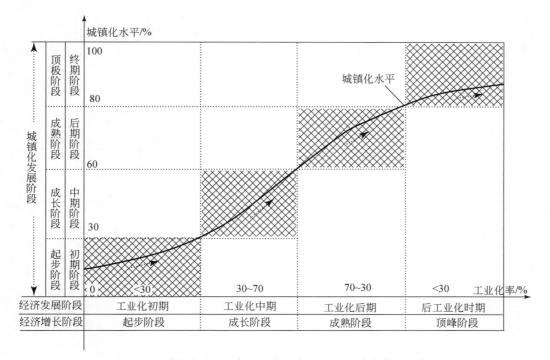

图 2.4　城镇化发展阶段与经济发展与增长阶段对应关系示意图

（一）第一阶段：城镇化初期阶段

城镇化初期阶段对应于工业化初期阶段和经济增长的起步阶段，为低速城镇化阶段。城镇化水平较低，一般不超过 1%～30%，城镇化发展速度缓慢，年均增长速度不超过 1%，农业人口和农业经济占绝对主导地位，第一产业产值比重高于 70%，第一产业就业比重超过 50%，工业化率低于 30%，工业化是城镇化的主要推动力。城市数量少，城市规模小，城市空间结构呈现出零星的"点"状结构。

（二）第二阶段：城镇化中期阶段

城镇化中期阶段对应于工业化中期阶段和经济增长的成长阶段，为快速城镇化阶段。城镇化水平开始迅速提高，介于 30%～60%，城镇化发展速度加快，年均增长速度超过 1%～2%，城市人口和工业经济逐步占主导地位，第一产业产值比重下降至低于 30%，第二、第三产业就业比重不断增加，工业化率逐步提高到介于 30%～70%，工业化是城镇化的主要推动力，第三产业发展同时成为城镇化的又一推动力。城市数量迅速增多，城市规模不断扩大，城市空间结构呈现出连续的"带"状或"面"状结构。

（三）第三阶段：城镇化后期阶段

城镇化后期阶段对应于工业化后期阶段和经济增长的成熟阶段，为减速城镇化阶段。城镇化水平继续提高，介于 60%～80%，城镇化年均增长速度开始减慢，但仍可保持 0.5%～1%，城市人口和工业经济逐步占绝对主导地位，第一产业产值比重下降至低于 20%，第三产业产值比重上升到 35%～45%，工业化率开始从由高到低下降到 30% 以下，第三产业发展成为城镇化最主要推动力，工业化对城镇化推动力逐渐减弱。城市数量继续增多，城市规模进一步扩大，城市空间结构呈现出连续的"网"状结构（表 2.3）。

表 2.3　城镇化发展的四阶段基本特征对比分析表

城镇化阶段	第一阶段	第二阶段	第三阶段	第四阶段
	城镇化初期阶段	城镇化中期阶段	城镇化后期阶段	城镇化终期阶段
城镇化水平/%	1～30	30～60	60～80	80～100
工业化水平/%	1～30	30～70	70～30	<30
产业结构比例/%	50：25：25	25：45：30	15：40：45	10：30：60
就业结构比例/%	80：15：5	50：30：20	20：40：40	10：30：60
城镇化速度百分比/%	缓慢，<1.0	加速，>1.0	减慢，<1.0	极慢，≈0
经济增长速度	缓慢增长	快速增长	减慢增长	极慢、零增长或负增长
城镇化动力	工业化占绝对主导	工业化占主导，第三产业为辅	第三产业发展占主导，工业化为辅	第三产业发展占绝对主导
主导经济类型	农业经济	工业经济	工商业经济	服务型经济
城市空间形态	点状结构	带状或面状结构	网状结构	均衡网络结构
按速度划分的城镇化阶段	低速城镇化阶段	快速城镇化阶段	减速城镇化阶段	零速城镇化阶段
对应的经济发展阶段	工业化初期阶段	工业化中期阶段	工业化后期阶段	后工业化阶段
对应的经济增长阶段	起步阶段	成长阶段	成熟阶段	顶极阶段

（四）第四阶段：城镇化终期阶段

城镇化终期阶段对应于后工业化阶段和经济增长的顶峰阶段，为极慢或零速城镇化阶段。城镇化水平提高至达到极限值，可达到80%以上，城市人口的增长越来越缓慢甚至停滞不前，城乡差别近于消除，并出现郊区化和逆城镇化现象。城镇化发展速度近乎为零，城市人口占绝对主导地位，第一产业产值比重下降至低于10%，但不能低于5%，第三产业产值比重上升到60%以上，工业化率进一步下降到30%以下，第三产业发展成为城镇化最主要推动力，城市空间结构呈现出均衡网络结构。

三、中国城镇化发展阶段及规律性

（一）中国城镇化进程基本符合世界城镇化的"S"型曲线阶段性规律

同世界上所有国家一样，中国城镇化进程基本符合世界城镇化发展的阶段性规律。根据城镇化发展的四阶段论判断，从1949~1996年的48年间，中国城镇化水平由10.64%上升到30.48%，顺利完成了城镇化起步阶段。按照《国家新型城镇化规划（2014—2020）》，到2020年中国城镇化水平将达到60%，据第七次全国人口普查表明实际上已经达到63.8%，说明已经完成了城镇化中期的快速成长阶段，进入到城镇化发展的后期阶段（图2.5）。总体来看，中国工业化作为城镇化的主要驱动力，在有力地推动中国成为世界第二大经济体的同时，快速将中国城镇化发展推向后期成熟发展阶段，这既符合中国经济发展的阶段性规律，也符合中国城镇化发展的阶段性规律（方创琳和刘晓丽，2008）。

中国城镇化进程与拉美地区国家不同，新中国成立后，摆脱了殖民地的束缚，结束了国内战争，政治上独立自主，走上了社会主义社会的发展道路。因此，1949年后中国城镇化的发展主要受国家政策、工业化水平、经济体制等因素的综合影响，具有明显的阶段性特征。目前已进入城镇化后期的稳定发展阶段，城镇化战略的正确与否将直接对中国乃至世界的社会经济发展产生重大影响。在世界范围内，城镇化问题既有共性也存在差异性。共性主要是指在人类社会发展进程中城镇化的一般规律性；差异性主要体现在不同国家由于政治、经济、社会等历史发展背景与国情等不同，其城镇化的特征与发展模式应有所差别。因此，中国城镇化的发展一定程度上可以参考西方发达国家城镇化发展的成功经验与一般规律，但中国的城镇化问题也存在自己的特征，不能完全照搬外国经验，需要坚定不移地走出一条具有中国特色的城镇化发展道路。

（二）中国城镇化发展阶段的总体判断

1949年以来，中国的城镇化建设经历了不同时期的曲折发展历程，但城镇化水平总体上呈上升趋势，尤其是改革开放后，城镇化建设取得了显著成绩。城镇化水平由1978年的17.92%提高到2020年的63.8%，如图2.5所示。根据1949~2020年城镇化水平的历史统计数据，采用城镇化发展的四阶段论判断中国城镇化发展阶段，是比较科学的划分方法（方创琳和刘晓丽，2008）。中国历年城镇化水平统计结果如表2.4所示。

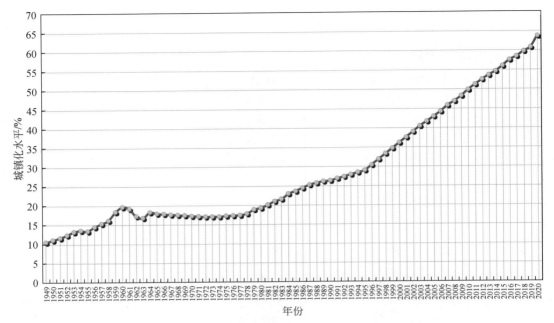

图 2.5　中国城镇化水平变化过程示意图

表 2.4　1949～2020 年中国城镇化水平统计表

年份	城镇化水平/%	年份	城镇化水平/%	年份	城镇化水平/%
1949	10.64	1975	17.34	2000	36.22
1950	11.18	1980	19.39	2005	42.99
1955	13.48	1985	23.71	2010	49.7
1960	19.75	1990	26.41	2015	55.6
1965	17.98	1995	29.04	2018	59.6
1970	17.38	1996	30.48	2020	63.8

由图 2.5 和表 2.4 看出，1949 年以来中国城镇化水平整体上呈上升趋势，城镇化发展具有明显的阶段性特征，城镇化水平变化曲线是新中国成立以来不同时期中国经济社会发展政策、人口户籍管理与迁移政策、市镇建制标准、城镇化发展方针以及人口普查与统计口径等诸多因素共同作用的综合反映。根据这一变化曲线，结合城镇化发展阶段的判断指标，将中国城镇化发展阶段分为三大阶段（方创琳，2009）。

1. 城镇化起步阶段（1949～1995 年）：呈现曲折动荡漫长的特点

按照城镇化起步阶段的判断标准，城镇化水平达到 30% 时为起步阶段的结束。根据中国城镇化水平的变化情况，1949 年中国城镇化水平为 10.64%，1981 年达到 20.16%，1995 年达到 29.04%，到 1996 年达到 30.48%。据此可判定 1949～1995 年为中国城镇化起步阶段。

完成城镇化起步阶段，中国整整用了 47 年的时间，相当于半个世纪。经过如此长的时期才完成城镇化起步，主要是受到国家政治、经济体制、社会动荡、相关政策、城镇化政策等多重因素的综合影响，使得中国城镇化进程从起步阶段就经历了前所未有的曲折发展过程，体现出城镇化进程的动荡性、萧条性、停滞性、徘徊性、低速性等特点。根据中国1949～1995 年城镇化在起步发展阶段的几个主要转折点，从中国特殊情况出发，又可将城镇化起步阶段划分为如下六大亚阶段（表 2.5）。

（1）1949～1957 年的顺利起步阶段，城镇化水平增加到 15.39%；

（2）1958～1960 年的超速发展阶段，城镇化水平猛增到 19.75%；

（3）1961～1965 年的倒退发展阶段，城镇化水平降低到 17.98%；

（4）1966～1976 年的停滞发展阶段，城镇化水平停滞在 17.44%；

（5）1977～1983 年的迅速发展阶段，城镇化水平增加到 21.62%；

（6）1984～1995 年的低速发展阶段，城镇化水平增加到 29.04%。

表 2.5 中国城镇化发展阶段的总体判断及亚阶段的划分一览表

城镇化阶段	城镇化亚阶段	时间期限	主要特征	影响机制	影响结果
中国城镇化发展阶段	城镇化起步阶段	顺利起步阶段	1949～1957 年	国民经济恢复发展，城镇化进程加快，平均每年增长 0.6 个百分点	政府实行自由迁徙政策，156 个重点项目的建设使大批农民在短期内迅速进城	顺利起步，城镇化水平由 1949 年的 10.64%增加到 1957 年的 15.39%
		超速发展阶段	1958～1960 年	城镇化进程过快，平均每年增长 1.45 个百分点，仅 1958 年有 2000 万农民涌入城市	人口迁移流动猛增期，社会主义"总路线"、"大跃进"和人民公社化运动使大量农民涌入城市；1959 年开始的三年困难时期使全国人口出现零增长甚至负增长	城市人口猛增，到 1960 年城镇化水平猛增到 19.75%，达到有史以来最高值
		倒退发展阶段	1961～1965 年	城镇化进程出现停滞甚至是倒退	1958 年《中华人民共和国户口登记条例》和 1964 年《关于户口迁移政策规定》的实施，对城乡人口实行了严格的户籍管理，限制了城乡之间人口流动；1963 年后中央提出了精简城镇人口、调整市镇建制、缩小城市郊区的问题，提高了市镇标准，规定城市人口和集镇人口只包括市和镇中的非农业人口，缩小了城镇人口的统计范围	1960 年城镇人口占总人口比重为 19.75%，到 1965 年下降到 17.98%，1965 年全国建制镇 3146 个，比 1954 年减少 2254 个
		停滞发展阶段	1966～1976 年	城镇化进程出现停滞、动荡发展现象	长达十年的"文化大革命"，1700 多万知识青年上山下乡运动和 1000 多万干部下放农村劳动，使大批城镇劳动力转移到农村，出现了人口城镇化停滞期。受国家政策影响，人口在城乡之间大规模迁徙流动，导致城镇化发展呈动荡起伏状态	城镇化水平由 1966 年的 17.86%微降到 1976 年的 17.44%，十年期间始终停滞在 17%左右
		迅速发展阶段	1977～1983 年	城镇化进程加快，城镇化水平年均增长约 0.74 个百分点，原有城市吸纳的人口和新建城市转化的人口速度均很快	大批干部和部分知识青年返城，但由于国家继续执行严格控制城市人口的政策，使人口迁移发展平稳，城镇化主要依靠农村经济体制改革的推动	城镇化水平由 1977 年的 17.55%迅速增加到 1983 年的 21.62%

续表

城镇化阶段		城镇化亚阶段	时间期限	主要特征	影响机制	影响结果
中国城镇化发展阶段	城镇化起步阶段	低速发展阶段	1984～1995年	城镇化发展速度放缓，到1995年达到29.04%，城镇化水平年均增长0.53个百分点，小城镇建设蓬勃发展，顺利完成城镇化的起步阶段	国家实施“严格控制大城市规模，积极发展小城镇”发展战略；国家于1984年重新修订了市镇建制标准，引起城市与建制镇的数量大幅度增加；城镇化发展的主要推动力为城市经济体制改革和市场经济体制转型	1995年城市数量增至640个，1984～1995年期间年均增加30个，建制镇增至17532个，比1978年增长7倍，1984～1995年年均增加940多个
	城镇化中期阶段	快速成长阶段	1996～2020年	城镇化发展速度加快，城镇化进程持续稳定推进	2000年国家城镇化方针的转变，由1989年的“严格控制大城市规模，合理发展中等城市和小城市”转向以全面建设小康社会为目标，以全面繁荣农村经济，加快城镇化进程为重点，逐步提高城镇化水平，坚持大中小城市和小城镇协调发展。并提出要消除不利于城镇化发展的体制和政策障碍，引导农村劳动力合理有序流动	1996年城镇化水平已经突破30%，按照国际上城镇化发展的一般规律，已经进入高速发展阶段，1996～2006年时间城镇化水平提高了13.42%，年均增长1.34个百分点。到2020年城镇化水平提高到63.89%
	城镇化后期阶段	稳定发展阶段	2021年至今	城镇化发展速度趋于稳定并逐渐减缓，城镇化进程持续稳定推进，提升城镇化发展质量成为重中之重	引导培育发展城市群，严格控制超大和特大城市，合理发展大城市，鼓励发展中等城市，积极发展小城市和小城镇，形成城市群与大、中、小城市及小城镇协同发展的城镇化发展新格局。把城市群作为推进中国城镇化发展的主体空间形态和生产要素承载的主要空间形式，把城乡融合发展作为新型城镇化的重点任务	第七次人口普查数据表明，2020年全国城镇化水平达到63.89%，超过城镇化水平达到60%的第二阶段的上限，进入城镇化发展的后期质量提升阶段

2. 城镇化中期阶段（1996～2020年）：呈现快速稳定成长的特点

1996年中国城镇化水平首次突破30%，按照国际上城镇化发展的阶段性规律判断，中国自1996年开始进入城镇化快速成长阶段。从1996～2020年，城镇化水平净提高了33.8%，平均每年增加1.41个百分点，属于城镇化快速发展时期。主要得益于2000年国家城镇化方针的转变，由1989年的“严格控制大城市规模，合理发展中等城市和小城市”转向以加快城镇化进程为重点，逐步提高城镇化水平，坚持大、中、小城市和小城镇协调发展。并提出要消除不利于城镇化发展的体制和政策障碍，引导农村劳动力合理有序流动。这一积极的城镇化发展方针有力推动着中国城镇化的快速稳定发展。党的十六大报告又进一步明确和完善了多样化的城镇化发展道路，指出：“要逐步提高城镇化水平，坚持大中小城市和小城镇协调发展，走中国特色的城镇化道路。发展小城镇要以现有的县城和有条件的建制镇为基础，科学规划，合理布局。”《国民经济和社会发展第十一个五年规划纲要》指出，“促进城镇化健康发展，坚持大中小城市和小城镇协调发展，提高城镇综合承载能力，按照循序渐进、节约土地、集约发展、合理布局的原则，积极稳妥地推进城镇化，逐步改变城乡二元结构”。“要把城市群作为推进城镇化的主体形态，逐步形成若干城市群为主体，其他城市和小城镇点状分布，永久耕地和生态功能区相间隔，高效协调可持续的城镇化空间格局”。总之，这一阶段城镇化的快速发展是国家经济社会全面发展、积极的城镇化发展政策以及经济体制改革等因素共同推动的结果。

3. 城镇化后期阶段（2021年以来）：呈现稳定高质绿色融合的特点

第七次全国人口普查表明，2020年全国城镇化水平达到63.8%，按照城镇化发展的四阶段性规律判断，中国已告别城镇化中期发展阶段，自2021年开始进入城镇化后期稳定发展和提升质量阶段。开始把中心城市和城市群作为承载生产要素的主要空间形式，推进以县城为重要载体的城镇化建设，把城乡深度融合发展作为新型城镇化的重点任务，建设宜居、创新、智慧、绿色、人文、韧性城市，推进城市实现现代化试点示范。国家"十四五"规划纲要明确提出：以中心城市和城市群等经济发展优势区域为重点，增强经济和人口承载能力，带动全国经济效率整体提升。以京津冀、长三角、粤港澳大湾区为重点，提升创新策源能力和全球资源配置能力，加快打造引领高质量发展的第一梯队。在中西部有条件的地区，以中心城市为引领，提升城市群功能，加快工业化城镇化进程，形成高质量发展的重要区域。

四、中国城镇化发展阶段与世界的比较分析

（一）中国城镇化水平的增长速度快于世界平均水平约2.38%

根据各国统计资料表明：一个国家从10%的人口住在10万人以上的城市里变到30%的人口住在这样的城市里，在英国需要79年，美国需要66年，德国需要48年，日本需要36年，澳大利亚只需要26年，而中国经过了47年时间。从1949年城镇人口占总人口的10.64%，到1996年城市化水平达到30.48%。从1949~1978年的29年，中国城镇化水平只提高了7.28个百分点；而从1979~2020年的41年，中国城镇化水平提高了44.41个百分点。根据世界银行人口资料数据：从1980~1990年，世界城市人口比例提高了4个百分点，中国提高了7个百分点；从1990~2000年，世界城市人口比例提高了3.4个百分点，中国提高了9.4个百分点；从2000~2005年，世界城市人口比例提高2个百分点，中国提高了4.6个百分点。

从1978~2020年的42年里，中国城镇常住人口由1978年的1.73亿人迅速增加到2020年的9.01亿人，每年平均净增加2145万人，城镇化水平由17.92%提高到63.8%，42年平均每年增长1.09个百分点，比同期世界平均增长量多0.66个百分点，1980~2020年历年平均增长速度为3.31%，比世界平均增长速度（0.93%）快2.38%（表2.6）。顺利完成了世界历史上速度最快、规模最大的城镇化进程，用了短短40年的时间完成了西方国家用200年才完成的城镇化进程，创造了世界城镇化发展的历史奇迹。城镇化的快速推进吸纳了大量农村劳动力转移就业，提高了城乡生产要素配置效率，促进了国民经济持续快速发展，推动了社会结构的深刻变动和社会事业的全面进步，成为现代化建设的重要引擎（方创琳，2018）。

表 2.6　1980~2020 年中国城镇化水平与世界城镇化水平增长的对比分析表

年份	1980	1990	2000	2002	2003	2004	2005	2010	2012	2013	2014	2015	2016	2017	2020	历年平均增长速度/%	城镇化水平平均每年增长量/%
世界平均/%	39.5	43.4	46.8	47.6	48.0	48.4	48.8	50.9	52.0	52.9	53.4	53.8	54.3	54.8	56.8	0.93	0.43
中国平均/%	19.4	26.4	35.8	37.6	38.6	39.5	40.4	49.7	51.6	53.2	54.4	55.6	56.8	58.5	61.4	3.31	1.09
城镇化水平与速度的差距变化幅度/%	-20.1	-17.0	-11.0	-10.0	-9.4	-8.9	-8.4	-1.2	-0.4	+0.3	+1.0	+1.8	+2.5	+3.7	+4.6	+2.38	+0.66

注：表中 "-" 号代表中国城镇化水平低于世界城镇化水平的绝对值，"+" 号代表中国城镇化水平高于世界城镇化水平的绝对值，2017 年世界城镇化水平是按照年均增加 0.5 个百分点推算的数字。

（二）中国城镇化水平的绝对值高于世界平均水平约 3.7%

早在改革开放初期的 1980 年，中国城镇化水平只有 19.4%，比同期世界平均城镇化水平低 20.1 个百分点，10 年后的 1990 年中国城镇化水平与世界的差距缩小为 17 个百分点，20 年后的 2000 年进一步缩小为 11 个百分点，30 年后的 2010 年进一步缩小为 1.2 个百分点，到 2013 年中国城镇化水平首次超过世界城镇化水平 0.3 个百分点，到 2017 年超过 3.7 个百分点（图 2.6），到 2020 年超过 5.2 个百分点。

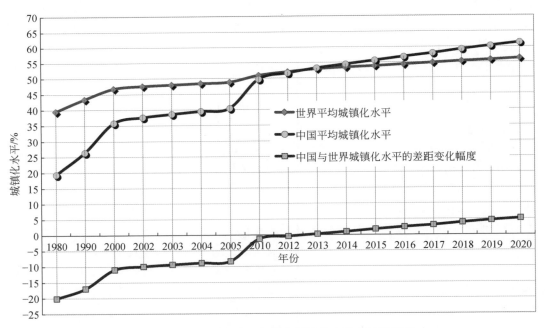

图 2.6　中国城镇化水平与世界城镇化水平比较示意图

（三）中国与全球主要国家城镇化水平的比较分析

据世界银行数据库的数据表明，尽管改革开放后中国城镇化速度明显加快，城镇化水平的增长速度快于世界平均水平约 2.38%，相当于世界城镇化增长速度的 3.6 倍，到 2020年中国城镇化水平达到 63.8%，比世界平均水平高 7.6 个百分点。但与全球发达国家相比城镇化水平仍然偏低，还需要坚定不移地推进城镇化高质量发展。

与发达国家相比，中国城镇化起步晚，差距十分明显。2005 年中国城市人口比重为40.4%，相当于美国城市人口比重的一半，不及英国的 1/2，分别比法国和德国低 36.3 个百分点和 34.8 个百分点。西方发达国家城镇化起步早，最早是英国，1801 年的城镇化水平已达到 26%，与之相比，中国 1990 年城镇化水平才达到 26.4%，比英国晚了将近 190 年；美国城镇化快速起步是在 19 世纪中叶，德国是 19 世纪末，法国相对较晚是在 20 世纪中期。城市人口比重达到或超过 50% 的时间，英国是 1850 年，德国是 1900 年，美国是 1930 年，法国是 1931 年，而中国是 2010 年，晚了将近一个世纪。而且，英国城镇化水平已于 1890年达到 72%，基本实现城镇化；德国是 1950 年，美国和法国也分别于 1970 年前后进入城镇化发展的成熟阶段。到 2020 年，中国的城镇化水平为 63.8%，比同期日本低 28%，比澳大利亚低 22.5%，比美国低 18.9%，比英国低 20.1%，比法国低 17.2%（表 2.7）。

表 2.7　1980～2020 年中国城镇化水平与世界主要国家和地区城镇化水平的对比分析表

国家和地区	1980年	1990年	2000年	2002年	2003年	2004年	2005年	2010年	2012年	2013年	2014年	2015年	2016年	2017年	2018年	2019年	2020年
世界平均	39.5	43.4	46.8	47.6	48.0	48.4	48.8	50.9	52.0	52.9	53.4	53.8	54.3	54.8	55.3	55.7	56.2
中国内地	19.4	26.4	35.8	37.6	38.6	39.5	40.4	49.7	51.6	53.2	54.4	55.6	56.8	57.9	59.2	60.3	63.8
中国香港	91.5	99.9	100	100	100	100	100	100	100	100	100	100	100	100	100	100	100
中国澳门	98.1	98.7	100	100	100	100	100	100	100	100	100	100	100	100	100	100	100
印度	23.1	25.5	27.7	28.1	28.3	28.5	28.7	30.1	31.3	32	32.4	32.7	33.1	33.6	34.0	34.5	34.9
印度尼西亚	22.2	30.6	42.0	44.4	45.7	46.9	48.1	49.9	50.7	52.3	53	53.7	54.5	54.7	55.3	55.9	56.6
伊朗	49.6	56.3	64.2	65.3	65.8	66.4	66.9	68.9	69.1	72.3	72.9	73.4	73.9	74.4	74.9	75.4	75.9
以色列	88.6	90.3	91.4	91.5	91.5	91.6	91.6	91.8	91.9	92	92.1	92.1	92.2	92.3	92.4	92.5	92.6
日本	76.2	77.4	65.2	65.4	65.6	65.7	65.8	66.8	69.7	92.5	93	93.5	93.9	91.5	91.6	91.7	91.8
哈萨克斯坦	54.0	57.0	56.3	56.7	56.9	57.1	57.3	58.5	59.6	53.4	53.3	53.2	53.2	57.3	57.4	57.5	57.7
朝鲜	56.9	58.4	60.2	60.8	61.0	61.3	61.6	63.4	63.5	60.6	60.7	60.9	61	61.7	61.9	62.1	62.4
韩国	56.9	73.8	79.6	80.1	80.3	80.6	80.8	81.9	83.2	82.2	82.4	82.5	82.6	81.5	81.5	81.4	81.4

续表

国家和地区	1980年	1990年	2000年	2002年	2003年	2004年	2005年	2010年	2012年	2013年	2014年	2015年	2016年	2017年	2018年	2019年	2020年
马来西亚	42.0	49.8	61.8	64.0	65.1	66.2	67.3	72.2	72.7	73.3	74	74.7	75.4	75.4	76.0	76.6	77.2
蒙古	52.1	58.0	56.6	56.6	56.7	56.7	56.7	57.5	68.5	70.4	71.2	72	72.8	68.4	68.4	68.5	68.7
巴基斯坦	28.1	31.9	33.1	33.8	34.2	34.5	34.9	35.9	36.2	37.9	38.3	38.8	39.2	36.4	36.7	36.9	37.2
菲律宾	37.5	48.8	58.5	60.2	61.0	61.9	62.7	66.4	68.7	44.6	44.5	44.4	44.3	46.7	46.9	47.2	47.4
新加坡	100	100	100	100	100	100	100	100	100	100	100	100	100	100	100	100	100
土耳其	43.8	61.2	64.7	65.7	66.3	66.8	67.3	69.6	71.4	72.4	72.9	73.4	73.9	74.6	75.2	76.1	—
加拿大	75.7	76.6	79.4	79.7	79.8	80.0	80.1	80.6	80.7	81.5	81.7	81.8	82	81.4	81.4	81.5	81.6
美国	73.7	75.2	79.1	79.8	80.1	80.5	80.8	82.3	82.4	81.3	81.4	81.6	81.8	82.1	82.3	82.5	82.7
阿根廷	82.9	86.5	89.2	89.6	89.7	89.9	90.1	92.4	92.5	91.5	91.6	91.8	91.9	91.7	91.9	92.0	92.1
巴西	66.2	74.7	81.2	82.4	83.0	83.6	84.2	84.3	84.6	85.2	85.4	85.7	85.9	86.3	86.6	86.8	87.1
法国	73.3	74.0	75.8	76.2	76.3	76.5	76.7	77.8	78.7	79.1	79.3	79.5	79.8	80.2	80.4	80.7	81.0
德国	82.6	85.3	75.1	75.1	75.2	75.2	75.2	75.8	75.8	74.9	75.1	75.3	75.5	77.3	77.3	77.4	77.5
意大利	66.6	66.7	67.2	67.4	67.4	67.5	67.6	68.2	68.4	68.7	68.8	69	69.1	70.1	70.4	70.7	71.0
俄罗斯	69.8	74.0	73.4	73.2	73.2	73.1	73.0	73.7	73.8	73.9	73.9	74	74.1	74.3	74.4	74.6	74.8
英国	88.8	89.1	89.4	89.5	89.6	89.6	89.7	90.1	90.5	82.1	82.3	82.6	82.8	83.1	83.4	83.7	83.9
澳大利亚	85.8	85.1	87.2	87.6	87.8	88.0	88.2	89.1	89.2	89.2	89.3	89.4	89.6	85.9	86.0	86.1	86.3

数据来源：中国城市人口比重为市镇人口占总人口比重。资料来源：国际统计年鉴（2001—2021年），数据来源于世界银行数据库。

　　与拉丁美洲国家城镇化水平相比，拉丁美洲国家采取的是过度城镇化模式，城镇化水平偏高，远远超过了工业化和经济发展水平，2016年阿根廷、巴西的城市人口占总人口比重分别达到91.9%和85.9%，分别比同期中国的城镇化水平高35.1%和29.1%，这种过度的虚高城镇化发展模式并没有带来高度的工业化与经济富强，相反还使农业衰败，不利于经济社会健康持续发展。在这些国家中，城市经济二元性明显，劳动力市场中的非正规部门对城镇化进程起着重要作用，首位城市过度膨胀的同时，城市中的贫民窟普遍存在，贫困人口所占比重失业率偏高。因此，中国的城镇化道路绝不能走拉丁美洲国家的城镇化发展道路。

　　总体而言，通过改革开放40年的数次调整与改革创新实践，中国走出了一条既不同于西方发达国家，也不同于拉丁美洲国家的具有中国特色的新型城镇化发展道路，在为我国新型城镇化发展做出巨大贡献的同时，也为世界城镇化发展和人类文明进步做出了重要贡献，贡献了中国智慧和中国模式。

第三节　城镇化发展质量与提升方向

城镇化发展质量是衡量特定区域城镇化速度是否合理，人口城镇化过程是否健康、经济城镇化过程是否高效、社会城镇化过程是否和谐公平、空间城镇化程度是否适度的一项重要指标。推动新型城镇化高质量发展，是对经济高质量发展的重要支撑，也是当前和未来新型城镇化发展的根本指针。过去 70 年中国传统城镇化发展成功解决了"快不快"的问题，新型城镇化突出强调高质量发展，根本在于解决城镇化质量"高不高"、城乡居民"满意不满意"等关键问题，走低资源消耗、低环境污染、低碳排放、高综合效应的集约型发展道路。新型城镇化高质量发展的内涵可概括为是高质量的城市建设、高质量的基础设施、高质量的公共服务、高质量的人居环境、高质量的城市管理和高质量的市民化的有机统一。

一、城镇化发展质量的演进规律

城镇化发展质量的变化过程表现为人口城镇化发展质量、社会城镇化发展质量、经济城镇化发展质量、土地城镇化发展质量不断提高的过程。在城镇化进程中，经济和社会发展系统呈现出无限增长与发展的态势，而土地城镇化保障系统则是有限的，人口、经济、社会的发展必然受到土地保障能力的制约，随着时间的推移，城镇化发展质量变化曲线最终将形成一条被拉伸的"S"型曲线，但这仅仅是一种相对封闭系统下的经济社会发展受空间条件有限性制约的城镇化发展质量变化规律的描述。从微观视角分析，城镇化发展是城市系统的一个或多个组成因素在数量上的增长，而城市发展是不平衡的，既有人为因素也有城市自身的因素所致。在一定程度上城镇化发展的不平衡性可通过城市系统内各子系统之间的相互依存机制来调节，不会引起城镇化系统的剧烈变化。但增长不平衡所引起的改变不能超过一定的限度，否则将产生各子系统关系的质变，即城镇化发展的崩溃。对经典的 Logistic 理论进行演绎，并依据区域城镇化发展质量的影响机理，结合城镇化发展质量子系统发展的基本规律，得出现实中的城镇化发展质量是多个"S"型曲线组合构成的复合型"S"型演变曲线（图 2.7），可将这条曲线划分为低质量发展（O-A）、中质量发展（A-B）、较高质量发展（B-C）及高质量发展（C-D）四大阶段，并分别对应城镇化发展的初期阶段、中期阶段、后期阶段及终期阶段（方创琳和王德利，2011；王德利，2013）。

低质量发展（O-A）阶段：这一阶段的城镇化水平及质量提升速度均较慢，城镇化发展质量总体较低，属于城镇化发展水平提升速度慢，城镇化发展质量低的低速度低质量的发展阶段。

中质量发展（A-B）阶段：这一阶段的城镇化发展水平提升速度较快，经济、社会城镇化规模快速提升，但远小于土地城镇化的保障能力，经济、社会城镇化还有较大提升空间，由于这一阶段仅仅注重城镇化规模的扩大，尽管经济、社会发展规模有较大规模提升，但城镇化发展质量提升速度仍较慢，属于城镇化发展水平提升速度较高，城镇化发展质量处于中下水平的高速度、中下质量发展阶段。

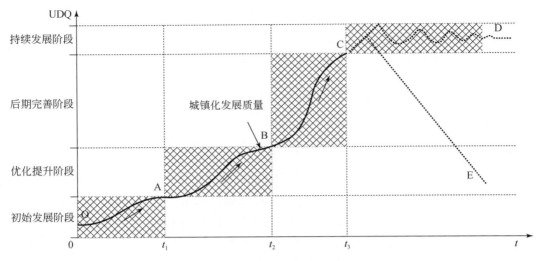

图 2.7   城镇化发展质量的时间演变规律分析图

较高质量发展（B-C）阶段：这一阶段的城镇化水平提升速度变缓，城镇化发展质量继续提升，开始注重城镇化的规模与质量并举，更加注重城镇化发展质量的提升，经济、社会城镇化发展规模逐渐接近土地城镇化的保障阈限，属于城镇化发展水平提升速度中等、城镇化发展质量处于中上发展水平的中等速度、中上质量发展阶段。

高质量发展（C-D）阶段：这一阶段的经济、社会、土地城镇化子系统最终将在一定发展水平上保持动态平衡，总体上属于城镇化发展水平提升速度较慢、城镇化发展质量高的低速度高质量发展阶段。同时也不排除人类过分追求经济发展而使经济和社会发展的规模超过土地城镇化的保障阈限，如果超过土地城镇化的保障阈限是在人类技术等所能控制的范围内，随着动态波动最终也会趋于平衡（C-D），如果超过土地城镇化保障阈限过大，造成空间系统崩溃并无法挽回，则城镇化发展质量会急剧降低，城镇化系统将走向毁灭（C-E）。

上述由多个"S"型曲线构成的城镇化发展质量演化过程是一个辨证的统一体。从较小时间尺度分析，城镇化发展质量演变过程的各个阶段是一个"S"型增长曲线不断衍生出新的"S"型增长曲线的过程，是形成"缓慢→加速→趋缓"的逻辑增长过程；从大的时间尺度分析，城镇化发展质量的演变过程就是一个大的"S"型增长曲线，只不过这一"S"型增长曲线由若干次一级的"S"型增长曲线复合组成，期间出现经济社会快速发展→规模扩张→效益提高（技术进步）→质量提高→资源环境消耗加快→土地城镇化保障能力降低→社会经济发展质量降低→技术进步→资源环境消耗减慢→土地城镇化保障能力提高→社会经济快速发展……的梯度循环发展过程。在城镇化发展质量提升的不同阶段，经济、社会要素在空间范围内的运动方式不同，土地城镇化发展的保障能力和特征也不相同，所以应分阶段分析城镇化发展质量的变化规律与形成机制。

二、城镇化发展速度-质量-水平的互动关系

以城镇化发展质量为 x 轴，城镇化发展速度为 y 轴，构建由城镇化发展质量、速度及水平共同决定的区域城镇化发展特征象限图，简称为城镇化发展质量、速度及发展水平象限互动关系图（方创琳和王德利，2011）。将城镇化发展速度分为低速度（$v<0.3$）、中下发展速度（$0.3\leqslant v<0.6$）、中上发展速度（$0.6\leqslant v<0.8$）、高速度（$0.8\leqslant v<1.0$）四种类型，与城镇化发展质量四种类型［低质量（UDQ<0.3）、中下发展质量（$0.3\leqslant$UDQ<0.6）、中上发展质量（$0.6\leqslant$UDQ<0.8）、高质量（$0.8\leqslant$UDQ<1.0）］相组合，形成不同发展阶段（地区）城镇化质量、速度及水平的象限互动关系与 16 种互动协调类型图。按照区域经济发展水平及城镇化发展水平，可分为不同发展阶段城镇化质量、速度及水平的象限互动关系图（图 2.8）。

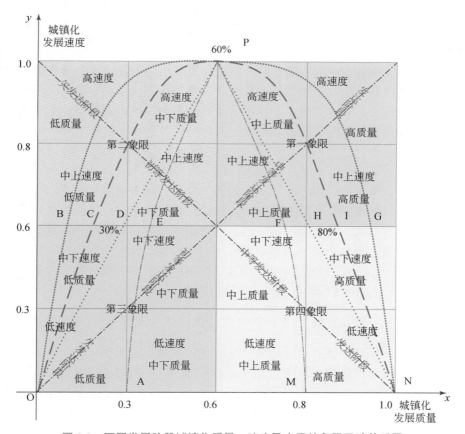

图 2.8 不同发展阶段城镇化质量、速度及水平的象限互动关系图

理论上，城镇化水平在象限图中呈倒"U"型的演变轨迹，城镇化水平分别达到30%、60%、80%时为城镇化质量及速度相对应的 3 个重要转折点。可以发现，发达地区一般处于城镇化发展的高质量、高速度、高水平或高质量、低速度、高水平发展阶段；而欠发达地区一般处于城镇化发展的低质量、低速度、低水平或低质量、高速度、低水平发展阶段；

初等发达及中等发达地区一般处于城镇化发展的中等质量、中等速度及中等水平阶段。

综合以上分析，在城镇化质量、速度及水平的象限互动象限图中，第一象限为高质量、高速度、中上水平象限，第二象限为低质量、高速度、中下水平象限，第三象限为低质量、低速度、低水平象限，第四象限为高质量、低速度、高水平象限。在每一个象限内部，根据城镇化发展质量与速度的关系又可细分为四个小象限，分别划分为中上、中下型城镇化发展质量及中上、中下型城镇化发展速度，并分别对应高、中上、中下、低城镇化发展水平。据此，城镇化质量、速度及水平之间的互动关系体现在 4 大象限和 16 个小象限之中，共包含16 种不同类型的互动协调模式。

（一）第一象限：城镇化高质量、高速度、中上水平的象限域

城镇化高质量、高速度、中上水平象限为第一象限。当城镇化水平在 60%～80% 时，随着城镇化水平的快速增长，随之出现的是经济基础薄弱、产业结构不合理、城乡二元结构明显、农村富余劳动力转移能力不强、环境污染较为严重等一系列城镇化问题，人们意识到在加快城镇化发展速度的同时，必须注重提高城镇化发展质量。相对城镇化发展水平而言，这一时期更注重城镇化质量的提升，城镇化发展质量的提"质"速度与城镇化发展水平的增"量"速度均较快，但提"质"速度高于增"量"速度。本象限又包括四种发展模式：分别为中上速度、中上质量、中上水平阶段；中上速度、高质量、中上水平阶段；高速度、中上质量、中上水平阶段；高速度、高质量、中上水平阶段。

（二）第二象限：城镇化低质量、高速度、中下水平的象限域

城镇化低质量、高速度、中下水平象限为第二象限。随着城镇化水平的提高，城镇化发展速度逐渐加快，但城镇化数量水平的提高相应会增加城市发展所需的各种资源，经济发展的资源环境代价加大，社会保障程度较低，资源环境破坏较为严重。这一阶段的城镇化发展速度虽然较快，但城镇化发展质量总体不高。本象限又包括四种发展模式：分别为中上速度、低质量、中下水平阶段；中上速度、中下质量、中下水平阶段；高速度、低质量、中下水平阶段；高速度、中下质量、中下水平阶段。

（三）第三象限：城镇化低质量、低速度、低水平的象限域

这一象限属于城镇化低质量、低速度、低水平的区域。在城镇化发展初期，城镇化水平较低，城镇化发展速度较慢，城镇化发展质量不高，这一阶段主要是以农业生产为主的时代，农业生产对资源、能源及生态环境的占用较小，经济城镇化发展质量和社会城镇化发展质量均较低，土地城镇化的保障能力较强。本象限包括四种发展模式：分别为低速度、低质量、低水平阶段；低速度、中下质量、低水平阶段；中下速度、低质量、低水平阶段；中下速度、中下质量、低水平阶段。

（四）第四象限：城镇化高质量、低速度、高水平的象限域

高质量、低速度、高水平象限为第四象限。当城镇化发展水平超过 80% 左右时，城镇化发展速度继续降低甚至停滞，这一阶段重点以提高城镇化发展质量为目标，城镇化发展

速度变慢，城镇化发展质量提升较快。本象限又包括四种发展模式：分别为低速度、中上质量、高水平阶段；低速度、高质量、高水平阶段；中下速度、中上质量、高水平阶段；中下速度、高质量、高水平阶段。

三、城镇化发展质量的测度指标体系与方法

城镇化发展质量是经济城镇化发展质量、社会城镇化发展质量和空间城镇化保障质量的有机统一，同时城镇化发展质量的提升是加快推进我国城镇化健康发展的关键。如何判定一个区域或城市城镇化发展质量的高低？如何评价一个区域或城市城镇化发展速度的快慢？要回答上述问题，首先必须创建城镇化发展质量的测度方法体系，测度城镇化发展质量。通过探索城镇化发展质量的基本内涵、影响因素、调控机理及城镇化质量与速度之间的互动关系，从经济、社会、空间三方面提出由 3 类指标、12 项具体指标组成的城镇化发展质量三维综合测度指标球及判别标准值，采用阿特金森模型，建立城镇化发展质量的分要素测度模型和分段测度模型，为评价城镇化发展质量及其空间分异特征奠定基础。

（一）城镇化发展质量测度指标体系

根据城镇化发展质量（UDQ）的内涵，按照可比、可量、可获和可行的原则，以城镇化速度作为调控阀，构建包括经济城镇化发展质量（EUDQ）、社会城镇化发展质量（SUDQ）和空间城镇化保障质量（SUSQ）3 大类要素共 12 个指数组成的城镇化发展质量三维目标空间综合测度指标球（图 2.9）。由图 2.9 可以看出，经济城镇化发展质量由经济效率指数（EEI）、经济结构指数（ESI）、经济发展代价指数（ECI）和经济增长动力指数（EFI）4 项指标来体现；社会城镇化发展质量由人类发展指数（HDI）、社会保障指数（SSI）、基础设施发展指数（IDI）和城乡一体化发展指数（URII）4 项指标来体现；空间城镇化保障质量由水资源保障指数（WRSI）、建设用地保障指数（LCSI）、能源保障指数（PSI）和生态环境保障指数（EESI）4 项指标来体现。以上每一项指标由若干个具体的原始指标通过相关计算得到指数值。

（二）城镇化发展质量的判别标准

城镇化发展质量判断指标标准值的确定采用以下四种途径：①采用国际或国家相关研究报告等规定的标准值；②参考国内或国外领先国家的现状值；③依据现有计算结果量化确定标准值；④依据现有权威文献资料确定。参考国内对城镇化发展阶段的修正划分，结合城镇化发展质量、速度及发展水平象限互动关系图，将区域城镇化发展质量划分为与城镇化发展水平对应的四个阶段：低质量阶段（0＜UDQ≤0.3）、中下发展质量阶段（0.3＜UDQ≤0.6）、中上发展质量阶段（0.6＜UDQ≤0.8）、高质量阶段（0.8＜UDQ≤1）。选定城镇化水平 30%、60%、80%、100%四个与城镇化发展质量及发展速度相对应的重要转折点，根据以上原则确定城镇化水平达到饱和值 100%时对应指数子系统标准值。城镇化水平 30%、60%、80%对应标准值根据 100%时的子系统标准值按比例折算，并根据以上原则及实际情况进行修正，以此构建城镇化发展质量子系统动态判定标准值（表 2.8）。采用熵技

术支持下的 AHP 模型计算二、三级指标加权系数。

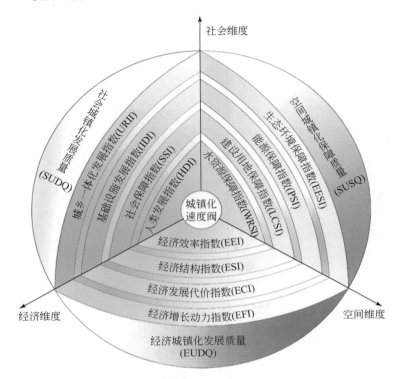

图 2.9 城镇化发展质量测度三维指标球示意图

表 2.8 城镇化发展质量的动态判断标准值及权重

	权重	准则层 准则层 I	权重	指标层 准则层 II	单位	动态判断标准值			
						30%	60%	80%	100%
经济城镇化发展质量	0.400	经济效率指数	0.302	经济效率	—	0.25	0.74	0.80	1
		经济结构指数	0.283	第三产业占 GDP 比重	%	15	45	60	75
				高技术产品占制造业比重	%	5	15	20	25
		经济发展代价指数	0.275	万元 GDP 能耗	标准煤， t/万元	2.40	0.80	0.60	0.48
				万元 GDP 水耗	m³/万元	200	66	50	30
				万元工业增加值废水产生量	m³/万元	20	8	4	2
				万元工业增加值废气产生量	万 m³/ 万元	80	20	5	0.5
				亿元工业增加值固体废弃物 产生量	t/亿元	80	20	5	0.5
		经济增长 动力指数	0.140	科技进步贡献率	—	17	50	70	80

续表

	权重	准则层 准则层 I	权重	指标层 准则层 II	单位	动态判断标准值			
						30%	60%	80%	100%
社会城镇化发展质量	0.350	人类发展指数	0.351	期望寿命	年	60	70	80	85
				成人识字率	%	65	90	100	100
				人均 GDP	万美元	1.5	2.5	3.2	4
		社会保障指数	0.298	失业率	%	8.0	4.6	3.5	2.8
				社会保障占 GDP 比重	%	6	18	25	30
				社会保障普及率	%	25	75	100	100
		基础设施发展指数	0.187	用水普及率	%	50	90	100	100
				人均住房面积	m²	10	27.6	37	40
				人均道路面积	m²	4	9.6	13	15
				千人拥有医生数	人	0.9	2.8	3.8	4.8
				百人基础教育拥有教师数	人	0.5	1.5	2	2.5
		城乡一体化指数	0.164	城乡收入差距	—	4.8	1.6	1.2	1
空间城镇化保障质量	0.250	水资源保障指数	0.250	水资源保障能力	—	1	1	1	1
		建设用地保障指数	0.250	建设用地保障能力	—	1	1	1	1
		能源保障指数	0.250	能源保障能力	—	1	1	1	1
		生态环境保障指数	0.250	空气质量指数	%	40	75	100	100
				建成区绿化覆盖率	%	20	37	50	55
				污水处理率	%	50	90	100	100
				垃圾无害化处理率	%	40	84	100	100
				工业固体废弃物资源化率	%	40	72	90	100

（三）城镇化发展质量的综合测度方法

1. 城镇化发展质量综合测度模型

利用 α、β、γ 分别代表经济城镇化发展质量（EUDQ）、社会城镇化发展质量（SUDQ）和空间城镇化保障质量（SUSQ）的加权影响系数，则城镇化综合发展质量 UDQ 的计算公式为

$$UDQ = EUDQ \times \alpha + SUDQ \times \beta + SUSQ \times \gamma$$

$$= \sum_{i=1}^{4}(EUDQ_i)\alpha_i + \sum_{j=1}^{4}(SUDQ_j)\beta_j + \sum_{k=1}^{4}(SUSQ_k)\gamma_k$$

2. 经济城镇化发展质量测度模型

利用 ω_1、ω_2、ω_3、ω_4 分别表示 EEI、ESI、ECI、EFI 的权重，经济城镇化发展质量 EUDQ 的计算公式为

$$EUDQ = \sum_{m=1}^{4} (EUDQ)_m \omega_m = EEI \times \omega_1 + ESI \times \omega_2 + ECI \times \omega_3 + EFI \times \omega_4$$

3. 社会城镇化发展质量测度模型

利用 δ_1、δ_2、δ_3、δ_4 分别表示 HDI、SSI、IDI、URII 的权重,社会城镇化发展质量 SUDQ 的计算公式为

$$SUDQ = \sum_{k=1}^{4} (SUDQ)_k \delta_k = HDI \times \delta_1 + SSI \times \delta_2 + IDI \times \delta_3 + URII \times \delta_4$$

4. 空间城镇化保障质量测度模型

利用 ρ_1、ρ_2、ρ_3、ρ_4 分别表示 WRSI、LCSI、PSI、EESI 的权重,空间城镇化保障质量 SUSQ 的计算公式为

$$SUSQ = \sum_{n=1}^{4} (SUSQ)_n \rho_n = WRSI \times \rho_1 + LCSI \times \rho_2 + PSI \times \rho_3 + EESI \times \rho_4$$

四、城镇化发展质量的提升方向

(一)推进新型城镇化向高质量、高效率、高水平方向发展

(1)创新国家新型城镇化发展质量提升理论。科学把握新型城镇化发展质量提升的内涵、规律和动力,进一步协调好城镇化发展速度与水平的关系,确保城镇化水平年均增长 0.6～0.8 个百分点,城镇化水平稳步提升到 70%～75%,顺利完成城镇化发展阶段由中期阶段向后期阶段的战略转变,推进城镇化进入后期成熟稳定阶段。

(2)最大限度地推动城镇化向高质量方向发展,着力解决城镇化质量"高不高"、城乡居民"满意不满意"、人民群众生活"幸福不幸福"等关键问题,推动实现高质量的市民化、高质量的基础设施、高质量的人居环境、高质量的城市建设、高质量的公共服务和高质量的城市管理的有机统一。把高质量城镇化作为新型城镇化发展的奋斗目标。

(二)推进新型城镇化与乡村振兴向同步化、融合化、共荣化方向发展

城市与乡村从来就是一对矛盾的统一体,城乡不可分割,新型城镇化过程就是城乡融合发展过程,城市病因乡村而生,乡村病也因城市而生,城乡互为病因,"城市病"必然引发"乡村病",乡村病的加剧必然影响新型城镇化进程,城市病与乡村病同时存在,合并成为"城乡病"。根治城市病必须通过乡村振兴,相反,根治乡村病也必须通过新型城镇化,城市病问题解决了,乡村病自然得到治理。可见,新型城镇化与乡村振兴是解决城乡病、提升城乡发展质量的两种不同手段。为此建议:

(1)合并召开中央城乡工作会议。从城乡融合发展高度,废除过去就城论城、就村论村的各种文件和规划,取消目前单独召开的中央城市工作会议和中央农村工作会议,合并召开一年一度的中央城乡工作会议,出台城乡融合发展一号文件,统一解决城乡病的问题,统一解决城乡发展中的若干重大问题。

(2)合并编制《城乡融合发展规划》。改变目前城市与乡村独立规划、独立实施、独

立政策体系的做法,逐步融合《国家新型城镇化规划》和《乡村振兴规划》,合并编制《城乡融合发展规划》,通过规划引导推动新型城镇化与乡村振兴向同步化、融合化、共荣化方向发展。

(3)合并实施城乡融合发展战略。改变目前分别实施的新型城镇化战略、乡村振兴战略、区域协调发展战略等多种战略分割分治分施现状,合并实施城乡融合共荣战略,形成城乡融合发展的一张战略蓝图、一个战略指导思想、一个战略行动目标、一套战略实施方案和一套战略政策体系。

(4)同步提升城市发展质量和乡村发展质量,推动城乡向高质量方向发展。重塑城乡关系,建立城乡要素双向流动的长效机制,推动城市基础设施和公共服务设施逐步延伸到乡村地区,推动城乡基础设施共建共享共营,逐步缩小城乡高质量发展差距,推动城市与乡村同步实现现代化,让城市与乡村共同成为人人向往的美好家园!

(三)增强新型城镇化高质量发展的整体协同性,提高城市群发展质量

推进新型城镇化高质量发展,要用系统性思维、全局化视野和协同作战的智慧与能力,统一思想,凝聚共识,加强顶层设计、注重整体谋划,形成系统设计、整体谋划、协同推进的局面。通过顶层设计与整体谋划有机融合,形成整体协同性,推动新型城镇化向更高质量不断迈进。

提升新型城镇化高质量发展整体协同性的一个重要载体就是加快建设城市群,推动城市群内部各城市之间规划同编、产业同链、交通同网、市场同体、金融同城、生态同建、污染同治,实现城市群地区基础设施建设一体化、产业发展与布局一体化、城乡发展一体化、生态建设和环境保护一体化、基本公共服务一体化等,优化城市群空间结构、等级规模结构和空间结构,增强城市群内部中心城市的辐射带动功能,加快发展城市群中小城市,有重点地发展小城镇,促进大中小城市和小城镇协调发展,不断提升城市群发育程度与发展质量。

(四)推动产城融合发展及城镇基本公共服务均等化,提升城市发展质量

坚持以人的城镇化为核心,继续加快农业转移人口市民化,推动产城融合,以产促城,以城促产,产城互动,建立智慧低碳、多规合一、创新驱动的产城融合示范区,促进城市集约紧凑发展,进一步深化供给侧结构性改革,在推动城市经济高质量发展的同时,拉动城市高质量建设,不断激发城市发展的新动能,加快中高端服务业、智能制造、创新引领、绿色低碳、人力资本服务、现代供应链等领域率先发展,推动大数据、互联网、人工智能与实体经济深度融合,推动城市制造向城市创造转变,城市速度向城市质量转变,制造大市向制造强市转变。聚焦补好弱项短板,进一步发挥好城市的辐射带动作用,将大中城市的基本公共服务设施和基础设施延伸到中小城市,实现中小城市与城镇基本公共服务均等化,同步提升城市和城镇发展质量和建设质量。

(五)规范建设特色小镇,夯实新型城镇化高质量发展的基石

2017年12月国家发展和改革委员会、国土资源部、环境保护部和住房城乡建设部联

合印发了《关于规范推进特色小镇和特色小城镇建设的若干意见》(发改规划〔2017〕2084号),2018 年 9 月 18 日国家发改委办公厅下发了《关于建立特色小镇和特色小城镇高质量发展机制的通知(发改办规划〔2018〕1041 号)》。通知明确了规范建设特色小镇、建立特色小镇高质量发展的基本机制。可见,发展特色小镇是深入推进新型城镇化的重要抓手和另外一个主体,也是推进城镇化高质量发展的坚实基石。建设特色小镇可实现农业人口镇民化,就近就地城镇化,推动城乡融合发展,将城市先进的基础设施和公共服务设施延伸到特色小镇。但特色小镇建设中出现了一哄而上、变相圈地、产镇分离、特色不突出等现实问题,需要进一步规范建设特色小镇,打造一批产业特色鲜明、文化浓郁深厚、环境美丽宜人、体制机制灵活的特色小镇,这对促进新型城镇化高质量发展具有重要意义。未来特色小镇建设要按照政府指导、市场主导、特色引导、布局疏导的基本原则,把特色和以特取胜摆在首位,把产业摆在优先重要地位,把创新摆在突出重要地位,把提升品质作为奋斗目标。赋予特色小镇相当的活力,激发特色小镇多元的动力,提升特色小镇发展的能力,强化特色小镇的竞争力,提升特色小镇的辐射力。特色小镇建设一定要规划优先,多规合一;因镇制宜,因镇施策;彰显特色,以特取胜,以特制胜,防止千镇一面;产镇融合,有群有链,加强特色小镇建设的产镇融合,避免产镇分离,导致空心镇、鬼镇、烂尾镇的出现。

第四节　城镇化发展模式与路径选择

一、城镇化发展的基本模式

城镇化发展基本模式的选择坚持适度紧凑、节约资源、保护环境、差异推进、全面开放的基本原则,与资源环境相适应的城镇化发展通用模式,主要包括适速适度紧凑型城镇化发展模式、资源能源节约型城镇化发展模式、生态环境友好型城镇化发展模式、因类因地制宜型城镇化发展模式、渐进自主型城镇化发展模式、全方位开放带动型城镇化发展模式等,通用的城镇化发展模式适合于任何地区、任何城市和任何发展阶段的城镇化发展(方创琳,2014;方创琳和王岩,2015)。

(一)适速适度紧凑型城镇化发展模式

这一模式要求正确处理好城镇化"提速"与"提质"的关系,使城镇化速度与资源环境承载力相适应,与城市发展和经济发展客观规律相一致。这就要求科学准确预测,逐步淡化城镇化水平的高增长指标,突出城镇化发展质量的量化指标和城镇化进程的资源环境约束指标。保持合理适度的城镇化增长率,该慢时快了不行,该快时慢了也不行,城镇化水平每年增长速度以保持在 0.6~0.8 个百分点为宜。因为健康的城镇化是城镇化速度与质量的全面提升与统一。城镇化进程过快会超出生态环境承载能力,引发一系列生态环境问题,限制城镇化进程的进一步加快,是谓过度城镇化或虚高度城镇化;但城镇化进程过慢,虽然从某种程度上保护了生态环境,节约了资源能源,但却限制了工业化与经济发展,又会导致经济非农化程度低，城镇建设滞后、劳动力大量过剩、社会发展低效等，是谓低度城镇化。介于高度城镇化与低度城镇化之间的适度适速城镇化模式是指与生态环境容量相适应的可持续城镇化模式，这种模式的基本内涵包括城镇化的速度要适度、城市建设规模要适度、城市集聚与扩散要适度、城市紧凑程度要适度四层含义。

（二）资源能源节约型城镇化发展模式

这一模式要求城镇化道路的选择必须与资源环境的承载能力相适应，将城镇化发展对资源环境的代价降到最低程度，将资源与生态环境对城镇化进程的约束也降到最低限度，依据区域资源环境承载能力，推行环境友好型、资源节约型、清洁型的城镇化发展模式。从资源能源对保障新型城镇化的重要作用分析，土地资源是城镇化的主要空间载体，水资源是城镇化发展的生命线，能源是城镇化发展的血液，土地、水、能源等资源是城镇化发展不可缺少的重要保障。因此，城市发展必须走资源集约利用、城镇布局集中、紧凑发展的节约型城镇化道路，必须推行资源节约型城镇化模式，具体包括节水型城镇化、节地型城镇化、节材型城镇化和节能降耗型城镇化模式。

一是推行节水型城镇化，以水定城镇化速度与水平。从水资源承载力的角度，以水定城，以水定地，以水定人，以水定产，以水定城镇化速度与水平，对城市社会经济的发展规模、发展速度以及用水需求进行限制，构建节水型产业结构体系，依此确定大、中、小城市发展规模、形成与水资源相适应的节水型城镇体系。

二是推行节地型城镇化，以地定城镇化速度与规模。把城镇化看成是一个土地集约利用的过程，充分挖掘现有城市土地的潜力，合理确定城镇化发展用地规模，提高国土空间利用质量，将城市建设成为集约增长型城市。

三是推行节材型城镇化，以材定城镇化档次与质量。采用各种手段和技术降低城市建设对能源原材料的消耗量，确保各种原材料持续利用，提高原材料的使用效率，建设节材型城市和节材型社会。

四是推行节能降耗型城镇化，以能定城镇化效率与效能。千方百计地降低单位产值的能耗量，不断降低城镇化对能源的消耗，建设节能型社会和节能型城市。大力提倡使用风能、太阳能、生物能等新能源，加快传统能源淘汰步伐，把新能源作为推进城镇化的重要衡量标准。

（三）生态环境友好型城镇化发展模式

生态环境友好型城镇化模式是以坚持生态优先原则，在保护生态环境的前提下推进城镇化可持续发展的模式，是一种不因眼前利益而用"掠夺"方式促进城市暂时繁荣，或者为了自身发展而破坏区域生态环境、换取城市繁荣的城镇化模式。包括绿色生态型城镇化、环境友好型城镇化、循环型城镇化等内涵。

绿色生态型城镇化要求城镇化必须走生态之路，以建设生态城市和绿色城市为导向，不断提升城市生态环境质量和生态品质，以绿色、低碳、和谐、宜居为目标，不断向城市提供优质的生产产品和优质的生态产品，推进城镇经济社会发展的生态化，构建生态型产业体系，依靠城市的生态资本，积累城市的生产资本，进而提升城市的生活资本，推进城镇化可持续发展。

环境友好型城镇化是可持续发展的城镇化模式，不仅是指城市发展要注意保护自然环境，最大限度地减少对环境的污染，还要采取科学技术手段高效治理城市环境污染，大力发展节能环保产业和循环经济，不断提高城市的空气环境质量、水环境质量和生活质量；还包括经济的持续发展和社会的良性运行。

循环型城镇化要求遵循减量化、再利用和资源化原则，立足于循环型企业、生态工业园区，大力推广清洁生产，延长生态产业链条，大力提倡绿色消费，发展循环经济，最大限度减少废弃物，并扩大物资的回收和再利用，建设清洁型城市和减排型城市，把城市建成高效、循环或多层次利用能源和资源的循环城市。

（四）因类因地制宜型城镇化发展模式

区域城镇化水平差异较大，而城镇化政策又是通行性的。面对地区发展水平和城镇化水平的客观差距，在推进城镇化的过程中，可允许不同地区因地制宜地采取不同的推进策略，各地区可结合当地具体情况，选择城镇化发展的差异化方式，形成各有特色的城镇化模式。在选择城镇化道路时，需要正视区域差异，加强分类指导，充分考虑不同地区、不同主体功能区、不同经济区、不同类型城市在城镇化发展道路与模式方面的地区差异，因地制宜，避免搞"一刀切"而影响区域城镇化健康发展。

一是推行因地制宜型城镇化。坚持宜小则小、宜中则中、宜大则大的原则，城市规模和数量要与当地的资源环境承载力相适应，可以在资源与生态环境承载能力大的地方适度有序的扩大城市建设规模和人口集聚规模，而在资源环境承载能力小的地方限制或者禁止建城设市，不同类型城市发展中不比大小、不比体量、不搞攀比。

二是推行因类制宜型城镇化。从不同性质的地区城镇化发展模式的差异性分析，农区、矿区、牧区、林区、园区、城区、郊区、景区、民族地区、贫困地区等不同发展性质和类型的地区，其城镇化发展模式各不相同，应推行因类制宜型城镇化，走适合自己的个性城镇化发展之路。不同类型地区的城镇化有着完全不同的城镇化模式，同一地区不同性质地区的城镇化同样有着完全不同的城镇化模式，例如城区就地市民化的全域城镇化模式、矿区城镇化模式、郊区城镇化模式、牧区城镇化模式、农区城镇化模式、园区城镇化模式、场区城镇化模式、游区城镇化模式、民族地区城镇化模式等就完全不同，不同地区之间、同一地区不同类型区域之间的城镇化发展模式只能相互借鉴，不可相互复制。

三是推行因时制宜型城镇化。考虑到各地、各城市和各城镇所处的经济发展阶段和城镇化发展阶段不尽相同，在制定城镇化发展目标时，要因时制宜，根据各自所处的不同阶段制定出相应的发展目标，不追求数量指标和发展目标的统一，更不能盲目攀比、脱离实际制定出不合时宜、无法实现的城镇化发展目标。

（五）渐进自主型城镇化发展模式

城镇化发展的渐进模式是按照不同城镇化梯度，逐步加快农村城镇化进程，具体包括四大渐进过程，即：加强城关镇建设，推进农民市民化，实现城市化过程；加强中心镇建设，推进农民镇民化，实现城镇化过程；加强中心村建设，推进农民渐进城镇化，实现农村渐进城镇化过程；推进中心村（社区）建设，推进农民社区化（图 2.10），实现新农村社区渐进城镇化过程。这是一种以中心村为先导、逐步推进的城镇化过程，其中把自然村变为中心村和农村社区、把中心村提升为镇民化是切实可行的渐进城镇化模式。这种模式可做到农民不进城仍然可以享受到城市市民的各种待遇。没有必要将所有的农民赶进城里，必须有农民留守中国广大农村。村民仍为农业人口，宅基地变为楼，是从自然村到中心村的变化过程。

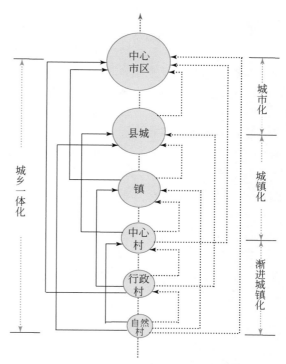

图 2.10　新型城镇化高质量发展的渐进模式图

渐进城镇化发展可采取自主模式，按照"统一规划、统一筹资、统一建设、统一管理"的主动城镇化思路，实行"以农民为主导，自我决策、自己评估、自主建设、自愿集资、自治管理"的自主城镇化发展模式，建设城镇化新社区。也可采取股份制模式，根据城镇化发展需要，将部分农民转变为股民，将农民的承包地以入股方式整合，并对草原、林地、水面和废弃地等一次性作价，由股份合作公司统一经营管理，到时候农民就变成了股民。城镇化与保护农村之间形成一个平衡点，以股份制的方式经营村庄，既有助于保护农村特点，又能提高农民收益，还能推进农业现代化。

（六）全方位开放带动型城镇化发展模式

城镇化发展过程是一个高度开放的系统，加快城镇化进程不仅依靠内力，还要依靠外力，在推进城镇化进程中，需要适应经济全球化的新形势，构建开放型的经济新体制，推动对内对外双向开放，引进来和走出去更好结合，促进国际国内生产要素有序自由流动、资源高效配置、市场深度融合，以开放开发促进城镇化发展。一是面向全球配置资源，加快推进国家工业化和城镇化进程，形成"以我为主"配置全球资源到"为我服务"的全方位开放带动型城镇化发展模式的战略框架，为我国新型城镇化创造更大的国际化发展空间。二是以内推外，以外促内，内外联动，借助外力推动城镇化进程。

二、城镇化发展的城乡融合模式

城市与乡村作为城乡地域系统的有机组成部分，始终是一个矛盾的有机统一体和不可分割的融合体。城乡融合发展一直是中国推动城乡统筹发展、实现城乡共荣的重要目标。

1949 年以来，中国城乡融合发展经历了从城乡二元发展、城乡协调发展、城乡统筹发展，到城乡发展一体化，再到城乡融合发展的政策演进过程，这些政策对推动中国新型城镇化和乡村振兴、实现城乡深度融合发展发挥了重要的指导作用。在城乡人口融合、产业融合、基础设施和公共服务设施融合、城乡养老融合、城乡生态环境保护融合等方面取得了举世瞩目的巨大成就，城乡融合体制机制逐步健全，一批国家城乡融合发展试验区试点建设。与此同时，中国城乡融合发展面临着城乡差异仍未消除、城乡生产要素流动不畅、城乡公共服务社会均衡化程度较低、城乡融合发展深度不够、城乡发展战略与政策分离分治等问题（刘彦随等，2016；刘彦随，2018），这些问题导致了乡村发展的衰落，进而对中国可持续发展形成挑战（何仁伟，2018）。城乡融合正是解决这一困局的根本途径，也是破除城乡二元结构，构建新型城乡关系，实现新型城镇化建设的关键举措（张英男等，2018）。党的十九大报告中提出要建立健全城乡融合发展体制机制和政策体系；2019 年 4 月 15 日中共中央、国务院印发的《关于建立健全城乡融合发展体制机制和政策体系的意见》，进一步对中国城乡融合发展做出规划部署；党的十九届五中全会特别指出，要通过健全城乡融合发展机制，推动城乡要素平等交换、双向流动，增强农业农村发展活力，解决城乡区域发展不平衡问题。如何在国家宏观政策指导下，科学合理把握城乡融合内涵，探索城乡融合发展演变规律，因地制宜地寻求城乡融合发展的实现路径，是发挥地理学综合优势、服务国家战略需求的重要使命。

（一）城乡融合发展的驱动机理与格局分析

高质量的新型城镇化过程就是城乡融合发展与乡村振兴过程。"城市病"因乡村病而生，"乡村病"也因城市病而生，"城市病"与"乡村病"同病相怜，互为病因，相互转换，复合叠加而形成的"城乡病"正在导致城乡发展优势不互补、城乡发展差距拉大、城乡二元结构突出、城乡基础设施衔接不畅、城乡公共服务不均等、城乡社会空间割裂等现实问题。出现这些现实问题的内在根源在于城乡融合发展机理不清、规律不明、路径不畅、融合发展模式不知。为破解城乡发展严重对立格局、加快建立城乡统筹长效机制，从满足国家战略需求和解决现实问题层面，国家先后发布了《关于建立更加有效的区域协调发展新机制的意见》（2018）、《国家新型城镇化规划（2014—2020）》、《乡村振兴战略规划（2018—2022 年）》和《关于国家城乡融合发展试验区实施方案》（国家发改委〔2021〕135 号），引导新型城镇化与乡村振兴向同步化、融合化和共荣化方向发展（方创琳，2022）。

1. 城乡病根病理与分割对立格局分析

中国城市发展和农村发展长期以来呈现出文件"两张皮"、政策"两张皮"、落实"两张皮"导致城乡严重分割对立的现实，由此衍生出日益严重的"城乡病"，"城市病"与"乡村病"互为病因，互为存在，相互传染（图 2.11），有着相同的近远程致病因子，在近远程自然和人文要素影响下城乡对立存在着"一对一"、"一对多"和"多对多"的交互胁迫关系，"城市病"与"乡村病"有着相互传染的路径与渠道，根治"城市病"需要通过乡村振兴，根治"乡村病"也需要通过新型城镇化。"城市病"正是由于乡村人口大量无序流入城市，导致城市交通拥堵、住房紧张、基础设施与公共服务设施超负荷运转、就业就学就医难、污染加重、综合治理难度加大，同时导致农村耕地撂荒、房屋闲置、产业空心化、空心村增多、农村生态环境无人治理、妇女儿童留守问题和社会割裂问题严重等，可见"城市病"问题解决了，"乡村病"自然得到根治，反过来，"乡村病"问题解决了，"城市病"问题也会逐步得到解决。针对"城市病"和"乡村病"复合叠加形成的"城乡病"慢性沉积后对城乡分割的累积放大效应，急需从科学认知层面厘清城乡耦合机理，揭示城乡耦合发展规律，测度城乡融合程度，优选融合发展模式，实现城乡发展由高度对立格局转变为深度融合格局（图2.12）。

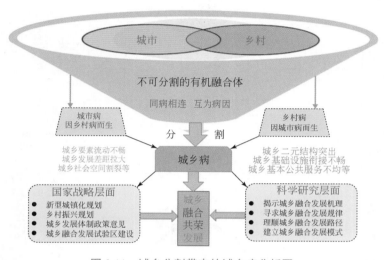

图2.11　城乡分割带来的城乡病分析图

2. 城乡融合发展的主控要素与驱动机制

新型城镇化与乡村振兴是解决城乡病、提升城乡发展质量的两种不同手段，二者之间存在着必然的内在耦合机理。城乡耦合发展的主控要素包括城乡人口、城乡用地、城乡用水、城乡气候、城乡能源、城乡碳排放、城乡产业、城乡劳动力、城乡贸易、城乡人居环境、城乡污染转移等，需要从要素尺度协调好城乡人水关系、人地关系、人力关系、人气关系、人碳关系、人污关系、人产关系、人生关系等多要素关系，从系统尺度进一步协调城市地域系统和乡村地域系统之间的耦合关系。在厘清影响城乡耦合发展主控要素的基础上，从区际远程尺度、区内近程尺度和近远程尺度耦合的角度，探讨在近远程自然要素（水、生态、土地、能源、气候和环境等）和人文要素（人口、经济、基础设施、社会、创新、政策和全球化等）综合影响下，城市地域系统与乡村地域系统的交互胁迫与耦合关系；分析"城"对"乡"的影响机制，"乡"对"城"的影响机制，"城"与"乡"的互动机制，城乡人口、土地、水资源、经济、贸易、交通、能源、市场等各种生产要素的合理流动机制、城乡一体化发展的驱动机制、城乡污染转移和城乡生态环境共建共治机制等；揭示城市地域系统与乡村地域系统的近远程融合机理、融合阶段、融合类型，总结出不同类型的城乡地域系统耦合规律。构建城市地域系统与乡村地域系统的耦合关系方程 $U_E = f(U_i - G_j)$，$(i = 1, 2, 3, \cdots, m; j = 1, 2, 3, \cdots, n)$，定量揭示城乡融合发展曲线，将城乡融合发展程度分为低度融合、较低融合、中度融合、较高融合、高度融合和完全融合6种类型，分别对应随性融合、间接融合、松散融合、协同融合、紧密融合和控制融合，进而建立城乡融合塔（方创琳等，2019），为协调城乡关系提供定量的科学依据。

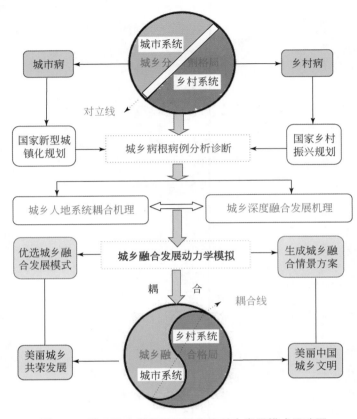

图 2.12　城乡融合发展机理及深度融合发展模式思路图

3. 城乡融合发展的生态环境胁迫效应

新型城镇化与乡村振兴不可避免地对生态环境造成影响甚至破坏，生态环境破坏后反过来会对城乡发展形成胁迫，如何协调好城乡融合发展与生态环境保护之间的关系，找到城乡高质量发展与生态环境高水平保护之间的最佳平衡点,需要揭示二者相互胁迫的机理，分析城乡发展系统（涵盖城乡人口、经济、基础设施、社会等要素）与生态环境系统（包括水资源、土地资源、能源、生态、气候和环境等要素）两大系统的交互胁迫与耦合关系，分析城乡高质量发展对生态环境的需求与影响，生态环境改善对城乡高质量发展的促进与限制效应；进一步揭示城乡发展与生态环境之间交互胁迫的耦合机理、耦合程度和耦合规律；通过耦合升压效应、耦合减压效应和耦合恒压效应，辨识城乡生态环境对城乡发展需求度的满足程度；模拟城乡发展与生态环境交互耦合的动态涨落过程，揭示演变过程中偶然性的随机涨落机制；定量揭示城乡发展与生态环境交互耦合的自适应阈值；开展城乡发展质量与生态环境质量的耦合监测与预警,为城乡融合发展提供良好的生态环境本底基础,为建设美丽城乡和美丽中国奠定发展支撑。

4. 城乡融合发展的多情景试验系统与融合度分析

根据城乡融合发展机理，将城乡水资源、土地资源、能源等重要生态环境要素作为城乡耦合发展的主控要素，采用 SD 模型构建城乡多要素-多尺度-多情景集成的城乡融合动力学模型，计算城乡发展与生态环境交互融合阈值，研发城乡发展多融合多情景试验系统，进一步研发城乡融合发展决策支持系统，调控主控变量，设计多个试验情景，通过互载互胁的临界阈值调整和反复模拟计算，调控出与临界阈值及资源环境容量相适应的城乡融合发展情景方案，模拟生成城乡低度融合、中度融合、高度融合等方案。构建由城乡人口融合、科教融合、产业融合、用地融合、设施融合、环境融合、多规融合、政策融合等八融合构成的城乡多融合测度指标体系（图 2.13），建立城乡融合度测算模型，测算城乡融合发展程度。计算公式为：

$$U = h_1 U_1 + h_2 U_2 + h_3 U_3 + h_4 U_4 + h_5 U_5 + h_6 U_6 + h_7 U_7 + h_8 U_8 = \sum_{i=1}^{8} h_i U_i$$

式中，城乡人口融合度为 U_1；科教融合度为 U_2；产业融合度为 U_3；用地融合度为 U_4；设施融合度为 U_5；多规融合度为 U_6；环境融合度 U_7；政策融合度为 U_8；h_1、h_2、h_3、h_4、h_5、h_6、h_7、h_8 分别代表融合度权系数。

5. 城乡多融合发展模式与深度融合格局分析

城乡融合发展的重心在农村、推动力在城市。根据城乡融合发展的情景模拟方案，借鉴国际城乡融合先进区发展经验，优选利于城乡要素合理流动、缩小城乡发展差距、破解城乡对立格局的城乡多融合发展模式，可创建由以城乡人口融合为先导、以科教融合、用地融合、产业融合、设施融合、多规融合、环境融合、政策融合为主导、以改革开放和创新发展为动力的城乡多融合发展三角模式（图 2.14），重塑城乡深度融合发展新格局。其中：城乡人口融合是核心，科教融合是关键，用地融合是载

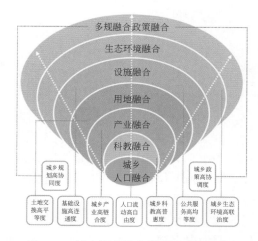

图 2.13　城乡深度融合发展层次示意图

体，产业融合是支撑，设施融合是纽带，多规融合是先导，环境融合是基础，政策融合是牵引。通过多融合试验模式的构建，促进城乡发展从二元到一体化，从单融合到多融合，从点融合到面融合，从规划融合到建设融合，促进城乡要素合理配置，公共服务普惠共享，促进城市基础设施和公共服务设施逐步延伸到乡村地区，加快乡村振兴进程，推进城乡发展由对立格局转变为融合格局，推动城乡基础设施共建共享共营，同步提升城市发展质量和乡村发展质量，同步实现城市现代化和乡村现代化；通过质量耦合效应、质量分升效应和质量分异效应，提出城乡共荣发展、共同繁荣的调控模式和高质量提升路径，将城乡对立的低质区转为城乡融合的高质区，为建设具有城乡人口流动高自由度、土地交换高平等度、城乡产业高链合度、基础设施高连通度和公共服务设施高普惠度的城乡深度融合发展

模式提供政策支撑。将城乡对立的脆弱区转为城乡融合的坚强区，让城市与乡村共同成为人们美好生活的向往家园！

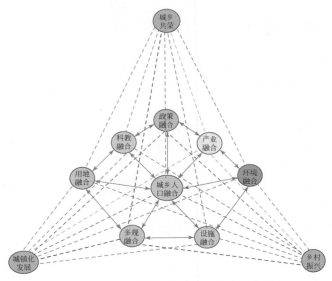

图 2.14　城乡多融合发展三角模式示意图

（二）城乡融合发展的规律性与持续性

1. 城乡融合发展的规律性分析

从城乡人口融合角度分析，城乡融合发展的规律性与城镇化高质量发展的四阶段规律性基本一致。城镇化高质量发展的四阶段规律包括为城镇化发展初期（城镇化水平介于1%～30%，为起步期）为低质量阶段、城镇化发展中期（城镇化水平介于30%～60%，为成长期）为中等质量阶段，城镇化发展后期（城镇化水平介于60%～80%，为成熟期）为较高质量阶段，城镇化发展终期（城镇化水平在80%以上，为顶峰期）为高质量阶段，对应的城乡融合发展也呈现出四阶段规律性，即城镇化初期为城乡低度融合发展阶段，城镇化中期为中等融合发展阶段，城镇化后期为高度融合发展阶段，城镇化终期为深度融合发展阶段，处在不同城镇化阶段的城乡融合程度不同，这就是城乡融合发展的规律性（图2.15）。理论上，城乡融合发展过程经历了有乡无城—乡多城少—城乡各半—城多乡少—有城无乡的演变过程，对应的城镇化水平、乡村劳动力比重、乡村经济总量比重相应发生变化，城乡融合度总体滞后于城镇化进程，但总体朝着深度融合方向发展，城乡融合发展呈现出螺旋上升的过程。这一规律告诉我们，特定时期的城乡发展不可分割，城镇化进程过快、乡村振兴过慢都不利于城乡融合发展，城镇化发展过程与乡村振兴过程在速度、质量、方案制定、战略实施、政策制定等方面需要保持统筹协调，步调一致，超前或滞后均会加大城镇化发展带来的城市病和乡村病，城乡融合发展的四阶段性规律要求协调城乡发展速度与城乡发展质量之间的辩证关系，在不同阶段，该快则快，该慢则慢（方创琳，2022）。

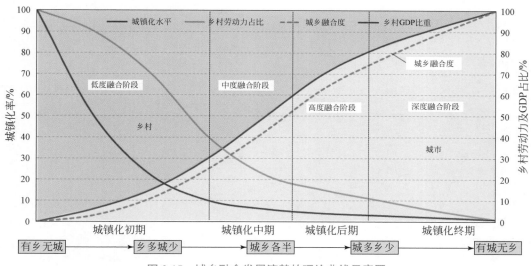

图 2.15　城乡融合发展演替的理论曲线示意图

2. 城乡融合发展规律性的验证分析

按照城乡融合发展的规律性与演变过程，分析 1952～2019 年中国城市融合发展轨迹发现（图 2.16），中国城乡发展在 1952～2000 年属于城镇化初期乡多城少的低度融合阶段，其中 1952～1980 年属于城乡二元发展的零度融合阶段，1980～2000 年属于城乡协调发展阶段；从 2000～2010 年城镇化水平达到 50%，进入城镇化中期城乡各半的中度融合阶段，属于城乡统筹发展阶段；从 2011～2019 年属于城乡一体化发展的中度融合阶段，到 2019 年城镇化水平达到 60%，告别城镇化中期进入城镇化后期城多乡少的高度融合阶段，未来将迈入城镇化终期城多乡少和有城无乡的深度融合阶段。由图 2.16 看出，中国城乡融合发展总体符合城市融合发展的规律性。

3. 城乡融合发展的持续性分析

城乡融合发展的持续性包括高效性、低碳性、生态性、环保性、节约性、创新性、智慧性和平安性等八大属性（表 2.9）。中国尚处在发展中国家之列，在任何情况下都需要把城乡可持续发展摆在首要位置，发展是硬道理，是主目标，但发展是高效集约式的可持续发展，不是传统粗放的无序发展，在发展中需要逐步转变发展结构和功能，改变高碳的城乡产业结构和城乡能源结构，降低碳排放量，走低碳发展之路，建设低碳城市和低碳乡村。

在城乡融合发展的同时需要最大限度地集约利用自然资源，建设节水、节能、节地、节材型城市与乡村，构建资源节约型城乡经济体系，需要最大限度地保护城乡生态环境，同步综合治理城乡环境污染，建设美丽城市和美丽乡村，让城市和乡村同时成为人们向往的美好家园。为了提高城乡融合发展质量，需要把创新作为主驱动力，把建设智慧城乡作为未来奋斗目标，推进城乡科技发展一体化，构建城乡深度融合的科技创新体系，建设数字城市、智慧城市、智慧社区和数字乡村，形成智慧城乡建设体系。为了确保城乡发展安全、生态安全与生存环境安全，需要建设平安城市和平安乡村，构建城乡融合的安全保障体系，没有安全保障，城乡可持续发展就无从谈起。安全是城乡融合发展一切工作的前提和归宿。

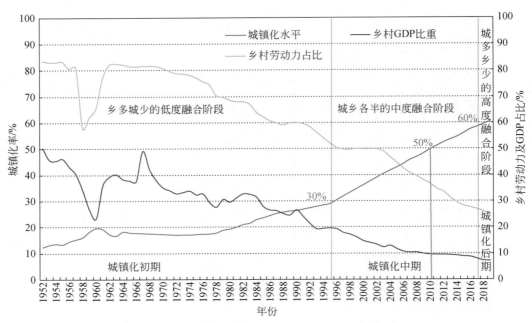

图 2.16　1952～2019 年中国城乡融合发展演进曲线示意图

表 2.9　城乡融合发展的持续性分析

融合属性	融合发展目标	融合发展的手段
高效性	促进城乡经济可持续发展	建设精明增长、互补互惠、高质量发展的城乡融合经济体系
低碳性	推动城乡减排可持续发展	建设低碳城市、低碳村和低碳社区，主张低碳消费、低碳交通和低碳社会方式
生态性	推动城乡生态可持续发展	建设生态城市、美丽城市和美丽乡村，高水平保护城乡生态环境
环保性	保障城乡环境可持续发展	建设环境友好型城市和环境友好型乡村，同步高效治理城乡环境污染
节约性	确保城乡资源可持续发展	建设节水、节能、节地、节材型城市与乡村，构建资源节约型城乡经济体系，确保城乡资源高效流动与永续利用
创新性	促进城乡科技可持续发展	建设创新型城市，推进城乡科技发展一体化，构建城乡深度融合的科技创新体系
智慧性	倡导城乡知识可持续发展	建设数字城市、智慧城市、智慧社区和数字乡村，形成智慧城乡建设体系
平安性	保障城乡社会可持续发展	建设平安城市和平安乡村，构建城乡融合的安全保障体系

（三）城乡融合发展的政策演变过程与作用路径

　　城乡融合发展是中国推动城乡统筹发展、实现城乡共荣的重要目标。1949 年以来，为了推动中国城乡发展，先是围绕城镇化战略和城市建设，先后召开了两次中央城市工作会议和一次中央城镇化工作会议，促进中国城镇化健康发展；接着围绕农业、农村和农民问题，连续多年召开了中央农村工作会议，连续发布了一系列中央一号文件，推动农业实现现代化和乡村振兴；近几年来又围绕长期存在的城乡分割对立问题，制定了从城乡统筹发展，到城乡发展一体化，再到城乡融合发展的一系列政策体系。中国城乡发展政策经历了从城乡二元发展、城乡协调发展，到城乡统筹发展、城乡一体化发展，再到城乡融合发展的演进过程（图 2.17），这些政策对推动中国新型城镇化和乡村振兴、实现城乡深度融合发展发挥了重要指导作用。

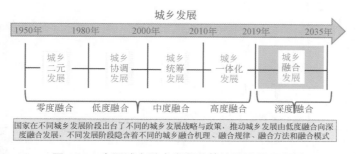

图 2.17　中国城乡融合发展政策演进阶段示意图

1. 城市发展政策的演进过程及其作用路径

城市是一个自然有机体，其发展是一个漫长的历史过程和自然生长过程，城市快速发展使其成为带动周边地区经济、社会、商贸、文化、交通和政治中心，一直是国家发展战略支点，也是加快实现现代化的重要引擎，在党和国家工作全局中具有举足轻重的地位。城市的发展历来得到国家高度重视，新中国成立以来党中央先后召开了四次城市工作会议，多次强调城市在不同发展阶段肩负的重要历史使命。

尤其是 2015 年 12 月 20 日召开的第四次中央城市工作会议，是在中国经济发展进入新常态、城市化进入新阶段、城市病进入高发高危期的特殊历史时期召开的一次具有重要里程碑意义的会议。会议提出城市发展要遵循自然规律，把城市工作的出发点确定为以人民为中心，将城市工作的落脚点确定为人民城市人民建，人民城市为人民；在城市集约发展中正确处理好城市发展的数量与质量、规模与速度、快变量与慢变量之间的辩证关系，确保城市发展形成适度的"体量"，适速的"节奏"和健康的"体质"；创新城市发展新模式，将城市建设成为精明增长城市、创新城市、紧凑城市、低碳城市、智慧城市、平安城市和法治城市，建成和谐宜居、富有活力、各具特色的现代化城市。

2. 农村发展政策的演进过程及作用路径

乡村兴则城市兴，城市兴则国家兴。农村发展对于中国全面建成小康社会、全面建设社会主义现代化国家具有重大意义[①]。1978 年改革开放以来，党中央先后召开了 28 次中央农村工作会议（表 2.10），共发布了 23 份以"三农"问题为主题的中央一号文件。其中，1982～1986 年连续五年发布，2004 年至今又连续 18 年发布，体现了农村发展在中国社会主义现代化建设时期的"重中之重"地位。从中央农村工作会议与中央一号文件聚焦重点的演化历程来看，20 世纪 80 年代主要聚焦农村包产到户的性质、土地承包权的期限、多种经济成分的发展、农产品流通体制改革以及摆正农业在国民经济中地位等问题，主要通过完善家庭联产承包责任制等方式推动农村发展。进入 21 世纪年以来，重点围绕农民增收

[①] 中共中央、国务院，《乡村振兴战略规划（2018－2022 年）》，2018。

困难、农业发展投入不足、农村水利等基础设施薄弱、农村人居环境差、城乡发展差距不断拉大等问题,从推动社会主义新农村建设、积极发展现代农业、加强农业基础建设、统筹城乡发展、促进农业科技创新等方面支撑与推动了农村发展,特别是提出全面取消农业税,终结了中国延续数千年的农业税历史。党的十八大之后,针对中国农村暴露出的农业综合生产成本上升、农村脱贫攻坚任务繁重、农产品供求结构性矛盾突出、农村社会结构加速转型、城乡发展加快融合等问题与现实需求,中央文件紧扣全面深化农村改革核心主题,在指导农村发展中注入新理念,持续推动农业供给侧改革,确立乡村振兴战略,从打赢脱贫攻坚、夯实农业基础、补齐农村人居环境和公共服务短板、发展壮大乡村产业、完善乡村治理机制等方面激发和保持了乡村发展活力与社会的和谐稳定。

表 2.10   1995~2022 年中央农村工作会议内容一览表

年份	主要内容	年份	主要内容
1995 年	落实"米袋子"省长责任制	2009 年	毫不松懈地抓好主要农产品生产供给;持之以恒增强农业发展支撑能力
1996 年	实施科教兴农战略,大幅度增加农业科技含量	2010 年	加快水利改革发展问题
1997 年	切实做好粮食收购工作,解决好农产品流通不畅问题	2011 年	推进农业现代化,建设社会主义新农村
1998 年	调整和优化农业结构,发展高产优质高效农业	2012 年	继续深化农村改革,积极创新农业生产经营体制,稳步推进集体产权制度改革
1999 年	解决当前供销合作社几个突出问题	2013 年	加快农业现代化步伐
2000 年	大力推进农业和农村经济结构战略性调整	2014 年	深化农村改革,加快推进农业现代化
2001 年	实行农村税费改革	2015 年	落实发展新理念,加快农业现代化实现全面小康目标
2002 年	坚定不移地推进农业和农村经济结构的战略性调整"多予,少取,放活"	2016 年	深入推进农业供给侧结构性改革,加快培育农业农村发展新动能
2003 年	统筹城乡经济社会发展,发挥城市对农村的带动作用	2017 年	实施乡村振兴战略
2004 年	把解决好"三农"问题作为全党工作的重中之重	2018 年	实施乡村振兴战略的意见
2005 年	建设社会主义新农村	2019 年	坚持农业农村优先发展做好"三农"工作
2006 年	切实加大对现代农业建设的投入力度	2020 年	抓好"三农"领域重点工作,确保如期实现全面小康
2007 年	切实加强农业基础建设,进一步促进农业发展农民增收	2021 年	全面推进乡村振兴加快农业农村现代化,促进农业高质高效,乡村宜居宜业,农民富裕富足
2008 年	把保持农业农村经济平稳较快发展作为首要任务,围绕稳粮、增收、强基础、重民生	2022 年	牢牢守住保障国家粮食安全和不发生规模性返贫两条底线,扎实有序推进乡村发展、乡村建设、乡村治理

3. 城乡统筹一体化发展政策的演进过程及作用路径

中央城市工作会议关注城市发展与管理,中央农村工作会议关注农村发展与富民,长期形成了城市文件只管城、农村文件只管村的城乡政策分治局面,其结果加大了城乡对立的格局，无法解决城市病和乡村病。针对这一现状，国家出台了一系列加快城乡统筹一体化发展的政策文件，这些政策演变历程经历了城乡统筹、城乡一体化、城乡融合三个阶段，具有层层递进的关系（表 2.11）。从其演变特征来看，主要表现在战略意义由局部演变为事关国家现代化建设的全局意义，城乡统筹起初被看作缩小城乡差距，推进新农村建设的重要抓手，随后提出的城乡一体化发展战略被作为城乡统筹发展的高级形态和解决"三农"问题的根本途径，城乡融合则是城乡关系演变的更高级发展阶段，其战略意义上升为破解新时代社会主要矛盾、实现国家现代化的重要途径。城乡融合主体由城市到城乡二元，在城乡关系由统筹到融合的演进过程中，城乡融合模式由"以工补农、以城促乡"的城市主导转变为"工农互促、城乡互补、全面融合、共同繁荣"的城乡共同作用，城市偏向的政策导向逐渐弱化，农村"自力更生"、主动参与城乡融合发展作用与地位不断上升。城乡融合动力由政府主导到政府与市场并重再到依托政府"有形之手"、市场"无形之手"以及市民"勤劳之手"的"三手合力"，强调了市场在优化城乡资源配置和更好发挥政府作用中的决定性作用，政府主要作用于市场运行秩序以及推动城乡基本公共服务均等化。城乡融合发展举措由单一转为多元，其举措由以推动农民进城和缩小城乡基本公共服务与基础设施为主的"一步到位"，转变为激活农村人口、土地、资源、产业等要素发展活力和内生动力，继而缩小城乡发展差距和提高农民收入的"分步到位"，突出了城乡融合蕴含的以人为本和提质为上的核心思想。

表 2.11 统筹城乡融合发展的政策演变过程

发布时间	文件名称	主要内容
2002 年	党的十六大报告	统筹城乡经济社会发展，提高农村地区基础公共服务水平
2007 年	党的十七大报告	加强农业基础地位，建立以工促农、以城带乡长效机制，形成城乡经济社会发展一体化新格局
2008 年	党的十七届三中全会公报	统筹土地利用与城乡规划、统筹城乡产业发展、统筹城乡基础设施建设和公共服务、统筹城乡劳动就业、统筹城乡社会管理"五个统筹"的战略部署
2010 年	《中共中央 国务院关于加大统筹城乡发展力度 进一步夯实农业农村发展基础的若干意见》	提出统筹城乡发展是全面建设小康社会的根本要求，加大统筹城乡发展力度，进一步夯实农业农村发展基础
2012 年	党的十八大报告	加快完善城乡发展一体化体制机制，着力在城乡规划、基础设施、公共服务等方面推进一体化，促进城乡要素平等交换和公共资源均衡配置，形成以工促农、以城带乡、工农互惠、城乡一体的新型工农、城乡关系
2013 年	中央城镇化工作会议	提高城镇建设水平，促进城乡一体化发展
2013 年	党的十八届三中全会公报	健全体制机制，形成以工促农、以城带乡、工农互惠、城乡一体的新型工农城乡关系。着重提出赋予农民更多财产权利，推进城乡要素平等交换和公共资源均衡配置
2014 年	《国家新型城镇化规划（2014—2020）》	完善城乡发展一体化体制机制、加快农业现代化进程、建设社会主义新农村
2015 年	中央城市工作会议	提出城镇化必须同农业现代化同步发展，城市工作必须同"三农"工作一起推动，形成城乡发展一体化的新格局

续表

发布时间	文件名称	主要内容
2017 年	党的十九大报告	实施乡村振兴战略、建立健全城乡融合发展体制机制和政策体系
2017 年	中央农村工作会议	加快形成工农互促、城乡互补、全面融合、共同繁荣的新型工农城乡关系
2018 年	《国家乡村振兴战略规划（2018—2022)》	推动城乡要素自由流动、平等交换，推动新型"四化"同步发展，加快形成工农互促、城乡互补、全面融合、共同繁荣的新型工农城乡关系
2019 年	《中共中央 国务院关于建立健全城乡融合发展体制机制和政策体系的意见》	促进城乡要素自由流动、平等交换和公共资源合理配置，加快形成工农互促、城乡互补、全面融合、共同繁荣的新型工农城乡关系，到 2035 年城乡融合发展体制机制更加完善，基本公共服务均等化基本实现，乡村治理体系更加完善，农业农村现代化基本实现
2019 年	《国家城乡融合发展试验区改革方案》	国家发展和改革委员会、中央农村工作领导小组办公室、农业农村部、公安部等 18 部委联合公布 11 个国家城乡融合发展试验区名单：浙江嘉湖片区、福建福州东部片区、广东广清接合片区、江苏宁锡常接合片区、山东济青局部片区、河南许昌、江西鹰潭、四川成都西部片区、重庆西部片区、陕西西咸接合片区、吉林长吉接合片区
2020 年	《2020 年新型城镇化建设和城乡融合发展重点任务》（国家发改委）	突出以城带乡、以工促农，健全城乡融合发展体制机制，促进城乡生产要素双向自由流动和公共资源合理配置。加快推进国家城乡融合发展试验区改革探索，全面推开农村集体经营性建设用地直接入市等
2021 年	《2021 年新型城镇化建设和城乡融合发展重点任务》（国家发改委发改规划〔2021〕493 号）	以县域为基本单元推进城乡融合发展，坚持以工补农、以城带乡，推进城乡要素双向自由流动和公共资源合理配置，以 11 个国家城乡融合发展试验区为突破口，推动体制机制改革和政策举措落实落地。促进人才入乡就业创业，深化改革农村土地制度，推动公共设施向乡村延伸

在上述重大政策的指导下，中国城乡融合发展经过多年以来的发展，在城乡人口融合、城乡产业融合、城乡基础设施与公共服务设施融合等方面取得了举世瞩目的巨大成就。农村城镇化与农业人口市民化加快了城乡人口融合进程；城乡产业融合不断深化，二元结构逐步弱化；城乡基础设施与公共服务设施融合成效显著；城乡发展差距逐步缩小，城乡居民收入不断提高；城乡融合发展体制机制逐步健全；城乡融合发展多元模式及示范取得阶段性成效，建成了国家统筹城乡综合配套改革试验区，开展了一批国家城乡融合发展试验区的建设试点，一系列城乡融合发展政策起到了很好的宏观调控作用。

4. 未来城乡深度融合发展的路径选择

未来城乡发展需要走高度同步化和深度融合化之路。针对城乡发展差异仍未消除到合理范围、城乡生产要素流动不畅、城乡公共服务社会均等化程度较低、城乡融合发展深度不够、城乡发展战略与政策分离等挑战，未来需要把新型城镇化与乡村振兴同时作为解决城乡病、提升城乡发展质量的两种不同手段，需要从理论层面创新城乡融合发展理论与方法，准确研判未来城乡融合发展的新特点、新机制与新规律，提出城乡融合发展的新格局、新模式与新路径；需要从政策层面改变目前城市与乡村独立战略、独立规划、独立实施、独立政策体系的做法，合并召开中央城乡工作会议，合并编制《国家城乡融合发展规划》，实施城乡深度融合发展战略，统筹形成城乡融合发展的一张战略蓝图、一个战略指导思想、一个战略行动目标、一套战略实施方案和一套政策体系，将城乡对立的低质区转为城乡融合的高质区，为建设具有城乡人口流动高自由度、土地交换高平等度、城乡产业高链合度、基础设施高连通度和公共服务设施高普惠度的城乡深度融合发展模式提供政策支撑。引导推动新型城镇化与乡村振兴向同步化、融合化和共荣化方向发展。

三、城镇化发展的路径选择

高质量推进新型城镇化发展的路径选择可概括为"高效、低碳、生态、环保、节约、创新、智慧、平安"16 字,通过建设环境友好型城市、低碳城市、生态文明城市、精明增长城市、创新型城市、资源节约型城市、智慧城市和平安城市,推动城市由亚健康转变为健康城市,推进城镇化向更高质量发展(方创琳和王岩,2015;方创琳,2019),可采取以下路径(图 2.18)。

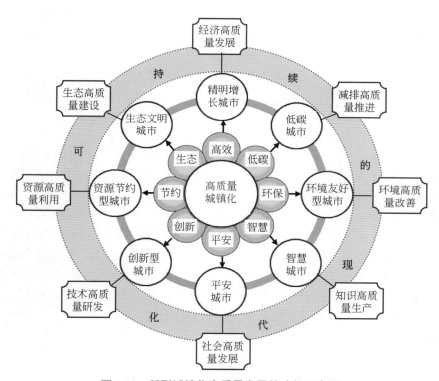

图 2.18 新型城镇化高质量发展的路径示意图

(一)高质量发展经济,建设精明增长城市

高效城镇化路径要求城市经济发展摆脱传统粗放型经济增长方式,转而追求集约型经济发展模式,促进城市经济可持续发展,建设精明增长城市,创造条件建设国际型城市、国际大都市和世界城市,成为全球增长中心。具体可采取如下路径:

一是推动城市经济结构优化和城市功能升级转型。城市转型过程是指城市发展方式和动力发生重大变革与调整的过程,城市功能提升和质量提升的过程,是城市由低级向高级演进的螺旋式上升过程,是延长城市生命、实现城市可持续发展的重要手段,也是城市向

更高目标和阶段迈进的必由之路，转则活，不转则亡。城市升级转型包括城市定位转型、城市功能转型、城市产业升级转型、城市结构转型等方面。

城市定位转型也叫城市改"性"，是对城市发展性质的重新选择，定位是动态变化的，定位具有层次性，不能过高，也不能过低。一定时期的城市发展定位一定要准，过了这一发展阶段的定位就过时了，就必须重新进行城市定位，这种再定位过程叫城市定位升级。

城市功能转型也叫城市改"职"，包括城市基本职能升级和城市非基本职能升级，其中城市基本职能升级是满足对外服务的经济中心、交通中心、生产要素集散中心，文化中心和科技中心等，城市非基本职能升级是指满足城市居民的居住、商业、教育、服务、公共服务等功能。城市职能升级趋向是由单职能转向综合职能，由区域化转向国际化。

城市产业升级转型也叫城市改"馅"，这是城市升级转型的关键，包括产业升级、产品升级、产业链升级和价值链升级等，产业升级是指由资源型产业、传统制造业向先进制造业、现代服务业的升级，由资源密集型产业向资本密集型产业、技术密集型产业、智力密集型产业的升级；产品升级是指由资源型产品、初加工产品向中度加工产品、深加工产品的升级，由资源密集型产品、资本密集型产品向技术密集型产品、智力密集型产品的升级；产业链升级是指延长从上游到中游，再到下游，由无群无链转型为有群有链；价值链升级是指由低附加值、中附加值向高附加值升级。

城市结构转型也叫城市改"架"，是指城市退一进二、退二进三、实现产业结构的合理化、协调化、高级化和国际化的过程，同时也包括产品结构升级（低端产品—中端产品—高端产品）、空间结构升级（点域—线域—面域—网域）和资源结构升级（自然资源—人力资源—创新资源）等（方创琳，2016）。

二是推动城市产业集群由无群无链型转变为有群有链型。城市产业链由生产商、供应商、销售商等若干企业依据产业的前后向关系组成，根据驱动力可分为资源驱动型产业链、市场驱动型产业链和技术驱动型产业链三类。经济全球化已经使城市的竞争由企业之间、企业集团之间的竞争演进到城市产业链、供应链和价值链之间的竞争。其中，有群有链型的城市产业集群组合模式是最具有竞争力的类型。针对我国城市产业集群链合模式中无群无链型、有群无链型、有链无群型等竞争力弱的类型占主导地位的现状，未来城市产业集群的链合模式需要改变过去传统的产业无链、无群或者短链小群现状，实现由无群无链型向有群有链型的战略性转变，由少群短链型向有群长链型的战略转变，由单循环向多循环的循环经济转变。只有这样，才能全面提升中国城市的国际竞争力。

（二）高效率推进节能减排，建设低碳城市

低碳城镇化路径要求发展低碳产业和低碳经济，调整高碳的产业结构，推行低碳消费，促进减排可持续发展，建设低碳社会和低碳城市。低碳城市是城市节能减排的一种模式，是指城市在经济快速发展的同时，将能源消耗和二氧化碳排放降低到最低水平。低碳意味着城市发展必须最大限度地减少或停止对碳基燃料的依赖，减少对化石能源的消耗，大力发展清洁能源，实现能源利用结构的转型和经济发展模式的转型，在能源利用转型基础上继续保持城市经济发展的持续性。发展低碳经济，建设低碳城市是应对全球气候变化、转变增长方式的必然选择。在新型城镇化背景下，需要通过以下路径加快低碳城市发展：

一是推进城市能源低碳化。能源是推动经济发展的主要驱动力，而化石能源比重过大将大大限制低碳城市的建设，推动能源生产的低碳化、调整能源生产结构和消费结构，大力发展清洁能源是实现城市经济发展低碳化的必由之路。一方面要加快研发传统化石能源的高效开发利用技术，积极推广煤炭的清洁转化技术，增加石油和天然气消费比重，实现传统能源的清洁高效利用；另一方面要充分利用水能、风能、太阳能、潮汐能、核能等清洁、可再生能源，逐步提高新能源在能源结构中的比例，推广使用新能源，发展新能源产业，构建水风光互补一体化发电系统。

二是推进城市经济低碳化。大力推进城市产业升级转型和产业结构低碳化，改造传统的高耗能产业，发展新兴科技产业，加快产业结构的战略性调整，大力发展符合低碳要求的战略型新兴产业和现代服务业，促进第三产业发展，是减少碳排放的重要路径。

三是推进城市社会低碳化。国外低碳城市建设的经验表明，引导生活方式低碳化、推行建筑低碳化、交通低碳化，积极生产并消费"低碳产品"，是低碳城市建设的重要内容，也是实施低碳发展战略的必然途径。据测算，同等货物通过铁路运输的碳排放仅为高速公路的 5%～20%；自行车作为零排放的交通工具，在城市有限空间内的通行能力是小汽车的 20 倍。因此，城市交通应实施以公共交通为主导的交通模式，开辟公交专用车道，建设专用自行车道和步行道，不断优化公交出行方式，减少交通的刚性碳排放，实现低碳交通型模式。

（三）高质量推进生态建设，建设生态文明城市

生态城镇化路径要求建设生态城市或生态文明城市，促进生态可持续发展，发展生态经济，构建生态型产业体系，推进国民经济的生态化和经济社会活动的生态化。

在全球从农业文明到工业文明、到今天进入生态文明的新时代，生态文明城市在国家生态文明建设中具有先导示范作用。为了建设生态文明城市，需要优化调整生态型经济结构，创建绿色创新、循环高效的生态文明产业体系，包括生态农业文明产业体系、生态工业文明产业体系和生态服务业文明产业体系；开发绿色生态产品，优化生态-生产-生活空间，形成科学合理的城市生态文明空间建设格局。培育和发展生态新材料产业、生态食品产业、数字生态与云计算产业、生物医药产业与医疗器械产业、生态能源产业等新兴生态工业产业；积极壮大生态旅游与文化创意产业、生态会展产业、生态教育产业、生态信息服务业、生态保健产业、生态艺术产业、数字动漫产业、生态金融产业、健康养生产业、生态地产业、生态博览产业等生态服务产业，建设生态人居示范区和生态文明示范城、示范镇和示范村。加大技术创新力度，构建国际生态文明城市建设的技术保障体系，绘制生态文明城市建设战略路线图；强化生态文明意识，推广生态文明地图，拓展公众参与渠道；创新制度设计，制定生态文明城市建设的政策支持体系。

（四）高水平改善环境，建设环境友好型城市

环保城镇化路径要求促进环境可持续发展，保护好生态环境，最大限度地减少环境污

染，建设环境友好型城市和环境保护模范城市。

环境友好型城市是一种与区域生态环境容量相适应的城市发展模式，一种与区域水环境容量相适应的城市发展模式，一种与区域资源承载能力相适应的城市发展模式。环境友好型城市化模式包括清洁型城市化、减排型城市化和循环型城市化等内涵。

城市是环境污染严重且集中的地区，环境污染治理的重点在城市。健康的城镇化道路必须是环境可持续发展的，一个可持续的城市是一个在社会、经济和物质发展上取得的成就可以维持的城市，拥有其发展所依赖的自然资源的持久供应，能够维护持久的安全，避免可能威胁发展成果的环境危害。城镇化健康发展必须立足资源环境承载能力，走环境友好的城镇化道路。一是要改变现代城市高耗能、非循环的运行机制，提高一切资源的利用效率，各施其能，各得其所，人尽其才，物尽其用，物质、能量得到多层次分级利用，废弃物循环再生，将城市建设成为高效、循环或多层次利用能源和资源的循环型城市。二是城市经济的运行要实现高产出、低排放，在宏观上要形成合理的产业结构，发展节约资源和能源的生产方式，形成高效运行的生产系统和控制系统；在微观上要积极开发有利于环境健康的生产技术，设计出更为耐用和可维修的产品，最大限度减少废弃物，并扩大物资的回收和再利用，建设清洁型城市和减排型城市。

（五）高效集约利用资源，建设资源节约型城市

节约城镇化路径要求促进资源可持续发展，建设节水型城市、节地型城市、节能型城市和节材型城市，建设资源节约型城市。

从资源保障供应的角度分析，土地是新型城镇化的主要载体，水资源是新型城镇化的生命线，能源是新型城镇化的主动力，而我国又是土地、水、能源等资源十分紧缺的国家，城市发展越来越受到水土资源和能源的刚性约束，并成为我国城镇化健康持续发展的瓶颈。世界各国经验教训表明，在工业化和城市化快速发展时期，也是耕地减少最快、资源能源消耗量最大的时期，随着城市化和工业化的进一步发展，对水资源、土地资源和能源资源等的需求越来越大，城镇化发展与资源之间的矛盾冲突越来越大，资源保障压力剧增。因此，城市发展必须走资源高效集约利用、城镇布局集中紧凑的节约型城镇化道路，在发展的模式上突出节约优先，在发展的价值上突出资源高效，始终推行节水型城镇化、节地型城镇化、节材型城镇化和节能降耗型城镇化发展路径。

（六）高起点推进技术创新，建设创新型城市

实施创新驱动发展战略，促进技术可持续发展，提升自主创新和协同创新能力，建设全球创新型城市和国家创新型城市，是推进新型城镇化的最主要驱动力，也是城镇化健康发展的灵魂。

创新型城市是指以自主创新为主导，以科技进步为动力，以创新文化为基础，主要依靠科技、知识、人力、文化、体制等创新要素驱动发展的城市。创新型城市是开展国家创新活动、建设创新型国家的重要基地与力量之源，是推进国家创新体系建设的关键环节，是加快经济发展方式转变的核心引擎，是加快国家新型城镇化进程与新农村建设的重要路径，是探索城市发展新模式和推进城市可持续发展的迫切要求，因而在我国经济社会发展

中具有举足轻重的战略地位（方创琳，2018）。

在城镇化进程中，城镇化的驱动要素由要素驱动向创新驱动、由"城市制造"向"城市创造"转变。实施工业创新主导模式（包括高新技术产业引领模式和先进制造业主导模式）、文化创新主导模式（包括现代文化创新引领模式和传统文化传承模式等）、服务业创新主导模式（包括文化创意产业引领模式和现代服务业主导模式等）、科技创新主导模式（包括知识创新主导模式和技术创新主导模式等）、体制机制创新主导模式（包括市场运行机制创新主导模式和政府管理体制创新主导模式等）、多驱联动创新模式等，以高科技园区为载体，变制造为创造，建设产业创新城；以中央商务区为载体，变商务为服务，建设服务业创新城；以农业科技园区为载体，变农园为庄园，建设现代农业创新基地；以研发机构为依托，建设科学创新城；以信息技术为手段，变制造为智造，建设智慧创新城；以社会和谐为宗旨，建设协同创新城；以宜居环境为目标，大力发展生态经济和低碳经济，建设绿色创新城；以开放合作为基础，建设国际创新城（方创琳，2011）。

（七）高速度加快知识生产，建设智慧城市

智慧城市是借助物联网、移动技术、云计算等新一代信息技术，通过全面透彻的感知、宽带泛在的互联、智能融合的应用而实现的以用户创新、开放创新、大众创新、协同创新为特征的可持续创新城市模式。它是城市发展的高级形态和未来城市发展的主导模式。智慧中的"智"是技术、"慧"是人，注重人机结合、人网结合、以人为主，做到"集大成、成智慧"。

智慧城市是主要依靠知识流动增加财富，突出发展智力密集型产业、促进知识可持续发展的城市，城市发展的驱动因素由创新驱动向更高层次的知识和智力驱动转变。智慧城市是包含着智慧产业、智慧服务、智慧技术、智慧治理、智慧人文、智慧生活等在内的智慧城市综合体。其中智慧产业包括智能电网、智慧交通、智慧物流、智慧医疗、智慧食品系统、智慧药品系统、智慧环保、智慧水资源管理、智慧气象、智慧企业、智慧银行、智慧政府、智慧家庭、智慧社区、智慧学校、智慧建筑、智能楼宇、智慧农业等诸多方面。在大力发展智慧产业的同时，建设智慧公共服务和城市管理系统。通过智慧产业的发展，推进城市由数字城市、智能城市向智慧城市迈进，构建舒适、便捷、绿色、和谐的智慧城市。

（八）高度重视社会和谐发展，建设平安城市

平安城镇化路径树立"安全第一"的思想，优先关注城市安全，促进社会可持续发展，构建和谐社会，建设平安城市和国家安全城市。安全城市是一种城市生态安全、生产安全和生活安全不受威胁，处处具有安全感的城市。确保城市安全的最终目标就在于，建设最安全城市。促进城市可持续发展，把城市的安全隐患降到最低，把城市的安全系数提到最高程度，实现健康城市化的战略目标。

城市安全是指城市在生态环境、资源供应、经济发展、社会和谐、文化建设、人身健康等方面保持的一种动态稳定与协调状态，以及对自然灾害和社会与经济异常或突发事件干扰的一种综合抵御能力。城市安全有广义和狭义之分，广义的城市安全包括生态

环境安全、资源供应安全、经济发展安全、人口安全、政治安全和人身健康等方面在内的安全，这是影响城市全局的安全，是谓"大安全"；狭义的城市安全只指城市治安安全、城市食品安全、城市卫生防疫安全等，是谓"小安全"。在城镇化进程中，树立"以人为本，安全第一，有防有保"的指导思想，把城市安全摆在一切工作的首位，正确处理好城市安全建设中的成本与效益之间的关系，确保城市安全、健康、持续发展。同时，加强安全防御应急系统建设，包括城市防污系统、城市防火系统、城市防洪系统、城市防震系统、城市防恐系统、城市防疫系统、城市防空系统等建设，突出防灾系统的前瞻性和战略性。强化城市安全意识，建立城市安全评估指标体系。包括科学的决策指挥体系、完整的公共安全法律体系、高效的危机预警体系、可靠的信息控制体系和城市公共安全保障体系。

<h2 style="text-align:center">主要参考文献</h2>

陈锦富. 1999. 城市发展方针的探讨. 武汉城市建设学院学报, 16（1）：23-27.

陈雯. 1995. 城市发展方针的再探讨. 科技导报, 8：14-17.

方创琳. 2009. 改革开放 30 年中国的城市化与城镇发展. 经济地理, 29（1）：19-26.

方创琳. 2010. 中国城市化进程及资源环境保障报告. 北京：科学出版社.

方创琳. 2011. 面向国家未来的中国人文地理发展方向的思考. 人文地理, 26（4）：1-6.

方创琳. 2011. 中国城市发展突破传统路径依靠六策. 中国社会科学报, 2011-1-20.

方创琳. 2014. 中国城市发展方针的演变调整与城市规模新格局. 地理研究, 33（4）：674-686.

方创琳. 2014. 中国新型城镇化发展报告. 北京：科学出版社.

方创琳. 2014. 中国新型城镇化转型发展的战略方向. 中国经济时报, 2014-02-14.

方创琳. 2018. 城市群发展能级的提升路径. 国家治理, 48：5-12.

方创琳. 2018. 改革开放 40 年来中国城镇化与城市群取得的重要进展与展望. 经济地理, 38（9）：1-9.

方创琳. 2018. 改革开放 40 年：中国城镇化与城市群嬗变. 中国经济报告, 2018-12-5.

方创琳. 2019. 中国新型城镇化高质量发展的规律性与重点方向. 地理研究, 38（1）：13-22.

方创琳. 2022. 城乡融合发展机理与演进规律的理论解析. 地理学报, 77（4）：761-778.

方创琳, 鲍超, 黄金川 等. 2018. 中国城镇化发展的地理学贡献与责任使命. 地理科学, 38（3）：321-331.

方创琳, 崔学刚, 梁龙武. 2019. 城镇化与生态环境耦合圈理论及耦合器调控. 地理学报, 74（12）：2529-2546.

方创琳, 刘晓丽. 2008. 中国城市化发展阶段的修正及地域分异规律分析. 干旱区地理, 31（4）：512-523.

方创琳, 王德利. 2011. 中国城市化发展质量的综合测度与提升路径. 地理研究, 30（11）：1931-1946.

方创琳, 王岩. 2015. 中国新型城镇化转型发展战略与转型发展模式. 北京：商务印书馆.

何仁伟. 2018. 城乡融合与乡村振兴：理论探讨、机理阐释与实现路径. 地理研究, 37（11）：2127-2140.

姜爱林. 2004. 城镇化、工业化与信息化协调发展研究. 北京：中国大地出版社.

孔凡文, 许世卫. 2006. 中国城镇化发展速度与质量问题研究. 沈阳：东北大学出版社.

刘彦随. 2018. 中国新时代城乡融合与乡村振兴. 地理学报, 73（4）：637-650.

刘彦随, 严镔, 王艳飞. 2016. 新时期中国城乡发展的主要问题与转型对策. 经济地理, 36（7）：1-8.

刘勇. 2004. 中国城镇化战略研究. 北京：经济科学出版社.

王德利. 2013. 城市化发展质量的影响因素与演化特征. 地域研究与开发，32（6）：19-23.

王德利，赵弘，孙莉 等. 2011. 首都经济圈城市化质量测度. 城市问题，（12）：16-23.

张英男，龙花楼，马历 等. 2019. 城乡关系研究进展及其对乡村振兴的启示. 地理研究，38（3）：578-594.

周一星. 2006. 关于中国城镇化速度的思考. 城市规划，（30）增刊：32-33.

第三章　城镇化的资源环境效应

导　读

　　伴随工业化和城镇化进程的发展，全球和中国出现了一系列资源及生态环境问题，包括水土资源和能源短缺、生态破坏和环境污染等。同时，水资源、土地资源、能源、生态、环境等越来越成为城镇化进程的主要制动因素。如何协调城镇化过程与资源环境之间的关系，促进二者实现良性互动，已经上升为世界性的战略问题和国家发展的重大需求。国内外不同学科的学者先后开展了一系列城镇化过程与资源环境关系问题的研究，采用定性定量相结合的方法来评价城镇化的资源环境响应过程，高度重视对城镇化与资源环境相互作用的耦合机理研究，并有针对性地提出了城镇化与资源环境协调发展的对策途径。尽管如此，迄今为止，城镇化的资源环境效应研究尚未形成统一的理论体系和方法体系，是目前研究的薄弱环节和亟待加强的重要研究领域。针对这些问题，本章重点分析城镇化与生态环境交互耦合机理、耦合阶段、耦合类型和交互耦合的规律性，提出了城镇化与生态环境耦合圈理论及其图谱；进一步从水土两大关键要素角度深入分析了城镇化与水资源利用、城镇化与土地利用的交互胁迫关系、耦合机制、预警方法等，为协调城镇化与资源环境之间的关系提供科学决策依据。

第一节　城镇化与资源环境的相互作用

　　可持续发展是一个非常综合的多维概念，世界环境与发展委员会将其定义为"既能满足当代人的需要，又不对后代人满足其需要的能力构成危害的发展"，它包括三层最基本的含义：一是"需要"的含义，既要满足当代人需要，又不危及子孙后代的利益；二是"限制"的含义，限制资源与环境满足眼前和将来需要的能力，使其不超过资源与环境承载极限；三是"协调"的含义，协调人类社会与自然环境的关系，或者说协调"需要"和"限制"之间的矛盾关系，使二者之间在"适度"与"妥协"前提下求得和谐统一。受可持续发展理论含义的启发，提出"资源环境圈"和"城镇化圈"的概念，提出城镇化圈与资源环境圈相互作用理论（方创琳，1999）。

一、城镇化圈与资源环境圈的构成与演变过程

　　"城镇化圈"也叫"人圈"或需求圈，是指人类为满足自身生存与发展需要在资源环境圈内所进行的各种经济社会活动的集合体，用 U 表示，它包括人口圈（U_P）、经济圈（U_E）和社会圈（U_S）三大子圈层。从人类长期发展行为来看，城镇化圈总体呈无限扩大趋势，

随着人类需求的增加、人口的增长和经济社会的进一步发展，城镇化圈将会逐渐接近其至超过其可用的资源环境圈，这种接近或超过的后果将不堪设想，为此在两圈层 S 与 U 之间设置协调圈 C，用 C 来调控 U→S 的距离和接近程度（方创琳，2003）。

"资源环境圈"也叫"地圈"或限制圈，是指自然资源和生态环境在被人类开发利用时能够提供持续利用的能力和能够进行自净行为并恢复至原态的限度，用 S 表示，它包括资源圈（S_R）、生态圈（S_N）和环境圈（S_E）三个子圈层（图 3.1）。毫无疑问，受资源环境和技术条件的限制，人类可利用的资源环境圈总是有限的，且随着时间的推移总体呈缩小趋势，如资源过量开采导致储量减少、生态环境破坏导致生物多样性减少等都是资源环境圈缩小的反映。

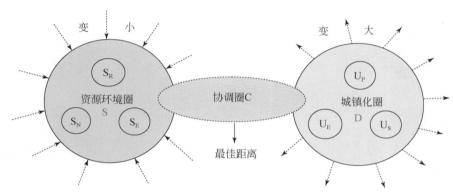

图 3.1　城镇化圈与资源环境圈的组成及变化趋势

二、城镇化圈与资源环境圈相互作用图谱

以资源环境圈 S 为背景，将城镇化圈 U 叠置于资源环境圈 S 之上，由于 U 的扩张和 S 的缩小在特定时期和特定区域内有着量的差异，所以 U 与 S 的相互作用理论上可用二者相互作用系数 W=U/S 来描述。其中 W∈ [0，1]，U≥0，S>0。U 与 S 相互作用过程可分为以下六种类型：

（1）当 W=0 时，U=0，S>U=0，人类未出现，城市未出现，城镇化圈为零，资源环境圈最大且保持原始自然状态，人类赖以生存的资源承载力与生态环境承载力最大，资源与环境之间保持着一种天然的低级协调共生与空间共生状态，因而属零增长型、零城镇化的发展状态（图 3.2a）

（2）当 0<W<1/2 时，0<U<1/2S，人类社会开始发展，U 开始扩张，城市开始发展，S 相对缩小，表现为人口缓慢增长，城镇化水平逐渐提高，经济社会发展规模逐渐扩大，资源与环境承载力开始缓慢下降，人口、资源、环境与经济社会发展之间的矛盾运动开始显露但不突出，资源开发程度低而粗放，城市经济社会发展水平落后。但由于这一时期二者变化的量均较小，城市发展可以资源投入、扩大发展规模、提高发展速度为特征，因而属于机械增长型的初期城镇化发展状态（图 3.2b）。

（3）当 0＜W=1/2 时，0＜U=1/2S，即城镇化圈已扩张到资源环境圈的一半。表现为高资源消耗、高经济增长速度、高人口增长率和高环境污染与生态破坏的"四高型"粗放经济增长方式和社会发展模式，城镇化水平快速提升，人口、资源、环境与经济社会发展之间的矛盾升温激化，资源与生态环境承载力进一步下降。这时的城市发展应由扩大规模和提高速度转为进行区域资源优化配置和产业结构优化，进而提高资源配置效益和结构优化效益上。与此同时，资源环境圈相应越来越小，资源与生态环境危机进入潜伏期，一旦发展到 U＞1/2S，危机就开始爆发。这一时期属于警戒增长型或临界发展型的中期城镇化发展状态（图 3.2c）。

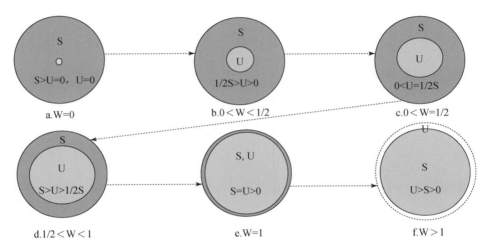

图 3.2　城镇化圈和资源环境圈相互作用图谱

（4）当 1/2＜W＜1 时，1/2S＜U＜S，城镇化圈继续扩大并逐步接近资源环境圈，人口与资源环境危机越演越烈，资源环境与人口承载力加速下降，以至于人类不得不采取"猛刹车"的应急措施，在全球范围内倡导"增长的极限"、"零增长"和"可持续发展"的理论。城市发展必须把协调人口、资源、经济与环境之间矛盾关系，提高综合协调效益作为重点，采取各种工程的、经济的、生物的、技术的和法律的措施阻挠 U 向 S 靠近，力求 U 与 S 之间保持一个相对最佳的距离。这一时期属于协调增长型的城镇化发展状态（图 3.2d）。

（5）当 W=1 时，0＜U=S，城镇化圈扩大到与资源环境圈重合，即城市资源承载力与生态环境承载力达到极限值，资源储量枯竭为零，生态环境破坏至极，人口增长与经济社会发展丧失了进一步增长与发展的物质基础，这一时期属于极限增长型的城镇化发展状态（图 3.2e）。

（6）当 W＞1 时，U＞S＞0，即城镇化圈突破资源环境圈，城市本身已无发展前途，其结局要么自我崩溃，要么把自己的增长与发展建立在对外城市的暂时索取上，然而当所有城市均出现 U＞S 的情况时，整个地球趋于灭亡。虽然这种情况不会最终出现，但却是城镇化发展的另一种结果。这一时期属于毁灭增长型的城镇化发展状态（图 3.2f）。

三、城镇化圈与资源环境圈始终保持最佳距离

从城镇化圈与资源环境圈相互作用的动态图谱可看出，W 的取值反映了城镇化圈与资源环境圈相互作用形成的 6 种城镇化发展状态。从人与自然发展的角度分析，谁都不希望 W≤0、W≥1 的情形出现，因为资源环境圈本身需要通过城镇化圈赋予的新机制维持其稳定性和活力，而城镇化圈客观上更需要资源环境圈赋予的支撑机制维持其持续性和张力。

从这种意义上来说，W 的取值范围应该为 W∈（0，1），从而使人类可用的资源环境圈 S 不但在今天大于城镇化圈 U，而且在未来也大于城镇化圈 U。当然，这种格局既不是越大越好，也不能越小越好，而是根据对城市发展状态的经验判断和测算，找出适合于特定城市发展的一个最恰当的相互作用系数 W，这个取值选择得恰当，人类可用的资源环境圈就会保持良化与优化。

一般情况下，可供选择的 W 的恰当区间应该在 0.35~0.85，选择方法一是靠技术创新与进步缓解 U 与 S 之间的矛盾，二是在假定 S 不变的情况下，通过制度、政策、计划、法规等非技术手段阻止 U 的过度增长，以避免 U 靠近、重合或突破资源环境圈 S。其中非技术手段的实质就是协调，就是在 U 与 S 之间建立一个协调圈 C 来调控优化 U 与 S。在市场经济条件下，这种协调优控行为主要靠政府适度干预和市场调节的双向调控来完成。政府要在摸清特定区域 U 与 S 矛盾激化程度的前提下，准确判定出城市目前所处的发展状态及 W 值，进而制定出旨在调和 U 与 S 矛盾并使其协调发展的城市规划方案，保证 U 与 S 在特定城市不同发展时期始终保持最佳距离（方创琳，2003）。

四、根据城镇化圈与资源环境圈相互作用状态调控城市发展走向

从城镇化圈与资源环境圈的变化趋势及相互作用关系图中看出，任何一个特定城市的发展理论上都正在经过或即将最终经过上述六种区域发展状态。不同类型的城市，由于其自然条件、资源禀赋、经济社会发展基础、发展先后及开发难易程度、面对的机遇、存在的问题和挑战、进一步发展目标与思路各不相同，因而同一时期的不同城市和不同时期的同一城市，由于城镇化圈与资源环境圈相互作用的程度不同，人口、资源、环境与经济社会发展之间矛盾的激化程度不同，所以所处的城市发展状态也不同。一些城市尚处在机械增长型发展状态，另一些城市正处在协调增长型区域发展状态，而已有部分城市接近极限增长型发展状态。城市发展需要按此理论，相对准确地判断该城市目前所处的发展状态，给予科学定位，而后有针对性的根据现有发展状态，调整城市未来发展走向，科学地制定城市发展规划，确保城市按照正确的方向、合理的速度、稳健的步伐实现高质量发展。

在实际应用中，针对一个特定城市城镇化圈和资源环境圈相互作用目前所处的状态类型，可建立一系列指标体系，研发计算机软件求解该城市的城镇化圈和资源环境圈相互作用系数，并根据相互作用系数的取值变化与变动趋势，科学调控该城市的城镇化速度和城镇化发展质量，制定城市未来发展目标和方向。采用软件系统，可科学模拟一个城市在不同发展阶段，城市资源环境圈与发展圈相互作用的系数是多大？根据相互作用系数计算城

市目前处在何种发展状态，未来将进入何种状态，并通过有效措施引导调控，使得城市朝着动态平衡、耦合状态和可持续发展方向演进。

第二节 城镇化与生态环境耦合圈理论

城镇化与生态环境之间客观上存在着非常复杂的交互胁迫与耦合关系，如何协调城镇化与生态环境的关系问题成为学术界和政府决策部门普遍关注的一大热点问题，并上升为世界性的战略问题和世界性难题。为了解决这一科学难题，从 2005 年起，一系列国际科学组织和科学研究计划开展了卓有成效的研究。2005 年"国际全球变化人文因素影响计划"（International Human Dimensions Programme on Global Environmental Change，IHDP）制定了"城市化与全球环境变化"科学研究计划，并将其作为全球变化研究核心项目，提出通过时空尺度交叉、时空尺度比较以及公众与政策制定者之间的交流等方式加强城市化与全球环境变化之间耦合关系的研究（Jill，2003）。2005 年联合国出版的千年生态系统评估（Millennium Ecosystem Assessment，MA）报告《生态系统与人类福祉：当前与未来趋势》中对城市系统进行专门评价，认为城市人口与经济的发展将对全球范围内的生态系统产生更大压力[①]。2012 年发布的未来地球计划（Future Earth，FE）是旨在为人类社会提供应对全球变化的挑战和探求全球可持续性转变机会关键知识的为期 10 年的国际研究计划，该计划研究主题集中在认识全球环境变化与人类福祉和发展之间的联系，其中城镇化作为地球表层最剧烈的人类活动过程的阈值、风险、临界点是研究的前沿领域[②]。2013 年 9 月中国科协在北京组织了"未来地球在中国"的国际会议，确认了在中国需要优先解决的、与可持续性能力建设相关的问题，其中将"亚洲城市化对区域环境、社会影响研究，以及健康的相互作用关系"列入研究议题。2014 年 4 月美国国家科学院国家研究理事会（NRC）地球科学新的研究机遇（NROEC）委员会在出版的《地球科学新的研究机遇》中确定了未来 10 年地球科学领域具有高优先级的 7 大研究主题，其中第 6 项研究主题就是"耦合水文地貌-生态系统对自然界与人类活动变化的响应"，并进一步认为人类通过农业活动和城镇化等改变着陆地生态系统（Fang，2016）。2014 年 11 月国际科学联盟发布了"未来地球 2025 愿景"（Future Earth 2025 Vision），提出在"未来地球"研究计划中须重点加强 8 个领域的相关研究，其中将"城市化建设"列为重要研究领域。2017 年 10 月 26 日，两个世界领先的国际科学组织——国际科学理事会（International Council for Science，ICSU）与国际社会科学理事会（International Ship Security Certificate，ISSC）在中国台北召开大会，超过90%的参会会员投票同意两个科学组织合并成立新的国际科学理事会（International Science Council，ISC），新组织将促进科学跨学科、跨地域发展，为了全球公众的福祉促进科学发展[③]。所有这些国际重大科学研究计划的设立和实施意味着把自然科学和社会科学的耦合推行到新的发展阶段。早在 1991 年世界卫生组织就指出："世界正面临着自然环境的严重

---

① The Millennium Ecosystem Assessment (MA).WORLD ENVIRONMENT，2005，3：56-65.

② Future Earth Initial Design: Report of the Transition Team.Paris: International Council for Science（ICSU）.2013.

③ 国际科学理事会（ICSU）与国际社会科学理事会（ISSC）会员投票赞成双方合并，www. wcsl. org. cn/ind... - 2018-7-28.

恶化和生活在城市环境中人们生活质量的加速下降这两大问题。城镇化对威胁未来生存的全球环境变化有着重要影响。"时任联合国助理秘书长沃利·恩道曾告诫："城镇化既可能成为无可比拟的未来之光明前景所在，也可能成为前所未有的灾难之凶兆，所以，未来会怎样就取决于我们当今的所作所为"。Mcmichael 也指出："城镇化将以一种重要的形式危害人类的生存环境和健康。城市的扩张、工业的增长及其人口的增加，给当地水资源及生态环境带来许多压力"（方创琳等，2008）。可见，开展城镇化与生态环境交互耦合理论与方法的研究，是未来 10 年地球系统科学研究的前沿领域。然而，学术界目前研究的重点主要侧重于城市发展的应用研究和城市内部生态环境及城市生态系统稳定性的评价，还很少从耦合角度，将城镇化过程和与生态环境响应过程有机耦合起来进行规律性的基础研究。这里将从城镇化和与生态环境交互作用的耦合性出发，重点揭示两者交互耦合关系与交互耦合方式，创建城镇化和与生态环境耦合圈理论，构建交互耦合塔和耦合图谱，研制耦合器调控方法。

一、城镇化与生态环境的耦合性与耦合塔

城镇化和生态环境交互耦合过程是一个涉及社会、经济、自然的复杂巨系统，针对这一巨系统，不同学科背景的学者提出了许多耦合分析框架（陈静生等，2001），主要包括人类与自然耦合系统（Liu et al.，2007）、远程耦合（Telecoupling）（Liu et al.，2013）、可持续生计框架（Sherbinin et al.，2008）、社会-生态系统（SESs）（Ostrom，2009）等。21 世纪以来，Gunderson 等提出了著名的跨尺度系统自适应嵌套模型（Gunderson，2001），Dietz 阐述了人与自然跨边界耦合特征（Dietz et al.，2003）；Liu 在远程耦合基础上进一步提出元耦合框架（Metacoupling）（Liu，2017）。这些耦合分析框架给我们以启示，城镇化与生态环境之间的关系实质上也表现为人与自然之间的关系，也存在着耦合性，这种耦合性可用耦合度、耦合常数和耦合剂等体现；耦合性有强弱之分，按照强弱可将耦合性分为低度耦合、较低耦合、中度耦合、较高耦合、高度耦合和完全耦合 6 种类型，分别对应随性耦合、间接耦合、松散耦合、协同耦合、紧密耦合和控制耦合，进而形成城镇化与生态环境耦合塔。

（一）耦合性

耦合本是物理学、生物学、系统科学和化学中常用的一个概念，是指两种以上系统、运动方式之间相互依赖、相互协调、相互促进的动态关联关系及其最后发展的结果。两种以上相互依赖的系统之间，为实现相互协调、相互促进的动态关联关系（高度协调即耦合）而采用的内在工作方式和执行的运行规则和原理（技术路径），即是耦合性 Coupling（图3.3）。人类与环境之间的能量传递、物质交换，是以地球表层为依托、以大气圈、水圈、岩石圈、生物圈和智能圈为载体相互耦合的过程。耦合性可用耦合常数、耦合剂和耦合度等体现。其中，耦合常数是两个系统之间经常性处于高度协同状态所遵循的临界参数，高于或低于这一参数两个系统之间将打破耦合态，进入不协同的非耦合状态。在一定的时间和空间尺度内，耦合常数是一个恒定的量，但耦合常数是会随着时间和空间的变化而变化

的，变化的目的是在新的时空尺度下寻求新的耦合常数。耦合剂，也叫耦合介质，是体现系统之间为实现某种程度的耦合所依托的物质、能量、信息等介质的交换过程，没有系统之间的物质、能量、信息传输和交换，系统将无法完成耦合过程。

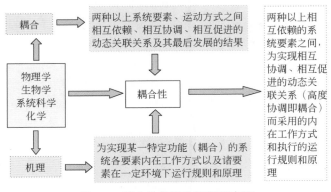

图 3.3　耦合性的理论解释示意图

（二）耦合塔

依据城镇化与生态环境的耦合度由小到大的顺序，可将耦合性划分为随性耦合、间接耦合、松散耦合、协同耦合、紧密耦合和控制耦合 6 种类型，构成城镇化与生态环境耦合塔（图 3.4，表 3.1）。

1. 随性耦合

是指城镇化系统与生态环境系统两大系统之间没有关系，或者两大系统相互独立不相互干扰，两大系统之间可随意协同也可不协同，但不影响系统正常功能的发挥，这就是随性耦合，随性耦合的城镇化系统与生态环境系统之间独立性最强，耦合程度最低，不超过10%，关联关系最弱或者没有关联关系，耦合路径一般采用自适应途径，属于低度耦合类型，处于耦合塔的最低端。

2. 间接耦合

是指城镇化系统与生态环境系统两大系统之间没有直接关系，或者两大系统相互干扰的程度很低，两大系统之间关联程度较低，只是通过间接关系而非直接关系发生作用，这就是间接耦合。间接耦合的城镇化系统与生态环境系统之间独立性较强，耦合程度较低，一般在 10%～30%，耦合路径一般采用自适应组织途径，属于较低耦合类型，处于耦合塔的最低端偏上位置。

3. 松散耦合

是指城镇化系统与生态环境系统两大系统中，如果一个系统访问另一个系统时，彼此之间是通过数据参数（不是控制参数、公共数据结构或外部变量）来交换输入、输出信息的，则称这种耦合叫松散耦合。松散耦合的城镇化系统与生态环境系统之间独立性一般，具有中等耦合程度，一般在 30%～50%，耦合路径一般采用自适应调控途径，属于中度耦合类型，处于耦合塔的中段位置。

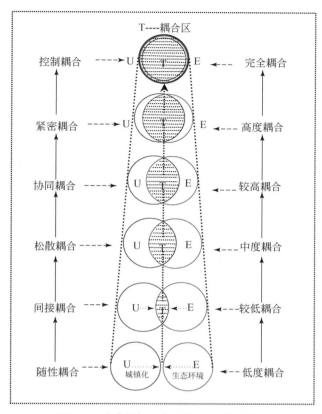

图 3.4 城镇化与生态环境耦合塔示意图

表 3.1 耦合性的强弱类型与耦合塔结构

耦合特性	独立性	关联关系	耦合性强弱类型	耦合度/%	耦合路径	在耦合塔中位置
随性耦合	最强	最弱	低度耦合	0~10	自适应耦合	最低端
间接耦合	较强	较弱	较低耦合	10~30	自适应组织	低端偏上
松散耦合	一般	一般	中度耦合	30~50	自适应调控	中段
协同耦合	较低	较大	较高耦合	50~70	调控	中段偏上
紧密耦合	很差	很大	高度耦合	70~90	调控	顶端偏下
控制耦合	最差	最大	完全耦合	90~100	管控	顶端

4. 协同耦合

是指城镇化系统与生态环境系统两大系统中，如果一个系统的运行需要另一个系统的协同合作才能正常发挥作用时，称之为协同耦合。协同耦合的城镇化系统与生态环境系统之间独立性较差，具有较密切的关联关系和较高的耦合程度，一般在 50%~70%，耦合路径一般采用调控途径，属于较高耦合类型，处于耦合塔的中段偏上位置。

5. 紧密耦合

是指城镇化系统与生态环境系统中，如果一个系统的运行必须高度依赖另一个系统的高度配合才能正常发挥作用时，称之为紧密耦合。紧密耦合的城镇化系统与生态环境系统之间独立性很差，具有高度密切的关联关系和很高的耦合程度，一般在70%～90%，耦合路径一般采用调控途径，属于高度耦合类型，处于耦合塔的顶端偏下位置。

6. 控制耦合

是指城镇化系统与生态环境系统中，如果一个系统内部的某控制参数逻辑关系发生变化时，就会牵一发而动全身地影响到该系统本身和另外一个系统的正常运行时，称之为控制耦合。控制耦合的城镇化系统与生态环境系统之间独立性最差，具有完全密切的关联关系和完全的耦合程度，一般在90%～100%，耦合路径一般采用调控途径，属于完全耦合类型，处于耦合塔的顶端位置。

二、城镇化与生态环境的耦合关系与交互方式

城镇化与生态环境之间交互作用的非线性关系包括交互胁迫论、交互促动论和交互耦合论三种流派（方创琳，2004）。无论哪种流派，都存在着交互作用的主控要素，其中既包括水、土地、能源、生态、污染、气候变化等6种自然主控要素，也包括人口、经济、社会、全球化、基础设施、政策、创新等7种人文主控要素，自然主控要素和人文主控要素之间及内部存在着"一对一"、"一对多"和"多对多"3种耦合方式。自然主控要素与人文主控要素的复合叠加和交互影响，决定着城镇化与生态环境交互耦合的基本方向和路径（Prinz，2001）。正是通过城镇化与生态环境彼此之间的交互胁迫与交互促进过程，才驱使着资源配置向着不断优化的方向、经济结构向着不断升级的方向、城镇化与生态环境的关系向着高度协调、高度有序发展的方向不断演进（宋言奇和傅崇兰，2005），并最终推动整个城镇化与生态环境复合系统从低级协调共生向高级协调耦合的形态演化（乔标和方创琳，2005）。

（一）耦合关系的表现形式

在城镇化与生态环境交互作用过程中，以人为本的城镇化和以地为本的生态环境之间的要素相互作用，将以主控要素为主线，形成人地耦合的10大要素关系（图3.5），具体包括：人水关系、人土关系、人碳关系、人经关系、人气关系、人力关系、人居关系、人生关系、人贸关系、人污关系

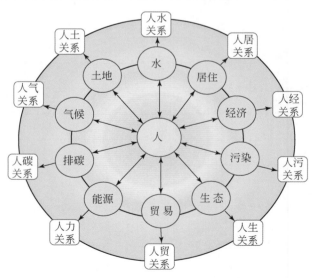

图 3.5　城镇化与生态环境之间主控要素耦合关系示意图

等单要素双向胁迫与相互促进的动态演变轨迹关系。

1. 人水关系

人水关系主要以水为主控要素，重点揭示人口增长、城镇化与水资源之间的交互耦合状态，构建人水关系诊断模型与方法，分析水资源约束下的城镇化过程、城镇化发展速度、规模、质量及其调控路径。

2. 人土关系

人土关系主要以土地为主控要素，重点揭示人口增长、城镇化与土地资源之间的交互耦合状态，构建城镇化与土地集约利用交互耦合诊断模型与方法，分析土地资源约束下的城镇化过程、城镇化发展速度、规模、质量及其调控路径。

3. 人力关系

人力关系主要以能源为主控要素，重点揭示人口增长、城镇化与能源之间的交互耦合状态，构建城镇化与能源利用交互耦合诊断模型与方法，分析能源资源约束下的城镇化过程、城镇化发展速度、规模、质量及其调控路径。

4. 人经关系

人经关系主要以经济为主控要素，重点揭示人口增长、城镇化与经济发展、结构调整之间的交互耦合状态，构建城镇化与经济发展交互耦合诊断模型与方法，分析经济增长背景下的城镇化过程、城镇化发展速度、规模、质量及其调控路径。

5. 人贸关系

人贸关系主要以全球化和贸易为主控要素，重点揭示人口增长、城镇化与全球化及贸易之间的交互耦合状态，构建城镇化与全球化及贸易交互耦合诊断模型与方法，分析全球化背景下的贸易对城镇化过程、城镇化发展速度、规模、质量的影响及其调控路径。

6. 人碳关系

人碳关系主要以碳排放为主控要素，重点揭示人口增长、城镇化与碳排放之间的交互耦合状态，构建城镇化与碳排放交互耦合诊断模型与方法，分析碳排放对城镇化过程、城镇化发展速度、规模、质量的影响及其调控路径。

7. 人气关系

人气关系主要以气候变化为主控要素，重点揭示城镇化与气候变化之间的交互耦合状态，构建城镇化与气候变化耦合模型与方法，分析气候变化对城镇化过程、城镇化发展速度、规模、质量的影响及其调控路径。

8. 人居关系

人居关系主要以人居环境变化为主控要素，重点揭示城镇化与人居环境之间的交互胁迫与耦合状态，构建城镇化与人居环境优化模型与方法，分析人居环境变化与城镇化过程、城镇化发展速度、规模、质量的关系及其调控路径。

9. 人生关系

人生关系主要以生态环境及生物多样性变化为主控要素，重点揭示城镇化与生态环境及生物多样性变化之间的交互胁迫与耦合状态，构建城镇化与生态环境变化的耦合模型与方法、城镇化与生物多样性变化耦合模型与方法，分析城镇化和城市扩张对生物多样性的影响，分析生态环境及生物多样性变化与城镇化过程、城镇化发展速度、规模、质量的关系及其调控路径。

10. 人污关系

人污关系主要以环境污染为主控要素，重点揭示城镇化对环境污染的影响以及与环境污染之间的交互胁迫状态，构建城镇化与环境污染胁迫曲线、交互胁迫模型与方法，分析环境污染变化与城镇化过程、城镇化发展速度、规模、质量的相互胁迫关系及其调控路径。

（二）耦合关系的交互方式

城镇化与生态环境主控要素之间客观上存在着"一对一"、"一对多"和"多对多"等三种交互作用与耦合方式（图3.6），三种交互方式存在着由单要素到多要素、由简单到复杂、由有解、到有限有解到无限无解的变动规律（方创琳等，2016）。

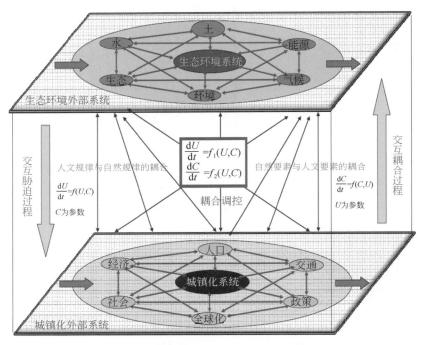

图 3.6　城镇化系统与生态环境系统交互耦合方式图

1. "一对一"的单要素交互方式

"一对一"的单要素交互方式是指城镇化的人文主控要素与生态环境的自然主控要素之间及其内部存在的"一对一"交互影响过程，例如自然主控要素内部水与土之间、土与生态之间、水与气候变化之间、人文要素内部的人口与经济之间、经济与贸易之间、经济与社会之间，自然主控要素与人文主控要素中的人与水之间、人与地之间、经济与环境之间、生态与经济之间等存在的一一对应的交互胁迫、交互促进过程。这是一种城镇化系统单要素与生态环境系统单要素之间交互胁迫的近远程耦合方式，也是最简单的一种交互耦合方式。通过双向分析测算第 i 个城镇化系统主控要素相对于第 j 个生态环境主控要素的交互耦合系数，定量表达城镇化系统单要素与生态环境系统单要素交互胁迫的耦合方程和耦合曲线，揭示单要素相互作用机理及强度。

2. "一对多"的多要素交互方式

"一对多"的多要素交互方式是指城镇化的人文主控要素与生态环境的自然主控要素之间及其内部存在的"一对多"交互影响过程，是一个要素对两个以上要素交互作用的过程。例如自然主控要素内部水与土、能源、生态之间，土与生态、环境之间，人文要素内部的人口与经济、社会之间，自然主控要素与人文主控要素中的人与水、土、经济、环境之间等存在的单要素对多要素的交互胁迫、交互促进过程。这是一种城镇化单要素或生态环境单要素与城镇化多要素或生态环境多要素之间存在的"一对多"的多要素交互胁迫的近远程耦合方式，也是较为复杂的一种交互耦合方式。通过多向分析测算第 i 个城镇化系统主控要素相对于第 j 个生态环境主控要素的交互耦合系数，定量表达城镇化系统与生态环境系统中单要素对多要素的交互胁迫耦合方程和耦合曲线，揭示单要素与多要素相互作用机理及强度。

3. "多对多"的多要素交互方式

"多对多"的多要素交互方式是指城镇化的 7 个人文主控要素与生态环境的 6 个自然主控要素之间及其内部存在的"多对多"的交互影响过程，是两个以上的主控要素之间交互作用的过程。例如自然主控要素内部水、土、能源、生态、环境、气候变化之间、人文要素内部的人口、经济、社会、创新、全球化之间，以及自然主控要素与人文主控要素中的水、土、能源、生态、环境、气候变化、人口、经济、社会之间等多要素之间存在的多要素对多要素的交互胁迫、交互促进过程。这是一种城镇化多要素或生态环境多要素与城镇化多要素或生态环境多要素之间存在的"多对多"的交互胁迫的近远程耦合方式，也是最复杂、甚至无解的一种交互耦合方式。可从区际尺度、区内尺度和尺度耦合的角度，通过多向分析测算第 i 个城镇化系统主控要素相对于第 j 个生态环境主控要素的交互耦合系数，构建城镇化系统与生态环境两大系统的耦合关系方程，定量表达城镇化系统与生态环境系统中多要素对多要素的交互胁迫耦合曲线，揭示多要素与多要素相互作用机理及强度，为实现和谐的人水关系、人地关系、人力关系、人气关系和人碳关系调控等提供定量的科学依据。

三、城镇化与生态环境耦合圈理论及其图谱

（一）城镇化与生态环境耦合圈理论的基本观点

城镇化与生态环境耦合圈理论是在城镇化圈与生态环境圈相互作用理论的基础上，将原来的三圈独立整合成两圈合一，将原来的外部干预调控改为内部自组织融合，将原来的单线图谱改为多线图谱之后，所形成的新理论和新图谱。

城镇化与生态环境耦合圈理论的基本观点为：城镇化圈与生态环境圈之间客观上存在着非线性近远程耦合关系；这种非线性耦合关系可通过建立耦合度模型量化，根据耦合度大小可形成耦合塔；理论上城镇化与生态环境耦合圈存在着直线、指数曲线、对数曲线、双指数曲线和 S 型曲线等多线耦合图谱，其中 S 型曲线耦合图谱是最佳图谱，代表着多种

图谱中体现相互作用的最佳耦合状态；技术上耦合圈可借助 SD 模型及各变量之间存在的一对一、一对多和多对多的复杂关系，通过由 10 个以上调控要素和 200 个以上调控变量构成的耦合调控器（UEC）进行调控，使城镇化圈与生态环境圈始终保持最佳的动态有序状态。只要一个变量发生变化，就会牵一发而动全身，影响整个耦合调控器的结构、功能和调控结果。这种耦合调控器包括同一时间多个城镇化圈与生态环境圈之间的静态调控、不同时间同一城镇化圈与生态环境圈之间的动态调控、不同时间多个城镇化圈与生态环境圈之间的动态调控 3 种时空尺度，通过调控将逐步推动城镇化圈与生态环境圈之间由低级耦合向高级耦合方向演进。随时间的推移，城镇化与生态环境耦合度呈现出波浪式的爬升规律，可称为耦合爬升律或耦合梯，每一次耦合就会爬上一个新的高度，推进城市可持续发展，每一次胁迫都会导致城市可持续发展能力下降（方创琳等，2019）。

（二）城镇化与生态环境耦合圈理论的主要图谱

根据城镇化与生态环境耦合圈理论，为了反映不同类型城市城镇化发展阶段和模式，这里提出了城镇化与生态环境耦合圈的线性图谱、指数曲线图谱、对数曲线图谱、双指数曲线图谱和 S 型曲线图谱共 5 种类型的耦合图谱（表 3.2），每一种图谱根据其演替过程，按每旋转 10° 为一个图谱计算，则可分为 9 种图谱，合计共 45 种耦合图谱（图 3.7），不同图谱存在着不同的变化规律，对应着不同类型的城市发展特征、发展阶段和发展模式。城镇化与生态环境耦合圈图谱的动态演变过程如图 3.8 所示。

表 3.2　城镇化与生态环境耦合圈理论图谱及其具体特征

耦合圈类型	数学表达式	城镇化与生态环境耦合圈施力类型	耦合圈边界函数类型	现实状况
线性耦合圈	$y = k(x - x_0) + y_0$	城镇化的驱动力与生态环境圈的制动力匀速施力	线性函数直线	现实中不存在
指数曲线耦合圈	$y = k^{(x-x_0)} + y_0$	城镇化加速发展，城镇化圈动力加速施力，超过生态环境圈的制动力	指数函数曲线	现实中客观存在
对数曲线耦合圈	$y = \log_k(x - x_0) + y_0$	城镇化初期加速发展，城镇化圈驱动力加速施力，中后期城镇化圈驱动力逐渐减弱，但远超过生态环境圈的制动力	对数函数曲线	现实中客观存在
双指数曲线耦合圈	$y = y_0 + k\left(10^{\frac{x-a}{b}} - c\right)^2$	城镇化初期加速发展，城镇化圈驱动力加速施力，中后期城镇化圈驱动力逐渐减弱，生态环境圈的制动力逐渐加大，限制性越来越大，迫使城镇化圈改变驱动力和施力方向	双指数函数曲线	现实中客观存在
S 型曲线耦合圈	$y = y_0 + \dfrac{k}{e^{a(b-x)} + c}$	城镇化初期加速发展，城镇化圈驱动力加速施力，生态环境圈的制动力较小并在承载范围内，中后期城镇化圈驱动力逐渐减弱，并与生态环境圈的制动力形成相互消长相互制衡格局，两圈始终保持在最佳的动态平衡有序状态	S 型函数曲线	现实中客观存在，且符合可持续发展目标

注：式中，y_0，x_0 分别代表生态环境圈和城镇化圈对耦合圈的初始贡献；y，x 分别代表生态环境圈和城镇化圈对耦合圈的末期贡献；k 代表城镇化圈和生态环境圈相互作用的系数；a、b、c 均为非负参数。

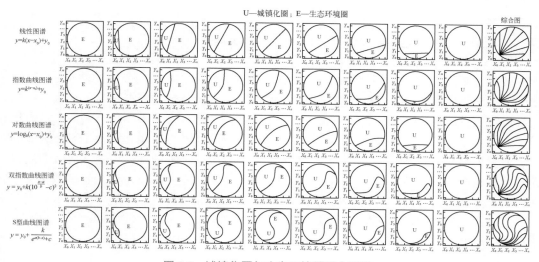

图 3.7　城镇化圈与生态环境圈耦合图谱

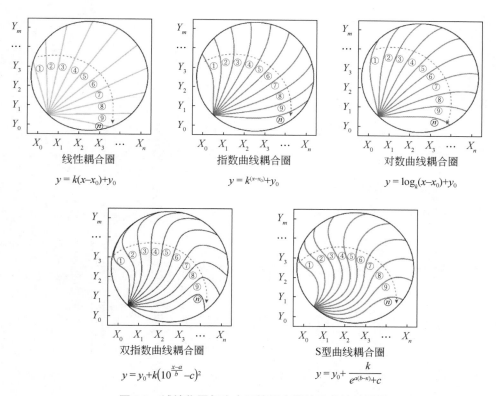

图 3.8　城镇化圈与生态环境耦合圈的动态演替图谱

四、城镇化与生态环境耦合圈的演替阶段

随着城镇化的发展，城镇化圈 U 和生态环境圈 E 对耦合圈的贡献彼此消长，根据城镇化圈与生态环境圈面积比值，将城镇化与生态环境耦合圈划分为零城镇化、初级城镇化、低级城镇化、低中级城镇化、中级城镇化、中高级城镇化、高级城镇化、最高级城镇化和过度城镇化 9 种演化状态（表 3.3，图 3.9），各类演化状态中城镇化圈与生态环境圈的面积比值见表 3.3。结合城镇化与生态环境的线性耦合圈、指数曲线耦合圈、对数曲线耦合圈、双指数曲线耦合圈、S 型曲线耦合圈共 5 种类型的耦合圈图谱，对应将城镇化与生态环境耦合圈划分为 45 种形式的耦合圈演替阶段。由于城镇化与生态环境的线性耦合圈在现实中不存在，理想的城镇化与生态环境演变的线性耦合模式不作深入探讨。

表 3.3   城镇化与生态环境耦合圈 9 种演化状态及两圈比值

耦合圈演化状态	生态环境圈与城镇化圈面积比值	耦合圈演化状态	生态环境圈与城镇化圈面积比值
零城镇化阶段	10 : 0	中高级城镇化阶段	4 : 6
初级城镇化阶段	9 : 1	高级城镇化阶段	2 : 8
低级城镇化阶段	8 : 2	最高级城镇化阶段	1 : 9
低中级城镇化阶段	6 : 4	过度城镇化阶段	0 : 10
中级城镇化阶段	5 : 5	—	—

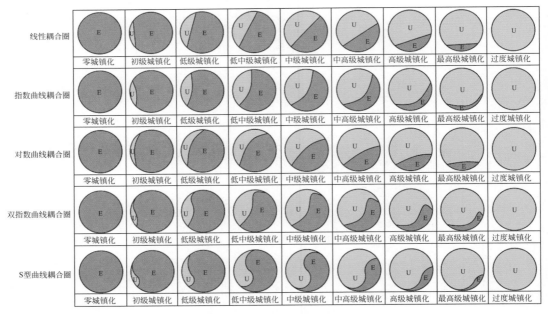

图 3.9   城镇化与生态环境耦合圈图谱的动态演变阶段

（一）城镇化与生态环境的线性耦合圈演替阶段

线性耦合图谱是指在城镇化与生态环境耦合圈演变过程中，城镇化圈与生态环境圈耦合边界呈现线性函数形式，其表达式为

$$y = k(x - x_0) + y_0$$

式中，y_0、x_0 分别代表城镇化圈和生态环境圈对耦合圈的初始贡献；y、x 分别代表城镇化圈和生态环境圈对耦合圈的末期贡献；k 代表城镇化圈和生态环境圈相互作用的系数，随着系数的变化，城镇化圈和生态环境圈对耦合圈的贡献彼此消长，由生态环境圈占主导（贡献占 100%）逐渐演变为生态环境圈和城镇化圈的贡献各占 50%，再演化为城镇化圈占主导（贡献占 100%）。这是一种理想的城镇化与生态环境演变线性耦合模式，城镇化的驱动力与生态环境圈的制动力匀速施力，结果形成以线性函数直线为耦合边界的城镇化与生态环境耦合圈。由于城镇化圈与生态环境圈是两个非常复杂的圈层体系，实际生活中不存在以直线形式的城镇化与生态环境耦合圈。

（二）城镇化与生态环境的指数曲线耦合圈演替阶段

指数曲线耦合图谱是指在城镇化与生态环境耦合圈演变过程中，城镇化圈与生态环境圈耦合边界呈现指数函数形式，其表达式为

$$y = k^{(x - x_0)} + y_0$$

式中，y_0、x_0 分别代表城镇化圈和生态环境圈对耦合圈的初始贡献；y、x 分别代表城镇化圈和生态环境圈对耦合圈的末期贡献；k 代表城镇化圈和生态环境圈相互作用的系数，随着相互作用系数的变化，城镇化圈 U 和生态环境圈 E 对耦合圈的贡献彼此消长，由生态环境圈占主导（贡献占 100%）逐渐演变为生态环境圈和城镇化圈的贡献各占 50%，再演化为城镇化圈占主导（贡献占 100%）。这是一种在现实中客观存在的城镇化与生态环境演变指数耦合模式，表现为城镇化加速发展，城镇化圈的驱动力加速施力，城镇化圈的驱动力远远超过生态环境圈的制动力，结果形成以指数函数曲线为耦合边界的耦合圈。

（三）城镇化与生态环境的对数曲线耦合圈演替阶段

对数曲线耦合图谱是指在城镇化与生态环境耦合圈演变过程中，城镇化圈与生态环境圈耦合边界呈现对数函数形式，其表达式为

$$y = \log_k (x - x_0) + y_0$$

式中，y_0、x_0 分别代表城镇化圈和生态环境圈对耦合圈的初始贡献；y、x 分别代表城镇化圈和生态环境圈对耦合圈的末期贡献；k 代表城镇化圈和生态环境圈相互作用的系数，随着相互作用系数的变化，城镇化圈和生态环境圈对耦合圈的贡献彼此消长，由生态环境圈占主导（贡献占 100%）逐渐演变为生态环境圈和城镇化圈的贡献各占 50%，再演化为城镇化圈占主导（贡献占 100%）。这是一种在现实中客观存在的城镇化与生态环境演变对数耦合模式，表现为城镇化初期加速发展，城镇化圈的驱动力加速施力，中后期城镇化圈驱动力逐渐减弱，但远远超过生态环境圈的制动力，结果形成以对数函数曲线为耦合边界的

城镇化与生态环境耦合圈。

（四）城镇化与生态环境的双指数曲线耦合圈演替阶段

双指数曲线耦合图谱是指在城镇化与生态环境耦合圈演变过程中，城镇化圈与生态环境圈耦合边界呈现双指数函数形式，双指数曲线是环境库兹涅茨倒 U 型曲线和对数曲线的逻辑复合，揭示生态环境随城镇化发展存在先指数衰退、后指数改善的耦合规律。表达式为

$$y = y_0 + k \left(10^{\frac{x-a}{b}} - c \right)^2$$

式中，y_0、x_0 分别代表城镇化圈和生态环境圈对耦合圈的初始贡献；y、x 分别代表城镇化圈和生态环境圈对耦合圈的末期贡献；k 代表城镇化圈和生态环境圈相互作用的系数，随着相互作用系数的变化，城镇化圈和生态环境圈对耦合圈的贡献彼此消长，由生态环境圈占主导（贡献占 100%）逐渐演变为生态环境圈和城镇化圈的贡献各占 50%，再演化为城镇化圈占主导（贡献占 100%）。这是一种在现实中客观存在的城镇化与生态环境演变双指数耦合模式，表现为城镇化初期加速发展，城镇化圈的驱动力加速施力，中后期城镇化圈驱动力逐渐减弱，生态环境圈的制动力逐渐加大，限制性越来越大，迫使城镇化圈改变驱动力和施力方向，结果形成以双指数函数曲线为耦合边界的城镇化与生态环境耦合圈。

（五）城镇化与生态环境的 S 型曲线耦合圈演替阶段

S 型曲线耦合图谱是指在城镇化与生态环境耦合圈演变过程中，城镇化圈与生态环境圈耦合边界呈现 S 型函数形式，体现出城镇化圈与生态环境圈之间一开始就做到了很好的人地和谐，城镇化圈的发展充分考虑到了生态环境圈的保护，生态环境圈的保护又为城镇化圈的发展提供了自然基础和承载支撑，因而是一种城镇化圈与生态环境圈的最佳耦合图谱。其表达式为

$$y = y_0 + \frac{k}{e^{a(b-x)} + c}$$

式中，y_0、x_0 分别代表城镇化圈和生态环境圈对耦合圈的初始贡献；y、x 分别代表城镇化圈和生态环境圈对耦合圈的末期贡献；k 代表城镇化圈和生态环境圈相互作用的系数，随着相互作用系数的变化，城镇化圈和生态环境圈对耦合圈的贡献彼此消长，由生态环境圈占主导（贡献占 100%）逐渐演变为生态环境圈和城镇化圈的贡献各占 50%，再演化为城镇化圈占主导（贡献占 100%）。这是一种在现实中客观存在的符合可持续发展目标的城镇化与生态环境演变耦合模式，表现为城镇化初期加速发展，城镇化圈的驱动力加速施力，生态环境圈的制动力较小并在承载范围之内，中后期城镇化圈驱动力逐渐减弱，并与生态环境圈的制动力形成相互消长相互制衡的格局，城镇化圈与生态环境圈始终保持在最佳的动态平衡有序状态，结果形成以 S 型函数曲线为耦合边界的城镇化与生态环境耦合圈。

第三节　城镇化与生态环境耦合效应

城镇化引起的生态环境效应主要表现为城镇建设用地的扩张，导致城镇近郊或远郊的农田、草地、林地、湖泊等生态用地被建设用地所取代，生态植被遭受破坏，生物多样性逐渐丧失；同时，由于城镇人口和产业高密度集聚，造成城镇化地区水环境污染、大气环境污染、固体废弃物污染、土壤污染、噪声污染、电磁波辐射等环境污染。城镇化与生态环境之间的交互胁迫关系可以看作是一个开放的、具有非线性相互作用和非平衡自组织能力的系统，称其为城镇化与生态环境交互耦合系统（方创琳等，2008）。二者之间交互耦合的关系包括交互胁迫论、交互促动论和耦合共生论三种认知。理论上城镇化与生态环境交互耦合系统满足耦合裂变律、随机涨落律、动态层级律、阈值律、非线性协同律和预警律六大基本定律（方创琳和杨玉梅，2006）。城镇化与生态环境交互耦合过程呈现出双指数曲线的规律性，可划分为不同的交互耦合阶段与类型（黄金川和方创琳，2003；乔标等，2006）。可以采用各种定量方法，以及表征城镇化水平的单项指标或综合指标、表征生态环境的各种单项指标或综合指标，来测度城镇化与生态环境的耦合关系和协调水平。

一、城镇化与生态环境交互胁迫及耦合机理

城镇化与生态环境之间客观上存在着强烈的交互胁迫与非线性耦合作用。一方面，城镇化进程的加快必然会引起周围地区生态环境的剧烈变化，这种变化在城镇化初期表现为生态环境系统退化和生态环境质量的降低，在城镇化发展的中后期则表现为生态环境的逐步良化；另一方面，生态环境的变化反过来会引起城镇化速度及质量的变化，主要表现为当生态环境改善时有利于城镇化水平的逐步提高，当生态环境退化时则限制或遏制城镇化发展进程与质量的提升。可见，城镇化与生态环境之间客观上存在着极其复杂的交互作用关系，这种交互作用关系主要体现为以下三种不同的观点（方创琳等，2008；乔标等，2005）。

（一）交互胁迫论

这种观点认为，城镇化发展加剧了区域水土资源的短缺和生态环境质量的退化，退化的生态环境反过来会限制城镇化发展进程。这是因为，本来就脆弱的生态环境是人类生存的基础条件，也是城市发展的重要基底，脆弱生态环境退化后必将对城镇化产生制约作用。与此同时，由于城市的发展和城镇化的推进，不可避免地要对本来就十分脆弱的生态环境造成影响甚至破坏，被破坏的生态环境又进一步限制城市发展和城镇化的推进，从而在城镇化与生态环境保护之间形成恶性循环。不少学者认为城镇化通过城市用地扩张、经济增长、人口高密度集聚等形式，大幅度地改变了生态环境的基本组成与结构，改变了生态系统物质循环和能量转化的基本功能，打破了生态系统固有的原始平衡，危害了人类的生存环境和健康。因此，城镇化进程会加大生态环境风险，城镇化正在或即将对生态环境造成现实的破坏与潜在的威胁。而这种威胁又会反过来胁迫城镇化的可持续发展，二者之间的交互胁迫关系伴随人与自然协调的历史长河全过程中。

（二）交互促动论

这种观点认为，城镇化有利于资源优化配置和高效利用，能促进整个区域生态环境良性发展，良好的生态环境和资源条件也有助于区域城镇化的快速推进。其理由是，城市比乡村能更合理地配置资源，工业比农业能更有效地利用资源，城镇化能改善经济社会发展条件，为增加生态环保投入和提高生态环保意识创造了条件，进一步促进生态环境改善。与此同时，良好的资源条件和生态环境背景，将有利于城镇化与生态环境保护向着和谐共处、良性循环的方向发展。不少学者认为城镇化本身并不是生态环境恶化的主要原因，如何加快城镇化进程才是关键的科学问题；不仅如此，城镇化对生态环境起着良好的促进作用，这种促进作用体现在资源集约利用效应、人口适度集散效应、生态环境教育效应以及污染集中治理效应等方面。因此，应通过城镇化发展，降低人类活动对广大生态脆弱地区形成的生态压力，用城镇化来调整区域人口和产业分布，带动生态环境建设与保护。

（三）耦合共生论

这种观点认为，随着城镇化的推进，在城市发展与生态环境保护之间，既有交互胁迫的过程，也有相互促进的环节，它们之间是一种在交互胁迫中相互促进的关系。理论上说，在城镇化初期，城镇化对生态环境的影响并不大，生态环境对城镇化的约束作用也几乎为零；随着城镇化的推进，两方面的作用都不断增强，城镇化对生态环境的胁迫作用一旦突破某一阈值以后，生态压力开始显现。在生态压力的作用下，城镇化被迫调整减缓。随着发展理念的变化、经济结构的优化、生态投入的增加和环保能力的增强，城镇化与生态环境之间的矛盾又逐渐缓和。此后，由于生态环境对城镇化的约束作用减弱，城镇化又得以快速发展，生态压力不断增大，城镇化又开始新一轮的调整。因此，正是通过城镇化与生态环境彼此之间的交互耦合与胁迫作用，驱使资源配置向着不断优化的方向、经济结构向着不断升级的方向、城镇化与生态环境的关系向着协调发展的方向不断演进，并最终推动整个城镇化与生态环境复合系统从低级协调共生向高级协调耦合的形态演化。

二、城镇化与生态环境交互耦合的基本定律

城镇化与生态环境之间客观上存在着极其复杂的交互耦合关系。根据耗散结构理论和生态需要定律理论，城镇化与生态环境之间的交互耦合关系可以看作是一个开放的、非平衡的、具有非线性相互作用和自组织能力的动态涨落系统，即城镇化与生态环境交互耦合系统。从理论上分析，这种耦合系统满足耦合裂变律，动态层级律，随机涨落律，非线性协同律，阈值律和预警律，这六大定律是城镇化与生态环境交互耦合过程必须遵循的基本定律（方创琳和杨玉梅，2006）。

（一）耦合裂变律

城镇化与生态环境耦合系统是人与自然、环境交互作用的集中体现，是典型的生态-经济-社会复合系统。在此系统中，每一个因素都是该系统的一个子系统，其变化经过系统的

耦合作用，形成三种结果：一是加大城镇化与生态环境耦合系统的变化，称之为耦合升压效应；二是减小城镇化与生态环境耦合系统的变化，称之为耦合减压效应；三是使城镇化与生态环境耦合系统发生微小的扰动，称之为耦合恒压效应。在工业革命以前，自然生态系统主要受原始的农业活动影响，基本处于生态平衡状态，人类仅作为生态环境因子的一个组分存在于"生态链"的某个环节，这一时期的生态环境承载力远远大于人口和城镇化的总需求，生态环境的自净力很强，简单的人类农牧活动对生态环境的扰动力很小，生态环境因子处于天然和谐有序的"低级耦合态"，城镇化对生态环境的需求度极低。工业革命以来，大规模的工业化驱动城镇化不断发展，工业化和城镇化同时作用于生态环境，工业生产技术体系代替了农业生产技术体系，造成了对自然资源的掠夺式开发利用和对生态环境的无序破坏，进而把人类改造、征服、掠夺自然推向人与自然严重对立的状态，城市急剧膨胀，城镇化进程急速加快，导致城镇化与生态环境因子的耦合稳态结构产生史无前例的裂变。其结果导致生态环境严重破坏，生态环境系统总量、流量发生急剧变化，甚至出现生态链的因子间"断链现象"和生物多样性严重受损，人与自然之间严重对立。工业化与城镇化的无限需求因人口爆炸而膨胀，与生态环境总供给随生态因子断链而萎缩呈反向运动，最终发生裂变或崩溃。

（二）动态层级律

城镇化对生态环境的需求度是生态系统平衡与否的"感应器"。从理论上分析，生态环境对城镇化需求度的满足程度可以分为"满足"、"较满足"、"基本满足"、"弱满足"和"不满足"五个层面，对应的城镇化因子与生态环境因子的耦合态可分为强耦合态—较强耦合态—中等耦合态—较弱耦合态—弱耦合态五个层次，对应的城镇化与生态环境因子之间耦合态的评估分级依次可分为优态—良态—中等态—可态—劣态，其发展态势依次为强可持续—较强可持续—准可持续—弱可持续—不可持续五种发展趋势。经济发展与快速城镇化过程导致的生态破坏与环境污染已使国际经济增长由"可持续"陷入"准持续"，且正趋于"不可持续"。掌握城镇化与生态环境耦合的层级与强度，有助于定性评判特定区域的城镇化过程所处的发展状态，特定区域的城镇化与生态环境耦合过程所处的发展状态，对调控城镇化和生态环境之间的耦合关系有重要作用。

（三）随机涨落律

按照耗散结构理论，城镇化与生态环境交互耦合过程是一个动态涨落过程。这种过程的时间组织性决定了二者交互耦合过程是一个演变着的动态系统，其演变的重要机制是偶然性的随机涨落。涨落的产生与放大取决于耦合系统熵的二阶超量的贡献，即系统的超熵产生

$$\delta xp = \frac{\mathrm{d}}{\mathrm{d}t}\left(\frac{1}{2}\delta^2 S\right)$$

式中，$\delta^2 S$ 可看作是描述耦合系统微分方程的李雅普诺夫函数。由局域平衡假设，恒有 $\delta^2 S = 0$。当 $\frac{\mathrm{d}}{\mathrm{d}t}\left(\frac{1}{2}\delta^2 S\right) \geq 0$ 时，耦合涨落系统处于近平衡态，这时城镇化与生态环境耦合

系统处于渐进耦合态。系统内部产生的微不足道的涨落不可能放大，因而对系统的演化无甚作用。当 $\dfrac{\mathrm{d}}{\mathrm{d}t}\left(\dfrac{1}{2}\delta^2 S\right)=0$ 时，耦合涨落系统处于临界稳定态，这时城镇化与生态环境耦合系统处于临界耦合态。当 $\dfrac{\mathrm{d}}{\mathrm{d}t}\left(\dfrac{1}{2}\delta^2 S\right)<0$ 时，耦合涨落系统处于不平衡稳定态，这时城镇化与生态环境耦合系统处于非耦合态。系统内部产生的微涨落通过相干效应迅速放大成宏观整体上的"巨涨落"，并得以稳定，系统由一种不稳定的定态（低级耦合态）跃变为另一种新的有序态（高级耦合态），出现耗散结构分支（方创琳，1989）。

与此同时，由于城镇化与生态环境耦合系统具有等级性和包容性的特点，一个有限大小的耦合系统的生态环境要素总处在不停地随机变动之中，从而形成对耦合系统宏观状态的各种随机扰动，即城镇化与生态环境耦合系统的"外部涨落"。城镇化与生态环境耦合系统的内涨落与外涨落互相叠加、同步和共振，造成系统涨落特性的复杂性，构成了其本身形成耗散结构的触发机和破旧立新达到有序结构的重要因素，进而加剧了城镇化与生态环境耦合系统演化规律的复杂性。

（四）非线性协同律

按照耗散结构理论，城镇化与生态环境耦合系统是城镇化各要素间、生态环境各要素间以及城镇化与生态环境各要素间有非线性相互作用的系统，是一个具有整体性和重要特性的复杂系统。因此，在城镇化与生态环境耦合系统中，作为输出能量物质的"营养源"的生态环境系统和作为输入营养的"营养汇"的城市系统之间相互促进又相互制约，彼此间存在着极复杂的非线性相互作用（反馈、自催化、自组织、自我复制等）。同时，生态环境子系统、城镇化子系统内部的各要素间的非线性联系更为密切。这种非线性相互作用使无数个地理要素的微观行为得到"协同"和"合作"，产生出宏观的"序"，其结果形成了错综复杂的层次结构体系。如生态环境容量与城镇化水平容量、城镇化成本与生态环境代价等。各个生态环境要素、城镇化要素、非线性子关系、子层次的有机集合组成了城镇化与生态环境耦合系统结构和功能。其结构和功能的性质取决于城镇化发展方向与生态环境系统所提供的物质、能量的潜在利用方向之间的非线性协同关系，若二者不存在重大偏离，协同效应显著，协同系数大，城镇化与生态环境耦合系统视为耗散结构，否则为非耗散结构。良性的耗散结构具有极强的协同力（自调节能力和抗干扰能力），系统功能的发挥利于耗散结构的进一步良化，其结果降低了系统的熵值，巩固和革新了城镇化与生态环境耦合系统的耗散结构。恶性的非耗散结构则使系统的不稳定性增大，熵值升高，结构遏制了功能的良好发挥，功能的反作用也可恶化结构，其结果只能加速城镇化与生态环境耦合系统耗散结构的消亡。

（五）阈值律

阈值是任何事物的发展不能超过所依附的另一事物所能承载的能力。不同的学科对阈值有着不同的认识和理解，但其共同之处都包含"临界"和"限制"、"容量"和"载荷"之意。按照阈值定律，可以定量揭示生态环境与城镇化交互耦合的自适应阈值算法及规律。

当城镇化进程对生态环境的影响超过一定的阈值时，自然界就会以自己特有的反抗能力，采取不同的形式给城镇化过程以"报复"。因此，只有走可持续的城镇化道路，按照阈值定律科学寻求与生态环境容量相适应的城镇化水平的警戒阈值、危险阈值、安全阈值、风险阈值、报警阈值，测算特定时期城镇化水平的启动阈值、瞬态阈值、锁定阈值、强度阈值、自适应阈值、弹性阈值、临界阈值等，才能做好城镇化的阈值管理，才能确保城镇化过程与生态环境耦合过程达到合理的耦合态。根据国内外同类研究实践和理论分析，发现区域生态环境容量与城镇化水平容量交互作用的动态变化过程基本上符合经济学中的 Logistic 过程，城镇化水平容量增长变化率与生态环境容量增长变化率交互作用的动态变化过程大体上符合库兹涅茨倒"U"型曲线变化规律。因此，可以 Logistic 过程和库兹涅茨倒"U"型曲线变化规律为理论基础，总结出交互式的城镇化与生态环境阈值理论与方法。

（六）预警律

城镇化与生态环境耦合系统同任何其他复杂系统一样，遵循预警定律。加入预警预报过程的城镇化与生态环境耦合系统叫城镇化与生态环境耦合预警系统。耦合预警系统是以社会、经济、资源、环境协调发展为核心，以经济高速发展的持久性、社会分配的公平性、资源开发利用的持续性、生态环境系统的稳定性为内容，以经济城镇化过程、人口城镇化过程和社会城镇化过程等为对象，在一定经济理论、突变论、协同论、系统论等理论指导下，采用一系列科学的预警方法技术、指标体系、预警模型和信号系统，对城镇化与生态环境耦合过程进行监测，对监测结果获得的警性、警兆发布警示的决策支持系统。简单地说，城镇化与生态环境耦合预警系统就是对城镇化与生态环境耦合系统偏离期望状态的警告。耦合预警系统分两种模式，一种是景气预警，另一种是警兆预警。景气预警就是确定城镇化与生态环境目前所处的耦合状态是否超出预期范围，即对目前耦合状态的监测；警兆预警是按照目前的城镇化发展速度，将在什么时候出现什么样的警情，即动态的把握将来的发展趋势。可用"绿灯"表示城镇化与生态环境耦合系统处于协调状态，系统内因素与期望值接近或好于期望值；用"黄灯"表示城镇化与生态环境耦合系统处于较为协调状态，在短期内有转为不协调或趋于协调的可能；用"红灯"表示严重警告，表示城镇化与生态环境耦合系统极不协调，应及时采取强有力的措施，促使系统的改善，避免耦合系统崩溃。

三、城镇化与生态环境交互耦合的规律性

根据前人关于城镇化水平与经济发展水平的对数曲线、生态环境与经济发展水平的环境库兹涅茨曲线，理论上可以推导出城镇化与生态环境交互耦合的双指数曲线（黄金川和方创琳，2003）。根据该曲线，可以揭示城镇化与生态环境交互机理与耦合拐点，揭示城镇化与生态环境交互耦合规律及阶段性，为理论和定量认识城镇化与生态环境交互耦合规律提供科学依据。

（一）城镇化与生态环境交互耦合的双指数曲线

根据周一星（1995）的研究，城镇化水平与经济发展水平之间存在着一种对数曲线的相关关系，可以表示为

$$y = a \lg x + b$$

式中，y 代表城镇化水平；x 为人均国民生产总值；a，b 为待定参数。

美国经济学家 Grossman 和 Krueger（1995）在对 66 个国家的不同地区内 14 种水污染物质和空气污染 12 年变动情况的研究发现，大多数污染物的污染程度随人均收入的不断增长呈现先增加后下降的态势，呈倒 U 型的变化关系。这种变化与库兹涅茨（1955）提出的人均收入水平与经济增长的变化关系类似，因此可称之为"环境库兹涅茨曲线"，可以表示为

$$z = m - n(x - p)^2$$

式中，z 代表生态环境恶化程度；x 为人均国民生产总值；m，n，p 为待定参数。

黄金川和方创琳（2003）基于上述两种关系，采用数学方法推导出城镇化与生态环境之间的耦合函数为双指数曲线函数

$$z = m - n \left[10^{\frac{y-b}{a}} - p \right]^2$$

式中，z 为生态环境退化程度；y 为城市化水平；m，n，a，b，p 为待定参数。显然有：

当 $10^{\frac{y-b}{a}} < p$ 时，即 $y < a \lg p + b$ 时，生态环境随城镇化的提高逐渐退化；

当 $10^{\frac{y-b}{a}} = p$ 时，即 $y = a \lg p + b$ 时，生态环境的退化程度达到最大值 m；

当 $10^{\frac{y-b}{a}} > p$ 时，即 $y > a \lg p + b$ 时，生态环境随城镇化的提高逐渐好转。

根据上述城镇化与生态环境交互作用所遵循的一般规律和总体变化趋势，分别将生态环境随经济发展而变化的 EKC 曲线和城镇化随经济发展而变化的对数曲线放在同一个坐标系的第一和第三象限，然后分别从两条曲线上引水平和垂直辅助线向第二象限投射，将经济轴消去后，即可在第二象限生成一条城镇化与生态环境耦合的关系曲线（图 3.10）。该曲线被中间的拐点分为两部分，两部分都是指数曲线，前一部分单调增，后一部分单调减。结合前面的数学模型可知，拐点出现时的城镇化水平为 $y = a \lg p + b$；在拐点之前，生态环境退化程度随城镇化水平而增加；在拐点之后，生态环境退化程度随城镇化水平而衰减。

（二）城镇化与生态环境交互耦合的演化阶段

根据城镇化与生态环境之间的交互作用具有不同的表现形式，理论上可将城镇化与生态环境交互耦合过程划分为 4 大阶段（图 3.11）。

1. 低水平协调阶段

低水平协调阶段一般处在城镇化发展的初期，以各种生产要素向中心城市的集聚为主，在空间上表现为向心城镇化阶段。由于城镇化和经济发展相对缓慢，尚未达到累积环境效应的触发点，因此，生态压力不大，城镇化对生态环境的胁迫作用较小，对生态环境

造成的破坏一般可以通过环境的自净能力得以恢复。

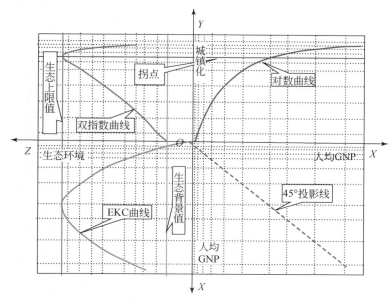

图 3.10　城镇化与生态环境交互耦合的双指数曲线图

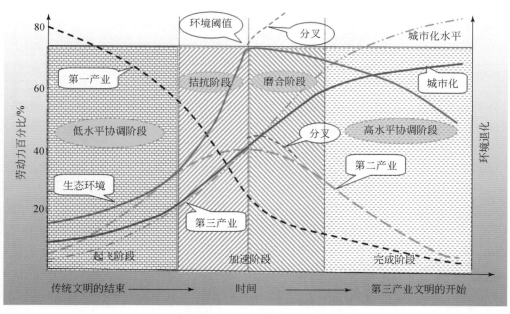

图 3.11　城镇化与生态环境的交互耦合阶段

2. 拮抗阶段

一般处于城镇化发展的初期和加速发展阶段的初期和中期，以城镇化水平快速上升、生态压力明显增大为标志。城镇化以集聚和集聚扩散为主，在空间上表现为向心城镇化和郊区化阶段。由于城镇化与工业化的快速发展，城镇化对生态环境的影响剧烈，生态环境压力急剧增大，城镇化与生态环境之间的矛盾日趋尖锐。随着城镇化的进一步发展，城镇化与生态环境之间出现错综复杂的协同或拮抗作用，累积环境效应响应呈现急速加剧的趋势特性。

3. 磨合阶段

一般处于城镇化加速发展阶段的末期，以城镇化速度减缓、生态压力增速减缓为标志。城镇化以扩散集聚效应为主，在空间上表现为逆城镇化阶段。由于城镇化的快速发展，生态环境压力逐渐逼近生态环境的上限阈值，弹性阈值规律发生作用，城镇化与生态环境之间的矛盾呈现由尖锐到缓和，再到尖锐不断交替的过程。随着城镇化的进一步发展，城镇化与生态环境之间的耦合关系不断地磨合，累积环境效应呈现出波动响应的趋势特性。

4. 高水平协调阶段

高水平协调阶段一般处于城镇化的成熟发展阶段，以生态环境压力不断缓解为标志。城镇化空间形态以扩散集聚效应为主，表现为再城镇化阶段。由于技术不断进步，经济结构向第三产业的转变，高新、清洁技术得到广泛运用，人类环境意识的强化以及生态投入的增加，生态环境质量不断好转，生态环境压力逐渐减小，城镇化与生态环境之间的矛盾逐步缓和，累积环境效应呈现平稳下降的趋势。经过上一阶段的恢复，城镇化对生态环境造成的破坏得到缓慢恢复，生态环境压力降到最小，城镇化与生态环境之间的矛盾基本缓解甚至消除，二者得以协调共生，累积环境效应呈现延缓平稳的趋势。

四、城镇化与生态环境交互耦合的测度方法

目前，问卷调查法、耦合度模型、耦合协调度模型、曲线模拟模型、能值分析、主成分分析、聚类分析、回归分析、关联分析、遥感与 GIS 空间分析、人工神经网络模型、系统动力学模型、引力模型、元胞自动机模型、生态系统服务功能模型、贝叶斯网络模型、生态足迹模型、模糊集理论、系统论、感知地图等定性定量分析手段，已被广泛地运用到城镇化与生态环境交互耦合的定量测度中来，而且在世界各国和各地区都进行了典型的应用（乔标等，2005；王少剑等，2015）。其目的就是通过表征城镇化水平的单项指标或综合指标、表征生态环境的各种单项指标或综合指标，来测度城镇化与生态环境的耦合关系和协调发展水平。总体来看，城镇化与生态环境交互耦合的研究方法和手段日益丰富和灵活，并且逐渐从定性分析走向定量探讨。其中，城镇化与生态环境交互耦合度模型应用较为广泛，其主要测度思路和方法如下（乔标和方创琳，2005）：

城镇化与生态环境胁迫与演进过程都是一种非线性过程，其演化方程可以表示为

$$\frac{dx(t)}{dt} = f(x_1, x_2, \cdots, x_n)；\quad i=1,2,\cdots,n；\ f 为 x_i 的非线性函数$$

由于非线性系统运动的稳定性取决于一次近似系统特征根的性质，因此在保证运动稳定性的前提下，将其在原点附近按泰勒级数展开，并略去高次项 $\varepsilon(x_1, x_2, \cdots, x_n)$ 可以得到上述非线性系统的近似表达

$$\frac{dx(t)}{dt} = \sum_{i=1}^{n} a_i x_i, \quad i=1,2,\cdots,n$$

根据这种思想，可以建立城镇化与生态环境变化过程的一般函数为

$$f(U) = \sum_{j=1}^{n} a_j x_j, \quad j = 1, 2, \cdots, n$$

$$f(E) = \sum_{i=1}^{n} b_i y_i, \quad i = 1, 2, \cdots, n$$

式中，x，y 为两系统的元素；a，b 为各元素的权重。

鉴于城镇化与生态环境二者之间的交互胁迫关系，可以把它们作为一个复合系统来考虑，显然 $f(E)$ 与 $f(U)$ 是这一复合系统的主导部分，该复合系统的演化方程可以表示为

$$A = \frac{\mathrm{d}f(E)}{\mathrm{d}t} = \alpha_1 f(E) + \alpha_2 f(U), \quad V_A = \frac{\mathrm{d}A}{\mathrm{d}t}$$

$$B = \frac{\mathrm{d}f(U)}{\mathrm{d}t} = \beta_1 f(E) + \beta_2 f(U), \quad V_B = \frac{\mathrm{d}B}{\mathrm{d}t}$$

$$\alpha = \operatorname{arctg}(V_A / V_B)$$

式中，A、B 为受自身与外来影响下城镇化子系统与生态环境子系统的演化状态；V_A、V_B 分别为二子系统在受自身与外界条件影响下的演化速度。可以把 V_A 与 V_B 的演化轨迹投影在一个二维平面，通过 V_A 与 V_B 的变化来研究两个子系统间的协调耦合关系（图 3.12）。

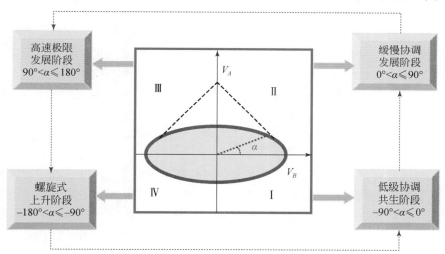

图 3.12　城镇化与生态环境耦合度测度及耦合圈的四大象限图

由图可知，V_A 与 V_B 的夹角 α 满足 $\mathrm{tg}\,\alpha = V_A / V_B$，可以用 α 称表征耦合度，根据 α 的取值大小，确定城镇化与生态环境之间的协调发展程度。显然，在一个演化周期内，耦合系统将经历低级协调共生（Ⅰ）、协调发展（Ⅱ）、极限发展（Ⅲ）、螺旋式上升（Ⅳ）四个阶段（乔标和方创琳，2005）。

（1）当 $-90° < \alpha \leqslant 0°$ 时，系统处于低级协调共生阶段。这一时期城镇化进程缓慢，并且基本不受生态环境的限制和约束，城镇化对生态环境的影响也几乎为零。

（2）当 $0° < \alpha \leqslant 90°$ 时，系统处于协调发展阶段，为城镇化低速发展期。城镇化过程已经开始显现出对生态环境的胁迫作用，生态环境对城镇化过程的约束与限制也日渐突出，

二者之间的矛盾开始显露，但尚不突出。

（3）当 $90°<\alpha\leqslant180°$ 时，系统处于极限发展阶段，为城镇化高速发展期，经济社会发展对资源的索取和环境的破坏日益加剧，城镇化过程与生态环境之间的矛盾由激化到日益突出，约束城镇化进程的限制圈也相应越来越小，资源与生态环境危机进入潜伏期。系统的演进有两个方向：一是当生态环境的退化到超越极限阈值时，整个人类系统将崩溃，出现文明倒退；二是经过人类不断的调节和控制，城镇化与生态环境关系不断磨合，并向良性方向发展。

（4）当 $-180°<\alpha\leqslant-90°$ 时，系统处于螺旋式上升阶段。城镇化与生态环境之间的交互胁迫关系重组，并由相互胁迫转化为相互促进的关系，整个系统最终达到城镇化与生态环境高级协调共生的发展状态。

第四节　城镇化与水土资源保障效应

一、城镇化与水资源利用的耦合效应

水资源作为生态环境的关键因子和重要组成部分，与城镇化进程之间也存在交互耦合与胁迫作用。全世界几乎每一个人口和产业高度密集的城镇化地区，都存在着不同程度的水资源短缺问题。在水资源开发利用已接近或超过极限的缺水地区，尤其是亟须通过城镇化摆脱城乡贫困面貌、带动区域可持续发展的地区，水资源刚性约束不仅是城市经济社会发展的重要内生变量，而且已成为发展的重要外部驱动力，是延缓社会经济发展和城镇化近程的关键要素（方创琳等，2008；鲍超等，2018）。

（一）城镇化与水资源利用的耦合过程及阶段

特定区域的水资源总量总是有限的，水资源的有限性决定了其开发利用程度具有特定的阈值，水资源开发利用程度受到自然条件和社会经济技术水平的约束，随着时间的推移呈现出阻尼因子作用下的增长模式，可用"S"型增长曲线表示（图 3.13）。根据城镇化发展阶段和区域水资源开发利用的相互对应关系，可将水资源开发利用过程分为三个阶段（方创琳等，2008）。

（1）第一阶段为水资源开发利用初级阶段：对应城镇化发展的初期阶段。这一阶段水资源开发利用规模总体较小，开发利用程度较低，城镇化与经济发展对用水的需求增长缓慢，水资源供应充足，谈不上对水资源综合管理，节水意识淡薄，水资源开发利用潜力巨大。

（2）第二阶段为水资源开发利用猛增阶段：对应城镇化发展的中期阶段。这一阶段水资源开发已经具有一定的规模，城镇化与经济的快速发展对用水的需求量迅速增长，水资源开发方式由初始阶段的广度开发逐渐向深度开发转变，水资源开发利用量快速上升，经济类型由耗水型逐步向节水型过渡，并开始重视水资源的综合管理，节水意识逐步增强，水资源开发仍具有较大的潜力。

（3）第三阶段为水资源开发利用饱和阶段：对应城镇化发展的后期阶段。这一阶段水资源开发程度已经接近阈限，进一步开发的潜力很小，开发方式以深度开发为主，水资源开发利用率大幅度高，经济社会发展和城镇化以节水型为主，节水意识显著增强，水资源综合管理已达到相当高的水平。

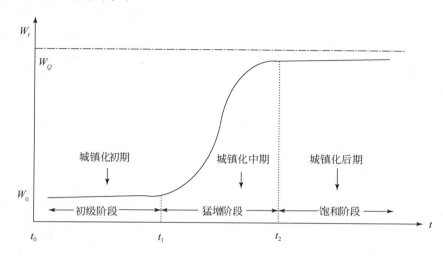

W_t为水资源在开发利用过程中第t阶段的开发利用量，W_0为水资源开发利用的起始量，W_Q为水资源开发阈值。

图 3.13　水资源开发利用阶段与城镇化阶段的对应关系

（二）城镇化与水资源利用的规律性

如果城镇化系统以可持续发展为目标，总是在确保生态环境系统保持良性循环的前提下追求经济社会效益的最大化，则总是存在着各种各样的博弈，使得缺水地区先尽可能地增加供水，加强水资源供给管理；在供水困难的情况下，加大节水技术的研制、使用及推广，通过经济结构与用水结构的调整来提高水资源的利用效率；如果仍不能有效减轻水资源的刚性约束，就会花更大代价去寻求区域外部调水等措施来缓解水资源约束。因此，理论上城镇化与水资源利用的关系表现出一定的规律性（方创琳等，2008；鲍超，2014）。

当水资源承载力相对稳定时，若城镇化系统的城镇化水平呈 S 型曲线增长，经济社会用水随之也呈 S 型曲线增长，则留给生态环境系统的用水（可反映水资源系统健康状况）会呈反 S 型曲线下降，并且下降的速度与社会经济增长的速度呈对称状态（图 3.14）。如果用这两条曲线变化率的算术乘积的绝对值表示水资源系统与城镇化系统的矛盾或不协调程度（u），即假定城镇化系统总是以可持续发展为目

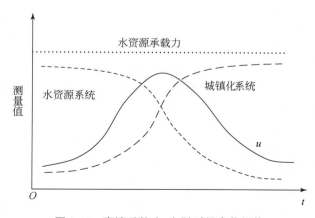

图 3.14　摩擦系数（u）随时间变化规律

标，总会想方设法来协调水资源系统与城镇化系统之间的矛盾；而当水资源系统与城镇化系统变化都较为剧烈时，由于没有足够的时间来调整水资源的供给和需求，水资源系统与城镇化系统之间的矛盾冲突就会加剧；反之，当水资源系统与城镇化系统变化都比较平稳时，城镇化系统很容易通过自适应调整来协调水资源的供给和需求，水资源系统与城镇化系统之间的矛盾冲突就会减小。因此，理论上，水资源系统与城镇化系统的矛盾程度（u）随水资源系统与城镇化系统的发展轨迹呈倒 U 型曲线分布（方创琳等，2008）。按照上述变化规律以及城镇化的 S 型曲线变化规律可知（图 3.15）：

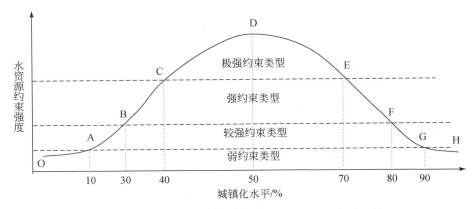

图 3.15　水资源约束强度随城镇化发展阶段的变化规律

（1）当城镇化水平小于 10%时，城镇化系统变化非常缓慢，水资源系统与城镇化系统的矛盾或不协调程度极小，水资源约束强度属于弱约束类型。

（2）当城镇化水平介于 10%~30%时，城镇化系统变化逐渐加快，水资源系统与城镇化系统之间的矛盾或不协调程度也不断增大，水资源约束强度属于较强约束类型。

（3）当城镇化水平介于 30%~50%时，城镇化系统进入快速发展阶段，水资源系统与城镇化系统的矛盾或不协调程度迅速增到最大，水资源约束强度由较强约束型和强约束类型增加到极强约束类型。

（4）当城镇化水平介于 50%~70%时，城镇化系统的加速发展逐渐趋缓，水资源系统与城镇化系统之间的矛盾或不协调度逐渐减小，水资源约束强度由极强约束类型反而降为强约束类型和较强约束型。

（5）当城镇化水平超过 70%以后，城镇化和社会经济发展逐渐进入成熟阶段，变化趋于平稳，水资源系统与城镇化系统最终趋于协调发展，矛盾或不协调程度也逐渐趋近最小甚至趋于零，水资源约束强度由较强约束类型降为弱约束类型。

上述变化规律是在一种理想发展模式下呈现出的基本规律，即水资源系统与城镇化系统的发展在任意时刻都是以可持续发展为目标。现实生活中水资源系统与城镇化系统的矛盾或不协调程度（u）可能不呈规则的倒 U 型曲线分布，而且各种水资源约束强度类型出现最大拐点的时间或对应的城镇化水平都不相同，同时还主要受水资源承载力的阈值大小影响。但随着可持续发展理念的逐步渗透，水资源系统与城镇化系统的矛盾或不协调程度（u），在较大的时间尺度上仍然会呈现出各种不规则的倒 U 型曲线分布规律。

（三）水资源对城镇化的约束强度测度方法

水资源对城镇化的约束强度是反映城镇化系统与水资源开发利用系统之间矛盾关系或协调状况的综合指标。可以先构建综合评价指标体系，通过计算城镇化系统综合发展指数和水资源开发利用潜力综合指数来分别反映城镇化系统与水资源开发利用系统的综合状况（方创琳等，2008）。理论上，当水资源系统开发利用潜力较大（或水资源开发利用程度较小）时，水资源对城镇化的约束强度较小；而当水资源系统开发利用潜力较小（或水资源开发利用程度较大）时，水资源对城镇化的约束强度较大。但另一方面，当城镇化综合发展水平较高时，抗拒水资源约束的能力较强，相当于一定程度上减轻了水资源约束强度；而当城镇化综合发展水平较低时，抗拒水资源约束的能力较弱，相当于一定程度上增加了水资源约束强度。因此可以根据水资源开发利用潜力综合指数和城镇化系统综合发展指数来判别水资源对城镇化的约束强度大小，即

$$\text{WRCI} = \alpha \times (1 - F_w) + \beta \times (1 - F_u)$$

式中，WRCI 为水资源对城镇化的约束强度，F_w 为水资源开发利用潜力综合指数，F_u 为城镇化系统综合发展指数，α、β 为系统影响分担系数，$\alpha + \beta = 1$。上式还可表示为

$$\text{WRCI} = 1 - (\alpha \times F_w + \beta \times F_u)$$

该式的基本内涵为：水资源开发利用潜力综合指数 F_w 反映了水资源系统健康状况，城镇化水平综合评价指数 F_u 反映了城镇化系统健康状况，它们的加权求和综合地反映了整个水资源与城镇化系统健康状况，而系统综合发展水平指数与 1 之间的差，体现了整个水资源与城镇化系统的不健康状况。系统整体表现越不健康，则水资源约束强度越大。同时，该式也表明，城镇化水平的提高是减轻水资源约束强度的重要途径，城镇化水平提高本身不会导致水资源约束强度增大。在一定阶段，水资源约束强度之所以随城镇化发展而增强是因为水资源系统健康状况的恶化超过了城镇化系统健康状况的改善，最终导致整个复合系统健康状况总体恶化。

由于目前国内外还没有对水资源约束强度进行过定量划分，可供借鉴的经验标准只能来源于水资源压力、水资源承载力方面的研究。综合各方面研究成果认为：

（1）当流域还剩 70% 的水资源用于生态环境系统（即水资源开发利用潜力综合指数大于 0.7 或水资源开发利用综合指数小于 30%）时，虽然社会经济系统会给水资源系统带来一定压力，但首先表现为社会经济用水对生态环境用水的挤占以及生态环境恶化，社会经济发展速度受水资源短缺的影响较小，水资源对城镇化的约束强度仍然较弱。

（2）当流域还剩 50% 的水资源用于生态环境系统（即水资源开发利用潜力综合指数在 0.7～0.5 或水资源开发利用综合指数在 30%～50%）时，水资源系统除了通过生态环境系统对社会经济系统造成间接损失外，还会对社会经济发展速度产生直接影响，水资源对城镇化的约束强度较强。

（3）当流域还剩 30% 的水资源用于生态环境系统（即水资源开发利用潜力综合指数在 0.5～0.3 或水资源开发利用综合指数在 50%～70%）时，水资源系统延缓社会经济发展速度的现象表现得很明显，水资源对城镇化造成强约束。

（4）当流域还剩不到 30% 的水资源用于生态环境系统（即水资源开发利用潜力综合指数小于 0.3 或水资源开发利用综合指数大于 70%）时，水资源系统对社会经济发展的阻滞作用极强，水–生态–经济复合系统的自我恢复能力超过极限，如果不寻求外界帮助，复合系统及其各子系统就会开始崩溃。

（四）城镇化与水资源利用的系统模拟预警方法

模拟预警是在对历史和现实的客观认识及对未来科学预测的基础之上而对危机或危险状态的一种预判。城镇化与水资源利用的系统模拟预警就是依据反映城镇化与水资源系统发展状况的指标，通过有关的信息采集、分析、预测或评价，模拟预测城镇化及其所引起的水资源供需变化趋势、变化速度及它们达到某一阈值的时间等，并根据模拟预测结果适时地提出未来水资源短缺的各种警戒信息，以及相应的城镇化发展模式、水资源开发利用模式与对策（方创琳等，2008）。

在实际研究中，一般根据预警方法可分为定性预警、定量预警或二者的结合。定量预警主要采用趋势外推法和系统动力学模型仿真法。趋势外推预警分析就是根据城镇化系统和水资源系统的变化过程，利用各种数学方法（主要包括回归分析法、灰色预测模型、人工神经网络预测法等），以时间为自变量，以反映城镇化系统和水资源开发利用系统状况的综合指标为因变量，进行曲线（包括直线、Logistic 曲线、对数曲线、多项式曲线、指数增长曲线等）模拟，然后根据模拟方程预测未来一定时期内城镇化系统和水资源开发利用系统综合指数变化，并据此计算出水资源对城镇化的约束强度（也可根据水资源对城镇化的约束强度变化对其直接进行外推），最后根据外推结果进行预警分析。鉴于水资源和城镇化系统的复杂性，表征城镇化的各主要变量与表征水资源利用的各主要变量之间的耦合关系很难直接两两之间进行曲线模拟，因此不少学者以系统动力学模型的构建为核心，以城镇化与水资源利用系统之间的相互作用、反馈机制和数学关系的建立为突破口，建立了城镇化与水资源利用的系统模拟预警模型，并在河西走廊和京津冀城市群等研究区进行了典型应用（方创琳等，2008；鲍超等，2018）。

由于问题研究的侧重点不同，系统动力学模型构建的思路框架、反馈流程、模拟程序、模拟参数等都需要进行相应调整。以下简单介绍城镇化与水资源利用系统模拟预警模型的构建思路与主要流程（图 3.16）。

（1）建模思路。系统动力学方法建模，是从系统内部元素和结构入手，建立数学模型。它不仅把系统因果关系的逻辑分析与反馈控制原理相结合，充分发挥人机对话的优势，而且能够动态跟踪和不受线性约束，不追求最优解，而是以现实存在为前提，通过改变系统的参数和结构，测试各种战略方针、技术、经济措施和政策的后效应，寻求改善系统行为的机会和途径。根据系统动力学模型的这一特点，以它作为主模型，以多目标决策模型、灰色预测模型、多元统计回归模型、各种曲线估计模型、人工神经网络模型等为辅助模型，通过主模型与辅助模型的无缝对接，建立城镇化与水资源利用的系统模拟预警模型，然后运用该模型对反映水资源与城镇化系统状况的各项指标进行情景模拟，并通过多情景方案的比较，综合确定促进城镇化与水资源系统协调发展的相对较优方案。

（2）模块构建。根据区域城镇化发展与供用水状况，一般可将城镇化与水资源利用的系统动力学模型划分为供水子模块、水污染子模块、用水人口子模块、产业结构子模块、土地利用子模块、需水子模块、承载阈值子模块。根据城镇化与水资源利用的耦合机制，运用 Vensim 软件，绘制出城镇化与水资源利用的系统仿真预警模型的因果反馈流程图（图 3.16），并将各子模块中各变量之间的关系运用各种方程分别给出定量描述。这些方程主要包括水平方程（L）、辅助方程（A）、速率方程（R）、初值方程（N）、表量方程（T）等。其中，水平方程是可变积分方程，描述的是水平变量随时间的非线性关系；其他方程是描述辅助变量、速率变量等的关系式，可以通过其他辅助模型得出。

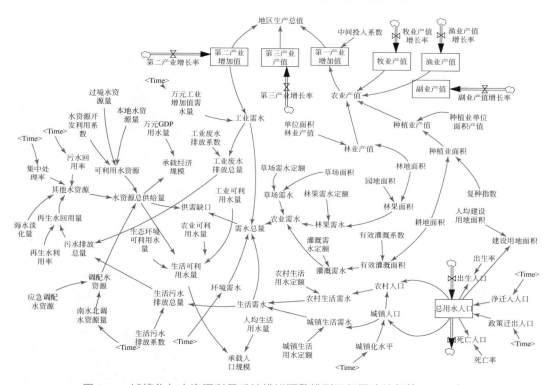

图 3.16　城镇化与水资源利用系统模拟预警模型运行图（鲍超等，2018）

（3）参与设置与情景设计。通过分析历年来的供水情况、水污染排放情况、人口与经济发展情况、土地利用情况等的变化，确定系统主要参数。可从水资源本底条件和区域调水情况设置高供水、中供水、低供水三种供水方案；从城镇化发展速度设置高速、中速、低速三种城镇化方案；从人口疏解、产业承接转移角度设置核心城市集聚发展模式、极核城市疏解发展模式、节点城市均衡发展模式；从水资源利用角度设置耗水型和节水型两种耗水模式等，作为未来的发展情景。

（4）模型检验与模拟预警。首先，需要进行直观检验，研究的先决条件无误，模型变量、反馈回路能够描述城镇化与水资源利用的耦合协调问题，逻辑缜密有理。其次，对参数和方程式进行检验，参数本身可辨识且具有相应的具体含义，参数赋值与可获得的关于真实系统的最佳信息是一致的；方程式中每个变量的量纲与计算一致统一，各方程在其变量的阈值内仍有意义。然后，进行结构检验和敏感性检验，结构检验可以判断是否符合现实状态，敏感性检验能够判断运行过程中模型是否稳定。最后，将不同情景的参数和指标的初始值分别输入系统动力学模型中进行运行，得到不同情景下模拟预测结果，据此可分析水资源对城镇化的约束强度、城镇化与水资源利用的耦合协调度、水资源供需短缺情况、用水经济社会效益等，进而优选合理的城镇化与水资源利用方案。

二、城镇化与土地利用的耦合效应

城市是人类最经济的生存空间，土地资源是城镇化和城市建设的最基本空间载体。随着全球与区域城镇化进程的加速和城市规模的快速扩张，城镇建设用地扩张引起土地利用/土地覆盖急剧变化，进而对生态环境产生重要影响。国内外学者采用遥感解译数据或统计数据等对全球与区域尺度的城镇建设用地的变化过程、空间格局与驱动因素进行了大量分析，采用土地利用转移矩阵详细测度了城镇建设用地与耕地、林地、草地、水域等的相互转化过程、格局及生态效应（刘纪远等，2018）。与此同时，土地资源位置的固定性、质量的差异性、供给的稀缺性和用地性质变更的困难性等，决定了城镇建设用地的有限性。因此，城市地理学和城市规划学者更多关注的是如何协调好城镇化进程与城镇建设用地之间的关系，并采用城镇建设用地保障程度作为衡量的主要指标（方创琳等，2009）。为此，本节介绍城镇化过程与城镇建设用地变化的耦合规律性。

（一）城市用地保障程度随土地资源管理阶段变化的 U 型曲线

土地资源系统与城市社会经济系统间的协调性（A）呈 U 型曲线变化，城市用地保障程度亦随时间呈 U 型曲线分布。即在大时间尺度上，区域土地资源对城市社会经济系统的保障能力在发展初期最高。随着土地资源系统与城镇化系统两者间的矛盾日趋增强和区域可供给的土地资源量减少，用于城市建设的土地资源保障程度开始下降，下降的速度由慢变快。随着城市人口增长的趋缓甚至出现稳定动态变化中的零增长、人类对土地资源利用和管理水平的提高，城市用地保障能力不断增强，保障程度不断上升并趋于城市用地的高质量高保障阶段（图 3.17）。

把土地资源管理划分为供给型管理和需求型管理两个主要阶段，土地资源需求管理是指以减少土地需求、提高用地效率、调整用地结构、适应社会经济发展以增强城市用地质量的行为，可划分为地价、技术结构管理阶段和社会适应性管理 2 个阶段。根据土地资源管理阶段的演进，将城市发展所需的土地资源保障程度变化划为 7 种类型，包括土地资源供给型管理下的低成本高保障度、低成本中保障度和低成本较低保障度 2 个类型，土地资源供给型管理下的低成本较低保障度、需求管理阶段的低保障度、结构调整下的较低保障度、适应性较高保障度和高质量高保障度 5 个类型。不同类型对应的城市用地保障程度和保障机制各不相同（方创琳，2009）。

（1）土地供给型管理下的低成本高保障度阶段 O—A：在城镇化以及社会经济发展的初级阶段，存量富有的土地资源对城镇化发展的保障能力很高。随着社会经济发展和城镇化水平提高，社会经济占用土地量逐渐增加，土地资源对城镇化推进的支撑能力也缓慢降低。但相对于较低的城镇化速度来说，土地资源在这一阶段还相对丰富。理论上不需要对土地资源进行管理。

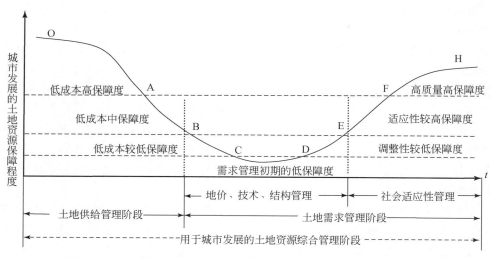

图 3.17　城市用地保障程度随土地资源管理阶段的 U 型曲线变化规律

（2）土地供给型管理下的低成本中保障度阶段 A—B：城镇化以及社会经济发展逐渐加快，需要有更多的土地资源供给，意味着其他土地利用类型要流转为城市建设用地。为弥补原有用地类型的产出效益，人们开始对土地资源出让收取少量的土地用途变更费用，这一方面开辟了更多的城市建设用地资源，同时诱发土地资源供给型管理的需要。该阶段土地资源对城镇化系统表现为低成本较高保障阶段。城市社会经济发展到这一阶段，土地资源开发到一定程度，就需要考虑限制社会经济需地的净增加量。此时对城镇化发展中的土地资源管理方式也开始要由一味地供给型管理向以保障城市持续健康发展条件下的需求型管理阶段转变。

（3）土地需求型管理下的较低保障度阶段 B—C：当城镇化以及社会经济开始进入加速发展阶段，社会经济占用土地量显著增加。部分地区土地资源供给可能会出现一定的短缺。此时首先想到的解决办法就是"开源"，即增加用于城市建设和发展的土地资源。而整个土地资源数量有限，不同用途的土地类型客观上要求保持一定的比例维持区域的共同发展。此时，土地资源系统对城市经济系统的发展会产生较为严重的制约，用地保障能力大幅度下降。如果在没有充足土地资源供给社会经济发展用地的情况下，会以挤占生态环境用地为代价，是一种不可持续的发展模式。

（4）土地需求型管理下的低保障度阶段 C—D：该阶段的城市发展用地供给很少，尤其是缺地地区被迫开始寻求解决城市发展中土地资源需求的路径。人们首先能想到的就是通过相关的技术（如土地集约利用技术等）使用和推广来节约用地并提高用地效率，即在用地供给出现制约下，节地技术管理仍能提高城镇化发展水平。然而，在特定地区和特定时间范围内，节地技术的发明、使用和推广都会受到不同程度限制。再者，由于不同的土地用途之间客观上存在着经济效益梯度场，城市用地经济效益产出明显高于其他用地类是被普遍认可的。受到城市高经济效益的影响，一方面，投资者愿意对现有城市用地追加投资也可以获得经济效益。另一方面，投资者也有能力接受高投资的土地开发，通过较高地价换取城市用地增长，在需求型管理的刺激下，城市用地保障程度在达到最低的情况下以较高的速率上升。

（5）土地需求型管理下的调整性较低保障度阶段 D—E：主要是指城镇化系统发展到较高阶段具有了自适应功能，在土地资源极为紧张的情况下，会进一步通过区域内部自身调节来解决缺地问题。解决途径就是有意识地将低效率用地转移到高效率的城市用地上去。即通过用地结构和产业结构的调整，建立节地高效型的国民经济体系；同时，生活方式也向节地型转变。具体的管理措施包括制定或修改用地的规章制度，建立不同等级规模城市间的土地资源管理协调机构、采用经济措施鼓励或强制全民建设节地型社会，限制高耗地产业的发展，杜绝浪费土地资源的生活方式等。这样土地资源保障能力较强，城镇化仍然能保持较快速度发展。

（6）土地需求型管理下的适应性较高保障度阶段 E—F：该阶段与社会适应性管理阶段相对应，土地资源稀缺威胁到城镇化的可持续发展。缺地地区在自身社会经济结构调整的基础上要彻底摆脱土地资源带来的生态风险，开始需要寻求外界的力量。即当缺地区域城镇化和社会经济发展达到一个较高水平以后，如果城市投资者愿意多发展劳动和技术密集型产业而少发展土地资源密集型产业，愿意以劳动和技术密集型产品换取外界土地资源密集型产品，愿意并有足够的经济实力愿意致富跨区域发展成本追求跨区域的城市经济效益，那么本区域的土地资源就会由绝对短缺变为相对短缺。随着社会适应性管理加强，土地资源系统对城镇化系统的保障程度也逐渐增加。

（7）土地需求型管理下的高质量高保障度阶段 F—H：城镇化进程趋于高级阶段的动态稳定状态，城市人口趋近于零增长，城市用地保障程度随着社会适应性管理的成熟和完善逐步趋近于高质量下的高度保障状态，土地资源系统和城镇化系统将实现真正的协调发展。但现实中，由于多种因素的作用和影响，不可能达到真正的协调发展。

上述用于城市发展的土地资源保障程度的变化规律是建立在人类能够很好地适应和协调好土地资源系统与社会经济系统之间关系的基础之上的，是以从可持续发展的角度和对土地资源的高度管理的角度为基本前提的。这对于土地资源十分紧缺的地区是一个很好的借鉴。对于土地资源供需紧张的地区必须始终以可持续发展为目标，通过有效的土地资源管理来不断调整土地资源对城市社会经济系统可持续发展的保障能力。

（二）城市用地保障程度随城镇化发展阶段呈现 U 型曲线的变化规律

就现实而言，城市用地保障程度也会随城镇化的发展阶段大致呈现出 U 型曲线分布规律（图 3.18）。即：

当城镇化水平小于 10%时，对应供给型管理阶段和城市用地高保障度类型；

当城镇化水平介于 10%～30%时，对应供给型管理阶段和城市用地较高保障度类型；

当城镇化水平介于 30%～40%时，对应需求型管理阶段和城市用地较低保障度类型；

当城镇化水平介于 40%～60%时，对应需求型管理中的技术管理阶段和城市用地低保障度类型；

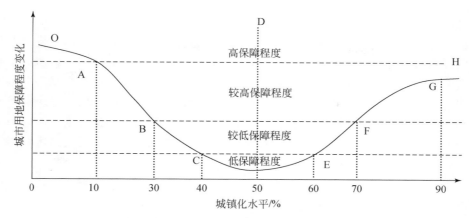

图 3.18 城市用地保障程度随城镇化发展阶段的 U 型曲线变化规律

当城镇化水平介于 60%～70%时，对应土地资源需求管理的用地效益和用地结构管理阶段和城市用地结构调整中较低保障度类型；

当城镇化水平大于 70%以后，对应土地资源需求管理的社会适应性管理阶段和城市用地较高保障度类型；

当城镇化水平大于 90%时，城镇化进程趋于稳定状态，非农业人口的转移量基本趋零，产业结构高级化，城市用地增长趋近零增长。

土地资源保障能力随城镇化发展阶段也存在着阶段性变化规律，而且这种阶段性规律可以调控。调控的目标是要尽量缩短 B—D—F 过程之间的时间，即在城镇化开始进入加速发展阶段，就要着眼于未来，尽量协调好土地资源系统与城市社会经济系统的关系，减轻城市发展对土地资源的压力，加快城镇化进程，使土地资源对城镇化发展的保障能力提高，也可尽量缩短土地资源对城镇化发展的低保障程度所经历的时段。同时，在追求城镇化速度的同时，注意提高城镇化发展质量。

一般地说，城镇化过程伴随着城市用地总量扩张和城市用地效益和用地结构优化等。而城镇化系统总量扩张和结构优化又会带来城镇化系统发展速度和质量的提升。反过来，城镇化发展对土地资源供给和需求矛盾的协调以及土地资源保障能力也起到多方面的影响作用：一方面，城镇化伴随着整个城市社会经济系统总量的扩张增加了土地资源需求，减弱了土地资源对城市发展的保障能力；另一方面，健康的城镇化会带来整个城市社会经济系统结构的优化以及效率的提高，从而减少社会经济发展对土地资源的需求，缓解土地资源的供给能力，但更能刺激社会经济总量和土地资源的进一步快速增长，又会削弱城市发展的土地资源保障能力。二者此消彼长，相互博弈。

（三）城镇化进程中城市用地保障程度的变化规律

在追求城市（社会）经济效益最大化的过程中始终存在着各种博弈。博弈过程始终围绕着在特定阶段为获得基本相等的经济效益条件下投入最小的生产成本。结果是先尽可能地增加用地供给；在供给土地资源出现困难的情况下，首先采取的措施是利用土地用途间经济效益梯度的客观规律，以城市经济的高效益作为比较优势，逐渐加大对其他用地类型的不合理侵占，但是这种行为只能在一定限度内进行。接着更多的开始转向节地技术、增强土地利用深度的技术发明、使用及推广。然后通过社会经济结构与用地结构的调整来提高土地资源的利用效率。在区域自适应调整以后，如果仍然不能有效保障城市的发展，就会花更大的代价去寻求区域外部力量来缓解土地资源的瓶颈作用。即理想状态下，缺地区域总会想方设法地来协调土地资源系统与城市社会经济系统之间的矛盾，以求实现城市经济系统和土地资源系统间匹配的合理性、和谐性。但是在现实中，由于城市用地变化的波动性、人们对经济利益、眼前局部利益的偏好以及人类固有的惰性，导致城市发展的用地保障程度并不严格遵从理想状态下的变化规律，而总体上呈 U 型、在各个阶段有一定幅度上升或下降的波动性，加之土地资源开发中各种影响因素之间相互作用消长，使各个阶段的曲线波动趋势比较平滑、呈 S 型或反 S 型曲线分布（图 3.19）。

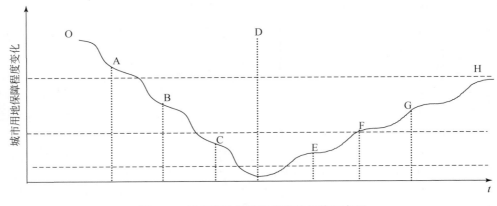

图 3.19　城市用地保障程度变化规律示意图

（四）城镇化与土地利用协调保障度评价方法

城镇建设用地保障程度是指在城镇化进程中为确保城镇建设所必需的各类建设用地需求的保障能力。一般可用城镇建设用地的供需缺口来直接反映。供给越大于需求，则保障程度越高；供需缺口越大，则保障程度越低。然而，城镇建设用地的可供给量一般较难准确测算，因此，可以构建城镇化水平（单项指标或综合指标法测度）与土地利用水平（单项指标或综合指标法测度）之间的数学模型，用城镇化与土地利用的协调保障度来间接地反映城镇建设用地保障程度。同时，可以通过对城镇化水平（单项指标或综合指标法测度）与土地利用水平（单项指标或综合指标法测度）的预测，预警未来的城镇化与土地利用协调保障度。

城镇化与土地利用的协调保障度是反映城镇化系统与土地利用系统之间协调状况或保障程度的综合指标。可以先构建综合评价指标体系，通过计算城镇化系统综合发展指数和土地资源开发利用潜力综合指数来分别反映城镇化系统与土地利用系统的综合状况（方创琳等，2009）。可以根据土地资源开发利用潜力综合指数和城镇化系统综合发展指数来判别城镇化与土地利用的协调保障度大小，即

$$LRGL=\alpha\times C+\beta\times F$$

式中，LRGL 为城镇化与土地利用的协调保障度；*C* 为土地资源开发利用潜力综合指数；*F* 为城镇化系统综合发展指数；α、β 为系统影响分担系数，$\alpha+\beta=1$。

该式的基本内涵为：土地资源开发利用潜力综合指数 *C* 反映某一区域土地资源系统开发利用的健康状况，城镇化水平综合评价指数 *F* 反映该区域城镇化系统健康状况，两者的加权求和综合反映了该区域城镇化与土地利用系统协调发展的健康程度。对于特定区域，城镇化与土地利用系统越健康发展，则城镇建设用地的保障能力越强、用地的保障度也越高。根据城镇化与土地利用的协调保障度综合测度结果，可以将城镇建设用地保障程度进行分级。一般可分为以下类型：

（1）低保障度。LRGL 介于 0~0.25，城镇土地资源开发利用基本没有潜力，对城镇化进程影响很大，城镇化速度与质量由于极度缺地会受到很大影响。

（2）较低保障度。LRGL 介于 0.25~0.5，城镇土地资源开发利用还有一定潜力，对城镇化进程影响较大，城镇化速度与质量由于缺地会受到较大影响。

（3）较高保障度。LRGL 介于 0.5~0.75，城镇土地资源开发利用还有较大潜力，对城镇化进程影响较小，城镇化速度与质量由于缺地会受到较小的影响。

（4）高保障度。LRGL 介于 0.75~1，城镇土地资源开发利用还有很大潜力，对城镇化进程影响很小，城镇化速度与质量基本不会受缺地的影响。

主要参考文献

鲍超. 2014. 中国城镇化与经济增长及用水变化的时空耦合关系. 地理学报，69（12）：1799 -1809.

鲍超 等. 2017. 城市群发展与水资源利用的耦合机理及系统模拟. 北京：经济科学出版社.

鲍超，方创琳. 2006. 河西走廊城镇化与水资源利用关系的量化研究. 自然资源学报，21（2）：301-310.

鲍超，方创琳. 2010. 城镇化与水资源开发利用的互动机理及调控模式. 城市发展研究，17（12）：19-23.

陈静生，蔡运龙，王学军. 2001. 人类-环境系统及其可持续性. 北京：商务印书馆.

方创琳. 1989. 耗散结构理论与地理系统论. 干旱区地理，12（6）：32-39.

方创琳. 1999. 区域持续圈与发展圈相互作用理论. 自然辩证法研究，15（2）：31-33.

方创琳. 2003. 区域人地系统优化调控与可持续发展. 地学前缘，10（4）：629-635.

方创琳. 2004. 中国西部生态经济走廊. 北京：商务印书馆.

方创琳，鲍超，乔标 等. 2008. 城市化过程与生态环境效应. 北京：科学出版社.

方创琳，周成虎，顾朝林 等. 2016. 特大城市群地区城镇化与生态环境交互耦合效应解析的理论框架及技术路径. 地理学报，71（4）：531-550.

方创琳，崔学刚，梁龙武. 2019. 城镇化与生态环境耦合圈理论及耦合器调控. 地理学报，74（12）：2529-2546.

方创琳 等. 2009. 中国城市化进程及资源环境保障报告. 北京：科学出版社.

方创琳，杨玉梅. 2006. 城市化与生态环境交互耦合系统的基本定律. 干旱区地理，29（1）：1-8.

方创琳 等. 2014. 中国城市化进程的能源保障与风电产业发展格局. 北京：中国经济出版社.

高云福. 1998. 城市化发展与水系统的演变. 城市勘测，（3）：5-8.

何传启. 2017. 新科技革命的预测和解析. 科学通报，62（8）：785-798.

黄金川，方创琳. 2003. 城市化与生态环境交互耦合机制与规律性分析. 地理研究，22（2）：211-220.

刘纪远，宁佳，匡文慧 等. 2018. 2010—2015 年中国土地利用变化的时空格局与新特征. 地理学报，73（5）：789-802.

乔标，方创琳. 2005. 城市化与生态环境协调发展的动态耦合模型及在干旱区应用. 生态学报，25（11）：3003-3010.

乔标，方创琳，黄金川. 2006. 干旱区城市化与生态环境交互耦合规律性及其验证. 生态学报，26 （7）：2183-2190.

乔标，方创琳，李铭. 2005. 干旱区城市化与生态环境交互胁迫过程研究进展及展望. 地理科学进展，24（6）：31-41.

宋建军，张庆杰，刘颖秋. 2004. 2020 年我国水资源保障程度分析及对策建议. 中国水利，（9）：14-17.

宋言奇，傅崇兰. 2005. 城市化的生态环境效应. 社会科学战线，（3）：186-188.

王少剑，方创琳，王洋. 2015. 京津冀地区城市化与生态环境交互耦合关系定量测度. 生态学报，35（7）：2244-2254.

周一星. 1995. 城市地理学. 北京：商务印书馆.

Bao C，Chen X. 2017. Spatial econometric analysis on influencing factors of water consumption efficiency in urbanizing China. Journal of Geographical Sciences，27（12）：1450-1462.

Bao C，Xu M. 2019. Cause and effect of renewable energy consumption on urbanization and economic growth in China's provinces and regions. Journal of Cleaner Production，231：483-493.

Dietz T，Ostrom E，Stern P C. 2003. The struggle to govern the commons. Science，302（5652）：1907-1912.

Fang C L，Liu H M，Li G D. 2016. International progress and an evaluation of research on interactive coupling effects between urbanization and the eco-environment. Journal of Geographical Sciences，26（8）：1081-1116.

Fang C L，Long W，Cheng D. 2022. Quantitative simulation and verification of urbanization and eco-environment coupling coil in Beijing-Tianjin-Hebei，China. Sustainable Cities and Society，83：103-139.

Fang C L，Wang J. 2013. A theoretical analysis of interactive coercing effects between urbanization and eco-environment. Chinese Geographical Science，23（2）：1-16.

Grossman G，Krueger A. 1995. Economic growth and the environment. Quarterly Journal of Economics，110（2）：353-377.

Gunderson L H. 2001. Panarchy：Understanding Transformations in Human and Natural Systems. Washington：Island Press.

Jill J. 2003. The International Human Dimensions Programme on Global Environmental Change（IHDP）. Global Environmental Change，13（1）：69-73.

Kuznets S. 1955. Economic growth and income equality. American Economic Review，45 （1）：1-28.

Liu J. 2017. Integration across a metacoupled world. Ecology and Society，22（4）：29-47.

Liu J，Hull V，Batistella M，et al. 2013. Framing sustainability in a telecoupled world. Ecology and Society，18（2）：26-44.

Liu J G，Dietz T，Carpenter S R，et al. 2007. Coupled human and natural systems. Ambio，36（8）：639-649.

Ostrom E. 2009. A general framework for analyzing sustainability of social-ecological systems. Science，325（5939）：419-422.

Prinz D. 2001. Water resources in arid regions and their sustainable management. Annals of Arid Zone，39 （3）：251-252.

Sherbinin A D，Vanwey L，Mcsweeney K，et al. 2008. Rural household demographics，livelihoods and the environment. Global Environmental Change，18（1）：38-53.

第四章 城镇化的空间组织格局

┈┈┅▶ 导 读 ┈┈┈┈┈┈┈┈┈┈┈┈┈┈┈┈┈┈┈┈┈┈┈●

　　在全球化和新型城镇化大背景下，城镇化的空间格局是基于国家资源环境格局、经济社会发展格局和生态安全格局而在国土空间上形成的等级规模有序、职能分工合理、辐射带动作用明显的城市空间配置形态及特定秩序。影响城镇化空间格局组织的因素包括全球因素和本土因素两大方面，在不同城市和城镇化发展的不同阶段，全球因素与本土因素发挥作用的力度各不相同。在全球化和本土化因素综合影响下形成的城镇化空间组织格局包括轴线组织格局、分区组织格局、城市群组织格局和大中小城市协同发展的新金字塔组织格局，这些格局形成由点、线、面共同组成的城镇化空间组织格局。其中，中国城镇化发展的轴线组织格局由"三纵两横"共 5 条国家城镇化主轴线组成，分区组织格局由城市群地区城镇化发展区（Ⅰ）、粮食主产区城镇化发展区（Ⅱ）、农林牧地区城镇化发展区（Ⅲ）、连片扶贫区城镇化发展区（Ⅳ）、民族自治地区城镇化发展区（Ⅴ）共 5 大类型区和 47 个亚区组成；城市群组织格局由 20 个大小不同、发育程度不一、规模不等的城市群组成"5+9+6"的空间格局；大中小城市协同发展的新金字塔组织格局由 770 个城市和 19000 个小城镇组成。

　　城镇化的空间组织格局是基于特定区域的资源环境格局、经济社会发展格局和生态安全格局而在国土空间上形成的等级规模有序、职能分工合理、辐射带动作用明显的城市空间配置形态及特定秩序（方创琳，2013）。科学合理的城镇化空间组织格局是建设美丽中国和生态文明的空间载体，优化城镇化空间格局，对促进国土空间可持续利用，形成高效协同的空间开发秩序，提高国土空间运行效率，确保国家安全等都具有十分重要的战略意义，对推动国家城镇化健康发展，提升城镇化发展质量，加快国家现代化进程具有重要的现实意义。俗话说，定位决定地位，格局决定布局，布局决定结局。正由于此，党和国家重要文件及国家重大规划多次提出要构建科学合理的城镇化格局。

　　2010 年 12 月国务院批准实施的《全国主体功能区规划》（国发〔2010〕46 号）提出构建"两横三纵"为主体的城市化战略格局；2011 年 3 月国家批准实施的《中华人民共和国国民经济和社会发展第十二个五年规划纲要》提出构筑区域经济优势互补、主体功能定位清晰、国土空间高效利用、人与自然和谐相处的区域发展格局，形成高效、协调、可持续的国土空间开发格局；2012 年 11 月党的十八大报告明确提出构建科学合理的城市化格局、农业发展格局和生态安全格局；2013 年 12 月 12 日召开的中央城镇化工作会议首次提出优化城镇化布局；2012 年 12 月和 2013 年 12 月召开的中央经济工作会议连续两年提出要构建科学合理的城市格局；2014 年 3 月国务院发布实施的《国家新型城镇化规划（2014—2020）》提出构建以陆桥通道、沿长江通道为两条横轴，以沿海、京哈京广、包昆通道为三条纵轴，以轴线上城市群和节点城市为依托、其他城镇化地区为重要组成部分，大中小城市和小城镇协调发展的"两横三纵"城镇化战略格局。

第一节　城镇化空间格局组织的影响因素

在全球化大背景下，城镇化空间格局组织的影响因素包括全球因素和本土因素两大方面，在不同城市和城镇化发展不同阶段，全球因素与本土因素发挥作用的力度各不相同。

一、城镇化空间格局组织的全-球性影响因素

全球化和全球变化是当代世界发展的重要特征与重要趋势，但它对每个国家和城市来说，都是一柄双刃剑，既是机遇，也是挑战。在全球化和全球变化背景下，中国同其他国家之间，中国城市与其他国家城市之间，在经济上和生态环境保护方面水乳交融，你中有我，我中有你，利益交汇，荣损与俱。因此，全球性影响因素是城镇化空间格局演变不得不考虑的外部动力，主要包括外商直接投资、全球生产网络与跨国公司分布、全球信息化、高新技术引进、全球气候与环境变化等。全球性因素已经渗透到我国经济社会发展的方方面面，并对城镇化空间格局的形成与演变产生日益重要的影响。因此，要构建科学合理的城镇化空间格局，必须充分考虑城镇化空间格局演变的全球性因素。

（一）经济全球化中 FDI 对城镇化空间格局的影响

经济全球化是当代世界经济的重要特征之一，是世界经济发展的重要趋势，主要表现为贸易全球化、投资全球化、金融全球化和跨国公司生产经营全球化等。通过经济全球化，各种生产要素及相关产品和服务可以在全球范围内自由流动，进而可以实现最佳配置。其中，外商直接投资是反映一个国家或一个城市经济全球化的主要指标。改革开放以来，正是由于外商直接投资的不断扩大及其梯度转移，大大加快了我国经济全球化进程，同时也对我国城镇化空间格局产生了举足轻重的影响。总体而言，1980 年以来，外商直接投资在我国城市的发展过程表现出距离衰减、等级扩散及局部空间集聚等多重特征，呈现出从沿海向内地不断衰减，由大城市向中小城市不断降低，在城市群地区不断积聚的特点。在改革开放初期，各个城市经济社会发展基础均较为薄弱，地方财政收入和社会资本较少，支柱产业的发展壮大、产业集群的培育、城市公共基础设施的完善都亟须资金支持，因此外商直接投资为城市的起飞创造了极为重要的条件。在此阶段，外商直接投资的规模主要取决于该城市的区域发展政策，当然区域发展政策的制定主要是考虑该城市的地理区位条件、资源禀赋、经济社会发展基础、历史及行政因素等。总之，对于一个城市而言，能否吸引外商直接投资以融入经济全球化，直接决定了该城市能否积累原始资本进而不断发展壮大并形成"滚雪球"式的良性循环局面，亦即：外商直接投资在进入一个特殊政策地区时，会受到现有城镇规模结构体系的影响，一般倾向于进入规模等级较高的城市；而在其进入之后又会对城镇规模结构体系产生深远作用，经济全球化程度较高、吸纳外商直接投资较

多的城市往往发展较好，且具有更强的国际竞争力。

（二）全球生产网络与跨国公司对城镇化空间格局的影响

全球生产网络是指跨国公司从成本最优出发，将产品价值链分割为若干个独立的模块，将每个模块分别置于在全球范围内能够以最低成本完成生产的国家或地区，进而形成由多个国家参与产品生产链和价值链不同阶段的国际分工体系。全球生产网络也是经济全球化的重要表现之一。改革开放以来，正是由于全球生产网络逐渐向中国延伸，许多跨国企业在中国各大城市纷纷落户，不仅带来了外商直接投资，而且带来了产业技术、高端人才、现代化管理、对外贸易等，使中国成为世界最大的"制造工厂"，大大加快了中国工业化和城市化进程，对中国城镇化空间格局产生了重大影响。

全球生产网络与跨国公司对城镇化空间格局的影响机理与外商直接投资较为相似，但其所起的作用不完全局限于外商直接投资，还通过推动城市现代产业升级、引发城市科技创新与革命、促进城市现代企业管理等多种途径促进各类城市发展。首先，在利益最大化的驱使下，跨国公司在全球重新分配其生产价值链，各地区凭借其资源禀赋参与生产价值链中的一环或几环，从而推动经济增长和城市发展。其次，跨国公司的作用不仅仅是提供经济发展所需要的资金，更重要的是对中国构建现代产业体系提供了强大的外部推动力，从而有利于提高劳动生产率，催生新兴产业和高科技产业，促进城市产业的升级转型换代步伐，提升中国各类城市的整体产业水平及在国际市场上的竞争力。最后，跨国公司还通过引发城市科技创新与革命、促进城市现代企业管理等多种途径促进各类城市发展。

（三）全球信息化进程对城镇化职能格局的影响

信息化与全球化相伴相随，其在很大程度上推动和促进了全球化的发展，缩小了城市与城市之间的距离，对城市功能与空间格局均产生了革命性的影响。与全球化一样，信息化正成为不可逆转的世界潮流。从最初的烽火传递情报，到电报的发明、电话和互联网的出现，城市与城市之间的距离正因为信息技术的飞速发展而日益缩短，城市越来越多地在全球范围内分享到通信便利与快捷的种种益处，使得国际化程度大大提高。同时，信息技术被广泛地应用于城市生产、生活和管理之中，改变了原有的城市管理结构、产业结构与空间结构，对城市发展与空间格局的演变产生越来越重要的影响。

首先，全球信息化通过全球范围内的产业信息化和信息产业化两条重要途径作用于城市产业发展，使得城市经济规模不断壮大，吸纳就业能力不断增强，对几乎所有城市的规模扩张均有较大的推动作用。尤其是20世纪90年代以来，现代通信业、计算机业、网络产业、软件产业等新兴产业先后形成并发展壮大，网店、网游、即时通信等众多新的产业形态不断出现，已成为推动城市经济发展的主要动力。

其次，全球信息化形成了巨大的虚拟空间，无形中放大了城市建设的规模，城市空间不断扩张，城市之间、城市与地区之间联系得到进一步加强，促进了城市体系空间结构的网络化发展和城市功能区分散化布局。

最后，全球信息化虽然缩小了中国各城市间的空间距离，但并未促进各城市在区域间的均衡发展。全球信息化虽然有助于扩散城市的部分功能，但总体上进一步强化了国家中心城市和所在城市群在国家的战略地位。

（四）高新技术的引进对城镇化空间格局的影响

科学技术是第一生产力，高新技术是提高城市综合实力和国际竞争力的焦点。改革开放以来，以国家级经济技术开发区和高新技术开发区为主要空间载体，大力引进发达国家和地区的高新技术，不仅极大地促进了城市产业结构升级，而且优化了城市空间组织，对中国城镇化空间格局产生了重要影响。一方面，国家级经济技术开发区和高新技术开发区不仅吸引了大量外资企业，更重要的是在引进资金和人才的同时，引进了高新技术，初步建立起了现代化的高新技术产业体系。从长期看，技术创新是提高城市综合竞争力的最根本途径，技术创新可以改变产业生产技术基础，降低生产成本，提高产品质量和生产效率。另一方面，经济技术开发区和高新技术开发区的区位选择，与外商直接投资、跨国公司等的区位选择一样，也受原有的城镇规模结构体系及区域政策等的综合影响，而且城市的科教实力也对其有重要影响。

（五）全球气候与环境变化对城镇化空间格局的影响

全球变化是指由于自然和人为的因素而造成的全球性气候与环境变化，主要包括大气组成变化（如大气中二氧化碳含量增加）、气候变化（如全球变暖、极端天气事件频发）以及生态环境系统与土地利用变化（如冰川消融、海平面上升、环境恶化、森林锐减、物种灭绝、土地退化）等。全球变化是多因素叠加形成的综合变化过程，每一种变化又导致一系列的次级或更次一级的变化过程，不同层级之间的变化过程相互影响、相互作用，最终影响到地球的各大圈层。虽然全球变化在不同的时空尺度上对经济社会发展的影响还有很大的不确定性，但毫无疑问，它对城镇化空间格局的影响将会越来越重要。

第一，全球变暖导致的海平面上升影响城镇化空间格局。东部沿海地区是中国城市分布密集、人口密集、经济最发达的地区。中国沿海地区的城市地面高程普遍较低，中国发育程度较高的城市群，如珠三角城市群、长三角城市群、京津冀城市群、辽中南城市群、山东半岛城市群、海峡西岸城市群等均位于沿海地区，许多特大城市和超大城市（如上海、天津等）均在沿海区域。海平面上升使得城市暴露在风暴潮、暴雨、洪水之下的风险更大，并且使得城市的排水困难，防洪压力增大，严重影响城市的安全；此种风险还影响沿海重大生产项目的布局，从而影响城市的发展；海平面上升还将给港口和码头设施带来许多不利的影响，从而影响港口城市的社会经济发展；此外海平面上升还将加剧海水入侵，引起城市供水水源污染，影响城市用水安全；严重损害旅游沙滩资源，给城市的旅游业带来严重危害，进而影响沿海城市的社会经济发展。

第二，全球变化可以通过影响城市资源环境承载力来影响城市规模的扩张，进而影响城镇化空间格局。全球气候变化使得水资源分布发生变化，原本水资源供需矛盾就很突出的地区，由于温度升高，导致蒸发量增大，而降水量增幅不大，导致大部分内陆河天然径流量减少，可能使得水资源短缺问题更为严重，进而制约城市人口的增长以及工农业生产的发展，影响城镇体系的发育和城镇化空间格局（吕新苗等，2003）。

第三，全球变化带来的干旱、暴雨等极端气候事件，以及由此而引起的次级气候事件都会给城市带来巨大的经济损失。

第四，为应对全球变化和碳达峰、碳中和而采取的节能减排等环境政策，会限制城市高耗能高污染企业的发展，倒逼城市产业结构优化升级，进而影响城镇化的空间组织格局。

二、城镇化空间格局组织的本土性影响因素

本土化或地方化与全球化一起，是重塑城镇化空间格局的两大方向。城镇化空间格局演变的本土性因素主要包括国土开发与区域发展政策、交通基础设施建设、地方生产网络与国内投资、历史文化和地缘因素、自然条件及生态环境因素等。本土性因素不会因为高度的全球化影响而失去重要地位。相反，全球竞争的激烈、知识经济的出现刺激了基于地方、内生资源的作用，使城镇化空间格局的演变更具有本土特色。实际上，任何国家或城市都不能脱离自己的实际而发展，世界上根本没有也不可能有一种放之四海而皆准的城镇化道路和城市发展模式，也没有一成不变的城镇化道路和城市发展模式。因此，要构建科学合理的城镇化空间格局，必须充分考虑城镇化空间格局演变的本土性因素（方创琳等，2016）。

（一）规划与政策因素

在改革开放以前，受国外政治环境以及国内经济社会发展水平的限制，中国的产业布局与城市建设重点主要集中在内地"三线"地区，沿海享受的优惠政策较少，因此中国城市总体上形成分散布局与低水平均衡发展的空间格局。1978～1990 年，中国国土开发与区域发展的重点基本集中在东部沿海地区，尤其是珠江三角洲地区，东部沿海城市和珠江三角洲城市群是改革开放政策的最大受益者。1990～2000 年，中国国土开发与区域发展的重点总体上仍沿袭 80 年代的空间格局，但在此期间，长江三角洲地区受惠于上海浦东新区的开发而加速发展，内地一些沿江、沿边和省会城市也开始享受沿海开放城市的优惠政策，中西部地区的中心城市也获得了一定发展。而 2000 年之后，尤其是 2005 年以来，国土开发与区域发展规划显著增多，区域与城市均衡发展理念逐渐形成，相关政策措施也陆续出台，促进了中国东、中、西部城镇化空间格局的均衡发展。

总体而言，新中国成立初期至改革开放前，中国国土开发与区域发展规划数量少，优惠政策力度也较小，城市与区域发展相对均衡，发展水平也较低；改革开放后，我国国土开发与区域发展规划的数量逐渐增多，优惠政策力度不断加大，对城市与区域发展的空间格局影响也大，总体上使中国的城市与区域发展具有明显的递推式空间模式（刘乃全等，2008）。

（二）交通基础设施建设因素

交通基础设施作为国民经济的大动脉，对城市发展及其空间格局的推动作用产生着深远影响，不仅能带来大量的人流、物流和信息流，直接促进城市规模的扩张和城市职

能的转变；而且能带来大量的投资并带动相关行业发展，为城市经济发展注入新的动力；还能够改变人们日常出行的时空范围，加强城市间的密切联系，优化城镇体系的空间结构格局。交通基础设施建设是城市与区域经济起飞的助推器，也是城市与区域经济持续增长的重要保障。新中国成立 70 余年来的实践经验表明，中国绝大多数城市就是通过率先启动大规模的交通基础设施建设才为经济高速增长奠定了坚实的基础；而城市经济社会的快速发展，又使中国交通基础设施的建设面貌发生了翻天覆地的变化。综观新中国成立 70 余年来中国交通网发展历程与空间演化格局，总体上与城市体系的空间结构大体吻合，即经济快速发展的阶段以及经济发达的地区，交通网络建设速度也较快，路网密度和等级也快速提高；同时，规模等级和行政级别越高的城市，交通可达性总体较高。

（三）地方生产网络与国内投资因素

地方生产网络通常表达为某地围绕生产某类产品形成的相互联系密切的一组企业（马海涛和刘志高，2012）。为了区别于外资企业和跨国公司对城镇化空间格局的影响，此处虽然也包括外资企业（尤其是跨国公司）在中国的地方根植而形成的企业组群，但主要是指中国的内资企业（尤其是大型国有企业）在国内形成的网络化布局。在经济全球化背景下，内资企业作为地方生产网络的主体，也是完成固定资产投资而进行项目建设的主体，其发展对城镇化空间格局的演变产生重要影响。地方生产网络对城镇化空间格局的影响主要表现在：地方生产网络的主体——内资企业（尤其是大型国有企业）可以增加国内固定资产投资，促进城市经济社会发展；地方生产网络的主体——内资企业通常根植于地方特色，能够充分发掘地区资源禀赋，促进地区就业发展以及人均收入水平的提升，进而扩大国内消费需求，拉动城市集群发展。

（四）历史文化和地理临近因素

城市从其产生开始，经历了成百上千年的历史积淀，综合了自然、经济、社会等多种因素，形成了自身独有的地域文化和城市文化。物以类聚，因历史原因而同属一种地域文化、同在一个行政区划或经济区划里的城市，相互之间的城市网络联系往往更为紧密，进而有助于城市群的形成，并对城镇化空间格局演变产生重要影响。

在漫长的历史发展过程中，由于地理位置相近，在一定的地域范围内，许多规模不等、职能各异的城市逐渐拥有相同或相似的地域文化、行政隶属和经济发展状况，亦即具有相同或相似的文化和经济条件。在此地域范围内，人与人之间具有相似的文化心理、风俗习惯和生活消费习惯，城市与城市之间更容易形成同质化的产业结构，也容易形成彼此分工协作的紧密联系，使得区域经济一体化进程加快，城市群和地方性的城市网络不断发展，因而对城镇化空间格局的演变产生潜移默化的重要影响。

（五）自然条件及生态环境因素

中国幅员辽阔，地形复杂，水文条件各异，气候类型多样，植被类型丰富，形成了独具特色的中国城市发展的自然地理基础。随着工业化和城镇化进程的不断推进，中国城市人口规模、建设用地规模和经济规模不断扩张，对生态环境带来的压力将持续增大，部分地区水土资源承载力和生态环境承载力逐渐接近或超过阈值，自然资源和生态环境对城市发展的支撑作用逐渐下降，但约束作用越来越大，进而引起城镇化空间格局发生新的变化。

不同的地势及地形起伏条件影响着区域的气候条件、水土条件、交通条件及人居环境等，从而使得城镇化空间格局。地形高度对于城市分布有较大影响，根据海拔高程的 GIS 分析发现（刘沁萍等，2012）：中国约有 80% 的城市分布在小于海拔 500m 的区域，海拔大于 2000m 的城市只有 7 个，并且城市等级越高，高程对城市分布的影响越大；地形起伏对城镇化空间格局也有较大影响，地形起伏越大，城市分布数目越少。

气候对城镇化空间格局的影响也很明显，中国城市主要分布在季风区内。水文条件直接从水资源和水运交通两个方面影响城镇化空间格局，体现为城市的向河和向海特性。水土资源条件较好的地区，城市形成和发育基础大多较好，城市产生的历史也较悠久，也是大城市和特大城市密集分布的地区，亦即水土资源是促进中国城市集聚发展的重要条件。

生态环境条件较好的地区，城市形成和发育基础较好，城市产生的历史也较悠久，生态环境也是支撑城市集聚发展的重要条件。生态环境恶化和生态环境约束一定程度上限制了城市在生态脆弱地区发展以及城镇过度密集地区减速发展，进而影响城镇化空间格局。

第二节　城镇化空间组织的轴线格局

以全国主体功能区规划构建的"两横三纵"为主体的城镇化宏观格局为基础，结合现状城市发展空间格局，将中国城镇化发展的轴线组织格局构建为由沿海城镇化发展主轴线、沿长江城镇发展主轴线、沿陆桥城镇化发展主轴线、沿京哈京广线城镇化发展主轴线和沿包昆线城镇化主轴线 5 条新型城镇化主轴线组成，这 5 条城镇化发展主轴线的交汇点是 20 个不同空间尺度的城镇化主体地区，即城市群地区，由城镇化主轴线串联城镇化主体城市群，形成"以轴串群、以群托轴"的国家新型城镇化轴线组织格局。其中，京津冀城市群是沿海城镇化主轴线和京哈京广城镇化主轴线的交汇点，长江三角洲城市群是沿海城镇化主轴线和沿长江城镇化主轴线的交汇点，珠江三角洲城市群是沿海城镇化主轴线和京哈京广城镇化主轴线的交汇点；长江中游城市群是沿长江城镇化主轴线和京哈京广城镇化主轴线的交汇点，成渝城市群是沿长江城镇化主轴线和包昆城镇化主轴线的交汇点。统计表明，5 条新型城镇化主轴线贯穿了除海南、西藏以外的全国 29 个省份、20 个城市群，约 616 个城市，占全国城市总数的 93.77%，总人口占全国总人口的 88.3%，经济总量占全国经济总量的 91.8%（表 4.1～表 4.2，图 4.1～图 4.2）。

表 4.1　中国城镇化发展主轴线一览表

序号	城镇化主轴线名称	穿越省份	轴线上城市	轴线上城市群
1	沿海城镇化发展主轴线	辽宁、河北、天津、山东、上海、江苏、浙江、福建、广东、海南、广西 11 个	281 个：其中 114 个地级以上城市，167 个县级市	辽中南城市群、京津冀城市群、山东半岛城市群、长江三角洲城市群、海峡西岸城市群、珠江三角洲城市群、北部湾城市群 7 个
2	沿长江城镇发展主轴线	上海、江苏、浙江、安徽、江西、湖北、湖南、重庆、四川、云南、贵州 11 个	246 个：其中 110 个地级以上城市，136 个县级市	长江三角洲城市群、江淮城市群、长江中游城市群、成渝城市群、黔中城市群、滇中城市群 6 个
3	沿陆桥城镇化发展主轴线	山东、河南、山西、陕西、宁夏、甘肃、青海、新疆 8 个	171 个：其中 75 个地级以上城市，96 个县级市	山东半岛城市群、中原城市群、关中平原城市群、兰西城市群、天山北坡城市群 5 个
4	沿京哈京广线城镇化发展主轴线	黑龙江、吉林、辽宁、北京、河北、山西、河南、湖北、湖南、广东 10 个	251 个：其中 106 个地级以上城市，145 个县级市	哈长城市群、京津冀城市群、晋中城市群、中原城市群、长江中游城市群、珠江三角洲城市群 6 个
5	沿包昆线城镇化主轴线	内蒙古、宁夏、甘肃、陕西、四川、重庆、云南、贵州 8 个	121 个：69 个地级以上城市，52 个县级市	呼包鄂榆城市群、宁夏沿黄城市群、兰西城市群、关中平原城市群、成渝城市群、黔中城市群、滇中城市群 7 个
	主轴线小计（扣除重复部分）	29 个	616 个：其中地级市 273 个，县级市 343 个	20 个
	全国	5	31	660	20

表 4.2　中国城镇化发展主轴线在国家的地位对比分析表（2020 年）

序号	城镇化主轴线名称	穿越省份数量占全国省份的比重/%	轴线上城市数量占全国城市总数的比重/%	轴线上城市群数量占全国城市群数量的比重/%	轴线上人口数量占全国总人口比重/%	轴线上经济总量占全国经济总量的比重/%
1	沿海城镇化发展主轴线	35.48	42.77	35.00	43.18	60.87
2	沿江城镇发展主轴线	35.48	37.44	30.00	42.73	45.46
3	沿陆桥城镇化发展主轴线	25.81	26.03	25.00	23.99	23.81
4	沿京哈京广线城镇化发展主轴线	32.26	38.20	30.00	41.62	45.88
5	沿包昆线城镇化主轴线	25.81	18.42	35.00	21.15	17.49
	五条城镇化主轴线	93.55	93.77	100.00	88.30	91.80

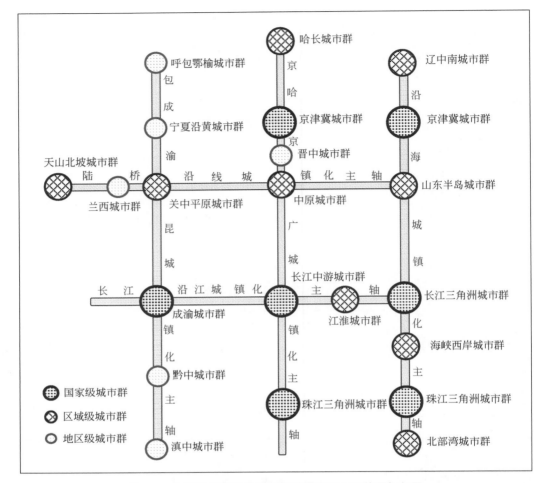

图 4.1 中国新型城镇化发展的轴线空间组织格局框架图

一、沿海地区城镇化发展主轴

沿海地区城镇化发展主轴线贯穿辽宁、河北、天津、山东、上海、江苏、浙江、福建、广东、海南、广西 11 个省份的 281 个城市（其中 114 个地级以上城市，167 个县级市），占全国城市总数的 42.77%，2020 年轴线上总人口占全国总人口的 43.18%，GDP 占全国经济总量的 60.87%，是承载着国家最多人口、最多经济总量也最发达的一条城镇化主轴线，也是全国城镇化水平最高、并在国家新型城镇化发展中最具战略地位的一条主轴线。

沿海地区城镇化主轴线是国家"T"字型经济发展主轴线，是国家经济实力最强、对外开放程度最高的主轴线，也是新型城镇化的主轴线，该轴线从北至南，串联了辽中南城市群、京津冀城市群、山东半岛城市群、长江三角洲城市群、海峡西岸城市群、珠江三角洲城市群、北部湾城市群七大城市群，其中国家级城市群 3 个，区域级城市群 4 个，是城

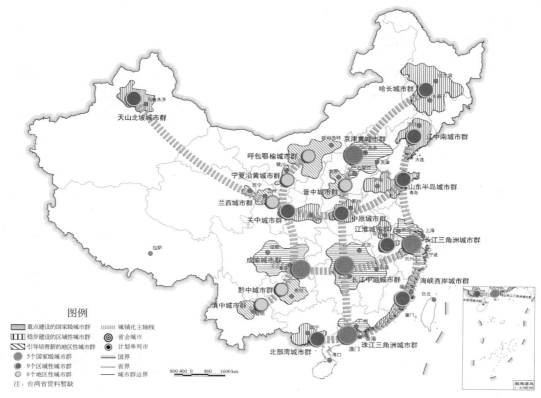

图 4.2　中国"以轴串群"的新型城镇化发展轴线组织格局示意图

市群发育程度最高的主轴线，未来随着 7 大城市群发育程度的进一步加强，7 大城市群将首尾相连进入城市群形成发育的高级阶段，最终形成沿海地区大都市连绵带。

二、沿长江地区城镇化发展主轴

　　沿长江地区城镇化发展主轴贯穿了长江经济带的空间范围，涵盖上海、江苏、浙江、安徽、江西、湖北、湖南、重庆、四川、云南和贵州 9 省 2 市的 246 个城市（其中 110 个地级以上城市，136 个县级市），沿长江城镇化发展主轴通过面积 205.7 万 km²，占全国的 21.27%，2020 年人口占全国的 42.72%，GDP 总量占全国的 45.46%，第一产业增加值占全国的 41.15%，第二产业增加值占全国的 49.22%，第三产业增加值占全国的 42.62%，固定资产投资占全国的 39.83%，社会消费品零售总额占全国的 40.62%。是继沿海地区城镇化发展主轴线第二条最有活力的主轴线，是支撑中国经济转型升级的新支撑带，是国家发展战略重心内推的主力承载带和中华民族全面复兴的的战略脊梁带，也是疏通黄金水道大动脉的战略通道带和联动东中西部协调发展的战略扁担带。

　　沿长江地区城镇化主轴线是国家"T"字型经济发展另一条主轴线，是国家经济实力最强的主轴线之一，也是新型城镇化的主轴线，该轴线从东至西，串联了长江三角洲城市群、江淮城市群、长江中游城市群和成渝城市群四大城市群，其中国家级城市群 3 个，区域级城市群 1 个，是城市群发育程度最高的主轴线之一，未来要做强长三角城市群、长江中游城市群和成渝城市群三大支撑国家经济增长的三大国家级城市群，做大上海、武汉、重庆三大航运中心和国家中心城市。随着四大城市群发育程度的进一步加强，长江三角洲城市群、长江中游城市群和成渝城市群将进入城市群形成发育的高级阶段，最终形成长江沿江地区大都市连绵带。

三、沿京哈、京广线地区城镇化发展主轴

沿京哈、京广线地区城镇化发展主轴线贯穿黑龙江、吉林、辽宁、北京、河北、山西、河南、湖北、湖南、广东 10 个省市的 251 个城市（其中 106 个地级以上城市，145 个县级市），占全国城市总数的 38.2%，2020 年轴线上总人口占全国总人口的 41.62%，GDP 占全国经济总量的 45.88%，是承载着国家人口最多、经济总量最多，也最发达的第 2 条城镇化主轴线，也是全国城镇化水平最高、并在国家新型城镇化发展中最具战略地位的第 2 条主轴线。

沿京哈、京广线地区城镇化主轴线是国家"开"字型经济发展格局的一条主轴线，是国家经济实力最强的主轴线之一，也是新型城镇化的主轴线，该轴线从北至南，串联了哈长城市群、京津冀城市群、晋中城市群、中原城市群、长江中游城市群、珠江三角洲城市群共六大城市群，其中国家级城市群 3 个，区域级城市群 2 个，地区级城市群 1 个，是城市群发育程度最高的主轴线之一，未来随着六大城市群发育程度的进一步加强，京津冀城市群、长江中游城市群和珠江三角洲城市群进入城市群形成发育的高级阶段，形成京广沿线地区大都市连绵带。

四、沿陆桥地区城镇化发展主轴

沿陆桥地区城镇化发展主轴线贯穿山东、河南、山西、陕西、宁夏、甘肃、青海、新疆 8 个省区的 171 个城市（其中 75 个地级以上城市，96 个县级市），占全国城市总数的 26.03%，2020 年轴线上总人口占全国总人口的 23.99%，GDP 占全国经济总量的 23.81%，是国家第 4 条城镇化主轴线。沿陆桥地区城镇化主轴线是国家"开"字型经济发展格局的一条主轴线，是国家经济实力最强的主轴线之一，也是新型城镇化的主轴线，该轴线从东至西，串联了山东半岛城市群、中原城市群、关中平原城市群、兰西城市群、天山北坡城市群共五大城市群，其中区域级城市群 4 个，地区级城市群 1 个，是城市群发育程度比较弱的主轴线之一，未来随着丝绸之路经济带的建设以及城市群发育程度的进一步加强，这条轴线将成为带动中国东西部地区，尤其西北地区新型城镇化发展的战略主轴线。

五、沿包昆线地区城镇化发展主轴

沿包昆线地区城镇化发展主轴线贯穿内蒙古、宁夏、甘肃、陕西、四川、重庆、云南、

贵州 8 个省区的 121 个城市（其中 69 个地级以上城市，52 个县级市），占全国城市总数的 18.42%，2020 年轴线上总人口占全国总人口的 21.15%，GDP 占全国经济总量的 17.49%，是国家第 5 条城镇化发展主轴线。

沿包昆线地区城镇化主轴线是国家经济发展格局的一条南北向的新生主轴线，也是新型城镇化的主轴线之一，该轴线从北至南，串联了呼包鄂榆城市群、宁夏沿黄城市群、关中平原城市群、成渝城市群、黔中城市群、滇中城市群共六大城市群，其中国家级城市群 1 个，区域级城市群 1 个，地区级城市群 4 个，是城市群发育程度较弱的主轴线之一，未来随着丝绸之路经济带的建设以及城市群发育程度的进一步加强，这条轴线将成为带动中国西部地区，尤其西南地区新型城镇化发展的战略主轴线。

第三节 城镇化空间组织的分区格局

推进城镇化发展不能搞"一刀切"，客观上需要坚持因地制宜、因类制宜的原则，采取差异化的城镇化发展模式。为了突出不同类型地区城镇化发展的差异性，需要将发展条件、发展基础、发展目标和发展模式相似或相近的区域归为一类区域，针对每个区域提出有针对性的发展战略、发展目标、发展模式和发展路径（方创琳，2015；方创琳等，2016）。

一、城镇化发展综合分区依据与原则

（一）城镇化发展的综合分区依据

分别将新型城镇化主体区、粮食主产区、农林牧地区、连片扶贫地区和民族自治区域作为划分城镇化发展类型区的五大依据，同时兼顾国家重点生态功能区的保护，按照今天和未来城镇化水平的高低，从定性角度将全国城镇化区域划分为新型城镇化主体区、粮食主产区、农林牧地区、连片扶贫地区和民族自治地区共五类城镇化综合发展类型区，如表 4.3 和图 4.3。

表 4.3 城镇化发展的综合分区依据与思路一览表

序号	依据名称	划分依据优先度	城镇化类型区名称	今天和未来的城镇化水平/%	新型城镇化发展目标	国家战略主目标
1	城镇化主体区	第一依据	城市群地区城镇化发展区（I）	很高	控制速度，提升质量	保障国家城镇化安全
2	粮食主产区	第二依据	粮食主产区城镇化发展区（II）	较高	适度提速，提升质量	保障国家粮食安全
3	农林牧地区	第三依据	农林牧地区城镇化发展区（III）	中等	城乡统筹，一体化发展	保障城乡一体化发展
4	连片扶贫地区	第四依据	连片扶贫地区城镇化发展区（IV）	较低	脱贫致富	保障国家生存安全
5	民族自治地区	第五依据	民族自治地区城镇化发展区（V）	较高	繁荣稳定	保障民族团结社会稳定

每个类型区又包括若干个亚区。在划分五大类型的城镇化发展区中，结合中国生态区划、国家重点生态功能区规划方案，将不同类型的城镇化发展区尽量置于国家重点生态功能区之外。

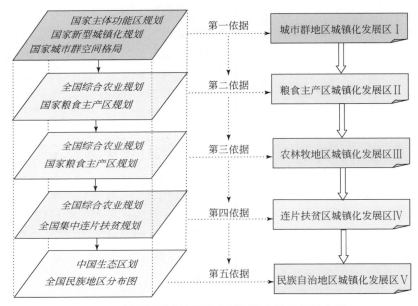

图 4.3   中国新型城镇化综合区划的定性路径示意图

（二）城镇化发展综合分区的基本原则

（1）综合性原则。综合考虑各类人口分布、城镇化水平、社会经济发展情况、地区自然条件、部分城市性质与发展方向等方面，掌握区域综合特征的相似性和差异性，以及相似程度和差异程度。

（2）主导性原则。由于需要综合考虑多个方面，很难总结区域特征并以此作为区域单元划分依据，需要在形成各分区特征的诸要素中找出起主导作用的一个或几个。主导性原则并非忽视其他方面的作用，而是一个或几个要素作为区域划分的重要特征依据，兼顾考虑其他要素组成特征。

（3）一致性原则。一致性原则要求在划分区域单元时，必须注意其主导要素的特征一致性，如果区域发展环境大体一致、发展方向大体一致、城镇化率发展水平大致相近等。

（4）区域性原则。每个区划单元都要求是一个连续的地域单位，不能存在独立于区域之外而又从属于该区域的单元，对于单元中少数表现为非一致性的区域，应从属于该单元。

（5）适当考虑行政区划原则。当局部区域界线较为复杂，或区域特征不突出并靠近行政区划界线时，可适当考虑以行政区划作为本区划的依据。

二、城镇化发展综合分区的主要功能

基于对城镇化发展的影响因素分析，选择人均 GDP、人均投资、制造从业人员比例、生产性服务业从业人员比例、生活性服务业从业人员比例、平均受教育年限、专业技术人员比例、人均财政收入、迁入人口比例、每万人医疗床位数、每万人福利、到铁路的距离、地形起伏度、水资源丰富度 13 个指标，进行主成分分析，将分析得出的主成分进行聚类分析，然后将聚类结果导入 ArcGIS 10.1 中转为空间数据，最后结合中国城市群发展格局、中国综合农业区划、主体功能区规划、中国生态区划等，进行城镇化发展的综合分区。将全国城镇化区域划分为城市群地区城镇化发展区（Ⅰ）、粮食主产区城镇化发展区（Ⅱ）、农林牧地区城镇化发展区（Ⅲ）、连片扶贫区城镇化发展区（Ⅳ）、民族自治地区城镇化发展区（Ⅴ）共五大类型区，47 个亚区（图 4.4，表 4.4）。

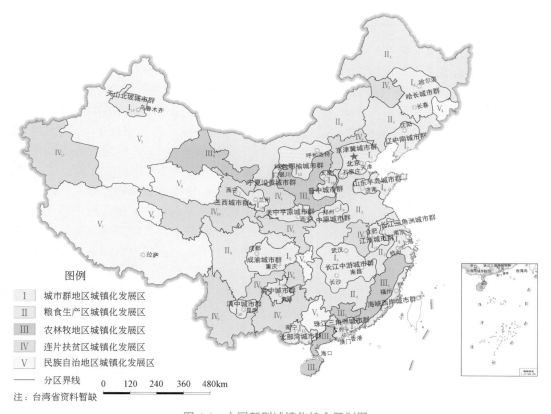

图 4.4　中国新型城镇化综合区划图

表 4.4　中国新型城镇化五大综合分区统计指标计算表（2012 年）

代码	大区和亚区名称	大区（亚区）面积占全国比例/%	大区（亚区）人口占全国比例/%	大区（亚区）人口密度/（人/km²）	大区（亚区）城镇人口占全国比例/%	大区（亚区）城镇化水平/%	大区（亚区）GDP 占全国比例/%	大区（亚区）经济密度/（万元/km²）
Ⅰ	城市群地区城镇化发展区	25.82	62.83	339.87	78.42	45.43	80.57	1420.5
Ⅱ	粮食主产区城镇化发展区	20.8	18.97	120.65	10.02	30.43	13.02	284.91
Ⅲ	农林牧地区城镇化发展区	6.21	6.77	132.65	4.73	27.16	4.12	298.53

续表

代码	大区和亚区名称	大区（亚区）面积占全国比例/%	大区（亚区）人口占全国比例/%	大区（亚区）人口密度/（人/km²）	大区（亚区）城镇人口占全国比例/%	大区（亚区）城镇化水平/%	大区（亚区）GDP占全国比例/%	大区（亚区）经济密度/（万元/km²）
IV	连片扶贫区城镇化发展区	18.25	8.82	67.48	4.04	21.91	1.13	28.18
V	民族自治地区城镇化发展区	28.92	2.61	12.6	2.79	36.6	1.16	18.26
	全国	100	100	139.68	100	34.61	100	455.25

注：本表的全国及各分区城镇化水平是按照户籍人口计算的城镇化水平，比统计年报公布的全国城镇化水平低。

（一）城市群地区城镇化发展区（Ⅰ）

城市群地区城镇化发展区（Ⅰ）是国家新型城镇化的主体区，由 5 个国家级城市群、9 个区域性城市群和六大地区性城市群组成"5+9+6"的空间结构新格局。这一大区包括 20 个亚区，具体包括：京津冀城市群 I_1、长江三角洲城市群 I_2、珠江三角洲城市群 I_3、长江中游城市群 I_4、成渝城市群 I_5、哈长城市群 I_6、辽中南城市群 I_7、山东半岛城市群 I_8、中原城市群 I_9、关中平原城市群 I_{10}、江淮城市群 I_{11}、海峡西岸城市群 I_{12}、北部湾城市群 I_{13}、天山北坡城市群 I_{14}、呼包鄂榆城市群 I_{15}、晋中城市群 I_{16}、宁夏沿黄城市群 I_{17}、兰西城市群 I_{18}、黔中城市群 I_{19}、滇中城市群 I_{20}。每个亚区都是所在省区当前和未来经济发展战略核心区，也是所在省区新型城镇化发展的战略核心区和吸纳农业人口市民化的主要承载区，但同时也是环境污染严重亟待治理的重点地区。这一大区是城镇化五大分区中人口密度和经济密度最大、城镇化水平最高、经济总量最大、在国家城镇化发展中战略地位最高的一个区域，因而是国家新型城镇化的绝对主体区，决定着中国城镇化的未来。其肩负的国家基本功能为：

（1）城镇化发展主体功能。承担着完成国家新型城镇化规划战略目标的主体功能，确保国家城镇化稳步迈入城镇化发展的后期成熟稳定阶段。

（2）城镇化质量提升功能。确保在适度控制城镇化发展速度的前提下，合理调控速度与质量的关系，最大限度地提升以人为本的城镇化发展质量。

（3）经济发展主体功能。通过生产要素的合理流动和集聚，在确保该区成为世界中高端先进制造业基地和现代服务业基地的同时，确保国家成为世界上有竞争力的第二大经济体，并向世界第一大经济体迈进，进而确保国家城镇化的经济安全和社会安全，决定国家新型城镇化的未来。

（4）民生改善保障功能。确保国家民生得到明显改善，人民生活水平得到显著提高，基本实现城乡居民公共服务均等化，为确保国家基本实现现代化做出贡献。

（二）粮食主产区城镇化发展区（Ⅱ）

粮食主产区城镇化发展区（Ⅱ）是国家粮食的主产区，由东北粮食主产区 II_1、内蒙古粮食主产区 II_2、黄淮海粮食主产区 II_3、长江中下游粮食主产区 II_4、西南粮食主产区 II_5 共 5 个亚区组成。其肩负的国家基本功能为：

（1）优先保障国家粮食安全的主体功能。粮食主产区是地形以平原为主、经济以种植业为主、人口以农民为主的欠发达或不发达地区，这些区域是我国主要的粮食主产区，对提升国家粮食总产量，确保国家粮食安全具有极其重要的支撑作用。粮食主产区城镇化发展区（II）首先以优先保障国家粮食安全为主体功能，在推进新型城镇化进程中要走出一条优先确保国家粮食安全和积极推进城镇化相结合的发展道路。

（2）积极稳妥推进新型城镇化的功能。在优先确保国家粮食增产和国家粮食安全地位不动摇的前提下，不过分追求城镇化发展速度，而是在提升粮食主产区农民增收和提升农区城镇化质量上下功夫，围绕"农"字做文章，在农业发展上找出路，把农业资源与加工业有机耦合在一起，走以农业产业化带动农区工业化、推进城镇化的内生性发展之路，形成粮食主产区独特的内生循环型城镇化发展模式。

（3）推进城乡一体化和农民增收功能。在推进新型城镇化进程中，把粮食增产、农民增收、农村发展和农业现代化作为主要目标。

（三）农林牧地区城镇化发展区（III）

农林牧地区城镇化发展区（III）大多数地处山地丘陵和高原地区，是我国经济作物和农业综合发展的主产区，主要由东南丘陵农林牧地区III₁、南岭农林牧地区III₂、海南及南海诸岛农林牧地区III₃、黄土高原农林牧地区III₄、河西走廊农林牧地区III₅共5个亚区组成。其肩负的国家基本功能为：

（1）推进农林牧综合发展的主体功能。重点是根据所处的地形地貌和特殊的自然生态条件，因地制宜地探索农林牧综合发展的模式，为农林牧地区的经济社会可持续发展和脱贫致富发挥重要作用。

（2）有序推进城乡统筹发展的功能。农林牧地区城镇化发展区（III）是推进我国城乡统筹发展的重点区域，是探索和推进农区城镇化模式、牧区城镇化模式、山区城镇化模式、林区城镇化模式的主要地区，发挥着城乡统筹发展的重要功能。

（3）推进农业现代化和农民增收功能。在推进新型城镇化进程中，把农业现代化、农民增收和农村经济发展作为主要目标。

（四）连片扶贫区城镇化发展区（IV）

连片扶贫区城镇化发展区（IV）由大兴安岭南麓山区IV₁、燕山-太行山区IV₂、大别山区IV₃、六盘山区IV₄、秦巴山区IV₅、武陵山区IV₆、滇桂黔石漠化区IV₇、乌蒙山区IV₈、滇西边境山区IV₉、四省份藏区IV₁₀、新疆南疆三地州IV₁₁共11个亚区组成，是城镇化五大分区中人口密度和经济密度较低、城镇化水平最低、经济发展落后、人民生活水平最低的地区，在国家城镇化发展中是具有特殊重要战略地位的一个区。该地区主要承担如下发展职能：

（1）扶贫开发与脱贫致富的主体功能。确保集中连片特贫地区摆脱国家级贫困县的帽子，早日脱贫致富。因地制宜地探索农林牧综合发展的模式，为农林牧地区的经济社会可持续发展发挥重要作用。

（2）推进基于脱贫致富的城镇化功能。连片扶贫区城镇化发展区（IV）重点实施连片特困地区扶贫攻坚工程，通过城镇化带动扶贫开发，通过扶贫开发促进城镇化发展，形成具有扶贫性质的新型城镇化模式，帮助这些地区贫困群众增加收入和提高自我发展能力。

（3）保护山地生态环境和协调山区人地关系的功能。连片扶贫区城镇化发展区（Ⅳ）自然条件恶劣，生态环境脆弱，泥石流、滑坡等自然灾害频繁发生，交通通讯等基础设施和公共服务设施建设严重滞后，人地关系矛盾突出，要在推进新型城镇化进程中，保护好山地地区脆弱的生态环境。

（五）民族自治地区城镇化发展区（Ⅴ）

民族自治地区城镇化发展区（Ⅴ）是指未被城市群地区城镇化发展区Ⅰ、粮食主产区城镇化发展区Ⅱ、农林牧地区城镇化发展区Ⅲ和连片扶贫区城镇化发展区Ⅳ覆盖的民族自治区域，由西藏自治区V_1、新疆维吾尔自治区V_2、广西壮族自治区V_3、延边朝鲜族自治州V_4、海西蒙古族藏族自治州V_5、湘西土家族苗族自治州V_6共 6 个亚区组成。这一大区是城镇化五大分区中人口密度和经济密度最低、经济发展落后的地区，在国家城镇化发展中是具有特殊重要战略地位的一个区，但这一地区的城镇化水平反而高于全国平均水平，体现出少数民族自治地区新型城镇化的特殊性，直接影响着国家新型城镇化的安全。该地区主要承担如下发展职能：

（1）维护民族团结和社会稳定的主体功能。确保少数民族自治地区安定团结，经济和谐发展，社会政治稳定，为少数民族地区经济社会可持续发展发挥重要作用。

（2）推进民族自治地区城镇化的功能。探索适合少数民族特点的城镇化发展模式，将民族地区城镇化融入国家新型城镇化大格局中，突出民族地区城镇化的特殊性。

（3）传承少数民族文化的功能。民族自治区域民俗文化资源丰富，文化底蕴深厚，推进城镇化做好民族文化传承，弘扬民族文化，真正建成国家新型城镇化的特殊类型区。

第四节　大中小城市协同发展的新金字塔型组织格局

如果说城市群是新型城镇化的面状空间分布格局、城镇化主轴是新型城镇化的带状空间分布格局，那么大中小城市协同发展的新金字塔型空间组织格局就是新型城镇化发展的点状空间分布格局，点、带、面三种格局的有机融合共同构成"集点成群、以群托轴、以轴串群"的城镇化总格局（方创琳，2013，2014；方创琳等，2018）。

一、现行大中小城市构成的金字塔型空间格局的评价

（一）城市数量增加缓慢，总体偏少

1980～2020 年，中国各类城市总数由 1980 年的 223 个增加到 2020 年的 687 个（表4.5），30 年城市数量历年平均增长速度为 2.92%，平均每年净增城市 12 座。城市总数逐步递增。但在 2000～2018 年，受国家设市政策逐步收紧的影响，城市总数基本保持 660 个左右，2000 年全国城市总数为 663 个，2005 年降低为 661 个，到 2010 年进一步降低为 657个，2013 年又回升到 660 个，恢复到 8 年前城市总数的水平，而这 10 年又是中国城市建

设发生巨大变化、城镇化速度加速提升、城市病进入高发高危期的时期，城市数量偏少是导致城市病加重的一个重要原因之一。未来发展中，偏少的城市数量不利于推进国家新型城镇化进程。2013 年底中央召开首次城镇化工作会议后，逐步有序地增加设市城市数量，到 2020 年城市数量达到 687 个。

表 4.5　中国城市数量变化统计表

年份	1980	1990	1995	2000	2005	2010	2013	2020
城市数/个	223	467	640	663	661	657	660	687

（二）大城市数量偏多且增加速度快，小城市数量偏小且减少速度快

城市规模与数量是由城市所在的区位、自然基础、经济社会发展历史与基础等复杂因素决定的，第六次人口普查数据表明，中国市区常住人口超过 50 万人的大城市由 1990 年的 59 个增至 2010 年的 242 个，20 年历年平均增速为 7.94%，其中市区常住人口超过 1000 万人的超大城市从无到有，到 2010 年增加到 6 个，2005～2010 年历年平均增加速度为 43.1%，500 万～1000 万人的特大城市由 1990 年的 2 个增加到 2010 年的 10 个，20 年历年平均增加速度为 8.84%，100 万～500 万人的大城市 29 个增加到 120 个，20 年历年平均增加速度为 7.76%，50 万～100 万人的中等城市由 28 个增加到 106 个，20 年历年平均增加速度为 7.26%，20 万～50 万人的中等城市由 117 个增加到 253 个，20 年历年平均增加速度为 4.14%，小于 20 万的小城市由 291 个降低到 162 个，20 年历年平均减少速度为 3.04%（表 4.6）。

到 2020 年，由于对大中小城市规模的划分有所变化，根据国务院《关于调整城市规模划分标准的通知》（国发〔2014〕51 号）文件，采用城区常住人口指标将城市规模划分为五类，城区常住人口 1000 万人以上的城市为超大城市，500 万人以上 1000 万人以下的城市为特大城市，100 万人以上 500 万人以下的城市为大城市，50 万人以上 100 万人以下的城市为中等城市，50 万人以下的城市为小城市。

表 4.6　中国不同规模城市的数量变化统计表

城市规模分级	城区常住人口/万人	1990 年	1995 年	2000 年	2005 年	2010 年"六普"数据	2020 年 统计数据	2020 年 "七普"数据*
超大城市	≥1000	0	0	0	1	6	7	7
特大城市	500～1000	2	2	2	3	10	14	14
大城市	100～500	29	30	38	49	120	76	
中等城市	50～100	28	43	53	78	106	92	
小城市	20～50	117	192	218	243	253	260	
	<20	291	373	352	287	162	248	
城市数合计		467	640	663	661	657	687	687

说明：受统计资料限制，2000 年以前采用市区非农业人口，2000 以后采取市辖区人口；2020 年统计数据源于《中国城市建设统计年鉴（2020 年）》，当年统计的大中小城市规模是按照新标准进行统计的，城市规模采用城区人口数衡量。

* "七普"数据中超大城市与特大城市数据来源于求是网报道（http://www.qstheory.cn/dukan/qs/2021-09/16/c_1127863567.htm）；其他规模等级的城市数据尚未正式公布。

由表 4.6 看出，1990～2020 年中国城市数量虽然在增加，但增加速度只有 1.34%，不同规模等级的城市增加速度完全不同,城区常住人口超过 1000 万人的超大城市增加速度达到 14.9%，城区常住人口介于 500 万～1000 万人的特大城市增加速度达到 6.94%，市区常住人口超过 100 万～500 万人的大城市增加速度达到 3.38%，而城区常住人口介于 50 万～100 万人的中等城市增加速度只有 4.19%，城区常住人口小于 50 万人的小城市反而以历年平均 0.67% 的速度缓慢增加，导致城市等级规模结构的金字塔型格局根基不稳。

（三）城市规模等级格局由金字塔型演变为倒金字塔型，再调整为金字塔型

1990～2010 年的 20 年间，中国大城市数占比由 12.63% 提高到 36.83%，中等城市数量比例由 25.05% 提高到 38.51%，而小城市数量比例却由 62.32% 降低到 24.66%（表 4.7），大、中、小城市数量比例的变化导致中国城市等级规模结构的金字塔型格局发生巨大变化，由 1990 年的金字塔型格局演变为 2005 年的倒 T 型格局，进一步演变为 2010 年的倒金字塔型格局（图 4.5），这种倒金字塔型格局是一种严重失稳的不合理格局，与我国积极稳妥地推进新型城镇化发展的基本方针不相吻合，需要及时采取相关措施优化调整城市等级规模结构，使其回归到金字塔型结构的合理稳定格局上来。

表 4.7　中国不同规模城市数量结构变化表（%）

城市规模等级	1990 年	1995 年	2000 年	2005 年	2010 年	2020 年
大城市	12.63	11.72	14.03	19.82	36.83	14.12
中等城市	25.05	30.00	32.88	36.76	38.51	13.39
小城市	62.32	58.28	53.09	43.42	24.66	72.49
合计	100	100	100	100	100	100

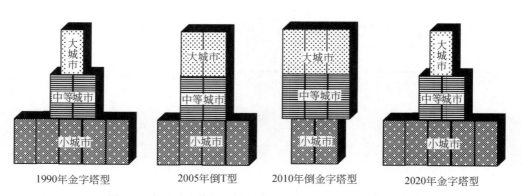

图 4.5　中国城市等级规模结构的金字塔型格局演变示意图

2010～2020 年的 10 年间，随着中国城市规模等级的划分按照国务院《关于调整城市规模划分标准的通知》（国发〔2014〕51 号）文件的逐步调整，大中小城市比例发生重大变化，大城市数量比例由 2010 年的 36.83% 调整为 2020 年的 14.12%，中等城市数量比例由 2010 年的 38.51% 调整为 2020 年的 13.39%，小城市数量比例由 2010 年的 24.66% 调整

为 2020 年的 72.49%。

（四）城市发展空间格局基本合理，业已固化，无法改变

中国城市发展的空间分布格局总体上具有客观的合理性，是经过几千年与自然环境的选择形成的固化在中华大地上的空间配置格局，在今后相当长的时期内这种格局都将无法改变。因此，未来中国的城市发展要充分尊重城市发展的现状空间组织格局，适当进行城市规模等级结构、职能结构和空间结构的微调与优化。无论是分布在东部地区的城市，还是分布在中西部地区的城市，都要坚持宜小则小，宜中则中，宜大则大的原则，不搞攀比，不比大小，不比体量。城市的数量与规模一定要与当地资源环境承载力相适应，要在资源环境承载力大的地方适度有序的建大城，在资源环境承载力小的地方适度有序的建小城（方创琳，2015；方创琳等，2016）。

从东、中、西部地区城市发展规模与数量的空间布局差异性分析，东部地区是超大、特大城市和大城市的集中分布地区，未来城市发展受资源环境承载能力制约大，要严格控制超大城市和特大城市数量与建设规模，把城市数量与城市产业结构升级、经济发展再上台阶、资源高效集约利用、环境污染综合治理有机结合起来，从调整城市体系的空间结构入手，提高城市发展的产业集中度和紧凑度，以提高新型城镇化发展质量为主要目标，全力解决城市病，确保城镇化发展质量接近和赶上发达国家水平，提高东部地区城市的国际竞争力。中部地区城市发展要不断扩大吸纳乡村人口的容量，完善城市基础设施，积极引导鼓励大、中城市规模的适度扩大，大力发展小城市和小城镇，使中部地区成为我国新型城镇化的主战场之一。西部地区受自然环境和资源环境承载力的限制，城市发展以大城市、中小城市和小城镇为重点，实行星星点灯式的据点式建城，通过人口与经济要素的空间大调整，形成与生态环境相适应的生态型城市发展模式。

二、未来大中小城市协同发展的新金字塔型空间格局

（一）适度增加城市数量，以新增 110 个城市为宜

全球各国大小各异，城市数量多少不同，城市建设标准各不一致，所以没有可借鉴的城市数量的经验。我国地域辽阔，但城市数量总体偏少。国际经验研究表明，通常情况下当一个城市市区常住人口规模达到 200 万人时，城市的各种基础设施和公共服务设施使用效率达到最大值，也就是说 200 万人的城市规模是城市病问题最轻的城市，据此到 2030 年中国人口按 15 亿人估算，则中国需要 750 个城市是比较合理的估算。采用门槛分析法和规模位序法则分析得知，未来中国城市数量由现在的 660 个提升到 770～800 个左右是比较合理的（方创琳，2014，2016）。新增方案建议为：

（1）建议新增地级市 32 个。2013 年中国共有 286 个地级市，尚有 14 个地区、30 个民族自治州和 3 个盟没有改地级市。因此，未来新设地级市主要从这 47 个地级行政单元去考虑。为了综合考虑新设地级市的现有基础、经济发展程度、集聚程度、基础服务能力和民族因素等条件，在原有地级设市标准的基础上，建立新的地级市新设评价方法，选择 25

个综合得分较高的行政单元作为未来新增地级市的考虑对象。最终，在 2013 年 286 个地级市的基础上，建议新增 32 个地级市，使地级市数量达到 318 个。

（2）建议新增县级市 108 个。2013 年中国共有 370 个县级市、1445 个县和 49 个旗，按照城镇人口低于 10 万人（1993 年设县级市最低标准）、城镇化水平低于 40%、人口集聚程度指标、经济收入程度指标、基本公共服务指标等综合指标进行筛选，未来有条件实现县改市的县有 105 个；考虑到民族因素，对于 120 个民族自治县和自治旗按照城镇人口数量低于 6 万人、城镇化水平低于 25%、人口集聚程度指标、经济收入程度指标、基本公共服务指标进行设市综合能力评估，剔除直辖市管辖区外，拟建议民族自治县改为县级民族自治市的有 10 个城市，这样县改市的数量将达到 115 个，剔除 2 个位于重点生态功能区的县、25 个县改区部分后，实际新增的县级市将达到 108 个。至此，县级市数量将由 2013 年的 370 个增加到 2030 年的 478 个。

（3）建议新增城市总数 140 个。其中新增地级市 32 个，新增县级市 108 个。到 2030 年，我国城市总数将达到 770 个左右，其中直辖市 4 个，地级市 318 个，县级市 448 个（扣除市改区约 30 个城市），形成新金字塔型的设市格局。

（二）适当调高城市规模划分标准

根据中国城市发展规模总体偏大的现实，以共用城市基础设施和公共服务设施的市区常住人口为基本划分依据，适当调高中国不同规模城市的划分标准，将中国城市划分为超大城市（≥1000 万人）、特大城市（500 万～1000 万人）、大城市（100 万～500 万人）、中等城市（50 万～100 万人）、小城市（10 万～50 万人）、小城镇（<10 万人）共 6 个等级标准，相应制定出不同等级规模城市对应的基础设施配置标准和公共服务设施配置标准。形成由城市群、超大城市、特大城市、大城市、中等城市、小城市和小城镇组成的新金字塔型城市空间组织格局。以新的城市发展总体方针为指导，参考中国城市发展空间格局多情景模拟结果，以第六次人口普查中各地级市市辖区常住人口为基本数据计算，到 2030 年中国将形成由 19 个城市群、10 个超大城市、20 个特大城市、150 个大城市、240 个中等城市、350 个小城市和 19000 个小城镇组成的 6 级国家城市规模结构新金字塔型格局（方创琳，2014），如表 4.8 和图 4.6 所示，空间布局规划如图 4.7 所示。

表 4.8   到 2030 年中国城市发展新格局与城市规模结构新体系规划一览表

城市规模	划分标准	2010 年城市个数	2030 年城市个数	2030 年
城市群	≥2000 万人	20	19	长江三角洲城市群、珠江三角洲城市群、京津冀城市群、长江中游城市群、成渝城市群、辽中南城市群、山东半岛城市群、海峡西岸城市群、中原城市群、哈长城市群、关中平原城市群、北部湾城市群、晋中城市群、呼包鄂榆城市群、黔中城市群、滇中城市群、兰西城市群、天山北坡城市群、宁夏沿黄城市群
超大城市	≥1000 万人	3	10	上海、北京、天津、广州、重庆、深圳、武汉、南京、西安、成都
特大城市	500 万～1000 万人	8	20	杭州、东莞、佛山、沈阳、哈尔滨、汕头、济南、郑州、大连、苏州、长春、青岛、昆明、厦门、宁波、南宁、太原、合肥、常州、长沙

续表

城市规模	划分标准	2010年城市个数	2030年城市个数	2030年
大城市	100万～500万人	113	150	唐山、中山、徐州、温州、贵阳、乌鲁木齐、无锡、淄博、福州、石家庄、淮安、兰州、临沂、南昌、惠州、烟台、扬州、乌兰察布、南通、海口、潍坊、枣庄、襄阳、呼和浩特、包头、吉林、莆田、洛阳、台州、南充、江门、南阳、淮南、大同、泰安、阜阳、巴彦淖尔、鞍山、泉州、大庆、宿州、六安、盐城、湛江、抚顺、珠海、齐齐哈尔、商丘、贵港、常德、邯郸、宝鸡、宿迁、柳州、宜昌、亳州、泸州、绵阳、菏泽、赤峰、济宁、日照、芜湖、莱芜、遂宁、漯河、湖州、银川、自贡、内江、益阳、岳阳、信阳、聊城、茂名、乐山、嘉兴、镇江、钦州、西宁、天水、荆州、安阳、衡阳、巴中、淮北、保定、遵义、本溪、抚州、金华、张家口、玉林、株洲、连云港、鄂州、新乡、宜春、平顶山、秦皇岛、锦州、葫芦岛、武威、永州、贺州、东营等
中等城市	50万～100万人	106	240	—
小城市	10万～50万人	427	350	—
城市小计		657	770	—
小城镇	<10万人		19000	—
合计		19个城市群+770个城市+19000个小城镇=国家城市规模结构体系新格局		

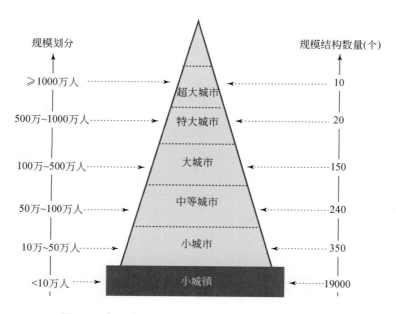

图4.6　中国城市规模体系的新金字塔型格局示意图

图 4.7　中国大中小城市协同发展的新金字塔型城市空间组织格局图

根据城市规模结构的新格局，可对未来每个城市最终容许达到的人口规模给予宏观指导，国土空间规划部门相应对城市给出明确的刚性规模约束（杨永春等，2011），划出城市空间开发增长边界线，从国家城镇化安全角度为城市政府规划与建设提供科学依据。

（三）严控"两大"（超大和特大城市）：作为治理城市病的重点区

中国城市病较严重的地区大多数集中在城区常住人口超过 1000 万人的超大城市和 500 万～1000 万人的特大城市，1990～2010 年，超大和特大城市对国家城镇化的贡献由 1990 年的 4.13%提升到 2010 年的 12.83%，与此同时，超大和特大城市诱发的城市病问题越来越严重，使得特大城市和超大城市无一例外地成了城市病发病的重点区。在这种情况下，决不能继续把超大和特大城市作为新型城镇化和接纳新增进城人口的重要基地，必须采取各种措施严控"两大"（超大和特大城市）的人口规模与建设用地规模，疏散"两大"（超大和特大城市）人口和低附加值产业，使城市病缓解至市民能够容忍接受的程度，保障城市居民有正常的出行、工作和生活权。通过严控"两大"（超大和特大城市），把超大城市和特大城市的个数分别控制在 10 座、20 座以内，确保到 2030 年超大和特大城市对国家城镇化的贡献维持在 10%左右。

（四）激活"两小"（小城市和小城镇）：作为农民市民化的首选地

通过积极鼓励发展小城市和小城镇，激活小城市和小城镇的落户优势，确保到 2030 年小城市和小城镇对国家城镇化的贡献提高到 50% 左右。

一是把小城市作为就近转移农业人口、低成本实现农民市民化的首选地。统计表明，我国市区人口小于 20 万人的小城市由 1990 年的 291 个减少到 2010 年的 162 个，承载的市区常住人口由 1990 年的 4266.7 万人降低到 2010 年的 2430.12 万人，对国家城镇化的贡献由 1990 年的 10.72% 降低到 2010 年的 3.63%，而小城市恰恰是未来城市化进程中资源环境承载能力相对较大、城市化成本相对较低、进城门槛较低的地区，可将小城市作为未来我国就近转移农村剩余劳动力和农业人口的最佳首选地。这就需要将目前已经达到小城市设置条件的小城镇撤镇设市，确保小城市数量由 2010 年的 162 个达到 2030 年的 350 个左右，确保小城市对国家城镇化的贡献达到 15% 左右（方创琳，2013）。

二是把小城镇作为就地转移农业人口、实现农民镇民化的首选地。统计表明，我国小城镇数量由 1990 年的 12084 个增加到 2011 年的 19683 个，对国家城镇化的贡献由 1990 年的 50.2% 降低到 2010 年的 36.44%，而小城镇却是未来城市化进程中资源环境承载能力相对较大、城市化成本最低、进城门槛最低的地区，是城乡深度融合发展的纽带地区，可将小城镇作为未来我国就地转移农村剩余劳动力和农业人口的最佳首选地。这就需要将目前已经达到小城镇设置条件的乡撤乡设镇或合乡设镇，确保小城镇数量到 2030 年保持在 19000 个左右，确保小城镇对国家城镇化的贡献稳定在 35% 左右。

三是制定产业发展优惠政策，通过产业和服务转移，多渠道增加小城市和小城镇就业机会。超大城市和特大城市虽然就业岗位较多，但农民市民化的成本非常高、住房、就学困难大得多，加之超大城市和大城市爆发出的一系列城市病问题较多，无法使农民工在此获得稳定持久的住所。而小城市和小城镇房价、物价低得多，农民市民化的门槛低，容易就近就地获得稳定住所，带动农村地区的现代化发展。只要通过制定优惠，政府扶持产业和就业岗位向中小城市转移，就可解决中小城市就业岗位不足的问题。

主要参考文献

方创琳. 2013. 构建城市群与城市协调发展的新型城镇化格局. 中国经济导报，2013-12-5.

方创琳. 2013. 中国城市发展空间格局优化的科学基础与框架体系. 经济地理，33（12）：1-9.

方创琳. 2014. 中国城市发展方针的演变调整与城市规模新格局. 地理研究，33（4）：766-775.

方创琳. 2015. 中国新型城镇化分区的科学方案研究. 新常态：传承与变革——2015 中国城市规划学术论文集. 北京：中国建筑工业出版社.

方创琳. 2016. 中国城市发展空间格局优化的总体目标与战略重点. 城市发展研究，23（10）：1-10.

方创琳，鲍超，黄金川 等. 2018. 中国城镇化发展的地理学贡献与责任使命. 地理科学，38（3）：321-331.

方创琳，毛汉英，叶大年 等. 2016. 中国城市发展空间格局优化理论与方法. 北京：科学出版社.

刘乃全，刘学华，赵丽岗. 2008. 中国区域经济发展与空间结构的演变. 财经研究，34（11）：76-87.

刘沁萍，田洪阵，杨永春. 2012. 基于 GIS 和遥感的中国城市分布与自然环境关系的定量研究. 地理科学，32（6）：686-693.

吕新苗，吴绍洪，杨勤业. 2003. 全球环境变化对我国区域发展的可能影响评述. 地理科学进展，22（3）：260-269.

马海涛，刘志高. 2012. 地方生产网络空间结构演化过程与机制研究. 地理科学，32（3）：308-313.

杨永春，冷炳荣，谭一洺 等. 2011. 世界城市网络研究理论与方法及其对城市体系研究的启示. 地理研究，30（6）：1009-1020.

第五章　城市群的形成与发展

┌──▶　导　读
└╴╴╴╴╴╴╴╴╴╴╴╴╴●

　　城市群是国家工业化和城镇化发展到高级阶段的产物，是高度一体化的城市聚合体。什么是城市群？如何科学识别和界定城市群？城市群是怎样长大的？是什么力量驱动城市群长大？城市群的形成发育有无规律可循？城市群是如何进行空间组织成群的？对国家发展有何战略意义和贡献？本章重点分析了从都市圈发展为城市群的空间演进过程，分析了城市群在全球和国家发展中的重要战略地位，分析了城市群的空间拓展过程、高度一体化过程和基本同城化过程，揭示了城市群形成发育的驱动机制，把新型工业化因素、经济全球化因素、交通快捷化因素、市场因素、政策因素、技术创新因素、文化因素、金融因素等作为主要驱动力；总结了城市群可持续发展的基本规律，包括阶段性规律、城市群空间多尺度集约利用传导规律、城市群有机成长的晶体组合规律、城市群可持续发展的梯度爬升规律等。介绍了全球及中国城市群的空间组织格局，从推进国家新型城镇化的政策角度出发，构建了由五大国家级城市群、九大区域性城市群和六大地区性城市群组成的"5+9+6"的中国城市群空间结构新格局，形成"以轴串群、以群托轴"的轴群式国家城镇化发展战略格局。

第一节　从都市圈到城市群

　　都市圈由都市区演化而来，都市圈演化到高级阶段就是城市群，从都市圈到城市群，意味着作为小范围高度同城化的都市圈进一步向大范围高度一体化的城市群方向演进，发育成熟的都市圈始终是城市群的核心区，是支撑城市群形成发育之鼎，也可理解为是浓缩的城市群。

一、都市圈

（一）基本概念

　　都市圈是以一个或多个超大特大城市或辐射带动功能强的大城市为中心，以 1 小时通勤圈为基本空间范围的高度城镇化空间形态。都市圈是区域增长中心，只具有区域性功能，不具备国家功能和全球功能。国家发展和改革委员会《关于培育发展现代化都市圈的指导意见》（发改规划〔2019〕328 号）中对都市圈的定义为：都市圈是城市群内部以超大特大城市或辐射带动功能强的大城市为中心，以 1 小时通勤圈为基本范围的城镇化空间形态。

这种定义将都市圈限定在城市群的范围之内，而对城市群以外的以大城市为核心形成的都市圈没有考虑进去，因而具有片面性。

都市圈是在都市区建设的基础上，以一个或多个中心城市为核心进一步向外辐射，与周边地区发生交通及经济技术联系，形成的具有高度同城化倾向的城市化地区（张伟，2003；李廉水等，2007），是都市区发展的高级阶段，是城市群形成发育的前期阶段。采用点轴扩张模式，形成单核心放射状圈层结构。世界上主要国家和地区对都市圈的划分标准各不相同，如表 5.1 所示。

表 5.1　各国都市圈划分的指标对比表[1]

国别		名称	基本单元	人口总量	核心区		外围区	
					人口规模/万人	人口密度/（人/km²）	通勤率/%	居住率/%
美国		大都市统计区	郡县	—	5	159	25	5
		小都市统计区		—	1～5	—	25	5
加拿大		大都市普查区	细分普查区，行政级别相当于自治市	10 万人	5	—	50	25
		人口集聚区		—	1	—	50	25
英国		通勤区	超级产出区域及同等级别的地理单元	3500 人/h	—	—	75	75
				25000 人/h	—	—	66.7	66.7
日本	日本都市区	主都市区	由一个或多个中心城市和周边相关联的市町村构成	—	中央指定	—	1.5	—
		大都市区		—	50	—	1.5	—
	城市就业区	大都市就业区		—	5	—	10	—
		小都市就业区		—	1～5	—	10	—
欧盟		都市区	—	25 万人	—	—	—	—

① 尹稚等，中国都市圈发展报告 2018，清华大学中国新型城镇化发展研究院，北京清华同衡规划设计研究院有限公司。

都市圈扩展到一定程度以后，相邻都市圈之间通过交通通信等基础设施网络发生密切的经济技术联系，逐步形成为城市群。城市群是都市圈发展的高级阶段，具有大区及国家意义，人口规模在 2000 万人以上，采用轴带扩张模式，形成单核心或多核心轴带-圈层网络结构，担当国家或国际增长中心。真正意义上的城市群就是由至少 3 个以上的都市圈通过有机的经济技术联系组成的城市集合体。

（二）基本分类

（1）根据都市圈所依托的中心城市数量不同，可将都市圈分为单核都市圈（如重庆都市圈、兰州都市圈等）、双核都市圈（如京津都市圈、西咸都市圈等）和多核都市圈（如苏锡常都市圈等）。

（2）根据都市圈发育水平，可将都市圈分为成熟型都市圈（都市连绵区，如长三角都市连绵区、珠三角都市连绵区）、发展型都市圈（如成都都市圈、青岛都市圈、郑州都市圈等）和培育型都市圈（如银川都市圈、大连都市圈、乌鲁木齐都市圈等）三大类[①]。

（三）基本特征：高度同城化地区

（1）都市圈是高度同城化地区。都市圈以一个或一个以上的中心城市为增长辐射极，带动周边地区成为人口高密度集聚区，空间高度连绵区和功能高度同质化地区。在都市圈内全部实现规划同编、产业同链、交通同网、城乡同筹、市场同体、金融同城、信息同享、科技同兴、生态同建、污染同治的"同城化"目标。

（2）都市圈是高质量发展核心区。现代化都市圈是空间结构清晰、城市功能互补、要素流动有序、产业分工协调、交通往来顺畅、公共服务均衡、环境和谐宜居的高质量发展都市圈，是高端产业、高新技术产业和高精尖产业的集聚区，是国家高质量发展的重要引擎，也是衡量高质量发展的一个缩影。

（3）都市圈是国土空间高效利用区。都市圈空间尺度小，土地特别紧张，各种基础设施和公共服务设施密集布局，最适合于开展多规合一，编制高效利用的都市圈国土空间规划，指导都市圈建设，是其成为国土空间集约利用效率最高的地区。

（4）都市圈是公共治理高度精细化地区。都市圈是基本公共服务、社会保障、社会治理共建共享的区域，是国家治理能力现代化的先行区，是优质公共服务资源共享、社会保障接轨衔接、政务服务联通互认、社会治理体系完善的区域，是治理过程精细化和治理能力现代化的区域。

（5）都市圈是优质生活圈和生态美丽圈。在都市圈内实行生态环境协同共治，生态网络共建和环境联防联治、生态环境质量同步提升，建立生态产品价值实现机制、市场化生态补偿机制，是一个高品质的优质生活圈、高效率的生产圈和高水平保护的生态美丽圈，也是生态空间、生产空间和生活空间高效优化的美丽都市圈，一个生态资本、生产资本和生活资本共同增值的圈。

（四）基本功能：城市群发展之鼎

（1）都市圈是城市群核心区，是支撑城市群发展之鼎。都市圈的前身是都市区，都市圈的高级发展阶段就是城市群。都市圈扩展到一定阶段后，多个都市圈连为一体，就构成了城市群。从这种意义上来说，以特大超大城市为核心的都市圈，就成了城市群的核心区，充当着支撑城市群发展的"鼎"的重要功能。都市圈发育程度低下时，就无法带动城市的形成发育，建设城市群首先必须建好都市圈，以强大的都市圈拉动城市群的发展，超越都市圈这一发展阶段，超前建设城市群，将违背城市群形成发育的自然规律。

（2）都市圈是浓缩的城市群。城市群是高度一体化的城市集合体，都市圈是高度同城化的都市区，不论在都市圈，还是在城市群，都推动实现基础设施和公共服务共建共享、产业专业化分工协作、生态环境共保共治，都追求区域内产业发展和布局一体化、基础设施建设一体化、城乡发展和城乡统筹一体化、区域性市场建设一体化、社会发展与基本公

[①] 尹稚等，中国都市圈发展报告 2018，清华大学中国新型城镇化发展研究院，北京清华同衡规划设计研究院有限公司。

共服务一体化、生态建设和环境保护一体化等六大一体化。从这种意义上来说，都市圈一体化的程度要高于城市群，因而可认为都市圈就是浓缩的城市群。

二、城市群

（一）基本概念

综述 125 年来对城市群定义的认知过程，有关城市群的定义先后包括了城市区域、城市组群、城镇集群、城镇群、集合城市、城镇密集区、都市连绵区、城市经济区、扩展大都市区、城乡融合区、都市地区、巨型大都市区、巨大都市带、都市圈、新型城镇密集带、城市集合体、城市地域组织体、城市命运共同体等几十种不同的定义（表 5.2），对于城市群概念的纷争一直很激烈，从不同视角认知的内涵多样，至今尚无定论，但逐渐从纷争达成共识。可以看出，国内外学者通常从以下 6 个方面定义城市群：

（1）从生态学角度，遵循生物进化理念，认为城市群形成发育过程就是自组织过程，城市群外部的空间组织特征是一种共生增长的结果。

（2）从满足统计需求角度，以某一单元为空间范围，确定单元的基本属性特征。一般采用人口密度、城镇职能、空间景观的连续性等指标来反映。

（3）从功能联系和可达性角度认识城市群，其中功能联系从"城市场"和"城市功能经济区"的视角进行定义，包括通勤率、周边单元城市化水平（劳动力比重）和可达性（借助通勤半径来表达）等。

（4）中心城市的最低人口数。

（5）中心城市外围地带最低的城镇居民点数。

（6）中心城市到外围边缘的距离。

表 5.2　1898～2018 年对城市群定义的代表性观点及代表人物对比分析表

年份	对城市群定义的基本观点	代表人物
1898	城市群是城镇集群（town cluster）	Ebenezer Howard
1915	城市群是集合城市（conurbation）	Patrick Geddes
1918	城市群是城市有机体	E.Saarinen
1920	城市群是城市经济区	Bogorad et al.
1931	城市群是城镇密集区，地方行政区域结合体（aggregates of local authority area）	Fawcett
1933	城市群是城市群体	W.Christaller
1939	城市群是城市群体	M.Jefferson
1942	城市群是城市组合体	R.Vining
1957	城市群（megalopolis）是扩展大都市区，巨大城市邦	Gottmann
1964	城市群（megalopolis）是城市空间扩展到一定阶段的产物	J.Friedmann
1968	城市群是城市扩展区	T.Hagerstrand

年份	对城市群定义的基本观点	代表人物
1970	城市群是巨型大都市区（E cumunopolis）	C.A.Doxiadis
1980	城市群是多经济中心的城市区域	宋家泰
1980	都市连绵区（metropolitanInter-locking Region，MIR）	周一星
1980	城市群是城乡融合区（desakota）	T.G.McGee
1980	城市群是扩展大都市（dispersed metropolis）	K.Lynch
1983	城市群是巨大都市带（metropolis）	于洪俊、宁越敏
1985	城市群是城市联合体（megalopolis）	D.A.Rondinelli
1985	城市群是城市综合体（urban agglomeration）	J.B.Mcloughlin
1986	城市群是跨国公司纵向生产地域分工的基本单元	J.Friedmann
1989	城市群是新型城镇密集地带 Desakota	McGee
1989	城市群是城市密集地区，城镇体系	董黎明
1991	城市群是大城市带	N.Pyrgiotis、K.R.Kunzmann
1992	城市群是城市-区域、城市群组和巨大都市带	崔功豪
1992	城市群（urban agglomeration）是城市集合体	姚士谋
1995	城市群是都市圈	富田和晓
1997	城市群是区域后工业化、后现代化活动和生活方式的主要核心节点	Kipnis
1997	城市群体化	齐康、段进
1999	城市群（urban agglomeration）是城市地域组织体	吴启焰
2000	城市群是城镇密集区，城镇群	胡序威
2001	城市群是互相在通勤范围内的城市化区域	Portnov，Erell
2001	城市群是全球城市-区域	Allen J.Scott
2002	城市群是城市密集区演化到高级阶段的产物，是大都市带发展的必经阶段	王兴平
2005	城市群是高度一体化的城市聚合体，是经济共同体和命运共同体	方创琳
2007	城市群是若干城市或城镇组成的人口与经济集聚区	倪鹏飞
2018	城市的未来就是城市群，城市群就是多中心连绵城市区域	Klaus R. Kunzmann

　　显而易见，这些定义是城市群内涵的具体体现，也是其概念界定的目标和方向，但这些定义参照的对象是都市圈或者都市区、大都市等具有单一的核心节点，边缘城市/镇对其具有强烈功能联系的"单节点城市经济功能区"。由于对城市群内涵的认识不同，因而出现了不同称谓的城市群，既涉及城市群形成的最初形态，也包括真正意义上的城市群。正如弗里德曼所言，在全球化时代，评价一个城市群的地位与作用，不在于人口规模大小，而在于各城市群参与全球经济社会活动的地位与程度，以及占有、处理和支配资本和信息的能力（Frideman，1986）。未来的城市群结构体系是以不同等级的交通网络和生态网络为基本构架，以协调城市群内部及城市群之间人口、资源、环境、社会、经济协调发展为目标，形成的具有吸引集聚能力和辐射扩散能力、具有发展潜力和扩展张力的有机体系。

从近百年来对国内外有关城市群基本内涵的种种认识和长期争鸣探索实践中可以看出，无论争论存在多大分歧，但基本一致地认为城市群形成发育具有如下几个充要条件：至少有 3 个以上的特大或大中城市，其中有一个市区常住人口超过 1000 万人的超大城市或 500 万人以上的特大城市作为核心城市，城市之间必须有发达便捷的交通通信等基础设施网络，城市之间有密切的经济技术联系和同源同质的文化底蕴，一体化和同城化的潜力和前景广阔，是工业化和城镇化发展到较高阶段的产物，也是都市区和都市圈发展到高级阶段的产物。据此，对城市群做出如下定义：

城市群是指在特定地域范围内，以 1 个超大、特大或辐射带动功能强的大城市为核心，由至少 3 个以上都市圈（区）或大城市为基本构成单元，依托发达的交通通信等基础设施网络，所形成的空间组织紧凑、经济联系紧密、并最终实现高度一体化的城市有机组合体。

当一个特定区域的多个城市之间为化解日益严重的城市病，由竞争转为竞合，通过规划同编、产业同链、城乡同筹、交通同网、信息同享、金融同城、市场同体、科技同兴、污染同治、生态同建的过程实现了区域性产业发展布局一体化、基础设施建设一体化、区域性市场建设一体化、城乡统筹与城乡发展一体化、环境保护与生态建设一体化、社会发展与基本公共服务一体化六大一体化时，可以判断城市群成为了真正意义上的城市群。

（二）基本分类

根据城市群规模等级、发育程度、行政关系、空间区位、形成动因、核心城市数量等划分依据（方创琳等，2005），可将城市群做出如下分类（图 5.1）。

1. 根据发育程度划分的五类城市群

以城市群的发育程度为依据，可将城市群分为处在发育雏形阶段的城市群（呼包鄂榆城市群、兰州-西宁城市群等）、处在快速发育阶段的城市群（长江中游城市群、中原城市群等）、处在发育成熟阶段的城市群（京津冀城市群、珠江三角洲城市群等）、处在趋于鼎盛阶段的城市群（长江三角洲城市群）、处在发育鼎盛阶段的城市群共 5 大类型。

2. 根据规模等级划分的三级城市群

根据城市群的规模等级，可将城市群划分一级城市群、二级城市群和三级城市群共三大类型。其中：

一级城市群也叫国家级城市群，是在国家层面甚至全球尺度上具有重要影响力的城市群，未来有望建成为国际增长中心和世界级城市群，如长江三角洲城市群、珠江三角洲城市群、京津冀城市群等。

二级城市群也叫区域级城市群，是在大区或国家层面具有重要影响力的城市群，有望建成为国家增长中心和国家级城市群，如山东半岛城市群、中原城市群、北部湾城市群等。

三级城市群也叫地区级城市群，是在省级或大区层面具有重要影响力的城市群，未来有望建成为大区域增长中心，如晋中城市群、滇中城市群和宁夏沿黄城市群等。

3. 根据行政隶属关系划分的两类城市群

根据城市群所在的行政隶属关系，可将城市群划分为跨省行政区域的城市群和省级行政区内的城市群两大类。其中：

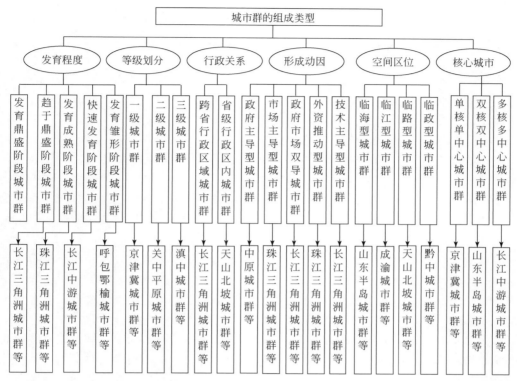

图 5.1 城市群的组成类型示意图

跨省行政区域的城市群多数是突破省级行政界线，按自然地理环境相似性、市场经济规律和经济技术联系形成的城市群，这类城市群发育程度较高，竞争力强，具有国家或国际影响力，承担着国家经济发展战略核心区的功能，如长江三角洲城市群、京津冀城市群、成渝城市群等。

省级行政区域内的城市群大多数为省级经济发展战略核心区，如山东半岛城市群、辽中南城市群和天山北坡城市群等，部分城市群也为国家经济发展战略核心区，如珠江三角洲城市群等。这类城市群发育程度也较高，竞争力较强，具有国家或国际影响力，承担着国家经济发展核心区和省级经济发展核心区的功能。

4. 根据空间区位划分的四类城市群

根据城市群所处的地理位置及与周边地区的空间区位关系，可将城市群划分为临海型城市群、临江型城市群、临路型城市群和临政型城市群四大类。

（1）临海型城市群紧邻沿海地区，如长江三角洲城市群、珠江三角洲城市群、京津冀城市群等，这类城市群依托海洋优势，对外开放程度高，经济外向度大，发展前景广阔，大多数是目前中国发育程度最高的城市群。

（2）临江型城市群紧邻大江大河，如长江中游城市群、成渝城市群、中原城市群等，大多数是目前中国发育程度较高的城市群。

（3）临路型城市群沿主要交通干线和综合运输走廊布局，如天山北坡城市群、呼包鄂榆城市群等。

（4）临政型城市群主要是指以省会城市为中心培育的具有较大辐射带动力的城市群，这类城市群发育程度较弱，辐射带动能力有限，包括滇中城市群、晋中城市群和黔中城市群等。

实际上，多数城市群都是复合型城市群，如长江三角洲城市群既临海、又临江，长江中游城市群既临江又临路。临政型一般是突出行政中心的作用，在城市群形成与发展的初级阶段，这种类型占有相当的比重。

5. 根据核心城市个数划分的三类城市群

根据城市群中核心城市的数量，可将城市群划分为单核单中心城市群、双核双中心城市群和多核多中心城市群共 3 类城市群。其中：

单核单中心城市群是指城市群中只有 1 个核心城市，城市首位度高，对周围其他城市有强大的辐射带动作用，形成了单核辐射的同心圆圈层结构，如京津冀城市群、中原城市群、长江三角洲城市群等。

双核双中心城市群是指城市群中有 2 个核心城市，城市首位度较高，两个核心城市同时对城市群内的其他城市发挥辐射带动作用，形成双核辐射的哑铃状空间圈层结构，如以成都、重庆为双中心的成渝城市群；以沈阳、大连为双中心的辽中南城市群；以济南、青岛为双中心的山东半岛城市群和以厦门、福州为双中心的海峡西岸城市群等。

多核多中心城市群是指城市群中有 3 个甚至 3 个以上的核心城市，城市首位度较低，多个核心城市同时对城市群内的其他城市发挥辐射带动作用，形成多核辐射的均衡网络状空间结构，如以武汉、长沙、南昌为多中心的长江中游城市群等，多中心网络型城市群是城市群建设的主要方向。

（三）城市群≠城镇群

在定义城市群的过程中，必须区分城市群与城镇群，二者不可混为一谈，而以往在官方文件中，在学术研究中，在项目立项研究中，往往把二者混为一谈。城市群和城镇群在数量构成、群组结构、竞争能力、发育规模、相互关系、空间分布、发展前景等方面存在着本质区别（表 5.3），避免将城市群一词滥用。具体区别为：

表 5.3　城市群与城镇群的本质区别比较分析表

比较内容	城市群	城镇群
英文名称	urban agglomeration	town agglomeration
群组结构	3 个以上超大、特大、大城市和无数个中、小城市和城镇，表现为一群有机组合城市	3 个以上小城镇，不包括城市，表现为一群城镇
人口总量	大于 2000 万人	无要求
城镇化水平	大于 75%	无要求
非农产业比重	大于 95%	无要求
经济外向度	大于 30%	无要求
中心城市发展中心度	大于 45%	无要求
数量变化	越来越少	越来越多

续表

比较内容	城市群	城镇群
包含关系	城市群可包含若干个城镇群	城镇群不包含城市群
空间分布	少数国家和少数地区	全球大多数国家和大多数地区
竞争能力	很强的国家及国际竞争力	小区域的竞争力
国家功能	国家经济发展核心区和城镇化主体区	国家城镇化主体区
开放功能	中国进入世界和世界进入中国的门户	无此功能
国际化功能	世界经济重心转移的重要承载地	无此功能

（1）从英译名称看，城市群英译为 urban agglomeration，而城镇群英译为 town agglomeration，二者有本质的区别。

（2）从发育规模看，城市群人口数量和经济总量都有严格要求和标准，有相当的体量，而城镇群则无这些要求和体量，只要 3 个以上城镇集聚到一起彼此发生经济技术联系即可。

（3）从群组结构看，城市群包括大、中、小城市和小城镇，而城镇群则只包括小城镇。

（4）从数量构成看，随着城市群空间辐射范围的不断扩大，城市群的数量将会越来越少，空间边界越来越模糊，而随着区域经济一体化和城乡发展一体化趋势的不断加强，城镇群的数量则越来越多。

（5）从竞争能力看，城市群具有很强的国家及国际竞争力，是国家经济发展的核心增长极，而城镇群则具有小区域的竞争力。

（6）从相互关系看，城市群可包含若干个城镇群，但城镇群不包含城市群。

（7）从空间分布看，城市群布局在少数国家和少数地区，而城镇群则遍布全球大多数国家和地区。

（8）从发展前景看，城市群和城镇群都将成为推动国家新型城镇化的主体空间形态，二者同等重要，不可偏颇。

三、城市群的识别标准

由于城市群的空间辐射范围一直处在动态变化之中，城市群的识别过程是一个非常复杂的过程，不管采用何种识别标准和方法得出的城市群空间范围都是相对的范围，严格意义上讲不可能划出绝对明确的界限。即便如此，研究城市群空间范围识别标准并进行城市群空间范围识别仍具有十分重要的现实意义。

（一）城市群识别标准的定性分析

从对 120 多年来城市群空间范围识别的各类标准认知中，可从定性角度大致提出以下基本识别标准（方创琳，2015）：

1. 城市群内部要有相当数量的城市和人口规模

在几乎所有城市群研究中，首先确认的是城市群是以一个或几个城市化水平较高的大城市为中心，吸引一定人口，形成一定人口规模和产业规模、人口密度和城市密度较高的连续性城市化区域（Polyan，1982）。例如，美国东北部城市群主要以纽约、芝加哥等世界城市为中心，美国西海岸城市群主要以洛杉矶、西雅图等工商业城市为中心，日本太平洋沿岸城市群主要以东京、大阪、名古屋等世界级特大城市为中心，中国长三角城市群主要以上海这一国际大都市为中心（Forstall，2009）。一定的人口规模也是城市群的重要内涵标志之一。例如，帕佩约阿鲁（Papaioannou）认为真正的大都市带的人口规模应在 3500 万～2.5 亿人（Papaioannou，1970），戈特曼（Gottmann）坚持认为 2500 万人是大都市带人口规模的下限（Gottmann，1976）。

2. 要以经济社会紧密联系为核心社会形态

城市群不但是理论上具有空间连续性，而且是建构在中心城市以及由此形成的节点间的轴（人流、物流、资金流、信息流）相互联系的基础之上的高度城市化地区（Portnov，2009）。只有城市之间出现大量而速率频繁的各种"流"量，经济社会联系越来越紧密，形成一定的功能性网络，这样，以若干大城市为核心，并与周围地区发生强烈交互作用和密切社会经济联系的高度城市化区域，才能被视为城市群。

3. 要以功能完善为基础的合理结构形态

从数量构成看，在城市群内部，除了有一个或多个规模大、经济发达和辐射带动能力强的大城市外，还包括这些城市周边的大小不等的二级城市和三级城市，以及众多的小镇（Portnov，2006）。例如，美国大西洋沿岸城市群中的纽约是商业和金融中心，波士顿是城市群智力、技术与思想政治中心，巴尔的摩是重要的海港城市，而费城是制造业中心，各个城市之间的功能分工非常明确，相互互补发挥作用。而且，城市群内部的多个城市之间在空间上又彼此分离，相对独立，这样就形成了相对合理的生产、生活与生态空间格局，有利于城市群的可持续发展。

4. 要有形成发育的强大驱动力

瓦伊迪耶纳坦（Vaidyanathan）通过对阿拉伯国家的城市群研究分析得出，以石油经济为基础的国家的城市群发展速度较快，土地压力较大的国家的城市群发展速度较慢，人口规模和净移动人口率对城市群的发展有重要影响（Vaidyanathan，1977）。斯科特（Scott）认为经济全球化是全球城市-区域形成的根本动力（Scott，2001），格雷泽（Glazer）等考察了消费多样性对城市群形成的重要促进作用（Glazer，2003），韦伯斯特（Webster）等认为城市群是在政府和市场经济制度网络的双重作用下中自发成长起来的，自发成长的根本原因在于降低交易成本（Webster，2003），松本（Matsumoto）认为航空流是国际航空港城市群形成的主要动力（Matsumoto，2004），波提纳尔（Bertinelli）和布兰克（Black）认为，城市群的本质在于各城市之间出现的集中生产、集中消费和集中交易活动，这种集中一方面提供了厂商相互需求的广阔市场，有利于厂商进行专业化生产；另一方面利于消费者形成消费和厂商之间的交易市场，传递信息，交流知识经验。可见，专业化经济、劳动分工、多样化消费偏好和交易效率就成了推动城市群形成的主要驱动力（Bertinelli，2004）。玛塔（Mata）等的研究表明，产品市场潜力的增加、农村收入机会的减少、城市间运输成本的降低、劳动力素质的提高，均会显著促进城市增长并推进形成城市群（Mata，2007）。

5. 要有相似的自然环境和历史文化环境

除了全球化、工业化、信息化、交通便捷化等驱动因素外，文化的力量越来越成为推动城市群形成发育和提升竞争力的重要驱动力量。文化的力量在城市群形成发育中起到了催化剂、黏合剂和凝聚力的重要作用。中国城市群的形成发育除了地理区位相近外，地域文化和历史文化的相似性就是一个重要的原因。相邻城市之间具有相似的文化底蕴、生活习俗、历史渊源等等都是增强城市群凝聚力、竞争力的持久推力。如京津冀城市群以燕赵文化为驱动力，长江三角洲城市群以江南文化为驱动力，珠江三角洲城市群以岭南文化为驱动力，武汉城市群以楚文化为驱动力，长株潭城市群以湖湘文化为驱动力，关中平原城市群以秦文化和汉唐文化为驱动力，成渝城市群以巴蜀文化为驱动力，山东半岛城市群以齐鲁文化为驱动力，中原城市群以宋文化和中原文化为驱动力，等等。独特的文化底蕴成为城市群可持续发展的直接推动力，也成为城市群依靠科学技术发展文化创意产业、推动文化保护传承、提升城市群文化价值的重要基础，文化力量的提升是城市群建设与竞争的软实力。依托文化的驱动效应建设文化型城市群，是城市群建设的一个重要方向。

（二）城市群识别标准的定量判断

综合分析国际国内有关专家对都市区、都市圈、城市群、都市连绵区等空间范围的识别标准，在充分吸收专家相关指标和标准的基础上，提出城市群空间范围识别的十大定量标准（方创琳，2009；方创琳等，2021）如下：

（1）城市群内都市圈或大城市数大于 3 个，其中作为核心城市的超大城市（市区常住人口大于 1000 万人）或特大城市（介于 500 万～1000 万人）至少有 1 个，其中西部和东北地区城市群中辐射带动能力强的大城市（市区常住人口介于 200 万～500 万人）至少有 1 个。

（2）城市群内人口总规模大于 2000 万人，其中西部和东北地区处在培育期的城市群人口总规模大于 1500 万人。

（3）城市群内城镇化水平大于 75%。

（4）城市群人均 GDP 超过 10000 美元，一般处于工业化中后期，工业化程度较高。

（5）城市群内按当年价计算的经济密度大于 1500 万元/km²，其中西部和东北地区城市群按当年价计算的经济密度大于 1000 万元/km²。

（6）城市群内形成由城际轨道、高速公路等构成的高度发达的综合运输通道和半小时、1 小时和 2 小时经济圈。

（7）城市群非农产业产值比率大于 95%，其中西部和东北地区城市群非农产业产值比率大于 85%。

（8）单核心城市群的核心城市首位度大于 40%，双核心城市群首位度大于 50%，三核心城市群首位度大于 60%，具有跨省的辐射带动功能。

（9）城市群的经济外向度大于 30%，其中西部和东北地区城市群经济外向度大于 20%，承担着世界经济重心转移承载地的功能。

（10）城市群内各城市的地域文化认同感大于 70%，具有相似的自然人文地理环境和地域文化环境。

（三）城市群空间范围的识别方法

考虑到城市群是以高度同城化的都市圈为核心向外拓展并实现高度一体化的空间

组织形态，可以划定的都市圈空间范围为核心，通过以下七步识别中国城市群的空间范围。

1. 识别都市圈空间范围作为城市群的核心辐射极

根据市区常住人口规模，将东中部地区大于 500 万人、西部和东北地区大于 200 万人的城市作为都市圈中心城市。省会城市原则上均列为都市圈中心城市。根据东、中、西部地区都市圈发育程度的差异，将城区周边 80～120km 范围内的县级行政单元，划入都市圈；结合现状公路或轨道交通的可达性，将从中心城市城区边缘 1～1.5 小时的交通可达范围纳入都市圈范围。

2. 框定城市群空间范围边界

以国务院或省级人民政府批准实施的城市群规划范围为最外边界，以位于城市群范围内的都市圈范围为最内边界，采用边界逼近法在内外边界范围内以县级行政区域为单元，识别城市群扩展的现状边界并校核。

3. 判断城市群内各城市与中心城市的交通通达性

以县级行政区域为单元，在外边界范围内，以都市圈中心城市政府驻地周边区域为起点，将凡是通过城际轨道交通、高速铁路设站通过，或高速公路 1.5 小时到达等交通方式实现与中心城市高效连接和高度一体化的县级行政单元，纳入城市群的空间范围。

4. 判断城市群常住人口的总规模

借鉴国际上将总人口规模作为城市群识别的首要标准的做法，在第二步识别的现状边界范围内将东、中部地区常住人口达到 2000 万人，西部与东北地区常住人口达到 1500 万人的区域纳入城市群空间范围。

5. 判断城市群人口的聚集性和空间范围的连片性

以县级行政区域为单元，将东、中部地区在内外边界范围内人口密度达到 200 人/km^2，西部与东北地区在内外边界范围内的县级行政单元人口密度达到 100 人/km^2 的县域，纳入城市群空间范围，并适当兼顾县级行政区划的完整性和城市群空间范围的连片性。

6. 识别城市群产业的聚集性和经济的外向度

以县级行政区域为单元，将东、中部地区现状边界范围内按现价计算的经济密度大于 1500 万元/km^2、非农产业产值比重超过 95%、经济外向度大于 30%，西部与东北地区经济密度大于 1000 万元/km^2、非农产业产值比重超过 85%、经济外向度大于 20%的城市群，纳入城市群空间范围。这些城市群具有跨省的辐射带动功能和世界经济重心转移承载地的功能，发挥着国家增长中心和国际增长中心的作用。

7. 判断城市群的创新性及发育程度

结合国际经验和专家经验判断，将综合发育程度大于 2、中心城市综合创新能力大于 0.3 的识别为城市群。其中：将综合发育程度介于 5～10、中心城市综合创新能力大于 0.5 的识别为成熟型城市群，综合发育程度介于 2～5、中心城市综合创新能力介于 0.3～0.5 的识别为成长型城市群，将综合发育程度小于 2、中心城市综合创新能力小于 0.3 的识别为发育型城市群。

第二节　城市群发展的战略地位

一、全球视野中的城市群

从全球层面分析，城市群作为国家参与全球竞争与国际分工的全新地域单元，正在肩负着世界经济重心转移的历史使命，成为全球经济重心转移承载的重要担当，成为世界进入中国和中国走向世界的关键门户，城市群在全球城市体系和经济格局中的地位得到显著提升（方创琳等，2016）。

（一）城市群是国家参与全球竞争的新地域单元，决定未来世界经济新格局

城市群是国家工业化和城镇化发展到特定历史阶段，即国家进入工业化中后期、城镇化进入中后期的必然产物。长期以来城市群被一些西方学者认为这是在发达国家才有的"奢侈品"。从 20 世纪初至今的 120 多年时间里，世界平均城市化水平接近 60%，发达国家平均城市化水平超过了 80% 以上，而第七次人口普查表明中国城市化水平只有 63.8%。随即在城市化程度很高的发达国家出现了新的城市集聚形态——城市群，并将城市群作为国家参与国际分工与全球竞争的全新地域单元。

尤其是 21 世纪以来，随着经济全球化和城市化的发展，世界各国城市之间的竞争不再仅仅表现为单个城市的竞争，而是表现为以核心城市为中心的城市群之间的竞争，城市群已成为一种全球性城市-区域发展模式和空间组合模式，其发展正在深刻地影响着国家的国际竞争力，同时影响着世界经济发展的新格局。随着全球经济一体化趋势的加强，城市群在新的全球化背景下不断地重新分工、交流和合作，通过城市群这种集团军的发展模式才能有足够的产业集聚和经济规模参与全球性竞争和合作，形成强强联合的发展共同体和命运共同体，应对来自全球化的各种挑战（方创琳，2014，2015，2018）。

据联合国预测，到 2050 年全球城市人口比例将超过 75%，意味着未来全球最大的 40 个超级大都市区以占地球极少的面积，集中全球 18% 的人口，将参与全球 66% 的经济活动和大约 85% 的技术革新。最新的《世界城市状况报告》也指出，世界的超级大都会正渐渐汇聚形成集聚程度更强更大的"超级都市区"、"超级都市圈"和"超级城市群"。可以预见，城市群作为国家参与国际分工与全球竞争的全新地域单元，将决定 21 世纪世界经济发展的新走向和新格局（方创琳，2014，2015，2018）。

（二）城市群是世界经济重心三次大转移的重要承载地

120 多年来，在世界范围内伴随世界经济重心转移相继催生并成功建设了一批具有全球影响力和国际竞争力的城市群，这些城市群担当起了世界经济重心转移主要承载体的历史重任，并成为全球中枢（方创琳，2014，2015）。

从全球城镇化发展进程和全球经济发展历程分析，发达国家推动城市群建设的主要目的在于承接世界经济重心和科技中心的多次大转移，世界经济重心的每一次大转移，都拉

动了更大区域范围的大规模工业化和城市化进程，进而催生了世界级超大城市群的形成与发育（表5.4）。具体表现在：18世纪后出现的工业革命使英国成为世界经济增长的重心，催生形成了以伦敦至利物浦为轴线的英国伦敦城市群；到了19世纪随着欧洲大陆的兴起，世界经济重心转移到西欧地区，使西欧地区成为世界经济增长中心，进而推动形成了欧洲西北部城市群；进入20世纪初期，世界经济增长中心从西欧转移至北美地区，在美国东北部和中部地区分别催生形成了北美五大湖城市群和北美大西洋沿岸（波士顿—纽约—华盛顿）城市群；进入21世纪初期，世界经济增长重心转移到亚洲太平洋地区，首先在日本东部地区催生形成了以东京—大阪为轴线的日本太平洋沿岸城市群，接着以中国为主阵地，催生形成了长江三角洲城市群、珠江三角洲城市群和京津冀城市群等3个世界级城市群和17个区域级及地区级城市群。可见，城市群的形成与发育既是发达国家工业化和城市化发展到高级阶段的必然产物，更重要的是世界经济重心和科技中心大转移的结果。世界经济重心每一次转移催生的城市群都担当起了全球经济重心转移承载地的历史重任，发挥了全球中枢的功能。

表5.4　世界经济重心转移催生的世界级城市群分析表

世界经济重心转移次数	转移时间	转移路径	催生的城市群
	18世纪	英国	英国伦敦城市群
第一次转移	19世纪	由英国转到西欧	法国大巴黎城市群 欧洲西北部城市群
第二次转移	20世纪	由西欧转到北美	北美大西洋沿岸城市群 北美五大湖城市群
第三次转移	21世纪	由北美转到亚太地区	日本太平洋沿岸城市群 中国长江三角洲城市群、珠江三角洲城市群、京津冀城市群、山东半岛城市群、辽中南城市群、长江中游城市群、成渝城市群等20个城市群

　　在世界经济重心转移过程中，发达国家的典型城市群实际上发挥了全球及国家中枢的重要职能，这些城市群基本都是国家或洲际的发展中枢，也是今天全世界的经济中心，汇集了现代化工业职能、商业金融职能、外贸门户职能、文化先导职能等多种国际化职能，成为全球经济社会最发达、经济效益最高的富足地区，成为全球性产生新技术、新思想的"孵化器"，在国家、地区乃至世界经济发展中发挥着战略中枢的重要支配作用。例如，美国东北部大西洋沿岸城市群就是美国最重要的工商业区，其核心城市纽约是联合国总部所在地，联合国6个主要机构中的5个在纽约。纽约号称美国"银行之都"，纽约的一举一动都会左右着全美甚至世界的金融、证券和外汇市场，美国500家最大公司中有30%的总部设在这里，影响着美国乃至世界的经济；华盛顿作为美国的首都，更是世界各国中少有的以政府行政职能为主的政治中心，50%以上的市区人口是受联邦政府雇佣的官员和服务人员；波士顿是著名的文化城市，也是仅次于硅谷的美国微电子技术中心。由此可见，该城市群承担着国家乃至世界中枢的重要职能。另外，美国东北部大西洋沿海城市群与北美五大湖城市群共同构成了北美的制造业带，这两个城市群集中了人口超过100万以上的二十多个大都市区和美国70%以上的制造业。英国的伦敦城市群是英国产业密集带和经济

发展核心区，集聚了英国 70%以上的人口和 80%以上的经济总量。日本太平洋沿岸城市群是日本经济社会发展的核心区，集中了日本 50%以上的人口和 67%的工业产值（方创琳，2014，2015）。

发达国家建设城市群虽然具有其复杂性和艰巨性，但成功做法在于建设了高度国际化的现代产业体系、现代城市体系、国际分工协作体系和高度发达的交通等基础设施网络体系。

（三）全球城市群的研究与发展已进入 21 世纪的中国新时代

发展到今天，分布在欧美等发达国家的城市群经过 120 多年的发展，已经进入成熟发展阶段，由于这些城市群地区面临的人口与资源及生态环境压力小，存在的发展问题相应较少，未来的研究主要侧重人文社会问题的研究（表 5.5）；相反，发展中国家的城市群发育时间短，大部分处在雏形阶段和快速成长阶段，面临的人口与资源及生态环境压力大，存在的发展问题相应较多，未来的研究主要侧重经济社会与生态环境协调问题的研究。鉴于世界经济重心转移到亚太地区，承载世界经济中心转移主要承载地的城市群相应转移到亚太地区，尤其是转移到了中国，由中国各类城市群来承担，从这种意义上来说，发展到21 世纪，全球城市群的发展真正进入到 21 世纪的中国时代，中国是 21 世纪全球城市群发展的主战场，也是全球城市群问题集中爆发并亟待解决的主战场（方创琳，2018）。

表 5.5　发达国家与发展中国家的城市群对比分析表

对比分析内容		发达国家的城市群	发展中国家的城市群
分布区域		欧洲、北美洲、亚洲	亚洲
共同点		1. 对世界和国家的贡献最大　4. 具有强大的吸管效应 2. 形成高度一体化的城市群体　5. 具有支配全球资本与信息能力 3. 担当全球经济重心转移承载地	
不同点	发育时限	120 年	40 年
	发育阶段	成熟阶段	成长阶段
	发育机制	市场主导型	政府主导型
	发育程度	高	低
	稳定程度	高	低
	紧凑程度	高	低
	国际竞争力	强	弱
	资源环境承载力	高	低
	主要驱动力	工业化、城镇化	全球化、信息化、工业化、文化
	投入产出效率	高	低
	发育特点	数量少，集聚慢，问题少	数量多，集聚快，问题多
	面临压力	资源与生态环境压力小 （人少，资源丰富，生态环境良好）	资源与生态环境压力大 （人多，资源短缺，生态环境破坏）
	学科研究方法	以人文社会科学研究主导，单学科研究为主	多学科交叉研究，极端复杂性，单学科研究无法解决问题

利用文献计量方法和 Citespace 可视化软件的关键路径（pathfinder）算法，选取收录于 Web of Science 核心集合中的 SCI/SSCI/CPCI-S 外文文献，对截止到 2018 年 12 月 31 日的国外有关城市群文献进行检索分析发现，到 2018 年底，国内外研究城市群的文献总数达到 110026 篇，其中：国际上城市群研究文献累计达 46869 篇（图 5.2），占文献总数的 42.6%，主要集中在 1995 年后，其中 90%以上是研究中国城市群，国外城市群的发育进入成熟阶段，研究少；从 1980 年的中国城市群开始出现到 2018 年的 38 年，中国城市群研究的中文文献累计达 63517 篇（图 5.3），占文献总数的 57.4%，主要集中在 2000 年后，全部研究中国的城市群。可见对城市群的研究以国内占绝对主导地位。在国内研究方面，有关国内城市群研究的文献数量从改革开放初期的 20 世纪 80 年代开始出现，数量逐渐增多，特别是进入 21 新世纪以来，有关城市群的文献量迅速增加，年均文献量超过 3000 篇。

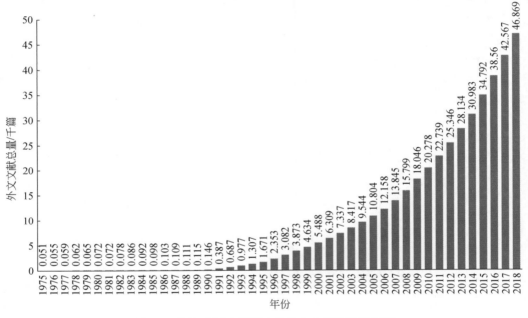

图 5.2   国际上城市群研究的外文文献增长示意图

二、国家战略中的城市群

从国家战略层面分析，党的十七大、十八大、十九大报告、首次召开的中央城镇化工作会议、国家"十一五"、"十二五"、"十三五"、"十四五"规划纲要都明确提出把城市群作为推进国家新型城镇化的空间主体，党中央、国务院发布实施的若干文件提出把城市群作为推进国家新型城镇化的空间主体和承载生产要素的主要空间形式，体现出城市群发展的国家战略地位被提升到了前所未有的战略高度（方创琳，2017，2018，2019）。

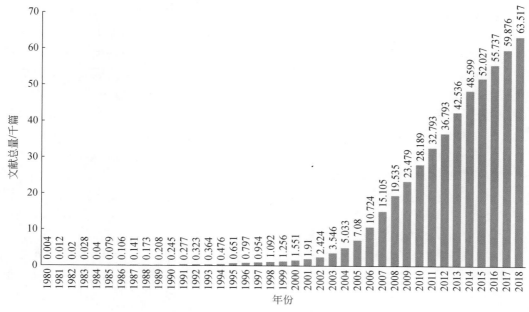

图 5.3　城市群研究的中文文献增长示意图

（一）中央系列文件提出把城市群作为推进国家新型城镇化的空间主体

党的十七大、十八大、十九大报告、2013 年召开的中央城镇化工作会议、2015 年召开的中央城市工作会议和中共中央发布的《国家新型城镇化规划（2014－2020 年）》、《国家新型城镇化规划（2021－2035 年）》等一系列中央文件，都把城市群作为推进国家新型城镇化的空间主体。

1. 党的十七大、十八大、十九大报告连续 15 年把城市群作为新经济增长极

2007 年 10 月召开的党的十七大报告指出："走中国特色城镇化道路，以增强综合承载能力为重点，以特大城市为依托，形成辐射作用大的城市群，培育新的经济增长极"。

2012 年 9 月召开的党的十八大报告继续指出：继续实施区域发展总体战略，科学规划城市群规模和布局，增强中小城市和小城镇产业发展、公共服务、吸纳就业、人口集聚功能。加快改革户籍制度，有序推进农业转移人口市民化，努力实现城镇基本公共服务常住人口全覆盖。

2015 年 10 月 29 日中国共产党第十八届中央委员会第五次全体会议通过的《中共中央关于制定国民经济和社会发展第十三个五年规划的建议》提出，发挥城市群辐射带动作用，优化发展京津冀、长三角、珠三角三大城市群，形成东北地区、中原地区、长江中游、成渝地区、关中平原等城市群。

2017 年 10 月召开的党的十九大报告进一步提出：实施区域协调发展战略，以城市群为主体构建大中小城市和小城镇协调发展的城镇格局，加快农业转移人口市民化。2019 年10 月 28 日召开的党的十九届中央委员会第四次全体会议提出，优化行政区划设置，提高中心城市和城市群综合承载和资源优化配置能力，实行扁平化管理，形成高效率组织体系。

2. 中央城镇化工作会议首次把城市群作为推进新型城镇化的主体

2013 年 12 月召开的中央城镇化工作会议首次明确了提出了新型城镇化的六大任务，其中第四大任务就是优化城镇化布局与形态，首次提出了把城市群作为推进新型城镇化的主体，提出继续优化建设好京津冀、长江三角洲、珠江三角洲三大国家级城市群并争取建成具有国际竞争力的世界城市群外，要在中西部和东北有条件的地区，依靠市场力量和国家规划引导，逐步发展形成若干城市群，成为带动中西部和东北地区发展的重要增长极。

3. 中央城市工作会议首次把城市群作为推进新型城镇化的主体形态

2015 年 12 月 20 日召开的中央城市工作会议是时隔 37 年后在全国城市发展形势下中央组织召开的具有里程碑意义的城市工作会议。会议提出，要以城市群为主体形态，科学规划城市空间布局，实现紧凑集约、高效绿色发展。要优化提升东部城市群，在中西部地区培育发展一批城市群、区域性中心城市，促进边疆中心城市、口岸城市联动发展，让中西部地区广大群众在家门口也能分享城镇化成果。

4. 中央发布的《国家新型城镇化规划（2014—2020 年）》把城市群作为新型城镇化主体

2014 年 3 月 12 日，中共中央和国务院以中发〔2014〕4 号文件发布"中共中央 国务院关于印发《国家新型城镇化规划（2014－2020 年）》"的通知，提出以人的城镇化为核心，有序推进农业转移人口市民化；以城市群为主体形态，推动大中小城市和小城镇协调发展；按照统筹规划、合理布局、分工协作、以大带小的原则，发展集聚效率高、辐射作用大、城镇体系优、功能互补强的城市群，使之成为支撑全国经济增长、促进区域协调发展、参与国际竞争合作的重要平台。优化提升京津冀、长江三角洲和珠江三角洲城市群等东部地区城市群，建设世界级城市群；培育发展成渝、中原、长江中游、哈长等中西部地区城市群，使之成为推动国土空间均衡开发、引领区域经济发展的重要增长极。建立城市群发展协调机制，统筹制定实施城市群规划，中央政府负责跨省级行政区的城市群规划编制和组织实施，省级政府负责本行政区内的城市群规划编制和组织实施。

5. 中央发布的《关于建立更加有效的区域协调发展新机制的意见》提出以中心城市引领城市群发展

2018 年 11 月 18 日，中共中央、国务院《关于建立更加有效的区域协调发展新机制的意见》提出，建立以中心城市引领城市群发展、城市群带动区域发展新模式，推动区域板块之间融合互动发展。以北京、天津为中心引领京津冀城市群发展，带动环渤海地区协同发展。以上海为中心引领长三角城市群发展，带动长江经济带发展。以香港、澳门、广州、深圳为中心引领粤港澳大湾区建设，带动珠江－西江经济带创新绿色发展。以重庆、成都、武汉、郑州、西安等为中心，引领成渝、长江中游、中原、关中平原等城市群发展，带动相关板块融合发展。积极探索建立城市群协调治理模式，鼓励成立多种形式的城市联盟。

6. 中央财经委员会第五次会议提出中心城市和城市群正成为承载发展要素的主要空间形式

2019 年 8 月 26 日召开的中央财经委员会第五次会议提出，当前我国区域发展形势是好的，同时经济发展的空间结构正在发生深刻变化，中心城市和城市群正在成为承载发展要素的主要空间形式。此后习近平同志在《求是》杂志 2019 年第 24 期发表《推动形成优势互补高质量发展的区域经济布局》的重要文章指出，经济和人口向大城市及城市群集聚的趋势比较明显，中心城市和城市群正在成为承载发展要素的主要空间形式。加快构建高质量发展的动力系统，增强中心城市和城市群等经济发展优势区域的经济和人口承载能力。要形成几个能够带动全国高质量发展的新动力源，特别是京津冀、长三角、珠三角三大地区，以及一些重要城市群。产业和人口向优势区域集中，形成以城市群为主要形态的增长动力源，进而带动经济总体效率提升，这是经济规律。要完善土地、户籍、转移支付等配套政策，提高城市群承载能力。要加快改革土地管理制度，建设用地资源向中心城市和重点城市群倾斜。

（二）国务院若干文件提出把城市群作为推进国家新型城镇化的主体

近 20 年来，国务院相继发布的《国家"十一五"规划纲要》、《国家"十二五"规划纲要》、《国家"十三五"规划纲要》、《国家"十四五"规划纲要》、《国务院关于大力实施促进中部地区崛起战略的若干意见》等文件多次提到城市群的发展与建设，并专门发文实施了《京津冀协同发展规划纲要》、《长江中游城市群发展规划》、《哈长城市群发展规划》等 10 多个城市群发展规划的国家文件（表 5.6）。

1. 国家"十一五"规划纲要把城市群作为推进城镇化的主体形态

国家"十一五"规划纲要提出要把城市群作为推进城镇化的主体形态，逐步形成以沿海及京广京哈线为纵轴，长江及陇海线为横轴，若干城市群为主体，其他城市和小城镇点状分布，永久耕地和生态功能区相间隔，高效协调可持续的城镇化空间格局。

2. 国家"十二五"规划纲要把城市群作为推进新型城镇化的主体

国家"十二五"规划纲要进一步明确提出：要促进区域协调发展，积极稳妥推进城镇化，坚持走中国特色城镇化道路，科学制定城镇化发展规划，促进城镇化健康发展。完善城市化布局和形态，按照统筹规划、合理布局、完善功能、以大带小的原则，遵循城市发展客观规律，以大城市为依托，以中小城市为重点，逐步形成辐射作用大的城市群，促进大中小城市和小城镇协调发展。科学规划城市群内各城市功能定位和产业布局，缓解特大城市中心城区压力，强化中小城市产业功能，增强小城镇公共服务和居住功能，推进大中小城市交通、通信、供电、给排水等基础设施一体化建设和网络化发展。

表 5.6　国务院批复实施的城市群发展规划一览表

城市群规划名称	批复单位	批复文件号	批复时间
长江中游城市群发展规划	国务院	国函〔2015〕62 号	2015 年 3 月 26 日
哈长城市群发展规划	国务院	国函〔2016〕43 号	2016 年 2 月 23 日
成渝城市群发展规划	国务院	国函〔2016〕68 号	2016 年 4 月 12 日
长江三角洲城市群发展规划	国务院	国函〔2016〕87 号	2016 年 5 月 22 日
中原城市群发展规划	国务院	国函〔2016〕210 号	2016 年 12 月 28 日
北部湾城市群发展规划	国务院	国函〔2017〕6 号	2017 年 1 月 20 日
关中平原城市群发展规划	国务院	国函〔2018〕6 号	2018 年 1 月 9 日
呼包鄂榆城市群发展规划	国务院	国函〔2018〕16 号	2018 年 2 月 5 日
兰州—西宁城市群发展规划	国务院	国函〔2018〕38 号	2018 年 2 月 22 日

3. 国家"十三五"规划纲要提出重点建设 19 个城市群

2016 年 3 月 17 日发布的《中华人民共和国国民经济和社会发展第十三个五年规划纲要》第 8 篇推进新型城镇化中，明确提出，坚持以人的城镇化为核心、以城市群为主体形态、以城市综合承载能力为支撑、以体制机制创新为保障，加快新型城镇化步伐，提高社会主义新农村建设水平，努力缩小城乡发展差距，推进城乡发展一体化。《纲要》第 8 篇第 33 章第 1 节进一步提出加快城市群建设发展，优化提升东部地区城市群，建设京津冀、长三角、珠三角世界级城市群，提升山东半岛、海峡西岸城市群开放竞争水平；培育中西部地区城市群，发展壮大东北地区、中原地区、长江中游、成渝地区、关中平原城市群，规划引导北部湾、山西中部、呼包鄂榆、黔中、滇中、兰州—西宁、宁夏沿黄、天山北坡城市群发展，形成更多支撑区域发展的增长极；促进以拉萨为中心、以喀什为中心的城市圈发展。

4. 国家"十四五"规划纲要提出继续重点建设 19 个城市群

2021 年 3 月 13 日发布的《中华人民共和国国民经济和社会发展第十四个五年规划纲要》第 8 篇完善新型城镇化战略中明确提出，坚持走中国特色新型城镇化道路，深入推进以人为核心的新型城镇化战略，以城市群、都市圈为依托促进大中小城市和小城镇协调联动、特色化发展，使更多人民群众享有更高品质的城市生活。以促进城市群发展为抓手，全面形成"两横三纵"城镇化战略格局。优化提升京津冀、长三角、珠三角、成渝、长江中游等城市群，发展壮大山东半岛、粤闽浙沿海、中原、关中平原、北部湾等城市群，培育发展哈长、辽中南、山西中部、黔中、滇中、呼包鄂榆、兰州—西宁、宁夏沿黄、天山北坡等城市群。建立健全城市群一体化协调发展机制和成本共担、利益共享机制，统筹推进基础设施协调布局、产业分工协作、公共服务共享、生态共建环境共治。优化城市群内部空间结构，构筑生态和安全屏障，形成多中心、多层级、多节点的网络型城市群[①]。

5. 国家《推动共建丝绸之路经济带和 21 世纪海上丝绸之路的愿景与行动》提出建设八大城市群

2015 年 3 月 28 日，经国务院授权，由国家发展和改革委员会、外交部、商务部联合发布的《推动共建丝绸之路经济带和 21 世纪海上丝绸之路的愿景与行动》的第六部分提出，沿海和港澳台地区利用长三角、珠三角、海峡西岸、环渤海等经济区开放程度高、经济实力强、辐射带动作用大的优势，加快推进中国（上海）自由贸易试验区建设，支持福建建设 21 世纪海上丝绸之路核心区；内陆地区利用内陆纵深广阔、人力资源丰富、产业基础较好优势，依托长江中游城市群、成渝城市群、中原城市群、呼包鄂榆城市群、哈长城市群等重点区域，推动区域互动合作和产业集聚发展，打造重庆西部开发开放重要支撑和成都、郑州、武汉、长沙、南昌、合肥等内陆开放型经济高地。

6. 《国务院关于大力实施促进中部地区崛起战略的若干意见》提出建设六大城市群

2012 年 8 月国务院以国发〔2012〕43 号文件发布的《国务院关于大力实施促进中部地区崛起战略的若干意见》的第三部分明确提出，推动重点地区加快发展，不断拓展经济发展空间，重点推进太原城市群、皖江城市带、鄱阳湖生态经济区、中原经济区、武汉城

---

① 《中华人民共和国国民经济和社会发展第十四个五年规划和 2035 年远景目标纲要》，新华社，2021-03-13。

市圈、环长株潭城市群等重点区域发展，形成带动中部地区崛起的核心地带和全国重要的经济增长极。发挥城市群辐射带动作用。实施中心城市带动战略，支持省会等中心城市完善功能、增强实力，培育壮大辐射带动作用强的城市群，促进城镇化健康发展。科学规划城市群内各城市功能定位和产业布局，推动大中小城市与周边小城镇进一步加强要素流动和功能联系，实现协调发展。

第三节　城市群的形成演化过程

城市群的形成演化过程是按照从城市—都市区—都市圈—城市群—都市连绵带这样一条时空扩展主线进行的，每一次扩展都意味着城市群的一体化过程和同城化过程得到强化，城市群的发育程度日益成熟。

一、城市群空间的拓展过程

在经济全球化、信息化、新型工业化、交通快捷化、政策扶持和文化等驱动因素的综合驱动下，城市群空间范围的拓展理论上沿着从城市—都市区—都市圈—城市群—大都市带（都市连绵带）这样一条时空演进主线，经历了四次拓展放大过程（图5.4）。从城市到都市区，到都市圈，再到城市群，最后到大都市带，体现出城市群梯度演进和多层次性结构（方创琳，2009）。每一次扩展结果使得城市群成为辐射带动能力更强的区域增长中心、国家增长中心和国际增长中心，成为主导国家和世界经济发展格局，以及城镇化发展格局的核心区，成为世界经济重心转移的主要承载地。每一次扩张的基本特征见表5.7。

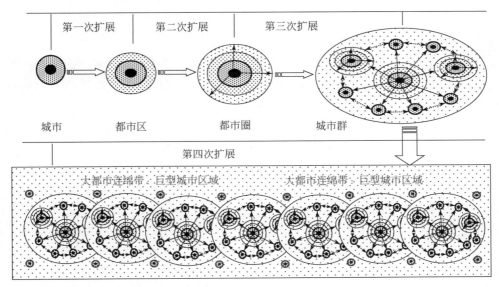

图 5.4　城市群形成发育中空间范围的四次拓展过程示意图

表 5.7　城市群空间范围四次拓展过程的基本特征比较分析表

城市群形成发育的扩展过程	第一次扩展	第二次扩展	第三次扩展	第四次扩展
名称	城市	都市区	都市圈	城市群	大都市连绵带
空间范围	小	逐步扩大	进一步扩大	跨区扩大	跨界扩大
影响范围	市内意义	市级意义	市际意义	大区及国家意义	国际意义
城市个数	1	1	1	3 个以上	多个
人口规模	500 万~1000 万	500 万~1000 万	1000 万~1500 万	大于 2000 万	大于 5000 万
空间组成	1 个城市	1 个城市及毗邻地区	1 个城市及周边地区	3 个以上大城市或 3 个以上都市圈	3 个以上城市群，数十个城市
交通网络	向市内地区延伸，城市之间交通网络不发达	向邻近地区延伸	向周边地区进一步延伸	向市外地区延伸，城市或都市圈之间交通网络较密	向境外地区延伸，都市圈或城市群之间交通网络更密
产业联系	城市之间很弱	城市之间较弱	城市之间开始互补联系	城市或都市圈之间互补性较强	都市圈或城市群之间互补性更强
地域结构	单核心结构	单核心圈层结构	单核心放射状圈层结构	单核心或多核心轴带-圈层网络结构	多核心星云状高度交织的网络结构
梯度扩张模式	点式扩张	点环扩张	点轴扩张	轴带辐射	串珠状网式辐射
发展阶段	城市群形成的雏形阶段	城市群形成的初级阶段	城市群形成的中期阶段	城市群发育的成熟阶段	城市群发育的顶级阶段
中心功能	城市增长中心	城市增长中心	区域增长中心	国家增长中心	国际增长中心
对国家城镇化的贡献	微小	较小	较大	很大，主体区	很大，主体区
世界经济重心功能	很小	很小	很小	主要承载地	主体承载地

（一）第一次拓展：从城市拓展成为都市区

　　都市区是以一个中心城市和若干卫星城组成的一日通勤城市组团，由于城市外迁人口在中心城市上班，在郊区和中心城市之间形成稳定的通勤流，这样就形成了以大城市为核心，大城市与周围地区密切社会经济联系的城市化地区，这就是都市区（高文杰等，2007）。单中心的都市区围绕中心城市向外扩展，形成同心圈层结构。

　　城市群是都市区发展的高级阶段。都市区是以 1 个中心城市为核心逐步向外辐射，与邻近地区发生交通及经济技术联系的城市区域，是都市圈发展的前期阶段，由都市区发展到城市群，需要经过都市圈的发展阶段。都市区在影响范围上只具有市级意义，采取点环扩张模式，形成单核心圈层结构，人口规模较小，一般不超过 500~1000 万人，成为城市增长中心。1910 年美国首先定义了都市区的概念（metropolitan district，MD），规定 MD 内有一个至少 20 万人口的城市，在城市边界以外 10km 范围内的最小行政单元的人口密度为 150~200 人/平方英里。此后对这一概念作了多次的修订补充并在 1990 年以后定名为都市区（metropolitan area，MA）。规定每个都市区应有一个人口 5 万以上的城市化地区作为核心，围绕这一核心的都市区地域是中心县和外围县，中心县是该城市化地区的中心市所在的县，外围县则是与中心县相邻且满足以下条件的县：从事非农业活动的劳动力至少占全县劳动力总量 75% 以上，人口密度大于 50 人/平方英里且每 10 年人口增长 15% 以上，至少 15% 的非农劳动力向中心县以内范围通勤或双向通勤率达到 20% 以上（李廉水等，2007）。

（二）第二次拓展：从都市区拓展成为都市圈

都市圈是在都市区建设的基础上，以一个中心城市为核心进一步向外辐射，与周边地区发生交通及经济技术联系、形成的高度同城化。都市圈涉及的空间范围一般要大于都市区，可分为内外若干圈层，可以是以一个特大城市为核心的单核心都市圈，其内圈与中心城市的联系最密切，相当于大都市区，其外圈可将一些不邻接中心城市、城市化水平不高，但受中心城市辐射影响较大的所有县市均划入都市圈内，相当于都市经济区的范畴（邹军等，2005）。都市圈具有市际意义，人口规模在 1000 万～1500 万人，采用点轴扩张模式，形成单核心放射状圈层结构，成为区域增长中心。

（三）第三次拓展：从都市圈拓展成为城市群

都市圈是都市区发展的高级阶段，是城市群形成发育的前期阶段。都市圈扩展到一定程度以后，相邻都市圈之间通过交通通讯等基础设施网络发生密切的经济技术联系，逐步形成为城市群。因此，从都市圈到城市群，意味着城市群空间范围实现了第三次放大过程，表明城市群发育逐步趋向成熟阶段。

（四）第四次拓展：从城市群拓展成为大都市连绵带

大都市连绵带是城市群发展到高级阶段的产物，是由 3 个以上的城市群通过发达的交通网络和经济技术联系组成的城市群联合体，类似于都市连绵区，是高度城市化区域。法国城市地理学家戈特曼认为，大都市连绵带作为城市化高级阶段的产物，具备四大特点：①区域内有比较密集的城市；②有相当数量的大城市具有与之有社会、经济、文化等密切联系的都市区；③通过便捷的交通走廊，各个都市区在社会经济上有紧密的联系；④具有相当规模，是国家的核心区域具有国际交往枢纽作用，并认为大都市带是城镇化高级阶段的产物，现代人类文明的标志之一，是城市群的高级形式。大都市带是城市群发育的顶级阶段，其空间影响范围具有国家意义，人口规模在 2000 万～3000 万人以上，城市群之间交通网络更密，经济技术联系更强，采用串珠状网式辐射模式，形成多核心星云状高度交织的网络结构，成为国家和国际增长中心。

二、城市群高度一体化过程

城市群发育过程是城市之间由竞争转为竞合的"一体化"过程，高度一体化是城市群建设的最基本特征，也是城市群走向成熟阶段的重要标志。在城市群发展中重点实现六大一体化，即区域性产业发展布局一体化、基础设施建设一体化、区域性市场建设一体化、城乡统筹与城乡建设一体化、环境保护与生态建设一体化、社会发展与基本公共服务一体化（方创琳等，2010，2016，2018）（图 5.5）。

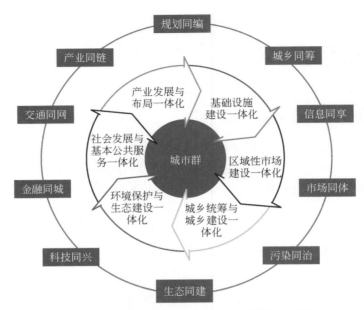

图5.5   城市群六大一体化和十大同城化关系图

（一）城市群产业发展与布局一体化

产业发展是城市群发展的重要基础，没有发达的产业作为支撑，城市群发育就无从谈起。要根据各自的区域比较优势和制约因素，将自身置于更大范围的劳动地域分工中找准产业定位，功能定位和发展阶段定位，进而制定出产业发展目标和发展方向，根据发展目标与方向大力发展特色经济和特色产业，延伸特色产业链，发展特色产业集群，建设特色产业集聚区，构建一体化的现代产业体系，包括城市群现代农业产业体系、现代工业产业体系和现代服务业产业体系，形成优势互补、分工合理、区域协调的一体化产业发展与布局格局。只有这样，才能促进城市群内部资源的优化配置和生产要素的合理流动，才能持续提高城市群的区域创新能力和产业竞争力。城市群产业发展与布局一体化要求按照比较优势进行合理的产业分工和空间布局，打破行政界限在跨区域之间延伸产业链，加快产业集群建设，全力打造有利于发挥资源和低成本优势的先进制造业基地和现代服务业基地，包括区域性农业产业化基地，优质农副产品加工基地、特色工业产业基地、区域性商贸物流基地、区域性生态旅游基地、区域性技术创新基地和区域性资源供应基地等，形成结构合理、分工明确、特色鲜明、运行高效、布局合理的一体化现代产业体系。

（二）城市群基础设施建设一体化

城市群基础设施建设一体化是实现产业一体化、市场一体化和城乡一体化的重要保障。需要协调各城市之间的区域性交通、通信、水利、生态环境保护等重大基础设施的一体化合作共建、合理布局、统筹规划、同步建设、综合利用，实现跨行政区域基础设施的共建共享、互联互通，最大限度地提高基础设施的利用效率和交通可达性。

推进交通等基础设施建设的一体化，需要综合协调基础设施建设与城市群空间结构之间的关系，搭建城市群经济社会发展的交通主骨架，构筑满足城市群整体发展要求的基础设施网络体系，建设快捷畅谈高效对接的基础设施走廊，实现城市群内跨区域基础设施的共建共管和共用共享，推动城市群基础设施先行发展。通过城市群基础设施一体化建设，建立高速化、网络化、高效化、智能化的综合交通运输网络体系，可靠安全、经济性强的电力生产与供应网络体系，数字化、宽带化、综合化的信息基础设施建设网络体系，以及防洪、除涝、抗旱、供水水利基础设施网络体系，全面提高基础设施的共建共享对城市群经济社会持续协调发展的一体化保障程度（方创琳，2017）。

（三）城市群区域性市场建设一体化

推行城市群市场建设的一体化，按照"市场主导、企业主体、政府协调、资源共享、市场共通、利益共享、整体规划，重点突破，逐步推进"的原则，消除条块分割的市场壁垒，按照产业及消费的区域性需求，构建多层级的区域市场网络，形成内外商品和生产要素无障碍自由流动的一体化市场机制，共同支持培育区域性批发市场、专业市场和生产要素市场，联合区内大型商贸企业，组建跨地区的集总经销、总代理和展示、批发、零售为一体的综合商贸集团，推进商贸流通的一体化，加快建设现代化的物流体系。在区域性市场建设内容上，重点突出城市群商品市场一体化建设、金融市场一体化建设、人才和劳动力市场一体化建设、技术市场一体化建设和市场管理一体化建设。

（四）城市群城乡统筹与城乡建设一体化

城乡统筹一体化是城市群建设的核心内容之一。随着经济全球化和区域经济一体化进程的不断加快、经济组织方式发生转变，要求一种新的区域发展模式与空间组合形式来提高城市群的核心竞争力。推行城乡统筹建设一体化的目的就在于建立一种新的发展平台与协调机制，淡化行政区划意识，强化城乡间经济技术联系，形成经济与市场高度一体化的发展态势，促进生产要素在城乡之间的合理流动，提高经济社会运行效率，协调城乡之间的发展关系，合理推进跨区域基础设施共建共享，搭建科学合理的城镇发展构架和城乡一体化建设框架。提出城乡统筹发展的总体思路与模式，提出城乡统筹发展的空间结构、圈层结构、等级规模结构、职能结构和城乡统筹的路径。通过城乡一体化建设，逐步缩小城乡发展差距，弱化二元经济结构，既提高了城市群核心竞争能力，又建设好了社会主义新农村。

（五）城市群环境保护与生态建设一体化

根据区域经济与环境协调发展的基本规律，经济总量每翻一番会对生态环境造成 2.5～3.5 倍的压力，翻两番会导致区域生态环境压力至少比现状生态环境质量增加 5～7 倍。在现有生态环境压力和环境质量前提下，要获得翻两番的经济总量，就需要单位资源消耗的经济产出翻 7～10 倍，这就会更进一步加剧城市群资源与生态环境的压力。协调好区域经济发展与保护生态环境的关系，确保经济持续稳定发展，生态环境质量逐步改善，是城市群健康发展的重要保障。为此需要构建城市群发展的绿色生态产业体系，大力发展生态工业、生态农业、生态旅游业和生态服务业等绿色生态产业，推进城市群产业发展的生态化和经济社会活动的生态化与绿色化。建成稳定可靠的城市群生态安全保障体系，以循环经济为特色的社会经济结构体系，以人与自然和谐共处的现代生态文明体系；将城市群建成为资源节约型、环境友好型和绿色生态型城市群。城市群生态建设与环境保护一体化的内容包括生态功能区的一体化建设、生态示范区的一体化建设、生态敏感区的一体化建设和环境污染综合整治一体化建设等，其中生态示范区既包括生态城区、生态产业园区、生态市、生态镇、生态社区和生态家园、生态住宅建设等，也包括生态工业示范区、生态农业示范区、生态旅游示范区、循环经济示范区和环保产业示范区建设等。

（六）城市群社会发展与基本公共服务一体化

城市群社会发展及基本公共服务一体化建设是推进城市群建设的重要方面。城市群社会发展及基本公共服务建设，要以科学发展观为指导，必须与经济发展同步规划、同步实施，努力做到适度超前。城市群社会发展与基本公共服务一体化的重点内容包括：建立高度一体化的基础教育体系和科技创新体系，建设城市群突发公共事件应急系统，建立城市群公共卫生联防联控体系，推进城市群内社会发展和基本公共服务均等化，构建城乡统一的基本公共服务体系、社会保障体系、劳动就业保障体系、医疗卫生保障体系、社会救助保障体系、居民健康保障体系和公共安全保障体系。

三、城市群基本同城化过程

为了解决城市群内部各城市面临的通过自身努力无法解决的城市病，在城市群空间范围内，将突破行政区划体制束缚，通过市场机制和政府引导逐步实现"十同"，即实现规划同编、产业同链、城乡同筹、交通同网、信息同享、金融同城、市场同体、科技同兴、污染同治、生态同建，将城市群建成经济共同体、利益共同体、环保共同体和责任共同体（方创琳，2016，2017）（图5.5）。

（一）规划同编

包括城市群规划编制的共同体和规划实施的共同体。一部高水平的城市群科学规划是城市群形成发育的最大财富，也是城市群内部各城市从过去的无序竞争关系转为未来的有序竞合关系的关键。在编制城市群规划过程中必须照顾到各城市的利益，各个城市在城市群这个平台上是优势互补、利益共享、问题共解、责任共担的共同体。这就要求城市群内各城市在上一级规划协调组织机构的指导下，从推动城市群整体发展和长远发展的战略高度出发，发挥比较优势，做好错位分工，相互扬长避短，统一思想认识，共同编制好多方都能接受的高水平城市群发展总体规划和专项规划，以规划作为城市群建设的总体指导性文件和统一行动纲领，并为更大范围内的城市群"多规合一"奠定基础。

（二）产业同链

城市群经济发展超越按行政区划独自规划、发展产业的旧格局，坚持"统一规划，统一政策，统一分工，统一链条，统一布局，统一建设，统一占领市场"的原则，突出特色，深化分工，优化结构，延伸产业链条，加快产业集群建设，在城市群内部形成有链有群型的产业体系，集中建设一批产业集聚区，形成合理分工，优势互补的区域发展新格局，把城市群建成各城市风险共担、利益共沾的"经济共同体"，"利益共同体"和"命运共同体"，成为全球和国家先进制造业和现代服务业基地，为城市群作为全球经济重心重要承载地奠定基础。

（三）城乡同筹

城市群地区是一个由城市地区和农村地区共同组成的城乡统筹与互动发展区域，既包括城市的建设与发展，也包括广大乡村的建设与繁荣。真正意义上的城市群是以若干个城市为中心，以广大乡村地区为基质的城乡一体化区域，城市群地区城市与乡村发展的成败决定着城市群建设的成败，任何一方的落后都直接影响着城市群的正常发育和健康发展。这是因为，对于一个特定区域而言，城市与乡村是一对相互依存、相互作用的有机体，"城市病"和"乡村病"是共生而来的，城市群形成发育与过程就是化解"城市病"和"乡村病"，推动城乡健康发展的过程，就是实现城乡一体化的过程。

（四）交通同网

即在城市群内部建设客运快速化、货运物流化的智能型综合交通运输体系，实现城市之间交通同环、收费同价、道路同网、标准同等、等高对接，形成由城区快速轨道交通系统、城际高速铁路系统和环状或放射状高速公路网系统组成的综合交通运输系统，实现城市群交通运输的高效、快速、便捷，进而为实现半小时经济圈、1小时经济圈和2小时经济圈提供重要的支撑保障。

（五）信息同享

主要体现在，一是建设面向经济区和城市群的大容量高速传输网，实现通信同局、同城、同价；二是把城市群内部的本地电话网统一为大区域网，实现同城计算机网络互联、互通、互享，建成覆盖面广、功能强大、用户种类多样的信息化体系；三是移动通信系统实现城市群内部同城计费。

（六）金融同城

金融共同体就是要在城市群内部建设以人民银行为网络处理中心和安全认证中心，其他商业银行为网络处理中心的安全、高效、统一的金融网络系统，实现中央银行与各商业银行及其他金融机构的网络互连，建立统一的通信出入口和网络防火墙体系。实施金融卡工程，全面实现城市群"金融同城"，通存通兑。建成区域一体化的金融电子网络和一体化的存、取款体系，实现居民储蓄存款在城市群内部的通存通兑，形成一体化的电子纳税系统，银行信贷系统，票据同城交换系统。

（七）市场同体

要求城市群内各城市之间打破行政界线，消除市场壁垒，建设城市群统一开放、功能齐全、竞争有序、繁荣活跃的区域性市场体系，建立城市群统一市场准入和市场退出机制，在协同发展的基础上，统一市场准入的条件和标准，消除条块分割的市场壁垒，确保公平的市场竞争环境和格局，最终推行区域生产资料市场、生产要素市场、人力资源市场等各种市场建设的一体化。

（八）科技同兴

充分发挥城市群各城市科技教育资源创新优势，整合城市群内部科技创新资源，构建面向城市群的区域创新体系，建设创新型城市和创新型区域，建立不同等级的创新网络和创新高地，推动城市群实现整体创新，形成研发共同体、教育共同体、科技服务共同体、自主创新共同体和科技成果转化共同体，建设创新型城市群。

（九）污染同治

城市群内部各城市之间面临着大气污染、水污染和固体废弃物污染等跨行政区划的区域性环境污染问题，这些污染问题单靠一个城市无法独立完成，而是需要通过多个城市的通力共同合作，联防联控联治，建立起环境污染综合治理一体化联盟和环境保护一体化联盟，才能做好跨流域的污水综合治理、跨区域的大气污染综合防治和区域性固体废弃物综合防治，这就需要针对区域性环境污染问题，提出大型污水处理设施、大型垃圾填埋设施合理布局共建共用的实施方案，实现对城市群内大气环境和水环境的联防联控联治和同防同治，把城市群建设成为环境友好型城市群。

（十）生态同建

城市群是一个尺度较大的城市集合体，期间涉及跨行政区域的高原、山地、丘陵、平原、盆地、流域地区等自然地理单元，这些自然地理单元是一个相对独立完整的自然生态系统，但这些自然生态系统又归属不同的行政区划单元，一旦生态系统受到破坏，其恢复重建过程就不是单个城市能够独立完成的，而是要按照生态功能区划要求，以城市群为空间尺度，推进区域性的生态建设一体化，实现生态同构同建，共饮一河清水，共享一片蓝天，共建共享生态系统，把城市群建成绿色生态的美丽城市群。

第四节　城市群形成发育机制与规律

一、城市群形成发育的驱动机制

城市群形成发育的驱动因素包括传统驱动因素和新型驱动因素两大方面，其中传统驱动因素主要包括自然资源、产业发展基础、技术进步、投资、区位优势、自然条件等，新型驱动因素包括经济全球化因素、新型工业化因素、交通快捷化因素、政策因素、市场因素、技术创新因素、文化因素、金融因素八大方面。新型驱动因素对城市群的形成发育起着决定性作用。

（一）全球化驱动

经济全球化是一种由于全球生产、市场和金融体系的形成，经济要素可以跨越国界、在全球自由布局和联系的过程。从城市群概念角度看，经济全球化对其发育的推动主要体现在资本流动、对外贸易、产业转移和技术转移四个方面。

1. 全球性资本流动与对外贸易形成的全球供应链驱动城市群的发展

在全球化背景下，以配置世界资源为对象的跨国资本流动使得大量外资投资到城市，各个实际利用外资不断增加，成为衡量经济全球化带给国家资本利益的重要指标，外资的大量涌入和国内企业的成长，工业用地大面积扩张，廉价优质劳动力大量涌入城市，加上开放政策的影响，由此形成了规模巨大的产业集聚和城市群。外资的大量流入和廉价的开放空间吸引了大量外国企业投资办厂，给全球供应链提供了开放空间，给人们释放出了巨大活力，进而推动了城市群的形成发育和发展，城市群的快速发展又为新的世界工厂提供了更为优越的发展空间和环境，进一步实现了经济的长期高速增长。可见，在经济全球化大背景下外商投资为我国不少城市群，尤其是沿海地区的珠江三角洲城市群等带来了极大发展机会。实践证明，在经济全球化背景下越是实际利用外资越多的城市群，对外开放程度越高的城市群，其发育程度也越高（王婧和方创琳，2011）。

2. 全球性产业转移与技术转移形成的全球产业链驱动城市群的发展

全球产业转移与技术转移是由经济全球化带来的世界经济发展现象，20世纪80年代以来通过不断深入的对外开放，城市群地区积极参与经济全球化进程，对来自全球的资本和产业转移趋势做出反应，接纳了众多以外商直接投资为主体的全球产业转移与技术转移，逐渐形成以各城市群为单元的全球生产网络中的节点。这些网络节点通过发达的交通通道联系在一起形成了城市群。在经济全球化过程中，受其影响最大的是对外开放性强的门户城市，通过门户城市不断扩张与腹地城市、周边城市紧密联系共同构成主导国家经济发展的城市群。城市的国际化程度给城市群发展注入了新的外部动力，以跨国公司FDI为特色，发达国家的制造业转移到发展中国家，这种转移明显影响着城市群发展走向。

可见，在全球经济一体化背景下，只有高度一体化的城市群才具备与全球劳动地域分工所需的完备基础设施、足够的产业集聚和强大的经济规模，才能参与全球竞争。在全球化时代，越是承接国际技术转移和产业转移越多的城市群，其发育程度越高，竞争能力也越强。

（二）工业化驱动

工业化是指18世纪60年代英国工业革命以来所发生的用机器大工业的成就对国民经济进行根本技术改造的历史过程，工业化阶段是一个国家从农业经济向工业经济过渡的重要转型期，是推动城市发展的重要动力。新型工业化是城市群发育的内在驱动力，在传统工业化推动城市化进程的基础上为城市群的发育带来新活力（王婧和方创琳，2011）。

新型工业化作用于城市群的产业、企业、市场和环境四个方面。新型工业化倡导以信息化和高科技带动工业化发展，不断提升新型制造业与高新技术产业在工业增加值中的比重。新型制造业和高新技术产业是以专业化、知识与技术创新为主导的新型产业，是新型工业化进程中主导产业选择与布局的新趋势。由于信息技术的不断提高与科技力量的增强，企业快速发展壮大，产品产量的增加推动市场发展，综合产业、企业、市场三方面城市竞争力增强，致使作为城市群中的节点城市功能结构稳定、城市间产业及技术联系密切，最终推动城市群的形成发育。由图 5.6 看出，引起城市群节点间相互作用的根源是工业产业的空间联系。在城市群形成发育初期，每个节点（X、Y）均具有一定的工业基础，各工业行业在发展中与外界产业形成了具有一定内部技术关联的势能差，势能差推动了工业在节点之间发生空间联系；另外，工业的外部发展环境随着投资体制、技术水平、政策体制以及生态环境的变化也不断发生变化，不同的工业行业对外部环境变化适应性存在较大差异。因此，适应环境变化的工业得到了较快发展，使节点内部工业集群规模和结构也发生了较大的变化，最终形成了各节点城市之间的工业产业空间势能差，进一步推动节点城市之间工业产业联系强度增大。两者融合在一起，最终形成了高效的城市群节点及其节点系统内的工业结构形态（图 5.6）。

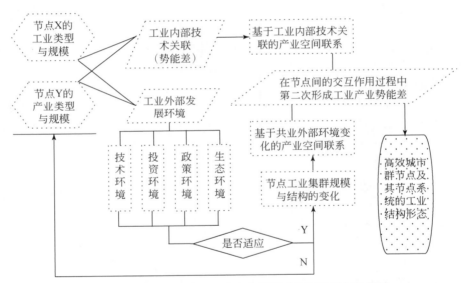

图 5.6　城市群形成中工业产业空间联系的驱动机制示意图

在新型工业化因素驱动下，城市群提出了建设国际级、国家级或区域级先进制造业基地和现代服务业基地的战略目标，在产业发展中，更加注重产业结构的升级改造，战略性新兴产业的培育，高新技术产业的引进，也注重构建现代产业体系，优化产业结构，推动产业结构转型升级，并向高级化和国际化方向发展。

（三）交通快捷化驱动

城市群是交通一体化的互联互通区域，是被高速交通轴缩短了时空距离的城市空间。交通作为城市群内部物质与信息交流的基础设施，是城市扩展与城市间相互联系的重要通道，交通快捷化大大加快了城市扩展与城市间的联系，成为城市群发育的先行驱动力。

交通基础设施的升级推动交通快速化。中国铁路的六次大提速和高速公路、高速铁路的建设大大缩短了城市与城市之间的距离,高速铁路网和高速公路网的加密驱动形成高密度集聚的城市群。

中国铁路的六次大提速,驱动高速度的旅客列车穿梭于城市群。自 1997~2007 年的十年间,我国铁路先后经历了六次大提速,列车运行速度从 54.9km/h,提升为 140km/h,再提升为 200km/h,进一步提升为 250km/h(表 5.8),目标达到全国范围内"朝出夕至"、"夕发朝至"的快捷出行模式。

表 5.8　中国铁路六次大提速相关指标统计表

六次大提速	时间	提速线路与速度		全国铁路平均旅行速度/(km/h)
		线路	速度	
第一次大提速	1997 年 4 月 1 日	京广、京沪、京哈线	最高达 140km/h 平均旅行速度 90km/h	54.9
第二次大提速	1998 年 10 月 1 日	京广、京沪、京哈线	最高达 160km/h	55.2
		广深线	最高达到 200km/h	
第三次大提速	2000 年 10 月 21 日	陇海、兰新、京九、浙赣线	—	60.3
第四次大提速	2001 年 11 月 21 日	重点为武昌至成都、京广线南段、京九线、浙赣线、沪杭线和哈大线	—	61.9
第五次大提速	2004 年 4 月 8 日	京沪、沪杭、京广、京哈、京九、陇海线	向 200km/h 迈进	65.7
第六次大提速	2007 年 4 月 18 日	京哈、京广、京沪、胶济线	达 250km/h	70.2
		陇海、武九、浙赣、广深线等	达 200km/h	
		京九、武九、陇海、浙赣、兰新、广深、宣杭线等	达 160km/h	

1. 城市群是铁路网和高速铁路网互联互通的枢纽和核心节点

2020 年底,我国铁路营业里程达到 14.63 万 km,其中高铁 3.8 万 km(占 26%),占世界高铁总量的 65.4%。我国《中长期铁路网规划(2008 年调整)》规划到 2025 年,全国铁路网规模达到 17.5 万 km 左右。高速铁路网基本连接省会城市和其他 50 万人口以上大中城市,实现相邻大中城市间 1~4 小时交通圈,城市群内 0.5~2 小时交通圈。2020 年中国铁路货运量达到 44.58 亿 t,其中城市群占全国铁路货运量的 76.32%,全国铁路客运量达到 22.03 亿人,其中城市群占全国铁路客运量的 74.66%。城市群处在国家规划建设的"八纵八横"高速铁路网的交汇点上,发挥着区域性高铁枢纽的重要作用。"八纵"包括沿海通道、京沪通道、京港(台)通道、京哈—京港澳通道、呼南通道、京昆通道、包(银)海通道、兰(西)广通道;"八横"包括绥满通道、京兰通道、青银通道、陆桥通道、沿江通道、沪昆通道、厦渝通道、广昆通道。

2. 城市群又是公路网和高速公路网互联互通的枢纽和核心节点

2020 年全国公路总里程达到 519.81 万 km,其中高速公路 16.1 万 km,居世界第 1 位。全国公路旅客周转量为 4641.01 亿人公里;公路货物周转量为 6.02 万亿吨公里,"五纵五横"的综合运输大通道格局基本建成，"五纵"包括南北沿海运输大通道、京沪运输大通道、满洲里至港澳台运输大通道、包头至广州运输大通道、临河至防城港运输大通道；"五横"包括西北北部出海运输大通道、青岛至拉萨运输大通道、陆桥运输大通道、沿江运输大通道、上海至瑞丽运输大通道。城市群处在"五纵五横"综合运输大通道的交汇点上，发挥着综合运输枢纽的重要作用。2020 年中国城市群公路货运量达到278.67 亿 t，占全国公路货运量的 81.33%，公路客运量达到 61.78 亿人，占全国公路客运量的 89.61%。

（四）政策驱动

政策效应是推动城市群要素结构调整的无形手段。从生产力发展的角度看，刺激城市群形成与发育的政策同样可以归纳为劳动力、资本、土地三大要素统筹范围内的基本管理办法。政策实施过程就是政策与经济、社会发展是否相互适应的一个博弈过程，存在"刺激"与"约束"双层含义。另外，各要素在城市群内各节点之间的流动与自组织式增长的结果通常体现在规模与结构（包括空间结构，同时结构也体现质量的内涵）两个方面。通过分析，生产力三要素内涵的关键政策内容完全能解释城市群形成与发育的主要过程（表 5.9）。

表 5.9　政策体系对城市群形成与发育的作用过程与途径

政策类型	政策指向	政策性质	政策的作用过程与效果
劳动力指向的政策体系	区域流动政策	刺激	通过消除限制人口流动的制度障碍，确保城市劳动力的充足；通过消除人口城乡劳动力转移的体制障碍，促进城乡劳动力规模与结构的调整，实现劳动力要素的城乡流动，提高"基质"总体的人口素质
		约束	通过制定进城人口的限制标准，防止城市劳动力过剩（包括规模性和结构性过剩）引发的"大城市"问题
	结构调整政策	刺激	通过实施针对不同类型人才的保障措施、引进方案，以及塑造不同的就业与居住等环境，促使城市劳动力结构适应并能有利促进城市经济结构变动与升级，确保城市职能分工的合理性
		约束	通过提高中心城市入驻的限制标准，降低边缘城市或非核心城市标准，以防止人才与人力资源的流失
资本指向的政策体系	区域流动政策	刺激	开放金融市场，促进资本按市场需求实现在区域间的自由流动；实施符合国家经济发展战略的金融政策，通过国有资本的引导加强国家在财政上的区域配置
		约束	通过国有资本的分配，或其他能够促进地方招商引资的国家政策，引导资本在区域上的配置，加速边缘城市经济基础和社会保障体系的建设
	结构调整政策	刺激	开放金融市场，促进资本按市场在社会、经济范围内的不同领域以及不同城市之间的合理流转，促进经济增强潜力较大的区域快速发展起来，并进一步通过产业结构调整来确定城市职能
		约束	通过国有资本的调拨，加强对非核心城市或边缘城市的财政支持，主要是主导行业或特殊行业的支持

续表

政策类型	政策指向	政策性质	政策的作用过程与效果
土地指向的政策体系	城乡置换政策	刺激	逐步放开一级土地开发市场，在规范房地产市场的基础上加速城乡土地的合理流动，确保城市土地经营符合产业经济发展的总体用地需求
		约束	通过规范土地开发市场与房地产市场，提高城乡结合部土地利用的效率，防止建设用地的无序蔓延、低效利用以及生态环境的破坏，确保城市群内节点的有序扩张
	结构调整政策	刺激	通过严格的城市土地利用规划，加强土地对城市经济结构升级调整的约束与刺激，进而提高包含生态内涵的城市竞争力，进而增强城市群的总体竞争力； 通过严格的区域土地利用总体规划，做好土地利用调整的保障工作，实现土地利用类型的转化，提高城市群土地利用结构的总体效率
		约束	通过环境、市场管理、行业准入标准等一系列限制性政策的出台，约束某些用地类型规模的无序增长，防止城市群土地利用结构效益下滑

（五）市场驱动

市场体制对城市群形成与发育的作用主要表现在其对政府（government）、企业（cooperation）和个体（agent）三个实施体与受制体的影响上，并分别通过政府职能的改善、生产要素市场（商品市场、人才市场、建筑与房地产市场、证券市场以及产权市场等）的放开、竞争机制的引入与强化，以及人与市场的双向选择等发挥其市场对资源的优化配置作用。作用结果表现在区际联系障碍的弱化、城市产业竞争力与软环境（包括城市文化与个体的进取精神）的提高与优化、劳动地域分工程度的加强等方面，最终形成强有力的城市竞争力与密切的区域联系（图 5.7）。市场机制是驱动城市群形成发育的看不见的力量。越是市场化程度越高的城市群其发育程度越高，发展活力和发展潜力越大，要充分发挥市场对配置城市群资源的主体性作用，建设高度市场化的城市群（王婧和方创琳，2011）。

（六）技术创新驱动

技术创新是城市群形成发育的灵魂，越是技术创新能力强的城市群其发育程度越高，在国际上的竞争力就越强。技术创新体制对城市群形成发育的影响体现在其对执行主体、决策主体、投资主体和管理主体的作用形式上，这四大主体在不同时段、不同区域共同发挥作用时，就会直接影响区域（城市）技术创新结构、技术创新能力和技术投资方向等（图 5.8）。

这些作用形式又引发了区域和城市产业结构的调整、区域联系成本的下降以及区域创新能力（主要体现在城市科技综合实力与竞争力方面）的空间差异。在产业结构调整过程中，原有节点的经济基础、技术要素禀赋以及城市环境的差异，出现了由技术主导的城市职能分工。这样，在技术创新过程中出现了两种作用结果：一是单节点功能的强化；二是节点间产业联系的需求不断扩大，并逐渐表现为城市群内节点等级的提高、规模等级的空间分化，以及节点间联系强度的增大，使技术创新区域具备了城市群范围内的各种外部特征。

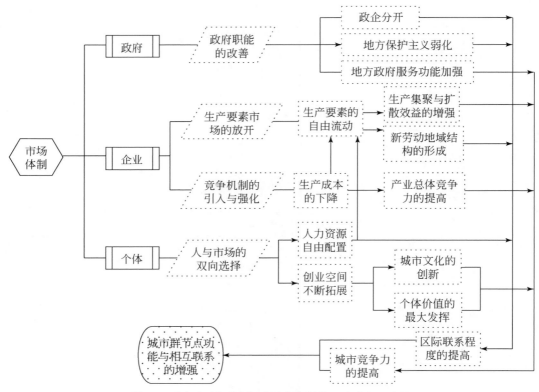

图 5.7　市场机制对城市群形成发育的驱动过程示意图

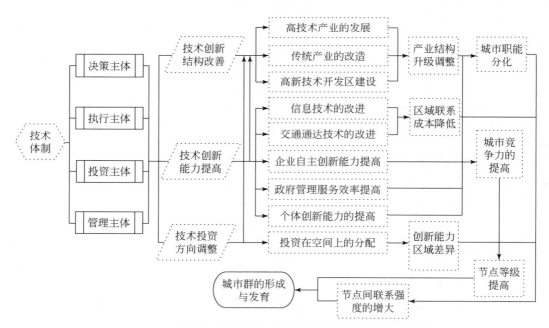

图 5.8　技术机制对城市群形成发育的驱动路径示意图

　　技术创新因素是激发城市群发展活动的不竭动力，也是城市群建成先进制造业和现代服务业基地、由制造转为创造和智造的关键驱动力，需要加强城市群的自主创新能力，建设创新型城市群。

（七）文化驱动

　　文化是城市群高质量发展之魂和重要驱动力，文化资源是城市群高质量发展的重要资源。文化首先是城市之魂，汉语中的"文化"即文明教化之意，当今文化已超越了传统的作为政治附属物的观念，而被普遍认同为培育城市核心竞争力和提升软实力、提升城市知名度和美誉度的核心价值要素之一。没有文化的城市是不可持续的城市，城市因文化而名，因文化而持久，因文化而成为旅游目的地。一个城市文化底蕴越浓厚，文化剖面越深，城市魅力就越大，品牌效应就越强。

　　同理，文化也是城市群一体化的主要驱动力。每个城市群从形成发育到成熟阶段，文化的力量不可低估，某种程度上起到了催化剂、黏合剂和凝聚抱团发展的主要力量。先有文化共同体，才有经济共同体和命运共同体。文化的传播与扩散，促进了城市群的形成发育与扩展。整合中华民族文化资源优势，打文化牌、举文化旗，建设文化型城市群，是新发展格局下中国城市群高质量发展的一个重要方向。以文化传承为灵魂，提升城市群高质量发展的文化品质，建设文化型城市群。例如，以河湟文化为魂建设兰西城市群，以秦唐文化为魂建设关中平原城市群；以西夏文化为魂建设宁夏沿黄城市群；以中原文化为魂建设中原城市群；以齐鲁文化为魂建设山东半岛城市群等。

　　建设文化型城市群，需要探索文化资源的自我"生长"机制，除了保护文化遗产外，还应考虑怎样创新，利用现代文化生产方式和先进传播技术，成倍放大文化遗产自身的文化艺术价值，并使之衍生出巨大的经济效益和社会价值。通过创新使之进入现代文化产业链之中，变单一保护为综合传承，以现代技术提升城市群文化资本。

　　结合城市群形成发育的一体化特点，整合资源建立城市群文化联盟，推进城市群文化传承一体化。可立足城市群多元文化格局，创建城市群文化创新联盟。对境内传统文化、少数民族、异域文化、现代工业文化以及自然生态文化进行整合，合理布局，在错位中整合文化资源，有效避免同质化和重复建设，变分散传承为一体化传承。将文化传承一体化作为城市群一体化发展的重要方向之一。

　　文化资源是一种无价资源，追求城市群文化资源价值的最大化，广销物质文化资源，提升城市品质，过滤社会文化资源，定位城市风格；涵养审美文化资源，塑造城市品位。构建城市群的文化产业链与创意价值链，把文化产业作为城市群高质量发展的重要增长极，建设好国家历史文化名城、名镇、名村、名街，变城市群的文化价值为经济价值和艺术价值。实施文化强群战略，形成文化传承-发展-保护良性循环链。在传承中发展，在发展中保护，在保护中继续传承，形成文化传承的良性循环。

　　地域文化认同感是城市群形成发育的标准之一，"地域文化认同"是人们在特定的区域内长期共同生活所形成的对特定事物或行为的认知和理解，从而使得该区域内的居民拥有相同或相似的价值观和行为规范。在一定范围内成为人们进行价值判断的衡量尺度。如具有相同文化的城市组成城市群，那么在这些城市群发生要素流动、商品交易以及其他社会交往中的交易成本或摩擦成本就会减少，有利于维系城市群的发展和正常运行作。可见文化驱动因素用地域文化的力量推动城市群的凝聚和提升竞争力。文化力量的提升是城市群建设与竞争的软实力，也是城市群发育之魂，没有文化底蕴的城市群是不可持续的城市群。

（八）金融驱动

城市群是全球及国家金融中心的栖息地。中国城市群是国家中心城市及区域中心城市的集中地，更是全球金融中心和国家金融中心的集中地。金融是中国城市群形成发育的血液，金融中心则是输送血液的心脏，金融要素作为城市群形成发育的关键驱动要素和物质流，在某种程度上决定着中国城市群的空间配置格局，越是金融体系健全和金融市场高度发育的城市群，越是发育城市群越高的城市群。

中国城市群是国际金融中心的集聚地，集中了全国 100%的全球金融中心，具有明显的外资吸入效应。2020 年 4 月 2 日由英国 Z/Yen 集团与中国（深圳）综合开发研究院共同编制的全球金融中心指数（GFCI 27）报告显示，全球前十大金融中心分别为纽约、伦敦、香港、新加坡、上海、东京、北京、迪拜、深圳和悉尼，其中中国有 4 座城市并全部集中在城市群内；进入全球金融中心的上海、北京、深圳、广州、成都、杭州、青岛、天津、南京、大连 10 座中国内地城市[①]，全部集中在城市群内。上海国际金融中心作为全国性证券交易市场所在地，金融市场体系健全，全国性金融市场中心的地位突出，金融市场规模具有绝对领先优势；北京是全国性大型金融机构总部集聚中心，拥有 17 家法人商业银行和 63 家法人保险机构（2018 年）。深圳拥有 18 家法人证券公司和 18 家法人保险机构。

中国城市群是国家金融中心的集聚地，集中了全国 100%的国家金融中心，具有强大的内资吸附效应。据第一财经网报道[②]，2020 年度按中国金融中心指数综合竞争力排名的 31 个城市依次为上海、北京、深圳、广州、杭州、成都、天津、重庆、南京、武汉、郑州、西安、苏州、大连、长沙、济南、青岛、厦门、福州、宁波、合肥、沈阳、无锡、南宁、昆明、南昌、哈尔滨、石家庄、乌鲁木齐、长春和温州。这些城市 2019 年金融业增加值占全国金融业增加值的比重达 57.7%，集聚的法人商业银行总资产占全国的 79.6%，法人保险公司总资产规模占全国的 87.2%，法人公募基金管理资产占全国的 91.2%，法人证券公司总资产占全国的 95.8%。本外币存、贷款余额分别占全国 51.5%、52.3%，单位金融从业人员占全国的 48.6%。这 31 个城市全部集中在不同类型和不同发育程度的城市群内。中国城市群是全国金融产品的汇聚地，集中了全国约 85%的存款余额，具有强劲的聚财敛财效应。

中国城市群的发展要依托全球金融中心和国家金融中心，建设好金融创新型世界级城市群。重点依托国家中心城市建设好国际金融中心和国家金融中心，把中心城市和城市群作为承载金融要素的主要空间承载形式，建设一批金融科技城，形成科技金融创新型城市群，形成城市群空间组织网络与金融组织网络"双网同织"的互补发展格局。通过金融科技创新，将城市群建成为引领国际金融资本流动的主要动力源。选择重点城市群，织密城市

① 2020 年中国内地 10 大金融中心城市：引领经济大发展. www.sohu.com/a/385169041-120271428.
② 黄琼. 2020 年中国金融中心指数排名：沪京深锁定前三. 第一财经网. 2020 年 12 月 4 日。

群内部金融网络体系，形成以中心城市为核心，其他城市为节点的城市群内部金融网络体系，把金融网点配置和金融要素流动同城市群节点配置和生产要素流动有机结合起来，实现同网同配。优先选择金融体系健全与金融市场发育好的城市群试点建成城市群金融同城示范区。引导中国城市群金融要素的合理流动，提高城市群金融资源空间配置效率，确保城市群成为金融要素的主要承载形式和金融资源保值增值的重点区。

二、城市群形成发育的基本规律

城市群形成发育的基本规律包括阶段性规律、多尺度空间集约利用传导规律、有机成长的晶体组合规律、可持续发展的梯度爬升规律等。

（一）城市群形成发育的阶段性规律

城市群空间拓展过程就是城市群的节点、基质和网络三个构成要素演进的过程，一般从区域城镇体系的原始状态开始，一直到节点之间形成运行效率相对较高的网络体系，包括虚拟网络体系；城市群扩建拓展阶段一般划分为3～4个，且通常第一阶段都归纳为单节点主导阶段，第二阶段是单节点膨胀性增长阶段，第三阶段是城市群拓展的初级阶段，而第四阶段则为城市群拓展的高级阶段。比尔·斯科特将城市群空间拓展阶段划分为单中心（中心城市为主导的阶段）、多中心（中心城市和郊区相互竞争阶段）和网络化阶段（复杂的相互依赖和相互竞和关系）三大阶段（刘友金等，2009）。弗里德曼从经济发展阶段角度将城市群空间拓展阶段划分为工业化前期（节点规模小且相对分散而独立）、工业化初期阶段（经济区位好的节点开始快速增长）、工业化成熟期（节点之间联系强度增大且方向明确）、

工业化后期阶段（节点处于稳定平衡的增长过程）共四大阶段（Friedman，1985，1986，1995）。姚士谋将城市群空间扩展过程划分为农业经济时代、前工业化时代、工业化时代和城市化阶段四大阶段（姚士谋等，2006，2016）。管卫华将城市群空间拓展阶段划分为城市区域阶段、城市群阶段、城市群组阶段和大都市带阶段；张京祥将城市群空间拓展阶段划分为多中心孤立膨胀阶段、城市空间定向蔓延阶段、城市间向心与离心扩展阶段、城市连绵区内的复合式扩展阶段共四大阶段（张京祥，2000）。

综合国内外学者的观点，都认为城市群形成拓展过程具有阶段性规律，在此基础上，作者将城市群空间拓展阶段划分为7大阶段（方创琳等，2010）（图5.9，表5.10），分别为：①单节点分散独立均

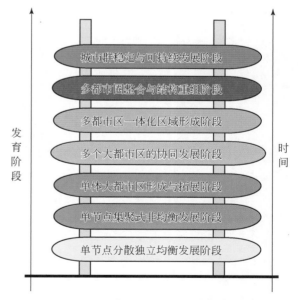

图 5.9 城市群形成发育的七阶段演进图

衡发展阶段；②单节点集聚式非均衡发展阶段；③单体大都市区形成与拓展阶段；④多个大都市区的协同发展阶段；⑤多都市区一体化区域形成阶段；⑥多都市圈整合与结构重组阶段；⑦城市群稳定与可持续发展阶段。

表 5.10　城市群形成发育的阶段性特征表

序号	阶段名称	空间拓展的主要特征
1	单节点分散独立均衡发展阶段	城市相对比较独立，节点职能分工不明确
2	单节点集聚式非均衡发展阶段	外部要素介入，刺激具有一定资源禀赋的节点快速增长，节点功能开始分化
3	单体大都市区形成与拓展阶段	单节点基于分工协作强度的增强，与周边小城市建立了稳定的经济与社会发展关系，开始形成局部城镇网络与产业体系
4	多个大都市区的协同发展阶段	一方面，所谓的"大城市问题"开始出现，基于单节点问题解决的空间结构与职能调整需要不断加强，并开始在都市区范围内进行大规模调整；另一方面，城市之间开始基于主要节点的结构整合，从区域整体经济效益、社会效益以及生态效益的角度出发进行宏观的规划调整
5	多都市区一体化区域形成阶段	单节点在不断增长过程中逐渐与周边卫星城形成了相对稳定的城镇与产业联系方向与内容，并在不同的联系层面在都市区的核心城市之间形成了一种相对稳定的空间相互作用关系与产业联系；相对交通网络体系的瓶颈制约作用已经基本消除
6	多都市圈整合与结构重组阶段	是都市区一体化的继续发育阶段，原因是都市区在经济实力逐渐增强、资源禀赋条件不断提高的过程中，遇到都市区拓展空间有限、共享资源枯竭、城市职能趋同并难以发现新的区域经济增长点。另外，还可能遇到生态环境等瓶颈性因素。通常需要通过城市群内各节点之间创新能力的协调，通过发挥城市社会与环境要素的作用来引导基于工业化阶段的城市职能分工
7	城市群稳定与可持续发展阶段	是城市群区域发展的最高级阶段，不分国界，也不分类型，但是尚不存在判断的标准，是一种区域空间、经济发展的最佳状态

其中前三个阶段相当于城市经济区，或者是大都市区的形成与发展过程；第四、五、六阶段相当于都市区以及都市圈的发展过程，是城市群发展的相对较高级阶段；最后一个阶段，即城市群空间拓展的基本阶段。

（二）城市群多尺度空间集约利用传导规律

城市群有机成长过程是一个多尺度空间有机竞合的过程，多尺度城市群空间是一个由宏观尺度的城市群空间、中观尺度的城市空间和微观尺度的城市中心区空间联动形成的空间整体，是一个上下联动、层级优化、环环相扣的多尺度有机系统，不同尺度的城市群空间、不同层级的核心-边缘区之间在集约利用方面客观上存在着逐级"正向传导"和"负向传染"的规律性（图 5.10）。

不同尺度的城市群空间存在着边界互划、管控互认、互为牵制、互为反馈、互为调控的逐级联动关系，这就是由城市群—城市—城市中心区、由宏观—中观—微观三级空间集约拓展形成的城市群空间多尺度集约利用传导规律（Fang，2018）。通过正向层层传导，可实现不同尺度的城市群空间自上而下、自外向内的逐级联动优化和反馈，进而提高城市群空间集约利用效率。通过城市群—城市—城市中心区三个空间尺度的规划层层传导、产业

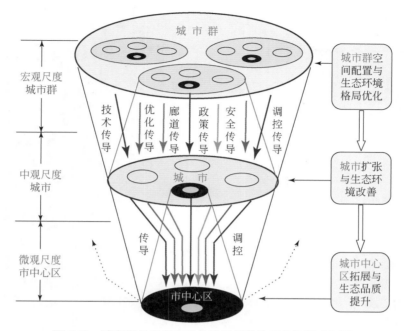

图 5.10 城市群多尺度空间集约利用的传导规律及路径图

层层传导、技术层层传导、布局优化的层层传导、交通的逐级传导、生态廊道的层层传导、要素配置的层层传导、政策制定与实施的层层传导、联动和反馈，实现城市群空间多尺度集约利用和空间集约利用的组合决策。该规律为解决我国城市群空间中单尺度优化而多尺度不优化、单尺度集约而多尺度不集约的现实问题提供了理论支撑（方创琳等，2017）。

相反，如果微观尺度的城市中心区空间功能无序、布局混乱、集约利用程度低下时，就会作为一个"传染源"反向传染给中观尺度的城市，使得城市成为一个变大了的"传染源"，导致城市空间布局不合理、空间集约利用程度降低，进一步由城市传染给宏观尺度的城市群，导致城市群空间结构布局不合理，空间集约利用效率低下。当然，如果微观尺度的城市中心区空间集约利用程度很高时，只具有微尺度效应和典型示范效应，因受传播动力微小和地域根治性的限制，不具有扩散放大效应，无法传播到中观尺度的城市和宏观尺度的城市群。

（三）城市群有机成长的晶体组合规律

根据晶体空间群理论和晶体衍射理论，城市群空间扩展过程符合矿物学中晶体结构的形成机理，城市群形成的节点网络结构类似于晶体结构，存在着分等级分层级的有机组合规律，形成立面晶体结构组合图谱和平面晶体结构组合图谱。一般情况下，超大或特大城市群往往处在晶体结构的核心位置，发挥着引领晶体结构的中枢作用，大城市处在晶体结构的关键节点上，中等城市处在重要节点上，小城市和小城镇处在连接节点上（方创琳等，2018），不同等级的节点城市通过交通网络联系（图5.11）。

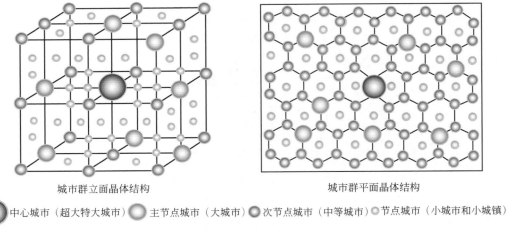

城市群立面晶体结构　　　　　　　　城市群平面晶体结构

⬤中心城市（超大特大城市）　◯主节点城市（大城市）　●次节点城市（中等城市）　○节点城市（小城市和小城镇）

图 5.11　城市群形成发育的晶体结构组合图谱示意图

　　由于城市群形成发育的自然条件和历史基础各不相同，所以在发育过程中形成的晶体结构客观上存在着单中心晶体组合、双中心晶体组合和多中心晶体组合发育的现象（图5.12）。从单中心、到双中心再到多中心晶体组合的城市群，呈现出中心性指数越来越小、空间结构的稳定性越来越差、复杂性越来越大、紧凑性越来越低、发育程度越来越低的规律性。

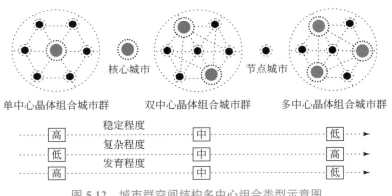

单中心晶体组合城市群　　双中心晶体组合城市群　　多中心晶体组合城市群

稳定程度		
高	中	低
复杂程度		
低	中	高
发育程度		
高	中	低

图 5.12　城市群空间结构多中心组合类型示意图

　　单中心晶体组合的城市群以一个城市作为核心城市带动周边城市实现一体化发展，呈现出最为稳定的单核晶体结构形态，是一种理想的高级城市群晶体结构组合形态。在长期的经济发展过程中因为核心城市无可替代的"截获中介机会"优势，或者是"区位优势"和"成本优势"，保持了突出的中心地位，发挥着强大的辐射带动周边城市发展的功能。例如，以北京为中心的京津冀城市群，以上海为中心长江三角洲城市群，以乌鲁木齐市为核心的天山北坡城市群等。

　　双中心晶体组合的城市群以两个城市同时作为核心城市带动周边城市一体化发展，由于两个核心城市发展实力相当，长期处在竞争与合作交织状态，腹地范围相互交叉重叠，背向发展倾向明显，空间结构不稳定性加大，所形成的双核晶体结构稳定性最差，对城市群的形成发育极为不利，是一种不理想的城市群晶体结构组合形态，但又是客观存在的一种组合形态。例如以长春、哈尔滨为双核心的哈长城市群，以成都、重庆为核心的成渝城市群，以沈阳、大连为中心的辽中南城市群，以济南、青岛为中心的山东半岛城市群等。

多中心晶体组合的城市群以三个以上城市同时作为核心城市带动周边城市一体化发展，外部环境的不确定性对城市群空间结构的变异产生了较大影响，晶体结构的复杂性明显提高，优化难度越来越大，城市群总体发育程度、紧凑程度均比较低，城市形成发育的中心性不强，但城市群网络的均衡化程度大大提高，是一种不太理想的城市群晶体结构组合形态。例如，以武汉、长沙、南昌为中心的长江中游城市群是发育程度较低的城市群。

（四）城市群可持续发展的梯度爬升规律

城市群形成发育的自然过程表现为多个城市为了自身可持续发展而联合周边城市相互依靠相互提升可持续性的过程，这一过程具体表现当一个城市 A 依靠自身能力无法提升其可持续发展能力时，自然就会联合第 2 个城市 B 开展合作，通过联合在新的层次上继续维持该城市可持续发展能力；当联合第 2 个城市 B 无法继续维持其可持续发展能力时，自然就会联合第 3 个城市 C 开展合作，通过联合第 3 个城市在更高层次上继续维持该城市可持续发展能力；当联合第 3 个城市 C 无法继续维持其可持续发展能力时，自然就会联合第 4 个城市 D 开展合作，通过联合第 4 个城市在更新层次上继续维持该城市可持续发展能力；依次类推，当联合第 $n-1$ 个城市 N-1 无法继续维持其可持续发展能力时，自然就会联合第 n 个城市 N 开展合作，通过联合第 n 个城市 N 在更高层次上继续维持该城市可持续发展能力（图 5.13）。通过城市 A 不断联合 B、C、…、N 个城市，促进城市 A 与 n 个城市抱团形成可持续发展的命运共同体，最终发育形成城市群。随着联合城市数量的不断增多，城市的可持续发展能力随着时间的推移呈现出阶梯式爬升趋势，这就是城市群可持续发展所遵循的梯度爬升规律（Fang，2019）。当然，不是联合的城市越多越好，受联合门槛限制存在着联合城市的个数阈值。

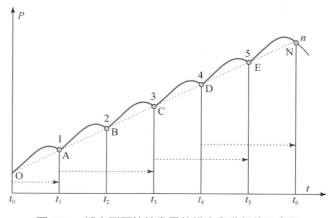

图 5.13　城市群可持续发展的梯度爬升规律示意图

城市群可持续发展的爬升机理是一条随着时间推移和城市个数增加而形成的非线性复合型爬升曲线。通过构建了城市群可持续发展爬升能力测度指标体系，采用 TOPSIS 与灰色关联方法定量测度了 2000～2015 年京津冀城市群经济可持续爬升能力、社会可持续爬升能力、环境可持续爬升能力和综合可持续爬升能力的动态变化态势，提出了城市群城市间综合联合强度模型和联合门槛值计算方法。计算结果发现：京津冀城市群经济可持续爬升能力、社会可持续爬升能力、环境可持续爬升能力和综合可持续爬升能力均呈波浪式提升趋势，2000～2015 年历年平均爬升速度分别为 2.4%、1.67%、1.1% 和 1.74%，城市群各城市间的综合联合强度总体不断加大，但存在着联合门槛值的限制。2000～2015 年京津冀城市群核心城市北京市为了提升其可持续爬升能力，在 2000 年之前就联合天津、廊坊、保定共同发展，2002 年联合唐山共同发展，2009 年联合沧州共同发展，2012 年联合张家口和石家庄共同发展，2014 年联合承德共同发展，截至 2015 年仍然有邯郸、秦皇岛、衡水和邢台 4 个城市和北京的综合联合强度低于联合门槛值 6.14，这 4 个城市距离北京相对较远，对北京可持续爬升能力尚且没有实质性贡献（方创琳等，2020）。

第五节　城市群的空间组织格局

一、全球城市群空间组织格局

目前，国际上公认的世界级城市群包括北美大西洋沿岸城市群、北美五大湖城市群、日本太平洋沿岸城市群、英国伦敦城市群、欧洲西北部城市群和中国长江三角洲城市群。这些世界级城市群基本上都集中发育在区位条件与自然条件相对优越的北半球中纬度地带，大多数城市群顺沿海沿湖地区形成长轴拓展的带状空间结构形态，与世界经济重心的三次大转移密切相关，这些城市群发挥着全球及国家中枢的重要功能，具有完整的城市等级规模结构体系、现代制造业和现代服务业产业体系、合理的国际分工协作体系和高度发达的基础设施网络体系。城市群在形成发育过程中都建立了紧密的政府一体化协调机制，例如建立了多种形式的权威的大都市区政府，组建了半官方的地方政府联合组织，设立单一功能的特别区及协调机构，立法确保地方自主权等（方创琳等，2011）。

（一）国际公认的世界级城市群

自 18 世纪中叶英国推进工业革命起，世界城市化进程由此开启，促使人类社会由农业社会转向工业社会，由农村经济时代向城市发展时代。20 世纪以后，随着经济全球化进程的加快和科学技术的进一步发展，世界城市化进程加速推进，至 20 世纪末 21 世纪初，世界城市化平均水平达到 50% 左右，意味着全球约有一半人住在城里，另一半人住在农村，其中发达国家平均城市化水平高达 80% 以上，在城市化水平较高的国家和地区出现了一种全新的城市空间集聚形态，那就是高度城镇化地区城市群。

目前，全球比较公认的城市群主要分布在北半球北美洲、欧洲和亚洲三大洲的中纬度地带（图 5.14），具有全球意义的城市群包括美国东北部大西洋沿岸城市群、北美五大湖城市群、欧洲西北部城市群、英国的伦敦城市群、日本的太平洋沿岸城市群和我国的长江三角洲城市群等（刘友金和王玮，2009）。其中，美国东北部大西洋沿岸城市群包括了纽约、波士顿、巴尔的摩等城市，是美国经济发展的核心地带；北美五大湖城市群包括了多伦多、底特律等城市，它与美国东北部大西洋沿岸城市群共同构成了世界上著名的北美制造业带，其中底特律是全球著名的汽车城；日本太平洋沿岸城市群是全国政治、经济、文化、交通的中枢,是日本经济最发达的地带;英国伦敦城市群是英国主要的生产基地,其核心城市伦敦是欧洲最大的金融中心和世界三大金融中心之一;欧洲西北部城市群包括了巴黎和鹿特丹等世界知名城市,巴黎是法国的政治经济中心和最大的工商业城市,也是西欧重要交通中心之一,荷兰的鹿特丹号称"欧洲门户";中国的长江三角洲城市群是我国综合实力最强的经济中心,也是亚太地区重要的国际门户,全球重要的先进制造业基地和我国率先跻身世界级城市群的地区(表5.11)。

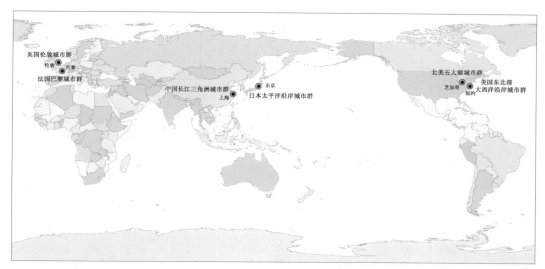

图 5.14　国际上公认的世界级城市群空间布局图

表 5.11　国际公认的世界级城市群及基本特征

城市群名称	位置与范围	主要城市个数与名称	人口/万人	面积/万 km²	基本特征
美国东北部大西洋沿岸城市群	北起波士顿,南至华盛顿,长约965km,宽约100km	45个(包括波士顿、纽约、费城、巴尔的摩、华盛顿等5个大都市和萨默尔维尔、伍斯特、普罗维登斯、新贝德福德、哈特福特、纽黑文、帕特森、特伦顿、威明尔顿等40多个中小城市)	6500	13.8	城市化水平达90%以上,面积占美国的1.5%,人口占美国的20%,制造业产值占美国的30%,是美国最大的生产基地,最大的商业贸易中心和世界最大的国际金融中心,是目前世界上最大的城市群
北美五大湖城市群	从芝加哥,底特律、匹兹堡一直延伸到加拿大的多伦多和蒙特利尔	35个(包括芝加哥、底特律、匹兹堡、多伦多、蒙特利尔、克利夫兰、托利多等7个大城市和28个中小城市)			集中了美国30%以上的制造业,与美国东北部大西洋沿岸城市群共同构成一个特大工业化区域,又称"北美制造业带",是美国工业化和城市化水平最高、人口最稠密的地区
英国的伦敦城市群	由伦敦大城市圈、伯明翰城市经济圈、利物浦城市经济圈、曼彻斯特城市经济圈、利兹城市经济圈组成	14个(包括伦敦、伯明翰、利物浦、曼彻斯特4个大城市和10个中小城市)	3650	4.5	面积占英国的18.4%,人口占英国的64.2%,经济总量占英国的80%,是工业革命后英国最大的制造业基地,是英国产业密集带和经济核心区

续表

城市群名称	位置与范围	主要城市个数与名称	人口/万人	面积/万km²	基本特征
欧洲西北部城市群	法国巴黎城市群	40 个（包括巴黎、鲁昂、勒阿弗尔等大城市和 35 个中小城市）	4600	14.5	是法国为了限制巴黎大都市区的扩展，改变原来向心聚集发展的城市结构，沿塞纳河下游在更大范围内规划布局工业和人口而形成的带状城市群
	德国莱茵-鲁尔城市群	延伸在北莱茵—威斯特法伦州的 5 个行政区内，长 116km、宽 67km，包括 20 个城市（波恩、科隆、杜塞尔多夫、埃森等，其中 50 万~100 万人的大城市有 5 个）			是因工矿业发展而形成的多中心城市集聚区
	荷兰的兰斯塔德城市群	位于阿姆斯特丹、鹿特丹等地，包括阿姆斯特丹、鹿特丹和海牙 3 个大城市，乌德勒支、哈勒姆、莱登 3 个中等城市以及众多小城市，各城市之间的距离 10~20km			是一个多中心马蹄形环状城市群，把一个城市所具有的多种职能分散到大、中、小城市，形成既有联系、又有区别的空间组织形式，以保持整体的统一性和有序性
日本太平洋沿岸城市群	由东京、名古屋、大阪三大都市圈组成，长 600km，宽 100km	310 个（包括东京、横滨、川崎、名古屋、大阪、神户、京都等人口超过 100 万人的特大城市和无数个中小城市）	7000	10.0	面积占日本的 26.45%，人口占日本的 63.3%,工业企业和工业就业人数占日本的 67%，工业产值占日本的 75%，国民收入占日本的 68.5%
中国的长江三角洲城市群	位于我国东部沿海的长江三角洲地区	15 个（上海、南京、无锡、常州、苏州、南通、扬州、镇江、泰州、杭州、宁波、嘉兴、湖州、绍兴、舟山）	7799	10.07	面积占全国的 1.05%，人口占全国的 5.90%，城市化水平 63.96%，地区生产总值占全国 GDP 的 18.1%。是国内目前经济实力最强、发育程度最高的城市群，是我国综合实力最强的经济中心，亚太地区重要的国际门户，全球重要的先进制造业基地和我国率先跻身世界级城市群的地区

（二）世界级城市群发展的基本特点

世界城市群的形成发展是世界级城市发展到高级阶段的产物，成为世界级城市和世界级城市群有着自身发展的客观条件和必然规律。纵观世界级城市群形成发育与发展的历史过程及空间分布格局，可知世界级城市群具有如下五大共性特点。

1. 集中发育在自然条件和区位条件优越的中纬度地带

全球城市群绝大多数位于适宜人类居住和经济发展的北半球中纬度平原地带。平原地区自然条件优越，最适合人类居住和生产，建设城市群的综合成本低，利于建设城市居住区和交通等基础设施，易于开展大规模的工业生产和经济布局，进一步吸引人口向平原地区集中，以日本为例，由于日本是一个岛国，平原仅占国土面积的 24%，最大的平原是东京附近的关东平原，其次是名古屋附近的浓尾平原和京都、大阪附近的畿内平原，日本的人口和经济高度集中于这三大平原地带，在工业化过程中，这三大平原便逐渐发展成为城市群，集中了日本全境 63.3%的人口和 68.5%的国民生产总值。世界城市群大都沿海、沿河、沿湖而分布，主要得益于航海、内陆运河以及海河联运有利的区位条件，同时河流湖泊又为城市的工商业发展和居民生活提供必要而充足的水源。如美国东北部大西洋沿岸城市群和日本太平洋沿岸的城市群的形成发展都与发达的海上交通运输密不可分。

2. 发挥着全球及国家中枢的重要职能

由于经济活动高度密集和在空间上的压缩，城市群往往成为一个国家的经济核心区和增长极，也是最具活力和竞争力的地区，发挥着国家甚至全球中枢的重要职能。国外重要的城市群基本都是国家或大洲的中枢，甚至成为全世界的政治经济中心，它们通常集现代化工业职能、外贸门户职能、文化先导职能、商业金融职能于一身，成为国家社会经济最发达、经济效益最高的地区，具有发展国际联系的最佳区位优势，是产生新思想、新技术的源地，对国家、地区乃至世界经济发展具有中枢的支配作用。随着经济全球化和区域经济一体化趋势的不断加强，作为巨大经济实体的城市群将在更广阔的空间范围内参与全球竞争，成为全球经济发展的重要增长极和参与国际竞争的战略支撑点。

3. 具有完整的现代产业体系和城市等级体系

全球城市群一般具有完整的城市规模等级体系，各规模等级城市之间有着合理的金字塔结构关系，城市的职能作用通过城市网络依次有序地逐级扩散到整个城市体系中。其中，中心城市在城市群形成发育中起着核心作用，发挥着强大的吸管效应，是人口与产业集聚的吸引中心。城市群发展的主要模式就是核心城市带动，属于这种发展模式的城市群包括以纽约为中心的美国东北部大西洋沿岸城市群、以东京为中心的日本太平洋沿岸城市群、以伦敦为中心的英国伦敦城市群等。城市群不仅拥有数个大的中心城市，而且还有大量的中小城市，是一个包括大、中、小城市和市镇的城市组合体。城市群的形成过程也是其内部不同规模、不同等级城市相互作用、分工协作的过程，不同特色的城市承担着不同的职能分工，进而形成具有区域综合职能和完整的现代产业体系，包括现代农业产业体系、现代制造业体系和现代服务业产业体系。

4. 具有合理的国际分工协作体系

城市群的精髓是联合，优势在整体，分工协作是本质。世界城市群的经济建立在内部严密的组织和分工协作基础之上，产业发展坚持多样化，从而使得整个区域的综合性功能远远大于单个城市功能的简单叠加。区域经济高度一体化，各城市通过密切的社会经济联系构成了一个有机整体，在与外界不断进行能量交换的过程中，不断进行自身结构的调整优化以适应外部环境的变化，并创造出更多的发展机会，使城市群在区域、国家甚至世界经济中占有举足轻重的地位。而发达的基础设施与快捷的交通运输成为其内部联系的纽带，形成合理、高效、有序的分工协作体系。城市群内部各城市都有自己特殊的职能，合理的国际国内分工，都占有优势的产业部门，而且彼此间又紧紧相连，在共同市场的基础上，各种生产要素在城市群中流动，促使人口和经济活动更大规模地集聚，形成了城市群巨大的整体效应，极大地提高了城市群的综合竞争能力。

5. 具有高度发达的基础设施网络

城市群快速发展的重要支撑源于发达的交通网络设施。交通网络的形成与发展对城市群产业空间演化与空间结构的形成有着重大影响。一方面拉动城市群空间不断扩展，不断改变着城市的外部结构形态，增强了城市群内部各城市之间的通达性；另一方面直接改变着城市群的辐射范围，产生新的城市功能区和新城市，改变原有的城市群产业结构与空间结构格局。随着城市群发育程度的不断提高，城市群在呈现中心极化效应的同时，逐渐产生外溢效应，辐射扩散带动周围更大区域的经济社会发展。其中，沿交通通道的轴线集聚与扩散是城市群产业空间结构扩展的最普遍的形式。国外城市群大多拥有由高速公路、高速铁路、航道、通信干线、运输管道、电力输送网和给排水管网体系所构成的区域性综合交通基础设施网络，其中发达的铁路、公路设施构成了城市群空间结构的骨架和联结枢纽。交通技术进步、交通系统服务能力的提高推动着城市群的形成和功能的发挥，基础设施整合不仅能有效提高系统效益，而且是引导城市群协调发展的先行条件和有效手段。

世界城市群发育的历程与经验对中国城市群发育有如下借鉴，即承接世界产业转移和经济重心转移是加快城市群发展的大好机遇，统一的权力机构是推动城市群健康发展的催化剂，适度的行政区划调整是城市群协调发展的临时性"权宜之计"，高度一体化是城市群向高级阶段迈进的重要支撑，科学规划是解决城市群问题的有效路径，良好的民主基调是城市群公共事务决策的基本保障，快行的综合交通运输体系建设是城市群发育的先决条件，城乡统筹发展是推动城市群实现可持续发展的重要手段。

二、中国城市群空间组织格局

中国城市群选择培育以全国主体功能区规划为基本依据，将城市群集中布局在全国主体功能区中的优化开发区和重点开发区，避开全国重点生态功能区，形成与国家主体功能区和国家城镇体系相协调的中国城市群空间结构新格局（方创琳和毛其智，2015）。从推进国家新型城镇化的政策角度出发，构建由五大国家级城市群、九大区域性城市群和六大地区性城市群组成的"5+9+6"的中国城市群空间结构新格局，形成"以轴串群、以群托轴"的轴群式国家城镇化发展战略格局（方创琳，2010，2011）。

（一）中国城市群"5+9+6"的空间组织格局

中国城市群分为三大类共 20 个城市群，一是重点建设的国家级城市群，包括 5 个城市群；二是稳步建设的区域性城市群，包括 9 个城市群；三是引导培育新的地区性城市群，各城市群的组成如图 5.15 和图 5.16 所示。

中国城市群现状面积为 233.9 万 km^2（2020 年），占全国总面积的 24.36%，规划面积 279.57 万 km^2（2035 年），占全国的 29.12%。中国城市群以各城市市辖区为核心逐步向周边地区扩张，城市群形成发育程度和一体化程度逐步提高。

1980～2020 年，中国城市群总人口由 5.24 亿人增加到 10.66 亿人，城镇人口由 0.96 亿人增加到 6.72 亿人，城市群总人口占全国的比重高达 75.38%以上，城镇人口占全国的比重达到 74.56%，体现出城市群地区人口和城镇人口高密度集聚的基本特征。按户籍人口计算的城镇化水平由 18.22%提高到 63.03%，未来随着城市群吸管效应的进一步发挥，人口向城市群集聚趋势日趋明显。

1980～2020 年，中国城市群城镇数量由 5612 个增加到 13382 个，占全国城镇数量的比重由 62.3%增加到 71.3%。城镇密度由 23.99 个/万 km^2 增加到 57.66 个/万 km^2，是 2020 年全国平均城镇密度（20.18/万 km^2）的 2.88 倍，体现出城市群地区城镇高密度集聚的基本特征。城市群经济总量占全国的比重由 1985 年的 70.6%上升到 2016 年的 80.73%，到 2020 年达到 81.86%。20 个城市群的发展定位如表 5.12。

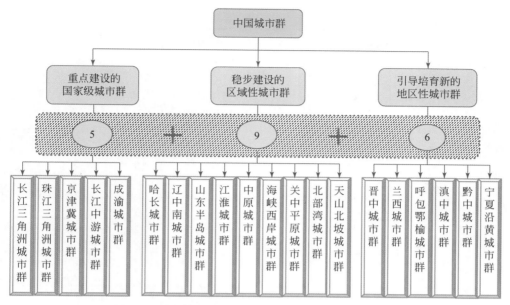

图 5.15　中国城市群"5+9+6"的空间组织格局框架图

图 5.16　中国城市群"5+9+6"的空间组织新格局示意图

表 5.12　中国各大城市群发展功能定位对比表

城市群名称	发展功能定位
长江三角洲城市群	最具经济活力的资源配置中心、具有全球影响力的科技创新高地、全球重要的现代服务业和先进制造业中心、亚太地区重要国际门户、全国新一轮改革开放排头兵、美丽中国建设示范区
珠江三角洲城市群	世界先进制造业和现代服务业基地，中国"21世纪海上丝绸之路"的战略枢纽和开展"南南合作"的国际交往中心、全国重要的经济中心、深化改革与社会治理创新先行区、与港澳共建更具全球竞争力、以人为本、可持续发展的世界级城市群
京津冀城市群	以首都为核心的世界级城市群、区域整体协同发展改革引领区、全国创新驱动经济增长新引擎、生态修复环境改善示范区
长江中游城市群	中国经济新增长极、中西部新型城镇化先行区、内陆开放合作示范区、"两型"社会建设引领区
成渝城市群	全国重要的现代产业基地、西部创新驱动先导区、内陆开放型经济战略高地、统筹城乡发展示范区、美丽中国的先行区
辽中南城市群	国家老工业基地振兴发展先行区、面向东北亚开放的重要枢纽、经济社会发展先行区和产业结构优化先导区
山东半岛城市群	我国北方重要开放门户、京津冀和长三角重点联动区、国家蓝色经济示范区和高效生态经济区、环渤海地区重要增长极
海峡西岸城市群	两岸人民交流合作的先行区、国际合作的重要窗口、我国重要的自然和文化旅游区、东部沿海地区先进制造业的重要基地、辐射中西部的沿海增长极，服务祖国统一大业的海岸型城市群
哈长城市群	东北老工业基地振兴发展重要增长极、北方开放重要门户、老工业基地体制机制创新先行区、绿色生态城市群
中原城市群	经济发展新增长极、重要的先进制造业和现代服务业基地、中西部地区创新创业先行区、内陆地区双向开放新高地、绿色生态发展示范区
关中平原城市群	向西开放的战略支点、引领西北地区发展的重要增长极、以军民融合为特色的国家创新高地、传承中华文化的世界级旅游目的地、内陆生态文明建设先行区
北部湾城市群	面向东盟国际大通道的重要枢纽、"三南"开放发展新的战略支点、21世纪海上丝绸之路与丝绸之路经济带有机衔接的重要门户、全国重要绿色产业基地、陆海统筹发展示范区
天山北坡城市群	丝绸之路经济带重要的战略枢纽、全国重要的战略资源加工储运基地、新疆城镇化与经济发展的核心区、边疆民族团结和兵地融合发展示范区
晋中城市群	国家重要的能源基地与先进制造业基地，山西省国家资源型经济转型综合配套改革的核心示范区，中国内陆及环渤海联动发展的重要增长极
呼包鄂榆城市群	全国高端能源化工基地、向北向西开放战略支点、西北地区生态文明合作共建区、民族地区城乡融合发展先行区
滇中城市群	面向南亚东南亚辐射中心的核心区、中国西南经济增长极、区域性国际综合枢纽、生态宜居的山水城市群
黔中城市群	西部地区新的经济增长极、山地特色新型城镇化先行示范区、内陆开放型经济新高地、绿色生态宜居城市群
兰西城市群	维护国家生态安全的战略支撑、优化国土开发格局的重要平台、促进我国向西开放的重要支点、支撑西北地区发展的重要增长极、沟通西北西南、连接欧亚大陆的重要枢纽
宁夏沿黄城市群	全国重要的能源化工和新材料基地，中国面向伊斯兰国家和地区的经济文化交流中心、西北地区人与自然和谐发展示范区，宁夏经济社会发展的辐射源

　　注：本表根据各大城市群发展规划整理。

　　国家级城市群包括京津冀城市群、长江三角洲城市群、珠江三角洲城市群、长江中游城市群和成渝城市群共 5 个城市群。国家级城市群面积占全国的 9.78%，2020 年总人口占全国的 38.23%，城镇人口占全国的 39.85%，现价 GDP 占全国的 47.15%，第一产业增加值占全国的 25.31%，第二产业增加值占全国的 52.12%，第三产业增加值占全国的 48.34%，全社会固定资产投资占全国的 39.88%，实际利用外资占全国的 59.32%；粮食总产量占全国的 20.12%，社会消费品零售总额占全国的 49.22%，财政收入占全国的 55.36%，年末金融机构存款余额占全国的 56.13%，城乡居民储蓄年末余额占全国的 51.22%（图 5.17）。可见，国家级城市群在全国经济社会发展中基本上占据了半壁江山，是对国家经济社会发展贡献最大的城市群，主导着国家经济发展的命脉。

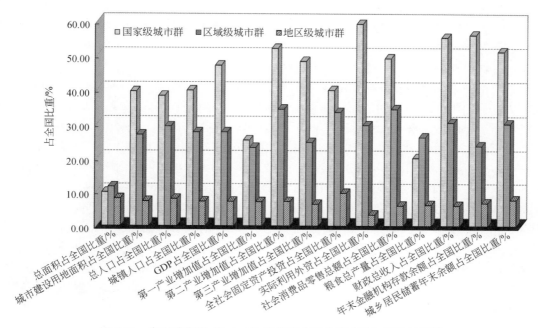

图 5.17　中国城市群"5+9+6"格局在全国的战略地位对比示意图

区域级城市群包括辽中南城市群、山东半岛城市群、海峡西岸城市群、哈长城市群、中原城市群、江淮城市群、关中平原城市群、北部湾城市群、天山北坡城市群共 9 个城市群。面积占全国的 11.39%，2020 年人口占全国的 29.32%，城镇人口占全国的 27.62%，现价 GDP 占全国的 27.65%，第一产业增加值占全国的 23.15%，第二产业增加值占全国的 34.36%，第三产业增加值占全国的 24.66%，全社会固定资产投资占全国的 33.47%，实际利用外资占全国的 29.65%，粮食总产量占全国的 26.16%，财政收入占全国的 30.44%，年末金融机构存款余额占全国的 23.67%，城乡居民储蓄年末余额占全国的 30.14%。区域级城市群在全国经济社会发展中基本上占据了 30% 的经济地位。

地区级城市群包括晋中城市群、滇中城市群、黔中城市群、兰西城市群、呼包鄂榆城市群和宁夏沿黄城市群共 6 个城市群。面积占全国的 7.95%，2020 年人口占全国人口的 7.83%，城镇人口占全国的 7.09%，现价 GDP 占全国的 7.06%，第一产业增加值占全国的 6.96%，第二产业增加值占全国的 7.04%，第三产业增加值占全国的 6.28%，全社会固定资产投资占全国的 9.51%，实际利用外资占全国的 3.25%；粮食总产量占全国的 6.07%，财政收入占全国的 5.86%，年末金融机构存款余额占全国的 6.65%，城乡居民储蓄年末余额占全国的 7.56%。地区级城市群在全国经济社会发展中基本上占据了 6%～7%的经济地位。

（二）中国城市群发展的基本特点

在全球化、信息化、新型工业化和交通快速化环境下发育起来的城市群，呈现出高密度集聚、高速度成长和高强度运转的"三高"特点，这些发育特点在不同规模、不同类型和不同发育程度的城市群中又表现出很大的差异性。

1. 高密度集聚：形成了强大的吸管效应

改革开放以来，随着中国工业化和城市化进程的不断加快，大量的农村剩余劳动力和各种产业开始越来越多的向城市及城市群地区集聚，形成了强大的吸管效应。空前集聚的结果，使城市群成为中国高密度人口集聚区、高密度经济集聚区和高密度城镇集聚区。从城市群对中国城镇化与经济社会发展的贡献分析，从 1980～2020 年，中国城市群的面积不断扩大，人口不断增多，创造的经济总量不断增加，对中国的贡献越来越大（表 5.13）。由表看出，中国城市群面积占全国比重由 1980 年的 19.26%增加到 2020 年的 29.12%，总人口占全国比重由 53.07%增加到 75.38%，城镇人口占全国比重由 58.38%增加到 74.56%，全社会从业人员占全国比重由 43.37%增加到 72.35%，现价 GDP 占全国比重由 70.42%增至81.86%，全社会固定资产投资占全国比重由 58.93%提升到 82.86%，实际利用外资占全国比重由 47.62%增加到 92.22%，财政收入占全国比重由 79.14%增加到 91.66%，年末金融机构存款余额占全国比重由 58.76%增加到 86.45%，年末城乡居民存款余额占全国比重由75.25%提高到 88.92%，社会消费品零售总额占全国比重由 65.18%提高到 89.43%。近 40 年来中国城市群各项经济指标在全国的地位均在稳步提升，集聚效应越来越强，成为国家经济发展的战略核心区，主宰着国家经济发展的命脉。未来城市群的集聚效应和吸管效应还将继续加强。

表 5.13　1980～2020 年中国城市群主要经济指标在全国的地位及贡献动态变化表（%）

年份	面积占全国比重	总人口占全国比重	城镇人口占全国比重	全社会从业人员占全国比重	现价 GDP 占全国比重	全社会固定资产投资占全国比重	实际利用外资占全国比重	财政收入占全国比重	年末金融机构存款余额占全国比重	年末城乡居民存款余额占全国比重	社会消费品零售总额占全国比重
1980	19.26	53.07	58.38	43.37	70.42	58.93	47.62	79.14	58.76	75.25	65.18
1985	19.60	57.64	62.09	43.92	70.60	58.98	47.93	77.42	62.32	64.14	64.88
1990	20.51	61.91	65.94	48.10	71.39	60.00	52.87	75.67	78.39	64.45	69.94
1995	21.44	64.99	67.96	56.00	73.4	67.54	77.30	91.66	76.45	63.01	70.69
2000	28.00	69.14	53.98	55.85	75.42	74.69	80.01	84.44	78.90	75.29	78.16
2005	29.12	70.52	57.90	67.09	78.65	89.75	83.60	88.08	93.38	85.02	87.58
2010	29.12	74.34	67.76	73.18	79.64	84.15	86.56	92.29	88.95	83.76	86.85
2011	29.12	77.16	73.45	76.13	79.95	81.48	87.11	88.73	85.87	85.98	87.47
2012	29.12	77.38	73.61	77.26	80.06	82.15	88.06	88.29	86.28	84.81	87.27
2013	29.12	77.24	73.53	74.53	80.11	81.60	89.23	88.71	85.69	84.61	88.28

续表

年份	面积占全国比重	总人口占全国比重	城镇人口占全国比重	全社会从业人员占全国比重	现价GDP占全国比重	全社会固定资产投资占全国比重	实际利用外资占全国比重	财政收入占全国比重	年末金融机构存款余额占全国比重	年末城乡居民存款余额占全国比重	社会消费品零售总额占全国比重
2014	29.12	77.18	74.97	79.01	80.35	80.59	90.34	88.73	88.39	86.07	88.11
2015	29.12	76.47	72.83	61.53	80.65	81.49	90.32	90.50	85.70	88.78	88.25
2016	29.12	75.19	72.00	67.32	80.73	82.37	91.23	91.19	83.59	87.47	88.17
2020	29.12	75.38	74.56	72.35	81.86	82.86	92.22	91.66	86.45	88.92	89.43

2. 高速度成长：拉动国家经济保持了高质量发展的强劲势头

中国经济发展曾经历了一个高速增长期，支撑高速增长的就是城市群。从 1980～2016 年，中国城市群 GDP 增长速度由 1980 年的 8.81%增加到 2005 年的 17.53%，到 2016 年仍保持 9.32%的增长速度，同期全国 GDP 增长速度由 1980 年的 7.8%，增加到 2005 年的 11.3%，到 2016 年降到 6.7%。到 2020 年受新冠疫情影响，中国城市群 GDP 增长速度降为 3.86%，仍快于全国 GDP 平均增长速度（2.3%）约 1.56 个百分点。由表 5.14 看出，不同年份城市群 GDP 增长速度快于全国 GDP 增长速度约 1～6 个百分点。正是由于城市群经济的快速发展，才成为支撑国家经济增长的重要引擎，在确保国家经济连续多年保持 8%～10%的增长速度的同时，迅速拉动中国驶入世界经济快车道，并很快接轨全球经济，成为在全球经济舞台上占据重要地位的经济大国。未来城市群对国家经济增长的贡献仍然占据主导地位，将继续成为拉动国家经济保持了强劲增长势头和高质量发展的重要引擎。

表 5.14   1980～2020 年中国城市群经济增长速度与全国的比较表（%）

时间	中国城市群 GDP 增长速度	全国 GDP 增长速度	中国城市群比全国平均增长速度快
1980	8.81	7.80	1.01
1985	14.26	13.50	0.76
1990	9.19	3.80	5.39
1995	12.26	10.90	1.36
2000	10.24	8.40	1.84
2005	17.53	11.30	6.23
2010	13.91	10.45	3.46
2015	9.64	6.90	2.74
2016	9.32	6.70	2.62
2020	3.86	2.30	1.56

3. 高强度运转：释放了超负荷的巨大能量与污染

（1）高强度的投入推动经济系统高强度运转。为了确保城市群经济系统高强度的正常运转，国家先后注入了巨量的资源投入、巨额的资金投入、巨大的外资投入和巨多的人力资源投入，确保城市群持续稳定发展。全社会固定资产投资的 82.86%、实际利用外资的 92.22%投入到了城市群地区，在内外资高强度投入驱动下，中国城市群地区释放了超负荷的巨大能量，全国经济总量的 81.86%、财政收入的 91.66%，年末金融机构存款余额的

86.45%、年末城乡居民存款余额 88.92%，社会消费品零售总额的 89.43%产出于城市群地区。同时加剧了水资源、土地资源、能矿资源，甚至民工等劳动力资源日益短缺的危机。

（2）高强度的建设推动基础设施系统高强度运转。城际高速公路和轨道交通越延越长，城市建成区面积越来越大，摩天大楼越建越高，城市高架桥越架越多，城市群内部的电力设施、电信设施、供水设施、排水设施、燃气设施、供热设施、轨道交通设施等各种保障生产与生活的基础设施时刻处在高度紧张的超负荷运行状态，一旦哪个环节出了故障，如突然大面积停水、断电、停热、断气，都会导致高效率运转的城市群迅速瘫痪，甚至引发经济系统的全面崩溃。

（3）高强度的污染产出迫使环境污染治理系统高强度运转。在中国城市群高强度投入实现了高强度产出目标的同时，也不可避免地带来了高强度的污染产出，城市群虽然集中了全国 3/4 以上的经济产出，但同时又集中了全国 3/4 以上的污染产出。中国工业废水排放量的 67.12%、工业废气排放量的 77.29%和工业固体废弃物产生量的 76.02%产出于城市群地区。大量的污染产出一方面加重了城市群各种污染治理设施的运转负荷，同时也加重了城市群地区水污染、大气污染和固体废弃物污染，导致城市群环境质量下降，资源与生态环境承载能力下降，对城市群的可持续发展、甚至对中国可持续发展构成威胁。

主要参考文献

范恒山，肖金成，方创琳 等. 2017. 城市群发展新特点新思路新方向. 区域经济评论，(5)：1-3.

方创琳. 2009. 城市群空间范围识别标准的研究进展与基本判断. 城市规划学刊，171（3）：1-5.

方创琳. 2011. 中国城市群形成发育的新格局与新趋向. 地理科学，31（9）：1025-1035.

方创琳. 2014. 中国城市群研究取得的重要进展与未来发展方向. 地理学报，69（8）：1130-1144.

方创琳. 2015a. 科学选择与分级培育适应新常态发展的中国城市群. 中国科学院院刊，30（2）：127-136.

方创琳. 2015b. 中国城市群形成发育的新问题与对策建议. 中国城市规划学会. 规划创新：2020 年中国城市规划年会学术论文集，北京：中国建筑工业出版社.

方创琳. 2017a. 京津冀城市群协同发展的理论基础与规律性分析. 地理科学进展，36（1）：15-24.

方创琳. 2017b. 京津冀城市群一体化发展的战略选择. 改革，279（5）：54-59.

方创琳. 2018. 改革开放 40 年来中国城镇化与城市群取得的重要进展与展望. 经济地理，38（9）：1-9.

方创琳. 2020. 黄河流域城市群形成发育的空间组织格局与高质量发展. 经济地理，40（6）：1-8.

方创琳，鲍超，马海涛. 2016. 中国城市群发展报告 2016. 北京：科学出版社.

方创琳，鲍超，王振波 等. 2021. 城市群空间范围识别与评价技术规程（T/CI 022—2021），团体标准，中国国际科技促进会发布，2021-8-18.

方创琳，梁龙武，王振波. 2020. 京津冀城市群可持续爬升规律的定量模拟及验证. 中国科学·地球科学，50（1）：104-121.

方创琳，马海涛，李广东 等. 2017. 城市群地区国土空间利用质量提升理论与方法. 北京：科学出版社.

方创琳，毛其智. 2015. 中国城市群选择与培育的新探索. 北京：科学出版社.

方创琳，宋吉涛，蔺雪芹. 2010. 中国城市群可持续发展理论与实践. 北京：科学出版社.

方创琳，宋吉涛，张蔷等. 2005. 中国城市群结构体系的组成与空间分异格局. 地理学报，60（5）：827-834.

方创琳，王振波，马海涛. 2018. 中国城市群形成发育规律的理论认知与地理学贡献. 地理学报，73（4）：

651-665.

方创琳，姚士谋，刘盛和. 2011. 中国城市群发展报告 2010. 北京：科学出版社.

高文杰，张华，王海乾. 2007. 都市圈规划概论. 北京：中国建筑工业出版社.

李廉水，Roger R. Stough 等. 2007. 都市圈发展——理论演化，国际经验，中国特色. 北京：科学出版社.

刘友金，王玮. 2009. 世界典型城市群发展经验及对我国的启示. 湖南科技大学学报（社会科学版），12（1）：84-87.

王婧，方创琳. 2011. 中国城市群发育的新型驱动力研究. 地理研究，30（2）：335-347.

姚士谋，陈振光，朱英明 等. 2006. 中国城市群. 合肥：中国科学技术大学出版社.

姚士谋，周春山，王德 等. 2016. 中国城市群新论. 北京：科学出版社.

张京祥. 2000. 城镇群体空间组合. 南京：东南大学出版社.

张伟. 2003. 都市圈的概念、特征及其规划探讨. 城市规划，23（6）：47-49.

邹军，王学锋. 2005. 都市圈规划. 北京：中国建筑工业出版社.

Bertinelli L，Black D. 2004.Urbanization and growth. Journal of Urban Economics，56（1）：80-96.

Fang C L，Yang J，Fang J，et al. 2018.Optimization Transmission Theory and Technical Pathways that Describe Multiscale Urban Agglomeration Spaces. Chinese Geographical Science，28（4）：543-554.

Fang C L，Liang L W，Wang Z B. 2019.Quantitative simulation and verification of upgrade law of sustainable development in Beijing-Tianjin-Hebei urban agglomeration. Science China Earth Sciences，62（12）：2031-2049.

Forstall R L，Greene R P，Pick J B.2009.Which are the largest? Why lists of major urban areas vary so greatly. Tijdschrift Voor Economische En Sociale Geografie，100（3）：277-297.

Friedman J. 1985.Political and technical moments in development，aggropolitan development revised. Environment and Planning，122（3）：23-32.

Frideman J. 1986.The World City Hypothesis：Development and Change. Urban Studies，23（2）：59-137.

Friedman J. 1995. Where we stand. A decade of world research. In：Knox P L，Taylor P J ed.World Cities In the World System. Cambridge：Cambridge University Press.

Glazer A，Gradstein M，Ranjan P. 2003. Consumption variety and urban agglomeration. Regional Science & Urban Economics，33（6）：653-661.

Gottman J. 1957.Megalopolis，or the urbanization of the North-eastern seaboard.Economic Geography，33（7）：189-200.

Gottmann J. 1976. Megalopolitan systems around the world. Ekistics，243：109-132.

Mata D D，Deichmann U，Henderson J V，et al. 2007.Determinants of city growth in Brazil. Journal of Urban Economics，62（2）：252-272.

Matsumoto H. 2004. International urban systems and air passenger and cargo flows：some calculations. Journal of Air Transport Management，10（4）：239-247.

Papaioannou J G.1970. Population projections for Ecumenopolis. Athens Center of Ekistics.

Polyan P M. 1982. Large urban agglomerations of the Soviet Union. Soviet Geography，23（10）：707-718.

Portnov B A. 2006.Urban Clustering，Development Similarity，and Local Growth：A Case Study of Canada. European Planning Studies，14，1287-1314.

Portnov B A，Schwartz M. 2009. Urban clusters as growth foci. Journal of Regional Science，49（2）：287-310.

Scott A J.2001. Global City-Regions：Trends，Theory，Policy. Oxford：Oxford University Press.

Vaidyanathan K E.1977. Metropolitan population growth in Arab countries. Egyptian Population & Family Planning Review，11（1-2）：1-37.

Webster C，Lai L W. 2003.Property Rights，Planning & Markets. London：Edward Elgar.

第六章　世界城市与国家中心城市

导　读

　　世界城市是全球城市体系中发挥着全球金融中心、国际贸易中心、跨国公司总部聚集中心、全球研发中心和国际文化交流中心等核心职能的城市，是全球城市体系中的顶级城市，是对全球性战略资源、全球性战略产业和全球性战略通道具有绝对控制力和重要影响力的国际最顶端特大城市。国际大都市是指在全球城市体系和全球产业体系中具有显著的国际地位，拥有雄厚的经济实力、旺盛的科技创新活力和重要的政治文化影响力，对全球性经济社会发展具有较强的决策控制能力的城市。国家中心城市是在全国城市体系中发挥着国家金融中心、跨国公司总部聚集中心、全国贸易中心、全国研发中心和国际文化交流中心的城市，是处在国家城市体系最顶端的城市。本章重点介绍世界城市、国际大都市和国家中心城市的相关理论、基本功能、建设条件、综合测度方法等。

　　全球城市体系是一个由世界城市、国际大都市、国际型城市、国家中心城市、国家区域中心城市等构成的金字塔型体系，其中世界城市位于全球城市体系的最顶端，是最高形式的城市发展阶段，也叫全球城市（图 6.1，表 6.1）；国际大都市是仅次于世界城市的城市发展次高级阶段，是世界城市发展的前期阶段，也叫准世界城市；国际型城市是指在某一专业职能分工中具有重要国际影响力的城市，位于全球城市体系的第三个层次，有望建成国际大都市；国家中心城市是在国家尺度上具有重要影响力的城市，位于全球城市体系的第四层次，指在国家城市体系和产业体系中具有最高的发展地位，拥有最雄厚的经济实力、旺盛的科技创新活力和最重要的政治文化影响力，对国家和地区经济社会发展具有强大的决策控制能力的城市，位于国家城市体系的最顶端，未来有望建成国际大都市和世界城市；国家区域中心城市是在国家内部的区域尺度具有重要影响力的城市，位于全球城市体系的最低层次，有望建成国家中心城市。在全球城市体系中，国家中心城市是国际大都市发展的前期阶段，其最高形式为世界城市。

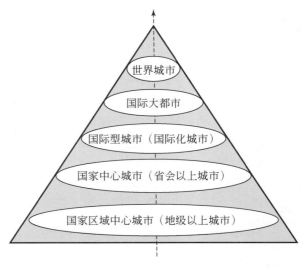

图 6.1　全球城市体系中的等级层次关系图

表 6.1　世界城市、国际大都市与国家中心城市的对比分析表

几种概念	基本特征	备注
世界城市（全球城市）	在全球城市体系和全球产业体系中具有最高的国际地位，拥有最强的经济实力、科技创新活力和政治文化影响力，对全球性经济社会发展具有强大决策控制能力	位于全球城市体系的最顶端，是国际大都市发展到高级阶段的产物
国际大都市	在全球城市体系和全球产业体系中具有显著的国际地位，拥有雄厚的经济实力、旺盛的科技创新活力和重要的政治文化影响力，对全球性经济社会发展具有较强的决策控制能力	位于世界城市和国家中心城市发展的中间阶段，是国际性城市或国家中心城市发展到高级阶段的产物，也称准世界城市
国家中心城市	在国家城市体系和产业体系中具有最高的发展地位，拥有最雄厚的经济实力、旺盛的科技创新活力和最重要的政治文化影响力，对国家和地区经济社会发展具有强大的决策控制能力	位于国家城市体系的最顶端，是国家区域中心城市发展到高级阶段的产物

第一节　世界城市

世界城市是在全球新的国际劳动地域分工和金融重要性提升的大背景下出现的具有全球影响力和控制力的城市。"世界城市"的概念一直以来都是随着不同时代世界政治、经济和社会的发展而不断发生变化，赋予全新的内涵。

一、世界城市的基本内涵与战略控制权

（一）世界城市的基本内涵

世界城市是指那些已对全球性战略资源（资源、资本、金融等）、全球性战略产业（全球产业链、价值链、跨国公司总部等）和全球性战略通道（港口、航线、铁路、公路等）具有绝对控制力和重要影响力的国际最顶端特大城市，是城市发展的最高级阶段，是全球经济系统的中枢和世界城市体系网络中的最高节点。伴随经济全球化、政治多极化、文化多元化、社会信息化程度的不断深化，以城市为载体在全球网络中形成了资源配置和流转的一个个节点，这些节点根据等级高低、能量大小、联系紧密程度等要素集结成一个多极化、多层级的网络体系，其中对于全球政治、经济和金融具有绝对控制力和影响力的节点城市就是世界城市。世界城市是一个权力的中心和决策的中心（Harvey，2014）。

世界城市又称国际城市、全球城市，三个概念略有差异，但内涵基本一致。世界各国学者对世界城市有着不同的定义。

早在 1889 年德国学者哥瑟（Goethe）就首次使用"世界城市"一词来描述当时的罗马和巴黎，以期从文化优势上突显这两个当时的世界城市（Gottmann，1989）。

1915 年英国城市和区域规划大师格迪斯（Geddes）在其所著的《进化中的城市》一书中，明确提出世界城市是指世界最重要的商务活动绝大部分都须在其中进行的那些城市。

1966 年英国地理学家、规划师彼得·霍尔（Peter Hall）从政治、贸易、金融、通信设

施、技术、文化和高等教育等多方面对伦敦、巴黎、莫斯科、纽约、兰斯塔德、莱茵—鲁尔、东京7个世界城市进行了综合研究，认为它们居于世界城市体系的最顶端。霍尔把世界城市定义为：那些已对全世界或大多数国家发生全球性经济、政治、文化影响的国际第一流大城市。具体包括如下内涵：主要政治权力中心；国家贸易中心；主要银行所在地和国家金融中心；信息汇集和传播地方；大的人口中心，而且集中了相当比例的富裕阶层；各类专业人才聚集中心；娱乐业已成为重要的产业部门（谢守红和宁越敏，2004；谢守红，2008）。

1986年弗里德曼在《世界城市假说》一文中阐述了有关世界城市的几个基本观点，认为世界范围内的主要城市均是全球资本用来组织和协调其生产和市场的基点，由此导致的各种联系使世界城市成为一个复杂的空间等级体系；世界城市的全球控制功能直接反映在其生产和就业结构及活力上；世界城市是大量国内和国际移民的目的地；世界城市是国际资本汇集的主要地点；世界城市集中体现产业资本主义的主要矛盾，即空间与阶级的两极分化；世界城市的增长所产生的社会成本可能超越政府财政负担能力。弗里德曼指出，世界城市是全球经济系统的中枢或组织节点，它集中了控制和指挥世界经济的各种战略功能，是建立全球经济体系的锚点，主导着全球资本的生产与市场，控制着全球产业分布和劳动力市场，创新全球生产与管理的技术（蔡建明，2001；Brenner，2006）。

1995年美国著名学者萨森（Sassen）认为世界城市就是跨国公司总部的聚集地，试图从微观角度即企业区位选择的角度来研究，她更乐于称之为全球城市。全球城市服务功能的发展会因为全球投资和贸易的迅速增长以及由此带来的对金融和特别服务的强大需求而进一步壮大。随着国际交易成为世界经济的主体，政府在世界经济事务中的管理和服务职能也会逐步为世界城市所替代。萨森认为全球城市具有以下4个基本特征：全球金融和特殊服务业的主要所在地；高度集中化的世界经济控制中心；包括创新生产在内的主导产业的生产场所；作为产品和创新的市场（Sassen，1991，1995；蔡建明，2001）。

1996年卡斯特尔（Castells）针对少数国家中吸引和集中高层管理活动的特定区域而创造了节点城市概念，认为节点城市是全球经济下的一个点，电信港的发展使得这些城市能够跨越传统的边缘界线而进行交流和贸易。世界城市则是"那些在全球网络中将高等级服务业的生产和消费中心与它们的辅助性社会联结起来的地方"，"世界城市产生于公司网络活动的关系以及以知识综合体和经济反射为基础的城市之间的联系之中"，"城市不是依靠它所拥有的东西而是通过流经它的东西来获得和积累财富、控制和权力"（Castells，1996）。他进一步指出，世界城市不是一个地点而是一个过程，一个把生产中心、消费中心、服务中心以及从这些中心的地方社会融入某个整体网络中的过程（蔡建明，2001）。

从上述各位学者的定义中可以看出，尽管目前对世界城市的定义尚无统一标准，但仍能对世界城市的多种概念中归纳出世界城市的基本概念，即一个世界城市应当：

（1）是全球金融中心和全球经济中心；

（2）拥有足够多的人口，特别是拥有大量高端人才；

（3）是所在国及其更大区域的首位城市；

（4）是跨国公司总部的集中地；

（5）具有在全球尺度上协调国际资本流动和生产活动的强大能力；

（6）是国际主要工商业区的核心城市；

（7）与全球城市群和国家城市群的核心城市；

（8）拥有便捷可控的国际交通通信设施；

（9）具有良好的人居环境和强大的吸引能力；

（10）是国际文化交流中心，具有创造新时尚、新价值观和新文化的能力。

（二）世界城市的战略控制权

世界城市是全球性战略资源、战略性产业和战略性通道的控制中心，是世界文明融合和多元文化的交流中心。世界城市的控制力表现为对全球性战略资源、战略性产业和战略性通道的占用权、使用权、收益权和再分配权。只有对三大战略拥有把控权、主动权和决定权，才能发挥世界城市的作用和功能。其中：

1. 控制全球战略性资源

包括硬性的资源如资源、能源和资金等，软性的资源如人才、信息、政策等，这些资源是关乎国家、城市运转、发展壮大的重要条件和能够带来巨大回报的关键要素。

2. 控制全球战略性产业

包括战略性支柱产业和战略性新兴产业，战略性支柱产业是对国家经济社会发展具有支撑作用的产业，对提升综合国力、保障国家安全具有不可替代的重要作用；战略性新兴产业是具有巨大市场前景和高附加值的朝阳产业，包括新能源、新材料、人工智能、节能环保、生物医药、互联网产业、云计算产业和大数据产业等。

3. 控制全球战略性通道

是指以战略性区位优势为依托，以港口、航空、公路、铁路等现代化交通设施为支撑，构建的面向全球性资源流通和产业转移的全球性通道，世界城市对这些战略通道具有绝对的控制力和引导力。

二、世界城市的基本特征与功能

在全球城市体系中，世界城市具有国际金融中心、国际政治中心、国际交通枢纽与信息传输中心、国际高端人才集聚中心和国际文化交流娱乐中心等基本功能。表 6.2 给出了霍尔总结的世界城市的主要特征。

表 6.2　霍尔关于"世界城市"主要特征一览表

·主要政治权利中心	·国家司法总部所在地
·首都和国际政府组织或非政府组织所在地	·主要大学和科研中心
·大型跨国公司总部所在地	·国家剧院、歌剧院及著名餐厅所在地
·主要专业团体和贸易商会总部所在地	·信息收集和传播中心，包括出版、广告、翻译、广播、电视和卫星资料等
·主要工业中心	·拥有大规模人口和足够国际型劳动力
·主要国际展览中心	·服务业人口在总劳动力人口中所占比重不断加大

续表

• 主要铁路、高速公路、港口和航空中心	• 能提供若干特别商品和服务的中心
• 主要银行、保险和投资公司总部所在地	• 拥有若干国际性专业市场
• 主要医疗和法律中心	• 各种政府、工业界、科研机构及自愿组织的全球性会议备选之地

资料来源：Stanley D B，Jack F W.1993.Cities of the World. New York：HarperCollins College Publisher.

（一）世界城市是国际金融中心与国际贸易中心

具有巨大的国际资源和资本流通与交易，某种意义上就是一个流动的空间和流动的过程，控制着全球金融市场，左右着全球资本流向和资源流向。世界城市的最大特点就是对全球经济的控制能力，这种控制能力主要来源于聚集其中的跨国企业和跨国银行总部（薛德升和邹小华，2018）。因此，金融中心是世界城市最重要的功能，构成了最高等级的世界城市体系。国际金融中心可以看作是世界城市概念的延伸，对国际金融中心的研究成为世界城市研究领域的一个特别分支（谢守红和宁越敏，2004）。世界城市同时是跨国公司总部集中地，是国际贸易中心，是全球供应链和产业链、价值链上非常重要的战略节点。

（二）世界城市通常是国际政治中心

世界城市不仅是国际金融中心和国际贸易中心，部分世界城市也是联合国或国家行政管理机构的所在地。绝大多数世界城市集聚了各类国际性专业机构、专业性组织和跨国企业总部。国际性政治中心影响着世界城市的发展，政治的力量影响着世界城市的国际影响力和实际控制能力。正由于如此，政治实力就成了区别世界城市与其他类型城市的重要因素，霍尔认为世界城市应是国际最强势政府、主要的政治权利中心和国际商贸等全球组织的所在地。弗里德曼认为，世界城市是世界经济和地域性国家政府之间的连接点，它凭借包容性极强的政治氛围，或凭借悠久的历史文化，成为国家之间实现政治互联的重要基地。

（三）世界城市是国际交通枢纽与信息传输中心

世界城市通常拥有大型国际海港、大型国际航空港和大型陆路综合交通枢纽，对全球空中运输通道、海上运输通道和陆上运输通道具有绝对控制能力和指挥能力，控制着世界贸易通道的"咽喉"和世界贸易运输格局。信息革命的到来使世界城市建设具有强大的信息处理传输能力。当今世界城市建设的基本条件就是信息自由互通，而世界城市基本都是掌控全球先进的通信网络的城市，发挥着全球信息处理中心和传输中心的支配功能，成为全球通信网络的主要节点，互联网时代新的通信技术推动世界城市之间的国际互联，世界城市在全球信息网络中充当着主要的信息网络节点（张书成和汤莉华，2014）。

（四）世界城市是国际高端人才集聚中心和国际研发中心

世界城市基本都是市区常住人口超过 1000 万人以上的全球超大城市，集中了国际知名的科研机构、高等院校、国家图书馆和博物馆、大型医院等具有全球影响力的教育、科研、文化、体育、卫生设施，因而是国际高端人才集聚中心、国际研发中心，也是新闻出版传播的中心。

（五）世界城市是国际文化交流娱乐中心

多数世界城市历史悠久，文化积淀深厚，一般都具有丰富的文化底蕴，是国际文化交流服务中心和全球性娱乐中心，也是国际艺术中心。全球大型电影节、艺术节、文化节、博览会、音乐会等，全球知名的影视基地、会展基地、国际盛事、国际高端论坛、国际知名博览会等都集中在世界城市。

三、世界城市的分类标准与评价方法

（一）世界城市的分类标准

由于不同学者对世界城市的定义不同，所以对世界城市的分类标准也不尽相同，目前国际上尚无统一的世界城市分类标准。比较有代表性的分类标准包括八指标三级分类法、二指标三级分类法、三指标两级分类法、十指标综合分类法、四指标二级分类法等。

1. 八指标三级分类法

主要根据世界城市的控制力进行分类。弗里德曼认为世界城市的控制力高低主要来自跨国公司总部、国际金融、全球交通和联系、高级商业服务、意识形态渗透和控制（信息、新闻娱乐等文化产物）的大小或程度。1986 年，弗里德曼采用主要的金融中心、跨国公司总部、国际性机构的集中度、商务服务部门的快速增长、重要制造业中心、主要的交通枢纽、人口规模 7 个指标对世界城市进行分类，并按照核心国家和半边缘国家对资本主义世界的主要城市进行分类。1995 年，弗里德曼又增加了人口迁移目的地这个指标，改变了以往区分核心国家和边缘国家的做法，而是按照城市所连接的经济区域的大小，重新划分了世界城市。把世界城市划分为三个层级（蔡建明，2001；张书成和汤莉华，2014）：

（1）第一层级的世界城市包括纽约、东京、伦敦等城市；

（2）第二层级的世界城市包括洛杉矶、法兰克福、阿姆斯特丹、新加坡、巴黎、苏黎世、马德里、墨西哥城、圣保罗、首尔、悉尼、迈阿密等城市；

（3）第三层级的世界城市包括大阪—神户、旧金山、西雅图、休斯敦、芝加哥、波士顿、温哥华、多伦多、蒙特利尔、香港、米兰、里昂、巴塞罗那、慕尼黑、莱茵—鲁尔、悉尼、芝加哥、达拉斯等城市。

2. 二指标三级分类法

1989 年，思里夫特（Thrift）选择了公司总部数量和银行总部数量 2 个指标界定世界城市，将世界城市分为三类：第 1 类为全球中心，包括纽约、伦敦、东京等；第 2 类为洲际中心，包括巴黎、新加坡、香港、洛杉矶等城市；第 3 类为区域中心，包括悉尼、芝加哥、达拉斯、迈阿密、檀香山、旧金山等城市（Thrift，1989；蔡建明，2001；张书成和汤莉华，2014）。

3. 三指标两级分类法

1989 年，美国学者戈特曼提出了将人口指标、脑力密集型产业和政府权力中心三大指标作为界定世界城市的主要指标（Gottmann，1989）。据此把世界城市划分为两大类：

（1）第一类为经典世界城市，包括伦敦、巴黎、纽约、东京、莫斯科、兰斯塔德、莱茵—鲁尔区等城市；

（2）第二类为新兴世界城市，包括北京、圣保罗、首尔、墨西哥等城市。

4. 十指标综合分类法

1991 年萨森采用大量数据解读了三大全球城市伦敦、纽约和东京（Sassen，1991），称之为"全球城市"，但较少涉及其他城市。进一步提出重点关注技术链接、企业及其海外机构、交通网络、跨境劳动力市场，跨境交易等因素，同时也应考虑非法交易网络，艺术市场，大型艺术展、人员流动和生意网络，重要的旅游机构等（Sassen，2002）。

5. 四指标二级分类法

1991 年，伦敦规划咨询委员会在讨论如何促进伦敦的可持续发展、维持其世界城市地位时，采用基础设施、财富创造能力、增加就业和收入、提高生活质量等 4 个指标对世界城市进行比较分类。据此将世界城市分为两大类（The London planning advisory committee. World City，1991；蔡建明，2001）：

（1）第 1 级世界城市包括伦敦、巴黎、纽约、东京等；

（2）第 2 级世界城市包括苏黎世、阿姆斯特丹、香港、法兰克福、米兰、芝加哥、波恩、哥本哈根、柏林、罗马、马德里、里斯本、布鲁塞尔等。

（二）世界城市的评价方法

由英国学者彼得·泰勒在 1995 年前后提出世界城市网络理论，在其此理论基础上，建立了以网络联系度为主的世界城市划分标准和数据指标，组建了当前世界流行的"全球化与世界城市研究小组与网络"（globalization and world cities study group and network，GaWC），成为全球最著名的城市评级机构之一，其发布的 GaWC 世界城市排名是 21 世纪以来最具影响力的城市排名之一。

自 2000 年以来，GaWC 就开始不定期发布《世界城市名册》，通过检验城市间金融、专业、创新知识流情况，确定一座城市在世界城市网络中的位置及地位变化情况。GaWC 采用的 13 个评价指标包括：

（1）国际性和知名度。

（2）积极参与国际事务且具有的国际影响力。

（3）拥有相当多的人口规模。

（4）拥有重要的国际机场，成为国际航线的中心。

（5）具有高速公路、大型公共交通网络的先进交通系统，可提供多元化综合运输模式。

（6）亚洲城市要吸引外资并设相关移民社区，西方城市要设国际文化和社区。

（7）拥有国际金融机构、律师事务所、公司总部（尤其是企业集团）和股票交易所，并对世界经济发展起关键作用。

（8）具有光纤、无线网络、流动电话等服务先进的通信设备，利于跨国合作联系。

（9）具有国际知名的博物馆、大学等教育文化机构。

（10）具有浓厚的文化气息，如电影节、首映、热闹的音乐或剧院场所；交响乐团、歌剧团、美术馆和街头表演者。

（11）具有国际影响力的强大而有影响力的媒体。

（12）具有举办国际体育盛事的能力和经验，包括强大的体育社群、体育设施、本地联赛队伍。

（13）近海城市拥有繁忙的大型港口。

依据上述 13 个指标体系，GaWC 将全球 361 个主要城市分为四个等级：世界一线城市（Alpha）、世界二线城市（Beta）、世界三线城市（Gamma）和世界四线城市（Sufficiency，自给型城市），每个等级内部又会用加减号来标记该等级内的次级别。以表明城市在全球化经济中的地位及融入程度，每一个级别又根据其变化程度采用+/-进行地位高低变化的细分，下设特强（++）、强（+）、中（/）、弱（−），"+"越多表明该城市在这一层级全球城市中的位置越重要，反之，"−"越多表明该城市在这一层级全球城市中的位置越弱。

根据上述世界城市的评价指标体系，将 2020 年度世界城市分级结果如表 6.3 所示。

表 6.3　2020 年度世界城市分级表

一级分类	本级亚类	世界城市名称
世界一线城市	Alpha++	伦敦、纽约
	Alpha+	香港、新加坡、上海、北京、迪拜、巴黎、东京
	Alpha	悉尼、洛杉矶、多伦多、孟买、阿姆斯特丹、米兰、法兰克福、墨西哥城、圣保罗、芝加哥、吉隆坡、马德里、莫斯科、雅加达、布鲁塞尔
	Alpha−	华沙、首尔、约翰内斯堡、苏黎世、墨尔本、伊斯坦布尔、曼谷、斯德哥尔摩、维也纳、广州、都柏林、台北、布宜诺斯艾利斯、旧金山、卢森堡市、蒙特利尔、慕尼黑、德里、圣地亚哥、波士顿、马尼拉、深圳、利雅得、里斯本、布拉格、班加罗尔
世界二线城市	Beta+	华盛顿、达拉斯、波哥大、迈阿密、罗马、汉堡、休斯敦、柏林、成都、杜塞尔多夫、特拉维夫、巴塞罗那、布达佩斯、多哈、利马、哥本哈根、亚特兰大、布加勒斯特、温哥华、布里斯班、开罗、贝鲁特、奥克兰
	Beta	胡志明市、雅典、丹佛、天津、阿布扎比、珀斯、卡萨布兰卡、基辅、蒙得维的亚、奥斯陆、赫尔辛基、金奈、河内、南京、费城、开普敦、杭州、内罗毕、西雅图、麦纳麦、卡拉奇、里约热内卢、重庆、巴拿马城
	Beta−	武汉、大阪、沈阳、西安、危地马拉城、大连、圣彼得堡、拉各斯、基多、济南、圣萨尔瓦多、堪培拉、乔治敦（开曼）、马斯喀特、底特律、爱丁堡、吉达、海德拉巴、拉合尔、奥斯汀
世界三线城市	Gamma+	圣荷西、加尔各答、夏洛特、圣路易斯、浦那、安特卫普、鹿特丹、阿德莱德、波尔图、巴库、瓜达拉哈拉、卢布尔雅那、青岛、阿尔及尔、苏州、贝尔法斯特、格拉斯哥、麦德林、科隆、金边、伊斯兰堡、凤凰城、里加、第比利斯、合肥、昆明
	Gamma	德班、维尔纽斯、哥德堡、圣胡安、南特、安卡拉、圣多明各、弗洛茨瓦夫、渥太华、达卡、马尔默、布里斯托、地拉那、科伦坡、都灵、瓦伦西亚、瓜亚基尔、台中
	Gamma−	路易港、阿克拉、亚松森、毕尔巴鄂、马普托、杜阿拉、拿骚、哈拉雷、波兹南、罗安达、克利夫兰、福州、名古屋、堪萨斯城、卡托维兹、马拉加、克雷塔罗、哈尔滨、密尔沃基、槟城、盐湖城

数据来源：根据 GaWC 数据整理。Alpha、Beta、Gamma、Sufficiency，分别代表全球一、二、三、四线城市，下设特强（++）、强（+）、中（/）、弱（−）等次级别。

第二节　国际大都市

　　在全球城市体系中，国际大都市处在全球城市体系的第二层级，是国际型城市和国家中心城市发展到高级阶段的产物，也是建设世界城市的前期阶段，国际大都市也叫准世界城市，是参与全球竞争的重点城市类型。

一、国际大都市的概念与基本功能

（一）国际大都市的基本概念

　　国际大都市是指那些有优越的地理位置、较强的经济实力、一定数量的跨国公司和金融总部、良好的服务功能、并对世界和地区经济具有一定控制能力的城市。国际大都市包括两层基本含义：

1. 国际化的内涵

　　指城市的性质、功能和地位具有国际化特征，如具有金融中心、国际经济中心和国际贸易中心的地位，对世界经济有一定影响力；经济运行与国际接轨，有很高的办事效率；第三产业高度发达，综合服务功能强。在世界经济发展中有相当的竞争力和影响力，是世界金融、经济和贸易中心之一；国际大都市集中了数量可观的国际金融机构、跨国公司以及国际经济与政治组织，是国际资本的集散中心，在很大程度上能够控制和影响全球或区域性经济活动；国际大都市具有很高的经济开放度，通行国际惯例和国际法规，生产性服务业发达，交通系统高效快捷；国际大都市又是国际性新思想、新技术、新体制创新基地，是国际性商品、资本、技术、信息和劳动力集散中心等。

2. 大都市的内涵

　　指城市规模方面的特征，包括城市本身具有一定的规模，且拥有广泛的经济腹地；拥有庞大的企业集团、一定数量的跨国公司总部、中介组织和相当的要素存量、资产存量和内外贸易额，具有高等级现代化基础设施、公共服务设施和良好的城市人居环境。逐步发展成为都市连绵区，成为世界级城市群的核心区。

　　此外，有不少城市将发展目标定位为国际商贸都市、国际旅游都市、国际森林都市、国际文化都市等，显然，这些概念只是各个城市基于某一方面的优势而提出的目标，与它们全球城市体系中的定位并没有直接的联系。在中国，国际大都市是一个被高度本土化理解和运用的概念。中国曾经有 183 个城市提出了要建设"国际大都市"的宏伟目标，在国内这已经成了一个相当普及的名词。由此可见，人们对国际大都市的概念缺乏统一的认识。事实上，概念的模糊，使得国际大都市作为城市发展的战略目标具有很大的歧义性，这也是引发公众质疑的主要原因之一。

3. 影响力和控制力的内涵

　　国际大都市的核心是其在全球城市体系中的影响力和控制力。从经济地理学角度理解国际大都市，是具有超常的国际经济、政治和科技实力，与全球大多数国家发生经济、政治、科技和文化交流关系的国际一流都市。其影响力建立在相当雄厚的经济实力基础之上，对全球经济具有一定的控制力。基于此，国际大都市不仅应关注城市的规模，更应关注城市在全球劳动地域分工中的战略地位、决策力和是否具有足够大的国家影响力。如果脱离了全球城市体系，那么国际大都市的定位就失去了理论基础和实际意义（陆军等，2010）。

4. 基本定义

国际大都市是指在全球城市体系和全球产业体系中具有显著的国际地位，拥有较雄厚的经济实力、旺盛的科技创新活力和重要的政治文化影响力，对全球性经济社会发展具有较为强大决策控制能力的城市。在全球城市体系中，国际大都市是国际性城市发展到高级阶段的产物，其最高形式为世界城市。

（二）国际大都市的基本特征与功能

1. 国际大都市的基本特征

国际大都市的基本特征包括地理环境特征、经济环境特征、制度环境特征和活动能力特征等四大方面，具体特征如下：

（1）具有适于各种产业活动的优良自然地理条件；
（2）拥有良好的经济腹地和支撑条件；
（3）拥有强大的基础设施和辐射全球的交通网络；
（4）基于高度发达的信息网络在一定范围内的全球控制能力；
（5）具有开放的政治体制、经济环境及高效的管理；
（6）众多全球（或跨国、跨地区）集团总部集聚地；
（7）金融保险、财会、法律等现代服务业高度发达；
（8）拥有发达的全球贸易和资本融通体系；
（9）具有强大的文化功能和创新能力。

2. 国际大都市的主要功能

国际大都市发挥着国际金融中心、国际贸易中心、跨国公司总部聚集中心、国际研发中心和国际文化交流中心等五大核心职能。

国际大都市也可能兼有国际政治权力中心、国际物流中心、国际高技术制造业中心、国际观光与会议中心、国际交通枢纽中心、国际传媒中心、国际娱乐中心、国际人才集聚中心和国际信息网络中心等专业化职能（表6.4）。

表 6.4　国际大都市的职能体系

职能类型	主要职能	体现职能的具体指标
经济	国际经济控制和决策中心	跨国公司总部（包括地区性总部）数量
	国际贸易中心	外贸转口额，口岸进出口额，贸易进出口额，国际贸易公司的规模与数量
	国际金融中心 国家资本交易中心 国际货币交易中心	金融机构数量，金融业占国内生产总值的比重，外汇交易额，证券交易额，信贷资金，境外上市公司的数量和资本规模
	国际高技术制造业中心	高技术产品产值，高技术孵化公司的数量

续表

职能类型	主要职能	体现职能的具体指标
经济	国际生产性服务业中心	会计、广告、法律服务、公共关系，咨询机构数量
	国际物流中心	港口吞吐量（散货和集装箱），航空吞吐量（人/货）
政治	国际政治权力中心	国家最高权力机构所在地，各类政府机构数量，国际权威组织数量，国外政府派出机构的数量
文化	国际文化交流中心	举办国际文化活动的次数，图书馆外文藏书数量，世界级博物馆数量，高等教育机构数量
	国际观光与会议中心	接待境外游客数，举办国际会议的次数
	国际娱乐中心	娱乐场所数量
	国际传媒中心	出版业、新闻业及无线电和电视网总部数量
科技	国际信息网络中心	域名、网站点数量，电话主线、移动电话、个人电脑、互联网主机拥有量，骨干网络贷款与网络数量
	国际研发中心	科研机构数量，科研成果数量
社会	国际交通枢纽中心	港口国际航线的数量，国际机场的数量，航空国际航线的数量

上述多种职能集中在一个城市时称其为综合型国际大都市，少数几种职能集中在一个城市时称其为专业性国际大都市或国际性城市。

二、国际大都市的主要类型与特征

国际大都市的形成和发展有赖于国际交往的日益加深。从这个意义上说，国际大都市其实古已有之。古罗马时期欧洲社会的一体化进程促成了罗马作为国际大都市的形成，从而出现了"条条道路通罗马"的区域空间格局。中国汉唐时期丝绸之路的开拓造就了当年长安城的国际地位。而 18 世纪中叶开始的工业革命，推动了全球殖民体系形成，从而造就出以伦敦、巴黎、纽约为代表的一批国际化大都市（黄建富，2003；陆军，2011）。

现代化国际大都市的形成是全球化的产物。全球化是一个包括经济全球化、社会全球化和政治全球化的综合过程。在现阶段，主要表现为经济全球化。经济全球化是全球资本主义发展到更高阶段并进而寻求全球地域劳动分工，在全球范围内配置其经济资源的一种以谋求最大利益为目标的复杂过程。那些作为控制这种复杂过程的城市，就自然成为全球城市体系中的佼佼者，发挥更为重要的功能和作用。因此从本质上说，国际大都市的形成、建设和发展，取决于该城市在全球地域劳动分工中的地位和作用，以及它在全球化进程中的参与程度和参与力度。

根据在全球城市体系中的地位和作用，国际大都市可以划分成不同的类型，包括金融型、混合型、商贸交通型、旅游文化型和各类专业型国际大都市（兰肖雄等，2011；黄建富，2003；陆军，2011）（表 6.5）。

表 6.5   国际大都市的分类

国际大都市类型		典型城市
金融与管理型		伦敦、纽约等
混合型（含组合城市）		东京、巴黎、温哥华、墨西哥、多伦多、洛杉矶、兰斯塔德（组合城市）等
商贸与交通枢纽型		鹿特丹、新加坡、法兰克福、阿姆斯特丹、芝加哥、香港等
旅游与历史文化型		罗马、开罗、威尼斯、斯德哥尔摩、圣彼得堡、维也纳、米兰、马德里等
专业型	政治型	日内瓦、内罗毕、洛桑等
	宗教型	梵蒂冈、耶路撒冷、麦加等
	游乐型	摩纳哥、澳门等
	特色小城镇	戛纳、达沃斯、罗瓦涅米等

（一）金融型国际大都市

金融型国际大都市是以金融为主要控制因素的国际大都市，基本都是国际金融中心和国际贸易中心。纽约和伦敦是世界最大的国际外汇市场和国际保险中心，也是世界上最大的金融和贸易中心，是金融型国际大都市的典范。这两座城市最大的竞争优势和独特魅力来自于它在银行、证券、保险、新闻、广告、咨询、外贸、会计等领域为本国乃至全球提供的优质服务。金融型国际大都市建设的基本特点为：

1. 快速实现产业结构转型升级，成功完成经济结构优化

顺应科技革命推动产业结构在世界范围内重新调整和布局的新形势，纽约在 1960～1990 年大力发展金融、保险等生产性服务业，成功完成了经济结构转型，并确立了国际金融中心与管理中心的地位。期间纽约第三产业的就业比重达到 90%左右，提高了约 20 个百分点，而制造业就业比重从 27%下降到约 7%。目前，纽约第三产业的比重已接近 95%（兰肖雄等，2011；黄建富，2003；陆军，2011）。

2. 重视培育和发展生产服务业，金融、保险业发达

纽约号称美国的"银行之都"，美国十大银行中的四大银行总部坐落于纽约，包括了美国和其他主要国家的 380 多家银行。在 20 世纪 70 年代，纽约的制造业就逐渐衰退，曾一度威胁到纽约的经济发展，正是金融、保险、法律等生产性服务业的迅速壮大，使得纽约经济快速转型，给城市发展注入强劲动力，巩固了纽约世界金融中心的地位。

3. 总部经济十分发达，金融管理职能突出

以纽约为例，纽约是美国和国际大公司总部的集中地，全美国 500 家最大的公司，约有30%的总部设在纽约。同时，还吸引了与之相关的各种专业管理机构和服务部门，形成了一个控制国内、影响世界的服务和管理中心（兰肖雄等，2011；黄建富，2003；陆军，2011）。

4. 交通运输网络设施发达，公共服务设施高效便捷

纽约交通网络设施完整发达，地铁是世界上最大的快速交通系统，主要轨道长度为1062km，有 468 个运营站，年运送乘客数超过 14 亿人次。同时，纽约是美国的国际航空入口，纽约港是美国东部最大的商港。除此以外，纽约的各种基本公共服务设施都是全美国最便捷最先进的。

5. 参与国际活动能力强，对国际事务的控制力强

纽约被称为"世界之都"，是世界上最大的国际组织——联合国总部所在地。除了联合国总部以外，还有联合国儿童基金会、联合国开发计划署、联合国人口基金等国际组织总部集中于此。纽约的非政府组织也同样发达，联合国经济社会理事会认可的具有咨商地位的非政府组织中，有197个总部设在纽约（蔡建明，2001；兰肖雄等，2011）。

6. 重视吸引人才和发展文化产业

纽约是一座移民城市，重视吸引人才和提高人口素质，有较高素质的人力资源和很好的科研教育资源基础。纽约的非营利文化产业每年吸引至少百万游客，创造了两倍于投资的税收，并为纽约制造了数十万就业岗位，促进了经济发展。另外，文化产业对社区稳定和市民生活水平的提高也有重要影响。

（二）混合型国际大都市

混合型国际大都市是同时具备金融、政治、管理、文化等多重强大职能，在国际大都市建设过程中，特别重视大都市综合功能的培育。典型城市是东京、巴黎、温哥华、墨西哥、多伦多、洛杉矶等。以东京为例，分析混合型国际大都市的建设特点。

1. 注重城市综合功能的培育和发挥

与纽约、伦敦等单一的国际大都市相比，混合型国际大都市的职能是综合的，东京的城市职能既有伦敦的政治功能，又兼备纽约和伦敦的金融功能，还有比它们强大的现代工业中心功能，因而被认为是"纽约+华盛顿+硅谷+底特律"型的集多种功能于一身的综合性世界城市。东京具有五大主要功能（兰肖雄等，2011；黄建富，2003；陆军，2011）：

（1）日本最大的金融及管理中心。东京是仅次于纽约和伦敦的全球第三大金融中心，集中了日本30%以上的银行总部、50%销售额超过100亿日元的大公司总部。

（2）日本最大的工业中心。东京集中了全日本1/4的制造业销售额，第二产业仍占有一定的比重，这是伦敦和纽约所不具备的制造业功能。

（3）日本最大的商业中心。集中了日本30%的商品销售额和35.3%的批发销售额。

（4）日本最大的政治文化中心。作为首都的东京有著名的早稻田大学、东京大学、庆应大学等几十所高等学府。

（5）日本最大的交通中心。东京湾港口群是国内最大的港口群体，以东京羽田和成田两大国际机场为核心，组成了联系国内外的航空基地。

2. 重视经济结构的快速转型

东京在20世纪50～60年代经济高速增长期第二产业比重较大，自70～80年代起逐步下降，同时第三产业快速发展，稳步成为经济增长的主要动力。至2005年，东京第三产业就业比重占比已达到85.75%。不过与伦敦和纽约等金融型大都市不同，东京在发展第三产业、完成经济结构转型的同时，制造业仍具有较重要地位，并重视制造业由粗加工向精细加工的转换，由重化工业向知识技术密集型行业转换。2006年，运输机械、出版印刷、信息通信电子器械行业已成为东京制造业的三大主导行业（兰肖雄等，2011；黄建富，2003；陆军，2011）。

3. 重视城市规划的引领作用

东京十分重视城市规划对其城市功能定位、产业结构调整和解决社会问题的指导作用。20 世纪 60 年代东京的第一、二次城市规划使得综合城市功能不断强化，制造业地位大大提升，同时出现了一系列社会问题。因此，从 1977 年东京编制第三次城市规划开始，东京政府就开始推动建设国际大都市以解决一系列社会问题，促使东京的城市功能定位发生重大变化，由对外扩散的多极自治发展战略转变为有选择地在东京集中发展金融、保险、信息服务等全球经济功能。东京政府通过多次城市规划不断调整城市发展性质和功能定位，这对东京建成综合型国际大都市发挥了关键作用（兰肖雄等，2011；陆军，2011）。

4. 注重塑造城市软实力，大力发展动漫产业，建设国际知名"动漫之都"

在推进城市经济发展的同时，东京特别重视塑造城市软实力。日本政府把发展动漫产业提高至战略高度，通过发展漫画和动漫产业来推销日本文化，树立国家形象，提升自身生活品质。2007 年动漫产业占据了全球动漫市场 62%的份额，快速发展成为日本的第六大产业。东京凭借丰富的动漫底蕴优势，通过集群化发展和成熟的市场运作机制，建成为国际知名的"动漫之都"。不但推动了地方经济繁荣，更重要的是提升了东京的国际认可度和美誉度。

（三）商贸交通型国际大都市

商贸交通枢纽型国际大都市是以优越的战略区位优势和交通优势为控制力的国际大都市。包括新加坡、鹿特丹、法兰克福、阿姆斯特丹、芝加哥、香港等城市。以新加坡为例，分析商贸交通枢纽型国际大都市的建设特点（兰肖雄等，2011；陆军，2011）。

1. 区位交通优势突出，积极建设世界离岸金融业中心

新加坡是一个城市国家，面积不到 7 万 km^2，国内市场容量极为有限，自然资源和劳动力缺乏，但新加坡地处马六甲海峡咽喉的要道之地，是连接东西方的海上枢纽，拥有天然的深水港。依据优越的区位交通优势，新加坡建成了国际金融中心之一。根据 2018 年全球金融中心指数（GFCI）排名报告，新加坡是继伦敦、纽约、香港之后的第四大国际金融中心，被 GaWC 评为世界一线城市。

2. 重视现代化综合交通体系建设，尤其是航空能力的提升

新加坡的樟宜国际机场是世界公认最好的机场之一。2006 年国际机场协会（Airports Council International，ACI）将樟宜机场列为世界上第 6 个最繁忙的国际机场。2019 年新加坡樟宜机场共完成旅客吞吐量 6830 万人次。随着亚洲在世界经济和政治发展中的地位逐步得到提升后，部分知名的国际性组织已在新加坡设立了办事处。

3. 重视国际沟通能力的提升，积极发展国际会议产业和旅游业

凭借优越的区位优势、陆海联动的综合交通体系和良好的城市形象，新加坡已连续 23 年成为亚洲首选国际会议城市。新加坡政府特别注重提升国际沟通能力，重视发展国际会议产业，根据国际协会联合会（Union of International Associations，UIA）的统计资料，自 2007 年起，新加坡一直高居国际会议城市的首位。2009 年举办国际会议场次高达 689 次，远远高于第二位（布鲁塞尔）。同时积极吸引国际人才，弥补自身人才资源方面的劣势。塑造良好的城市形象，重视旅游业的发展。

（四）历史文化型国际大都市

历史文化型国际大都市包括罗马、开罗、威尼斯、圣彼得堡、斯德哥尔摩、维也纳、米兰、马德里等历史悠久的世界文化名城，其中"音乐之都"维也纳，就是欧洲最古老和最重要的文化、艺术和旅游城市之一，是历史文化类国际大都市的典范。维也纳国际大都市的建设经验主要包括（兰肖雄等，2011；陆军，2011）：

1. 重视城市特色文化的保护传承，塑造特色鲜明的城市国际形象

维也纳被称为"音乐之都"，是奥地利首都和欧洲古典音乐中心，是许多著名古典音乐作品的诞生地，产生过海顿、莫扎特、贝多芬、勃拉姆斯等世界级音乐大师。这里有世界上最豪华的国家歌剧院，有世界一流的交响乐团，每年的新年音乐会享誉全球。维也纳有"东西欧转运站"之称，水陆空立体交通发达，公路、铁路和多瑙河内河航运与东、西欧相通，有航线与世界各国相连，是重要的转口贸易城市。

2. 注重提升国际沟通能力，通过发展国际会议产业提高国际影响力

维也纳凭借独特的区位优势拥有极大的国际商业中心和服务中心的发展潜力，是欧洲东部和西部联系的重要纽带。维也纳市政府认识到国际化带来的好处，特别注重提升国际沟通能力，通过发展国际会议产业提高其国际影响力，是知名的四大国际会议城市和联合国四个官方驻地之一。2008年举行国际会议249场次，2009年举行311场次，仅次于新加坡、布鲁塞尔和巴黎。

3. 充分发挥政府的能动作用，积极指导宜居城市建设

为了巩固和加强维也纳在国际城市网络中的地位，政府重视城市的管治和改革。2000年维也纳战略规划的总目标就是"保持和提高维也纳各个领域丰富多样的特色，促进社会、经济和生态环境的全面可持续发展，为城市塑造具有吸引力的战略远景"。提出的发展目标是将维也纳建成全球性大都市、创新的和动态的城市、学习的和多样性的城市、生态的和宜居的城市、公正的和效率的城市。建设内容涉及经济与就业、区域合作、自然生态与城市空间、科教与文化，以及生活质量提升与环境保护等。

（五）专业性国际大都市

该类国际大都市与综合型国际大都市相比并不突出，但有一、二种具有重要国际影响力的城市职能，特色十分鲜明，这类城市包括日内瓦、洛桑、内罗毕等政治型国际大都市，耶路撒冷、梵蒂冈、麦加等宗教型国际大都市，澳门、摩纳哥等游乐型国际大都市，戛纳、罗瓦涅米、达沃斯等特色国际小城镇。专业性国际大都市建设的经验在于：不过分追求城市的规模和体量，认为城市规模与城市的国际影响力并无直接联系，特别重视城市的个性与特色的培育，特别重视城市特色品牌塑造与专业职能的培育，以特制胜，以特影响全球，形成具有国际影响力的特色国际大都市。

以专业性国际大都市日内瓦为例，该城市面积159km^2，当地人口仅有19万人，城市面积和人口体量均很小，却因为在城市里集中了200多个国际组织总部或区域总部，使该市誉满全球，包括联合国驻欧洲总部、联合国难民署、世界卫生组织、国际劳工组织、国际电信联盟、世界贸易组织、世界知识产权组织、世界气象组织和诸国会议同盟等；许多跨国公司的欧洲总部也设在日内瓦。

（六）对中国建设国际大都市的启示

（1）重视培育城市专业化职能的国际竞争力与影响力，不宜过度贪大求全。国际大都市的形成与发展，主要是依靠城市职能的国际竞争力与影响力，与城市规模大小并无直接关系。另外，国际大都市具有等级层次性，综合竞争力强、影响遍及全球的世界城市的数量少、要求高，中国只有个别的城市具备发展成为世界城市的条件，大多数城市应根据自身条件与优势，重点培育少数专业化职能的国际竞争力与影响力，逐步成长为专业型、商贸交通枢纽型或旅游与历史文化型国际城市，不宜过度贪大求全。

（2）重视发展第三产业特别是生产性服务业，促进城市经济结构转型。大力发展第三产业特别是生产性服务业，完成城市经济结构转型是大多数国际大都市形成与发展的必经阶段和重要经验，也是中国城市经济社会发展所面临的紧迫任务。

（3）重视发展国际旅游业、国际会议业，提升城市影响力。

（4）重视城市特色与形象的塑造，提升城市软实力。

（5）重视发挥政府的引导与调控功能，提高建设效率与针对性。

（6）重视依托城市群，建设联系密切、合理分工、错位发展的组合型国际大都市，有效避免单一城市发展规模过大带来的城市病。

三、国际大都市建设的总体思路与策略

（一）中国建设国际大都市的总体方针

中国建设国际大都市的总体方针是：站在全球化和中国国情的双重高度，全面贯彻落实科学发展观，按照循序渐进、量力而行、中西结合、民生优先的总体建设原则，把建设国际大都市作为中国现代化建设的重要战略举措和中国城市发展的战略目标。鼓励北京、上海、深港澳等已经成为国际大都市的城市，积极创造条件进一步向世界城市的目标迈进；有重点地培育若干个条件相对较好的城市，向建设国际大都市的目标迈进。最终在中国形成由世界城市、国际大都市和国际性城市三个能级组成的中国国际化城市体系新格局。

（二）中国建设国际大都市的总体思路

中国建设国际大都市的总体思路为：围绕一个战略目标（国际化战略），坚持量力而行、循序渐进、中西结合、民生为先四大原则，处理好"渐进"与"跃进"、"本土化"和"国际化"、"造势"与"造市"、"政绩"与"民生"、"专业性"与"综合性"等五种关系，适时适机适度地建设符合中国国情与特色的，具有较大国际影响力的国际大都市。

1. 把建设国际大都市作为我国城市发展长期战略目标，实施国际化战略

在全球化和信息化背景下，世界经济竞争的核心是作为全球网络运作节点的国际大都市。作为各种要素全球流动的主要载体和全球社会经济活动的动力中枢，国际大都市的可持续发展能力决定着一个区域、整个国家乃至全球社会经济发展的兴衰走向。尤其在国际

生产网络和全球通信网络发展趋势下，全球化不断向广度和深度推进，全球范围内的大城市面临着新的生存与发展机会。现有的国际大都市已经开始了新一轮大规模开发活动，力图巩固各自参与全球分工的优势地位；而一些发展中国家也纷纷提出了建设国际大都市的发展目标，以期在经济全球化新浪潮中提升国际竞争能力。在世界经济重心逐步向亚太地区转移、中国加入世界贸易组织背景下，随着中国改革开放的不断深化和国民经济的持续高速发展，积极培育和加快建设国际大都市是中国在更大范围、更广领域和更高层次参与全球经济技术合作与竞争的战略举措，也是中国通过全方位提升对外开放水平抢抓新机遇、寻求新动力、开拓新空间、发展新优势的重要途径。

　　国际大都市建设的经验说明，国际大都市所集聚的高能辐射功能，不但可大大提升一个国家在全球经济体系和政治体系中的经济和政治地位，而且能推动本国经济的强劲发展。对于中国来说，创建国际大都市不仅可以推动中国参与国际竞争与国际分工，争取在世界政治经济舞台中的主动权地位，更是加快国家经济繁荣昌盛、提升国家的国际影响力的长期需要。目前，中国正在成为亚太地区经济潜能最大、经济动力最强、经济发展最具活力的地区之一，这为中国具备条件的城市建设国际大都市奠定了坚实的基础。

　　2. 正确处理好"渐进"与"跃进"的关系，循序渐进地建设国际大都市

　　国际大都市是在城市化及城市发展基础上逐步演化形成的一种高级形态，其形成与发展过程具有历史演进的延续性和时空拓展的规律性。国际化大都市的出现与发展是一种历史现象，它是社会经济发展到一定阶段的产物，也是人类文化发展的重要象征。任何一个城市最终都会通过努力具备建设国际大都市的条件和标准，但建设国际大都市需要一个长期的过程，这就需要在建设过程中坚持循序渐进、量力而行的原则，避免冒进或跃进，避免脱离实际，避免急功近利，急于求成，要处理好近期与长远的关系（方创琳，2018）。

　　3. 正确处理好"洋气"与"土气"的关系，建设符合国际标准且具中国特色的国际大都市

　　建设国际化大都市，吸收欧美及其他各国城市建设中的先进理念，要从中国的实际国情、市情实际出发，稳妥推进，量力而行。坚持以人为本，创造功能良好、环境优美的城市居住环境。根据本地功能特点，把地方特色、民族传统和时代精神有机结合，精心塑造特色鲜明的城市形象，体现中华民族的整体文化水平。注重城市的协调发展，宜小则小，宜大则大，防止在建设中贪大求洋，在规模上盲目求大。要做到土洋结合，正确处理好本土化和国际化的关系，立足国情，放眼国际，土洋结合，中西合璧，突出中华民族文化特色，张扬国际大都市建设的个性，避免国际大都市建设的千城一面，避免崇洋媚外，把单纯建设几座国际化高楼或国际化社区作为国际大都市的标志（方创琳，2016，2018）。

　　4. 正确处理好"造势"与"造市"的关系，科学求是地建设国际大都市

　　在具备建设国际大都市条件的城市，要正确处理好"造势"与"造市"的关系，把大张旗鼓地宣传造势和脚踏实地的城市建设有机结合起来，协调好长远发展目标和近期行动计划之间的关系。一方面可以大张旗鼓的宣传造势，提升城市的国际化形象；另一方面要制定出长远发展目标和近期行动计划，脚踏实地、量力而行，分期分阶段建设。多一点脚踏实地，少一点虚妄的自我陶醉。避免借建设国际大都市之名炒作形象，圈地造城，违背建设国际大都市的初衷。更要遏制用杀鸡取卵的办法，超越经济承受能力去建设国际大都市，透支和浪费日渐稀缺的发展资源，以换取眼前的政绩。

在不具备建设国际大都市条件的城市，则要把目标降下来，为建设国际化城市做出努力，如果连建设国际化城市的目标都实现不了，则建议把城市建设与改善环境和改善民生紧密结合起来，为建设生态宜居城市而奋斗。

5. 正确处理好"政绩"与"民生"的关系，建设宜居乐业的国际大都市

国际大都市建设对提升城市能级、改善民生有着积极的正面作用。但必须自觉地意识到，国际大都市建设也可能给城市和民生带来负面的影响，这是国际大都市建设的双重性。国际大都市是政治经济活动高度集聚的地方，为全球经济活动的高效化提供了便利条件，但资源和各类经济活动的高度集聚也隐含着高风险。由此可见，建设国际大都市可大大地改善城市形象，提升城市在全球经济社会发展中的国际地位，强化城市的国际化功能和为国际提供各种服务的职责，起到彰显官员"政绩"的作用；但同时会影响对城市居民本身提供的各种服务，透支当地发展资源，进而影响城市宜居功能的提升和城市居民民生的改善。这就要求在建设过程中一定要正确处理好"政绩"与"民生"的关系，把建设国际大都市和切实改善民生紧密结合起来，使国际大都市的建设真正起到"藏富于民"的作用。最大限度地增加城市居民的福祉，才是国际大都市建设的最终落脚点，并不见得非要戴上"国际大都市"这顶帽子。对城市居民来讲，一座宜居、安居、乐居的城市，要比"国际大都市"要实惠得多（方创琳，2018）。

6. 正确处理好"专业性"与"综合性"的关系，重点建设专业性国际大都市

现代化国际大都市的建设不是千篇一律的，而是多层次多样化的，既有综合性的，也有专业性的。相对而言，建设综合型国际大都市要比建设专业性国际大都市难得多。因此，在我国建设国际大都市，一定要正确处理好专业性国际大都市和综合型国际大都市的关系，一定要立足中国城市建设的实际国情和市情，以建设在国际有重要影响力的专业化国际大都市为重点，最大限度地发挥城市在某一方面的国际竞争优势和管控影响能力，把中国具备建设条件的城市建成为各具特色的专业性国际大都市。本着先易后难的原则，先期建成专业性国际大都市，然后逐步建成为综合型国际大都市。

7. 学会在全球化里准确定位城市，在城市里根植全球化的现代元素

全球化思维正在影响着中国每一个城市的决策智慧，进一步解放了城市的思想，越来越多的城市都在找准切入点打造城市的国际品牌，全球化的力量倒逼着中国城市用全球工业化的理念对传统产业进行改造升级，通过全球化来实现资源的大流通。因此，要以史为鉴，树立高瞻远瞩的眼光，树立开放包容的心态，以先进制度为保证，在全球化格局中重新审视和制定城市的发展定位。在全球化进程和城市国际化进程中，世界500强企业和中国500强企业在城市的落户是推动中国城市走向国际化的最重要推动力，通过落地"大鸟"的叫声引"百鸟"飞来。城市的全球化进程源自于全球化企业，正是企业的全球化影响着、引领着城市的全球化思维和国际化进程。

因此，在全球化时代，中国的每一个城市要从全球化企业中学会从全球化里去寻找城市的战略定位和国际职能，全球化的思维告诉我们，不能只站在城市的角度考虑全球化的事情，而应当站在全球化的高度审视城市的事情，只有开放的城市，和外界有充分交流的城市，才能在开放的环境下，准确定位城市的职能和在全球化中的分工，才能找准"城市定位"，并逐步树立起城市的国际形象，推进城市的品牌化建设。才能在国际化竞争中具有无可替代的竞争力和影响力。

（三）中国建设国际大都市的主要策略

在世界经济全球化、网络化的大趋势下，世界经济竞争的核心是作为重要网络节点的国际大都市，一个国家的国际经济地位在很大程度上取决于这些国际大都市的经济实力和国际竞争竞争力。随着经济全球化浪潮的日益高涨，中国经济加速融入全球化格局，越来越多的城市开始立足自身特点，面向全球视野，积极发挥自己的独特功能，参与国际交流与竞争。在此背景下，中国很多城市在新一轮城市总体规划中提出了建设国际性大都市的宏伟构想。中国建设国际大都市首先要从相关重大科学问题的综合研究做起，逐步构建等级有序的中国国际化城市体系，打造国际化服务平台，增强城市的综合经济实力和国际化职能，不断引进高端国际人才，形成有利于国际大都市建设的经济环境、制度环境和政策环境。

1. 开展国际大都市建设的重大科学问题的综合研究

从全球城市体系建设和国家城市发展的战略高度，开展国际大都市建设的重大科学问题的综合研究。系统研究资源环境承载力约束下中国建设国际大都市的影响因素、动力机制、组织模式和支撑体系，为科学制定与区域资源禀赋相协调的国际大都市发展战略提供理论依据和决策参考。研究重点包括：①国际大都市建设的动力机制与模式研究；②国际大都市建设的资源环境保障体系研究；③国际大都市建设的通用标准与指标体系研究；④国际大都市建设的支撑体系研究；⑤国际大都市建设与中国国际化城市体系研究；⑥国际大都市建设的空间发展战略与格局研究；⑦典型城市建设国际大都市的示范研究；⑧数字国际大都市建设研究；⑨国际大都市建设的对策与保障措施研究。

2. 构建由 30 个城市组成的中国国际大都市建设体系，开展典型示范

按照各个城市发展的特点和阶段，构建一个等级合理、竞争有序、结构开放的中国国际化城市体系，形成国际大都市培育和建设梯队。按照国际大都市建设的条件和标准，现阶段，中国现有的 687 个城市不能也不需要全部建成国际大都市。从国家层面而言，应该按照世界城市、国际大都市、国际性城市三个层级构建中国国际化城市体系。因此，提出两点建议：①分别开展世界城市、国际大都市、国际性城市建设标准与条件的研究，提出通用的世界城市、国际大都市、国际性城市评价标准体系，以此为基础，科学选择出一批世界城市、国际大都市和国际性城市，并进行重点培育和建设。②按照国际大都市的建设条件与标准，通过综合分析比较，初步判断中国在未来 20~50 年有望建成 30 个左右的国际大都市，包括 3 个世界城市（香港-深圳-澳门、上海和北京）、12 个国际大都市（广州-佛山、天津、重庆、南京、沈阳、成都、武汉、西安、杭州、青岛、大连、厦门）和 15 个国际性城市（苏州、东莞、南宁、哈尔滨、长春、昆明、海口、宁波、温州、长沙、合肥、济南、福州、乌鲁木齐、郑州），形成由世界城市、国际大都市、国际性城市三个层级组成的中国国际大都市建设体系。

3. 进一步扩大对外开放，不断提升城市建设的国际性功能

探索建立与国际经济规则相适应的体制机制，不断拓展对外开放的广度和深度，加强重点生产和商贸领域的国际合作，积极开展国际经济技术交流与合作，鼓励企业"走出去"，支持企业在研发、生产、销售等方面开展国际化经营，建立参与全球化竞争的生产和营销网络。同时，借助对外开放的外力促进产业结构转型升级，大力发展旅游、金融、会展、科技等方面的国际合作；立足于全球城市网络体系，将城市建成全球城市体系中不可或缺的战略节点，不断强化城市发展的国际化功能。完善城市基础设施、公共服务设施和软件环境，增强各种要素的流动性。

4. 实现产业高端化与国际化，建设全球价值链上利益共享的国际大都市

率先转变城市经济增长方式，实现产业的高端化与国际化，建设全球价值链上利益共享的城市。以国际城市功能的培育和塑造为载体，建立由政府、企业和社会"三位一体"的科技投入体系，加大科技投入力度，重点发展高新技术产业，全面突破现代服务业发展。通过现代服务业的高度发展有效提升制造业的能级，形成以服务经济为主的产业结构，以信息化带动工业化，扎实推进主导产业高端化、新兴产业规模化、传统产业品牌化，积极利用先进技术、信息化手段和现代管理理念改造提升传统产业，发展处在价值链高端的先进制造业和以现代物流、金融保险、研发设计、信息服务、教育培训等为主的生产性服务业，按照生产服务业集聚化、公共服务业均等化、生活服务业连锁化、基础服务业网络化的要求，积极发展高端综合服务业，优化产业结构，提升产业层次。按照离合—联合—整合—聚合的产业发展路径，通过创新驱动，培育具有国际意义的企业集团和产业集群，走规模化、集团化与国际化的发展道路；按照低端—中端—高端—终端的产品升级路径，推动重点企业、重点行业和重点产品向产业链高端发展，延伸具有国际意义的产业链，走国际化和高级化发展道路，提高产业的国际竞争力；把国际大都市建成全球产业链上不可或缺的战略节点，成为全球核心价值链上的利益共享城市。

5. 实施文化共享与交流，提升国际大都市建设的软实力

全面深入挖掘国际文化交流史，提升国际大都市多元文化品位；积极搭建现代国际文化交流平台，推动国际交往向纵深和更广领域发展；不断培育具有国际影响力的特色文化功能，大力实施"文化共享与交流工程"，提升国际大都市的文化软实力。城市文化越来越成为经济发展和社会进步的战略资源，成为国际大都市参与国际竞争的重要砝码，具有独特魅力的城市文化是国际大都市参与国际竞争的巨大优势。推动"文化共享与交流工程"，应以提升国际大都市的文化软实力为目标，以构建覆盖全社会的公共文化服务体系为基础，以城市文化资源的挖掘和整合为重点，以加快文化产业市场建设和构建文化创意产业链为核心，积极培育文化产业示范园区、文化产业基地、大型文化企业集团和知名文化品牌。以组织举办各种大型文艺、体育活动和国际性的商贸咨询会、展览会、洽谈会等丰富多彩的国际文化活动为抓手，充分发挥新闻媒体的舆论导向作用，做好宣传工作，提高国际大都市的国际知名度。

6. 积极打造国际化服务平台，提升城市建设的国际能级

围绕国际订单和交易中心、国际采购中心、国际旅游服务中心、国际展览和展示中心、国际外包服务中心等功能建设，进一步引进外资功能性机构，积极打造国际化服务平台，扩大服务贸易领域的对外开放。不断创新对外经济合作方式，有条件的企业可走出去对外投资、开展跨国并购，在研发、生产、销售等方面开展国际化经营。重点培育一批具有国际竞争力的跨国公司和国际知名品牌，提高企业的国际市场竞争力和产业的国际分工地位，形成经济全球化条件下参与国际经济合作和竞争新优势。优化国际化大都市的投资环境，以国际化功能区为载体，建成承接产业转移的重要平台和外来投资的聚集地，不断完善土地、金融、技术信息、劳动力、产权交易等要素市场，提高产业配套能力，不断提升城市建设的国际能级（方创琳，2018）。

7. 逐步优化国际大都市建设的行政管理体系与经济环境

重点围绕城市创新体系、政府服务体系和社会诚信体系的改革开放，聚焦形成国际化的制度环境。一是要建立与国际接轨的政府服务体系。深入推进"服务政府、责任政府、法治政府"建设，创新政府管理方式，优化行政业务流程，增强政府服务的规范性，不断完善科学民主的决策机制、规范有序地执行机制和公正透明的监督机制，形成具有国际化眼光和创新意识的高素质公务员队伍，加快建成符合现代化国际大都市特征的政府服务体系。二是建立国际大都市不可或缺的城市创新体系平台。增强自主创新能力，加强企业技术中心建设，引导和鼓励企业增加研发投入，以企业为主导推进产学研结合，加快建立以企业为主体的技术创新体系；完善支持创新的财税、金融和政府采购政策，健全知识产权保护体系，在政府、市场、社会公众中营造鼓励创新、接纳创新的氛围，充分激发全社会的创新活力，逐步形成符合国际大都市的城市创新体系。三是积极营建社会诚信体系，推动国际大都市与全球市场网络实现无缝接轨，提高投资环境质量的水平。

8. 积极引进和培养国际化大都市建设的国际高端人才

国际化大都市建设过程最关键的是人才，既包括市民整体素质的提升和市民现代精神的塑造，也包括国际化专业人才的内部培养和外部引进。提升市民素质是国际大都市管理水平的关键环节，引进国际人才是提升城市国际化水平的重要手段。国际专业人才是建设国际大都市的核心支撑，专业人才的知识结构、专业定位和思维方式决定着城市管理的成败。各类调查资料显示，中国城市在国际化进程中，市民整体素质的提升和国际人才的凝聚力，已经成为国际化大都市建设的主要"瓶颈"，而打通"瓶颈"的主要途径，则在于终身教育理念的普及与学习型城市的构建以及人才国际化战略的推行。人才的国际化是建设现代化国际大的最关键环节，主要体现在以下三个方面：一是人才构成的国际化；二是人才素质的国际化；三是人才活动空间的国际化。因此，国际大都市建设必须以"柔性流动"为契机，创造一种适合国际人才发展的宽松氛围与良好环境，让人才特别是国际化人才来去自由，不求所有，但求所为。第一，要针对国际大都市对高端人才的需求，加紧制定能吸引人才落户的生活服务、税收、保障等相关政策，从引进程序、引进范围和引进渠道等方面，做好外国专家和海外留学生的人才引进工作，构筑海外专家和留学人才高地，尤其要重点引进具有国际产业链高端的国际专业人才。第二，鼓励国际大都市的人才勇于"走出去"，加强与国际科研机构、大企业集团的学术和技术交流。第三，实施高等教育的国际化战略。高等教育的发展水平是一个国家或城市综合科技实力的象征，也是吸纳国际优秀人才的重要载体培养国际化高端专业人才，是建设国际大都市的重中之重。第四，加快建设开放的人才市场体系，建设国际高新技术产权交易市场，为优秀高端人才提供良好的学术交流环境。

第三节 国家中心城市

国家中心城市是指在全国城市体系和产业体系中具有显著的国家地位，拥有雄厚的经济实力、旺盛的科技创新活力和重要的政治文化影响力，对全国乃至全球经济社会发展具有强大决策控制力的城市。国家中心城市具有较强的聚集力、辐射力和综合服务能力，在由国家中心城市—区域中心城市—地区中心城市—市县中心城市构成的我国中心城市四级建设体系中，国家中心城市处在体系的最顶端，是国际大都市发展的前期阶段，其最高形式为世界城市（方创琳，2016，2017）。

一、国家中心城市的基本功能与分类

（一）国家中心城市的基本功能

国家中心城市发挥着国家金融中心、国家及国际贸易中心、跨国公司总部聚集中心、国家研发中心和国际文化交流中心等五大核心职能，同时也可能是全国制造业中心、国家政治中心、全国交通枢纽中心、全国物流中心、全国娱乐中心、全国观光与会议中心、全国人才集聚中心、全国传媒中心和全国信息网络中心等专业化职能。上述多种职能集中在一个城市时称其为综合型国家中心城市，少数几种职能集中在一个城市时称其为专业性国家中心城市（方创琳，2017）。

国家中心城市是全国经济增长中心、金融服务中心、商贸物流中心、科技创新中心、交通信息中心和行政管理中心，在国家层面具有很强的经济集聚能力、辐射扩散能力、科技创新能力、综合服务能力、综合竞争能力和控制能力。

（二）国家中心城市体系的等级分类

根据中心城市的辐射能力强弱及其影响区域范围的大小，大体可将中心城市体系分为以下四类。

1. 国家中心城市

国家中心城市在我国城市体系中处于顶端地位，具有带动全局发展功能的全国中心城市。这类城市在区位交通上大多处于"门户"地位，是国家甚至国际交通运输体系中的枢纽或重要节点，对内、对外联系便捷；经济上对外开放度较高，为跨国公司总部或分支机构的集聚地，拥有发达的金融、保险、物流、信息服务、旅游、会展等现代服务业；科技教育发达，创新能力较强，高技术产业和创意产业较发达，具有较强的竞争力；人居环境良好，社会文明程度较高。其中上海、北京、广州、深圳和香港均已基本具备了上述条件。这些城市在建设国家中心城市的基础上，今后将建成为在亚太地区乃至世界上起重要作用的国际大都市和世界城市，其影响力将大大超越国界。

2. 国家区域中心城市

国家区域中心城市是指在大区域经济活动中处于重要地位，并起着经济活动枢纽作用的综合性城市。中国幅员辽阔，区域差异明显，除了少数几个影响力可扩散至全国的国家中心城市外，在全国七大经济区域（华北、东北、华东、华中、华南、西北和西南区）都应建设相应的国家区域中心城市。这类城市处于我国城市体系的次顶端，作为国家和区域发展的主枢纽城市，通常是所在大区域的综合交通枢纽与通讯枢纽；同时也是大区域的经济增长中心、金融服务中心、科技创新中心、商贸物流中心和行政管理中心，具有较强的人口和经济集聚能力、辐射扩散能力、科技创新能力和综合服务能力。

3. 地区中心城市

地区中心城市通常指各省、自治区的省会（首府）城市和计划单列市。由于省（自治区）级中心城市辐射的人口及区域远不及国家中心城市和国家区域中心城市，其影响范围大都局限于所在省区，只有少数经济发达的省区，由于省会城市所处的独特地理位置，其影响力可达毗邻省区。此外，少数城市功能较强的省级市也可作为地区中心城市。

4. 地区次中心城市

地区次中心城市多数为省区内的次区域中心城市。这些次区域中心城市绝大部分为省辖市或地级市，其人口与经济规模和重要程度虽不及地区中心城市，但对所在区域经济、社会、交通、科教发展起着中心和组织协调作用。

二、国家中心城市的建设条件

国家中心城市是经济社会发展到高级阶段的产物，其区位优越，交通运输便捷，人口与生产要素及科教集聚程度较高，经济运行高效，改革开放领先，突出地表现在综合实力强、多功能、强辐射、开放性等方面。与区域中心城市和地区中心城市相比，国家中心城市综合测度指标体系见表 6.6。

表 6.6　国家中心城市综合测度指标体系

	综合测度指数	具体测度指标	数量
国家中心城市综合测度指标体系	综合经济实力指数	地区生产总值 GDP（亿元）、人均地区生产总值（元）、经济密度、现代服务业比重（%）、固定资产投资总额（亿元）、财政总收入（亿元）、人均一般预算收入（元）、工业全员劳动生产率（元）、城镇居民人均可支配收入（元）	9
	科技创新能力指数	R&D（研发）投入占 GDP 的比重（%）、每万人拥有科技人员活动数、每万人拥有在校大学生数、专利申请授权数、高新技术产业增加值占 GDP 比重（%）	5
	国际竞争能力指数	外贸依存度（进出口总额占 GDP 的比重）、实际利用外资额占 GDP 的比重（%）、外商投资企业占工业增加值的比重（%）、对外贸易总额（亿美元）	4
	辐射带动能力指数	先进制造业集中度（采用区位商的计算方式）、现代服务业（含金融、交通、信息、房地产）集中度（区位商算法）、社会消费品零售总额（亿元）、金融机构存贷款余额（亿元）	4
	交通扩散能力指数	货运周转量（亿吨/公里）、客运周转量（百万人/公里）、（高等级）公路网密度（公里/百平方公里）、铁路通车里程（公里）、航空枢纽度（航空运量比重）	5
	信息交流能力指数	信息传输业增加值占第三产业增加值比重（%）、邮政业务总量（万元）、电信业务总量（万元）、国际互联网用户普及率（%）、移动电话普及率（%）	5
	可持续发展能力指数	城市建成区绿化覆盖率（%）、人均公共绿地面积（平方米）、城镇生活污水处理率（%）、生活垃圾无害化处理率（%）、工业固体废物综合利用率（%）、大气质量优良率（%）、单位 GDP 能耗（吨标准煤/万元），单位 GDP 水耗（吨/万元）	8

（一）人口与经济高度集聚，具有很强的集聚吸引力

国家中心城市是大经济区域的人口要素与经济活动的集聚点和枢纽。其集聚与吸引主要表现在以下三个方面：

（1）大量人口的集中地。与其他城市相比，国家中心城市能提供更多的就业机会，能获得较高的收入，因此可吸引大量的人口集聚，成为人口集聚中心。

（2）产业的集中地。国家中心城市由于具有良好的投资软、硬环境，因此吸引了境内外一大批投资者在此建设生产企业、研发服务机构和跨国公司企业总部（或分支机构），成为制造业和高新技术产业的集聚地。同时，国家中心城市庞大的产业和人口，又带动了一大批紧密为其服务的生产性服务业（如金融、保险、信息服务、物流、中介咨询等）和消费性服务业的关联发展，形成了一大批彼此紧密联系的产业集群与产业集聚区。

（3）生产要素的集聚地。国家中心城市是区域技术、人才、资金、劳动力等生产要素的集聚中心。一方面发挥其区位、交通、原有经济基础、科技等综合优势，抓住经济全球化不断深入发展背景下，跨国公司和沿海经济发达地区加快产业转移的机遇，吸引并集聚了大量资金、技术与管理人才；另一方面，通过企业上市和投融资体制改革，集聚了大量建设资金，迅速发展成为各大经济区域生产要素的集聚高地。

（二）产业结构高级化，具有很强的辐射扩散能力

产业结构高级化是国家中心城市的显著特点之一。发达的服务业和高端制造业是其经济的主要支柱。而服务业、特别是现代服务业中的金融、保险、物流、现代商贸、信息服务等行业具有高附加值和强辐射等特点，其影响范围常常可超越省级行政区界线；先进制造业和高技术产业的专业分工与协作，通常又可延伸到较远的区域与城市，进而形成城市间、地区间、国家间的劳动地域分工。随着产业转移步伐的加快，产业链的分工模式也随之改变，促进了制造业从生产加工型向服务型制造业升级，并孕育出了文化创意产业、外包服务业等一批辐射扩散能力很强的新兴现代服务业，形成了产业结构高级化与增强辐射扩散能力之间的良性互动。

（三）科技力量雄厚，具有很强的科技创新能力

国家中心城市是各种高端要素的聚集地，是区域技术、人才、科研设备以及科研交流集约化程度最高的城市，也是人力资本培育的重要基地。较强的创新能力使其成为区域新技术、新工艺、新设备、新产品的研发中心和新的管理模式与新制度的发源地。同时，国家中心城市具有较强的自主创新能力和引进、消化集成创新能力，在引进先进技术和向周边扩散过程中，发挥着承上启下、承外启内、集成创新、协同创新的作用。

（四）基础设施完善，具有很强的综合服务能力

国家中心城市内部交通通信设施非常完备，与外部的交通联系非常便捷，是区域经济发展的综合交通枢纽和通讯枢纽。完善的基础设施和公共服务设施体系，提高了城市的运行效率，通过其强大的辐射扩散能力带动了周边地区的发展，成为一个区域内经济增长极

和综合服务中心。

（五）经济网络发育，具有很强的国际竞争能力

国家中心城市是城市发展到高级阶段的产物，对支撑国家城镇体系具有重要的引领作用，对周边地区的发展具有非常强大的辐射带动作用，是建设世界城市的必由之路。国家中心城市是城市体系和区域经济网络的核心节点，发挥着组织和协调区域经济网络空间的重要作用。通过交通运输、商务流通、信息流通、产业合作等内在经济联系，不断与外部进行能量、物质、信息的交换以及各种经济活动的"对流"，使区域形成相对稳定、联系紧密的多层次经济网络体系，具有一般中心城市不具备的整体竞争力。

（六）行政管理高效，具有很强的综合调控能力

国家中心城市通常是行政管理中心，同时又是对经济运行起调节作用的各类金融机构，以及保险、商贸与信息服务的中心。通过政府的引导、管理和市场机制作用，对宏观经济发展走势进行有效的调控，同时还可运用筹资融资、财税、土地、环保等综合手段，促使经济持续、快速、健康发展。

从国家中心城市承载的职能可知，建设国家中心城市具有非常苛刻的条件、相当高的标准、相当大的难度和相当长的建设周期。并不是所有城市都具备建成国家中心城市的能力和条件。即使具备建设条件，建设国家中心城市也绝非一朝一夕的事情，需要通过几代人、甚至几个世纪的长期努力才能完成（方创琳，2017）。

三、国家中心城市建设注意的相关问题

建设国家中心城市的路程漫长而艰难，为什么还要提出建设国家中心城市呢？这是因为，国家中心城市是国家城市体系中处在金字塔尖的数量极少的城市，是城市发展到高级阶段的产物，也是建设世界城市的必由之路。国家中心城市的人口规模基本上都是市区常住人口超过 1000 万人以上的超大城市。这些城市对支撑国家城市体系具有重要的引领作用，对周边地区的发展具有非常强大的辐射带动作用，因而在国家城市体系建设中具有不可替代的战略地位。国家中心城市建设的重要性决定了建设国家中心城市是一项坚定不移推进新型城镇化战略的重要举措，在建设过程中需要注意以下四大问题（方创琳，2017）。

（一）国家中心城市建设应淡化集聚，强化引领和辐射带动功能

从国家中心城市的建设条件分析，具备建设基础的城市基本都是人口与生产要素高度集聚的地区，也是城市病较为突出的地区。因此，建设国家中心城市需要以治理好城市病为前提，不再强调中心城市的极化效应或虹吸效应，进一步吸纳人口和生产要素向中心城市集聚，相反要把建设重点放在强化带动周围更大范围地区的协调发展上，放在缩小中心城市与周边地区发展差距上，通过国家中心城市的辐射引领，推动中心城市与周边地区大、中、小城市和小城镇实现整体均衡协调发展。

（二）建设国家中心城市避免盲目跟风，一味脱离实际追求数量

中国先后在建设国际大都市、国家级新区、国家城市群和各类不同类型的示范区及试验区过程中，不同程度地出现了不顾条件盲目跟风、脱离实际追求数量的情况，甚至部分城市政府将建设国家中心城市视为形象工程和政绩考核指标。新发展格局下提出建设国家中心城市，一定要量力而行，国家主管部门要严把国家中心城市建设的数量关和质量关，避免只带帽子，只讲面子，不顾建设质量的现象发生，不宜将不够条件的城市拔苗助长纳入国家中心城市建设范畴。正确处理好国家中心城市建设中的"渐进"与"跃进"的关系，循序渐进地建设国家中心城市。避免冒进，避免脱离实际，避免急功近利和急于求成。协调好长远发展目标和近期行动计划之间的关系，科学求是地建设国家中心城市（方创琳，2017）。

（三）建设国家中心城市要因地制宜，兼顾区域发展差异

我国地域辽阔，区域发展差异巨大，建设国家中心城市要适当兼顾东部、中部、西部和东北地区中心城市建设的差异性和特殊性，不宜将国家中心城市过多集聚到东部地区集中建设，而是确保每个大区域都能有国家中心城市布局，以便发挥中心城市对大区域发展的综合支撑和辐射带动作用。尤其是对西部地区和东北地区而言，建设国家中心城市对拉动这些地区新型城镇化进程和高质量发展具有至关重要的作用，建设国家中心城市要充分考虑在西北和东北地区布局的可能性与合理性。

（四）建设国家中心城市要充分考虑城市资源环境承载力

从已有提出建设国家中心城市的数个城市来看，凡是能达到国家中心城市建设标准和要求的城市，绝大多数城市都面临着资源环境承载能力低的约束，这些城市面临着缺水、缺地和日益严重的环境污染等问题。据此，建设国家中心城市要超前做好资源环境承载力监测预警工作，把推进中心城市生态文明制度建设作为国家中心城市建设的重要目标，在国家中心城市国土空间规划中超前做好资源环境承载力的评价工作，把城市多规合一制度贯彻到国家中心城市规划与建设的全过程中去，将城市多规合一作为国家中心城市建设的总控制器和主推进器（方创琳，2017）。

主要参考文献

蔡建明. 2001. "世界城市"论说综述. 国外城市规划，6：32-35.

方创琳. 2016. 中国城市发展空间格局优化目标与重点. 城市发展研究，23（10）：1-10.

方创琳. 2017. 国家中心城市建设应注意四大问题，中国科学报，2017-2-13.

方创琳. 2018. 城市群发展能级的提升路径. 国家治理，216（48）：5-12.

黄建富. 2003. 世界城市的形成与城市群的支撑——兼论长三角城市群的发展战略. 城市经济研究，7：17-21.

兰肖雄，刘盛和，蔡建明. 2011. 国际城市的分类、建设经验与启示. 世界地理研究，20（4）：39-47.

陆军. 2011. 世界城市判别体系及北京的努力方向. 城市发展研究，18（4）：16-23.

陆军，宋吉涛，谷溪. 2010. 世界级城市研究概观. 城市问题，1：2-10.

谢守红. 2008. 西方世界城市理论的发展与启示，开发研究，1：51-54.

谢守红，宁越敏. 2004. 世界城市研究综述. 地理科学进展，23（5）：56-66.

薛德升，邹小华. 2018. 基于中资商业银行全球空间扩展的世界城市网络及其影响因素. 地理学报，73（6）：989-1001.

张书成，汤莉华. 2014. 世界城市研究历程与分类体系综述. 江南大学学报（人文社会科学版），23（2）：72-76.

Brenner N，Roger K . 2006. The Global Cities Reader. London：Psychology Press.

Castells M. 1996. The Rise of Network Society. Oxford：Blackwell.

Gottmann J. 1989. "What are Cities Becoming Centers of Sorting out the Possibilities？" In: Knight，Richard，Gary Gappert，eds. Cities in a Global Society，Newbury Park. London and Delhi：Sage.

Hall P. 1966. The World Cities. London：Heinemann.

Harvey D. 2014. Seventeen Contradictions and the End of Capitalism. Oxford：Oxford University Press.

Peter J T. 1995. World Cities in a World-System. Cambridge：Cambridge University Press.

Sassen S. 1991. The Global City：New York，London，Tokyo. Princeton：Princeton University Press.

Sassen S. 1995. "On Concentration and Centrality in the Global City". In: Paul L K，Peter L T. World Cities in A World-System. Cambridge：Cambridge University Press.

Sassen S. 2002. Global Networks，Linked Cities. London and New York：Routledge.

Thrift N J. 1989. The geography of international economic disorder. Oxford：Blackwell.

第七章　城市规划与国土空间规划

◐　导　读

　　城市规划是对特定时期内城市经济社会发展、土地利用、空间布局以及各项建设所做的综合部署、具体安排和实施管理；城市多规合一是指将城市国民经济和社会发展规划、城乡总体规划、城市土地利用总体规划、城市生态环境保护规划等多个规划相互融合到一张可以明确边界线的城市市域地图上，实现一个城市、一本规划、一张蓝图，解决现有城市多个规划自成体系、内容冲突、衔接协调难度大等突出问题。国土空间规划是指一个国家或地区对所辖国土空间范围内的资源和布局进行长远谋划和统筹安排，旨在实现对国土空间的有效管控、集约利用及科学治理，促进发展与保护的平衡。本章重点介绍了城市规划的编制体系、编制内容和编制方法；介绍了城市多规合一的背景、核心实质及技术路径；介绍了国土空间规划编制的战略意义、五级三类四体系和编制内容、编制思路与方法，提出了新时代国土空间规划编制思路与重点。

第一节　城　市　规　划

一、城市规划及编制体系

（一）城市规划的定义

　　根据《城市规划基本术语标准》（GB/T50280—98），城市规划是"对一定时期内城市的经济和社会发展、土地利用、空间布局以及各项建设的综合部署、具体安排和实施管理。"（中华人民共和国建设部，1999）。

　　美国国家资源委员会认为，城市规划是一种艺术、一门科学、一种技术和一种政策活动，设计并指导空间的协调发展，以满足社会与经济发展的各种需要。可见，城市规划是城市政府确定城市发展性质与定位、提出未来发展目标、改善城镇自然环境与人居环境，综合调控二、三产业经济社会发展、高度聚集空间内的人口规模、用地规模结构、资源节约利用、生态环境保护和各项开发建设行为，以及对城镇发展的综合协调和具体部署；依法确定的城市规划是优化资源配置、维护公共利益、保障城市健康成长、实现城市人口、经济、社会和环境持续协调发展的公共政策手段。

　　为了确定城市性质、功能、规模和方向，实现城市经济和社会发展的阶段性目标，合理制定城市规划，有序进行城市建设，1989 年 12 月 26 日，第七届全国人民代表大会第十一次常务委员会通过了《中华人民共和国城市规划法》，该法自 1990 年 4 月 1 日起施行。在《中华人民共和国城市规划法》中明确指出，城市规划区是指城市市区、近郊区以及城市行政区域内因城市建设和发展需要实行规划控制的区域，城市规划区的具体范围，由城市人民政府在编制的城市总体规划中划定。

为了协调城乡空间布局，加强乡村规划管理，改善城乡人居环境，促进城乡经济社会全面协调可持续发展和城乡融合发展，依法将原来的城市规划改名为城乡规划。2007 年 10 月 28 日，第十届全国人民代表大会常务委员会第三十次会议通过《中华人民共和国城乡规划法》，自 2008 年 1 月 1 日起施行，原《中华人民共和国城市规划法》同时废止（第十届全国人民代表大会常务委员会，2008）。

（二）城市规划的编制体系

1990 年 1 月实施的《中华人民共和国城市规划法》将城市规划划分为总体规划和详细规划两个阶段（图 7.1），总体规划由城镇体系规划、城市总体规划、城市分区规划、近期建设规划组成，详细规划由控制性详细规划和修建性详细规划组成。

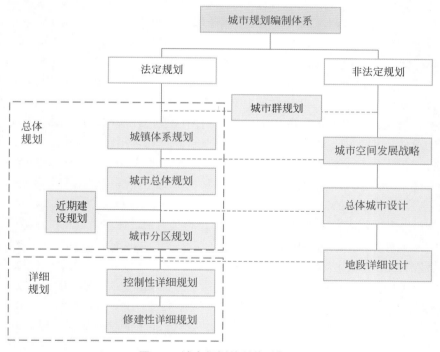

图 7.1　城市规划编制体系框图

城镇体系规划是指一定地域范围内，以区域生产力合理布局和城镇职能分工为依据，确定不同人口规模等级和职能分工的城镇分布和发展规划。

城市总体规划是对一定时期内城市性质、发展目标、发展规模、土地利用、空间布局以及各项建设的综合部署和实施措施。

近期建设规划是在城市总体规划中，对短期内建设目标、发展布局和主要建设项目的实施所做的安排。

分区规划是在城市总体规划的基础上，对局部地区的土地利用、人口分布、公共设施、城市基础设施的配置等方面所做的进一步安排。

控制性详细规划是以城市总体规划或分区规划为依据，确定建设地区的土地使用性质和使用强度的控制指标、道路和工程管线控制性位置以及空间环境控制的规划要求。

修建性详细规划是以城市总体规划、分区规划或控制性详细规划为依据，制订用以指导各项建筑和工程设施的设计和施工的规划设计。

2008 年 1 月实施的《中华人民共和国城乡规划法》将城乡规划分为城镇体系规划、城市规划、镇规划、乡规划和村庄规划。城市规划、镇规划分为总体规划和详细规划。详细规划分为控制性详细规划和修建性详细规划。本法所称规划区，是指城市、镇和村庄的建成区以及因城乡建设和发展需要，必须实行规划控制的区域。规划区的具体范围由有关人民政府在组织编制的城市总体规划、镇总体规划、乡规划和村庄规划中，根据城乡经济社会发展水平和统筹城乡发展的需要划定（吴志强和李德华，2010）。

城镇体系规划的编制内容包括：城镇空间布局和规模控制，重大基础设施的布局，为保护生态环境、资源等需要严格控制的区域。全国城镇体系规划由国务院城乡规划主管部门报国务院审批，省、自治区人民政府组织编制省域城镇体系规划，报国务院审批。

城市总体规划、镇总体规划的内容包括：城市、镇的发展布局，功能分区，用地布局，综合交通体系，禁止、限制和适宜建设的地域范围，各类专项规划等。强制性内容包括规划区范围、规划区内建设用地规模、基础设施和公共服务设施用地、水源地和水系、基本农田和绿化用地、环境保护、自然与历史文化遗产保护以及防灾减灾等。直辖市的城市总体规划由直辖市人民政府报国务院审批。省、自治区人民政府所在地的城市以及国务院确定的城市的总体规划，由省、自治区人民政府审查同意后，报国务院审批。其他城市的总体规划，由城市人民政府报省、自治区人民政府审批。县人民政府组织编制县人民政府所在地镇的总体规划，报上一级人民政府审批。其他镇的总体规划由镇人民政府组织编制，报上一级人民政府审批（吴志强，2010）。

乡规划、村庄规划应当从农村实际出发，尊重村民意愿，体现地方和农村特色。乡规划、村庄规划的编制内容包括：规划区范围，住宅、道路、供水、排水、供电、垃圾收集、畜禽养殖场所等农村生产、生活服务设施、公益事业等各项建设的用地布局、建设要求，以及对耕地等自然资源和历史文化遗产保护、防灾减灾等的具体安排。乡规划还应当包括本行政区域内的村庄发展布局。乡、镇人民政府组织编制乡规划、村庄规划，报上一级人民政府审批。村庄规划在报送审批前，应当经村民会议或者村民代表会议讨论同意（吴志强和李德华，2010）。

二、城市规划的编制内容

依据《城市规划编制办法》，将城镇体系规划、城市总体规划、控制性详细规划、修建性详细规划的编制任务、编制内容和成果要求列表如表 7.1 所示。城市规划编制与审批单位如表 7.2 所示。

表 7.1　城市规划的编制任务、编制内容和成果要求一览表

规划名称	规划任务	编制内容	强制性内容	成果要求
城镇体系规划	• 综合评价城镇发展条件 • 制订区域城镇发展战略 • 预测区域人口增长和城市化水平 • 拟定各相关城镇的发展方向与规模 • 协调城镇发展与产业配置的时空关系 • 统筹安排区域基础设施和社会设施 • 引导和控制区域城镇的合理发展与布局 • 指导城市总体规划的编制	• 综合评价区域与城市的发展和开发建设条件 • 预测区域人口增长，确定城市化目标 • 确定本区域的城镇发展战略，划分城市经济区 • 提出城镇体系的功能结构和城镇分工 • 确定城镇体系的等级和规模结构 • 确定城镇体系的空间布局 • 统筹安排区域基础设施、社会设施 • 确定保护区生态环境、自然和人文景观以及历史文化遗产的原则和措施 • 确定各时期重点发展的城镇，提出近期重点发展城镇的规划建议 • 提出实施规划的政策和措施	省域内必须控制开发的区域。包括：自然保护区、退耕还林（草）地区、大型湖泊、水源保护区、分滞洪地区，以及其他生态敏感区 • 省域内的区域性重大基础设施的布局。包括：高速公路、干线公路、铁路、港口、机场、区域性电厂和高压输电网、天然气门站、天然气主干管、区域性防洪、滞洪骨干工程、水利枢纽工程、区域引水工程等 • 涉及相邻城市的重大基础设施布局。包括：城市取水口、城市污水排放口、城市垃圾处理厂等	• 规划文本：对规划的目标、原则和内容提出规定性和指导性要求的文件 • 附件：对规划文本的具体解释，包括综合规划报告、专题规划报告和基础资料汇编 • 规划图纸：城镇体系现状图、城镇体系规划图、基础设施及环境保护与生态环境建设等专项规划图。图纸比例一般为 1/1000000～1/500000，重点地区城镇发展规划示意图用 1/50000～1/10000
城市总体规划	• 综合研究和确定城市性质、规模和空间发展状态 • 统筹安排城市各项建设用地 • 合理配置城市各项基础设施 • 处理好远期发展和近期建设的关系，指导城市合理发展	• 编制市（县）域城镇体系规划 • 确定城市性质和发展方向，划定城市规划区范围 • 提出人口、用地规模，确定城市建设域发展用地的空间布局、功能分区及中心区位置 • 确定城市内外交通系统的布局及主要交通设施的规模和位置 • 综合协调并确定城市基础设施的发展目标和总体布局 • 确定城市河湖水系的治理目标和总体布局 • 确定城市园林绿地系统的发展目标及总体布局 • 确定城市环境保护目标，提出防止污染措施 • 确定需要保护的风景名胜、文物古迹、历史文化保护区、划定保护和控制范围，提出保护措施，对历史文化名城要编制专门的保护规划 • 根据城市防灾要求，提出人防建设、消防、防洪、抗震防灾规划目标和总体布局 • 确定旧区改建及用地调整的原则、方法和步骤，提出改善旧城生产、生活环境的要求和措施 • 综合协调市区与近郊村镇的各项建设，统筹安排近郊村镇的各项用地，划定需要保留和控制的绿色空间 • 编制近期建设规划，确定近期建设目标、内容和实施部署 • 进行技术经济论证，提出规划实施步骤、措施和方法的建议	• 城市规划区范围 • 市域内应当控制开发的地域。包括：基本农田保护区、风景名胜区、湿地、水源保护区等生态敏感区，地下矿产资源分布地区 • 城市建设用地。包括：规划期限内城市建设用地的发展规模，土地使用强度管制区划和相应的控制指标（建设用地面积、容积率、人口容量等）；城市各类绿地的具体布局；城市地下空间开发布局 • 城市基础设施和公共服务设施。包括：城市干道系统网络、城市轨道交通网络、交通枢纽布局；城市水源地及其保护区范围和其他重大市政基础设施；文化、教育、卫生、体育等方面主要公共服务设施的布局 • 城市历史文化遗产保护。包括：历史文化保护的具体控制指标和规定；历史文化街区、历史建筑、重要地下文物埋藏区的具体位置和界线 • 生态环境保护与建设目标，污染控制与治理措施 • 城市防灾工程。包括：城市防洪标准、防洪堤走向；城市抗震与消防疏散通道；城市人防设施布局；地质灾害防护规定	• 规划文件：规划文本和附件，规划说明及基础资料收入附件 • 规划图纸：市（县）域城镇布局现状图、城市现状图、用地评定图、市（县）域城镇体系规划图、城市总体规划图、道路交通规划图、各项专业规划图、近期建设规划图 • 图纸比例：大中城市为 1/25000～1/10000，小城市为 1/10000～1/5000，其中建制镇为 1/5000；市域城镇体系规划图的比例由编制部门根据实际需要确定

续表

规划名称	规划任务	编制内容	强制性内容	成果要求
控制性详细规划	• 以城市总体规划或分区规划为依据，确定建设地区的土地使用性质和使用强度的控制指标、道路和工程管线控制性位置以及空间环境控制的规划要求 • 控制性详细规划的适用范围：开发区、城市中心区、旧城区、商业区、居住区 • 控制建设用地性质、使用强度和空间环境，作为城市规划管理的依据，并指导修建性详细规划编制	• 确定规划范围内各类不同使用性质的用地面积与用地界线，确定各类用地内适建，不适建或者有条件地允许建设的建筑类型 • 确定地块建筑容量、高度控制及建筑形态、交通、配套设施及其他控制要求 • 确定各级道路的红线位置，控制点坐标和标高 • 根据规划容量，确定工程管线的走向、管径和工程设施的用地界线，进行管线综合。确定地下空间开发利用具体要求 • 制定相应的土地使用及建筑管理规定	• 规划地段各个地块的土地主要用途 • 规划地段各个地块允许的建设总量 • 对特定地区地段规划允许的建设高度 • 规划地段各个地块的绿化率、公共绿地面积规定 • 规划地段基础设施和公共服务设施配套建设的规定 • 历史文化保护区内重点保护地段的建设控制指标和规定，建设控制地区的建设控制指标	• 控制性详细规划文件：包括规划文本、规划图则、分图图则，规划说明及基础资料汇编。规划文本中应当包括规划范围内土地使用及建筑管理规定 • 控制性详细规划图纸：包括规划地区现状图、控制性详细规划图纸。图纸比例为 1/1000～1/2000
修建性详细规划	• 以城市总体规划、分区规划或控制性详细规划为依据，制订用以指导各项建筑和工程设施的设计和施工的规划设计	• 建设条件分析和综合技术经济论证 • 建筑的空间组织、环境景观规划设计，布置总平面图 • 道路系统规划设计 • 绿地系统规划设计 • 工程管线规划设计 • 竖向规划设计 • 估算工程量、拆迁量和总造价，分析投资效益		• 规划设计说明书 • 规划范围现状图 • 规划总平面图 • 各项专业规划图 • 竖向规划图 • 反映规划设计意图的透视图

　　文献来源：中华人民共和国建设部，1999；第十届全国人民代表大会常务委员会发布，2008；全国人民代表大会常务委员会法制工作委员会，2009；吴志强和李德华，2010；全国城市规划执业制度管理委员会.城市规划原理，2011；全国城市规划师执业资格考试复习指导·城市规划实务，2009。

表 7.2　城市规划的编制与审批单位一览表

规划阶段		编制单位	审批单位
城镇体系规划	全国城镇体系规划	国务院城乡规划主管部门会同国务院有关部门	国务院
	省域城镇体系规划	省、自治区政府	国务院
城市总体规划	直辖市的城市总体规划	直辖市政府	国务院
	省、自治区政府所在地的城市及国务院确定地城市的总体规划	市政府	省、自治区政府审查同意后，报国务院审批
	其他城市的总体规划	市政府	城市政府报省、自治区政府审批
	县政府所在地镇的总体规划	县政府	上一级政府审批
	其他镇的总体规划	镇政府	上一级政府审批
	近期建设规划	城市、县、镇政府	报总体规划审批机关备案
控制性详细规划	城市的控制性详细规划	城市政府城乡规划主管部门	经本级政府批准后，报本级人大常委会和上一级政府备案
	县政府所在地镇的控制性详细规划	县政府城乡规划主管部门	经县政府批准后，报本级人大常委会和上一级政府备案
	镇的控制性详细规划	镇政府	报上一级政府审批

规划阶段		编制单位	审批单位
修建性详细规划	重要地块的修建性详细规划	政府城乡规划主管部门和镇政府	城市、县政府城乡规划主管部门
	一般地块的修建性详细规划	建设单位	城市、县政府城乡规划主管部门

文献来源：中华人民共和国建设部，1999；第十届全国人民代表大会常务委员会发布，2008；全国人民代表大会常务委员会法制工作委员会，2009；吴志强和李德华，2010；全国城市规划执业制度管理委员会，城市规划原理，2011；全国城市规划师执业资格考试复习指导·城市规划实务，2009。

三、城市规划的法律体系

从立法角度分析，城乡规划是公权力对私有财产权力的一种干预和制约，城乡规划公权力使用的前提是满足公共利益的需求，私权保护与私权平等就成了城乡规划公权力使用的重要约束条件。可见，城乡规划是为了社会公众谋福利、照顾大多数人利益的规划，不是服从少数人的规划，规划编制应当符合多数人的意志，有效约束个人意志，这就需要坚持公开公平、阳光规划原则，建立健全城乡规划中公权使用的约束机制和利益均衡机制。

在以宪法为顶端的中国法规体系锥状网络结构中，城乡规划法规体系是其中的一个支系，也是一个专门法规体系。《城乡规划法》是仅次于宪法的、处于第二位阶的法律，是城市规划与建设领域最重要的核心法律，是城市规划领域的最高法律，其他行政规章和地方法规均是对《城乡规划法》的配套与完善，都不得与《城乡规划法》相抵触，在这个体系中，上位法制约下位法，下位法补充完善上位法。

1989年12月26日第七届全国人民代表大会第十一次常务委员会通过的《中华人民共和国城市规划法》，自1990年4月1日施行。作为一部国家法律，其效力仅次于宪法。主要是调节城市规划与社会经济及城市建设和发展过程中的各项关系，建立城市规划合法性的基本程序和框架；确定对违法行为的处置量度及执行主体；确立政府行政部门执行城市规划的职权范围及相应的社会机制。

2007年10月28日第十届全国人民代表大会常务委员会第三十次会议通过的《中华人民共和国城乡规划法》，自2008年1月1日起施行，原《城市规划法》废止。《城乡规划法》的出台，对于突破我国城乡二元结构、统筹城乡一体化，保护自然资源和历史文化遗产、改善城乡人居环境，促进城乡经济社会可持续发展及城乡深度融合发展具有十分重要的现实意义。

中国的城市规划法律体系由国家城市规划部门法规、国家颁布的城市规划技术标准与技术规范、地方城市规划法规、市、县人民政府颁布的规章、条例和规范等组成。

国家城市规划部门法规包括《城市规划编制办法》、《建设项目选址规划管理办法》、《历史文化名城保护规划编制要求》等。

国家颁布的城市规划技术标准与技术规范包括《城市用地分类与规划建设用地标准》、《城市居住区规划设计规范》、《城市工程管线综合规划规范》等。

地方城市规划法规包括各省、市、自治区颁布的各类城市规划、分区规划、详细规划管理条例等，如《广东省城市控制性详细规划管理条例》、《广州市城市规划条例》等。

市、县人民政府颁布的规章、条例和规范，以及围绕城市总体规划、分区规划、控制性详细规划、修建性详细规划和其他专项规划等制定的各种实施细则、各类编制办法、各类管理条例等。

第二节　城市多规合一

城市多规合一是指推动城市国民经济和社会发展规划、城乡总体规划、城市土地利用总体规划、城市生态环境保护规划等多个规划相互融合到一张可以明确边界线的城市市域地图上，实现一个城市，一本规划，一张蓝图，解决现有城市多个规划内容冲突、自成体系、衔接协调难度大等突出问题。推动城市多规合一是实现城市生态-生产-生活空间集约、高效、可持续利用，强化城市政府空间管控能力的重要手段，是改革城市规划体制，建立统一衔接、功能互补、相互协调的城市空间规划体系的重要保障（杨伟民，2010）。目前，中国已形成"横向并列，纵向到底"的城市空间规划体系，这种多规分治的近乎平行运作的规划体系为城市发展与建设做出了专业性的重大贡献，不论是伴随半个多世纪新中国发展的五年规划，还是历经六十余年空间治理史的城市规划，或是近30年来逐渐增强规划约束力的土地利用规划和近年来开始快速发展并初涉空间规划领域的生态环境规划，各部门规划的产生与发展都成为特定历史时期针对特定国情与发展问题实行的空间治理工具。特别是改革开放44年来，是我国空间类规划理论变革、规划实践丰富、规划制度完善、规划工作发展的44年，也是我国各类规划工作进程与市场化、工业化、城镇化以及全球化等治理命题协同演进、一脉相承的44年，各类空间规划为全国国土空间的优化与集约利用做出了不可磨灭的历史性贡献（顾朝林，2015）。但同时日益暴露出空间冲突加剧和空间治理低效等亟待解决的现实问题（陈雯等，2015）。

为了应对多规分治造成的规划矛盾和冲突问题，2013年首次召开的中央城镇化工作会议明确提出要推进市县规划体制改革，2014年9月国家发改委联合住建部、国土资源部和环保部印发了《关于开展市县"多规合一"试点工作的通知》（发改规划〔2014〕1971号），标志着开展城市多规合一、推进我国空间规划制度改革已在国家层面达成基本共识，以28个县（市）为重点、依托各部门规划载体开展"多规合一"试点工作并取得显著成效。本书重点从城市多规合一的核心实质和基本属性角度，提出科学认知城市多规合一的技术路径（方创琳，2017）。

一、城市多规合一在国家空间规划体系中的重要意义与作用

在新型城镇化背景下，推进城市多规合一的重要性在于，是指导城乡合理发展、调控空间资源的重要手段；是管理城乡建设、有效提供公共服务的重要依据；是保障城镇化健康发展的第一生产力和重要资本；是转变城市经济发展方式、推进城乡统筹的重要途径；是维护公众利益，体现公平正义的共享工具；是保护城乡生态环境、建设宜居城市的重要法宝。通过多规合一，有利于高效配置城市资源，合理高效地利用城市土地；有利于协调城市产业发展布局，形成科学的空间布局框架；有利于协调城市人口、资源、环境与经济

发展关系，实现城市可持续发展；有利于更好地保护城市生态环境，保障生态环境安全；有利于提高城市居民生活质量与水平，改善民生和构建和谐社会。只有实现多规合一目标，才能提高城镇建设用地利用效率和城镇建设用地集约化程度；才能科学优化城镇布局和形态，一张蓝图干到底，把城市放在大自然中，把绿水青山留给城市居民；才能提高城镇建设水平，让城市融入大自然，让居民望得见山、看得见水、记得住乡愁；才能加强对城镇化的管理，保持城市规划的连续性（孟鹏等，2015）。

（一）城市多规合一是支撑多规协同的国家空间规划体系的最主要基石

从国家层面的多规协同，到省级层面的多规融合，再到县市层面的多规合一，体现出我国不同空间层级的空间规划治理体系的变革方向（图 7.2）（方创琳，2007）。其中，城市多规合一是推动国家层面的多规协同和省级层面的多规融合的最主要基石。只有市县层面的规划实现多规合一，才有可能逐步实现省级层面的多规融合和国家层面的多规协同。

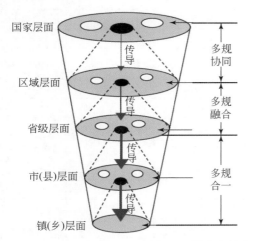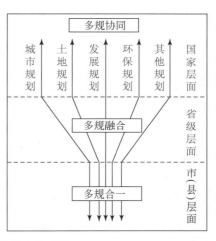

图 7.2　城市多规合一的层次体系图

（二）城市多规合一是解决多规分治矛盾，缓解"多规演义"的现实需求

中国以往的空间规划体系突出地存在着城乡规划与国民经济和社会发展规划、土地利用总体规划之间缺乏有效衔接的弊端，被戏称为空间规划编制的"三规演义"或"多规演义"。同时，其他的各级各类规划名目繁多，在同一个城市空间上，往往多个政府部门的规划引导和控制要求并存，但由于彼此之间缺乏协调甚至相互冲突，不但难以形成对城市综合调控的统筹合力，甚至导致了开发管理上的混乱和建设成本的增加，在一定程度上影响了城市经济社会的健康发展。究其原因，主要是多头规划之间在工作目标、空间范畴、技术标准、运作机制等方面存在交叉和矛盾（表 7.3）。具体表现为：国民经济和社会发展规划关注发展目标与策略，重宏观轻建设，导致项目难以落地、政策缺乏空间载体；城市总体规划关注的是城市规划区内土地的用途、开发强度，以及不同区位土地用途的合理空间关系、土地开发时机等内容，很少统筹考虑土地的占补平衡，导致城市建设不断侵占耕

地，降低了耕地保有量；土地利用总体规划虽然从城市市域层面对土地利用进行安排，但关注重点是农用地、建设用地与未利用地之间的比例关系，特别是关注耕地保护，只考虑各类土地的天然界线，很少考虑土地天然界线与城镇化的相互配置关系，导致基本农田保护区的设置犬牙交错，城镇布局结构不完整不连片，基础设施建设成本大。环境保护总体规划过多地强调保护和约束，但对如何协调发展与环境保护的关系，如何在发展中保护、在保护中求发展等关系协调力度不够，导致环境保护规划与城乡规划、发展规划和土地利用规划之间的冲突和矛盾时有发生。国家发改部门尝试将土地利用规划和城市规划作为专项规划纳入国家发展规划体系，开展了一些多规合一的规划试点。对具体城市而言，一个城市只有一个空间，一个空间应该统一形成一个规划，这是统筹指导城市发展的需要，也是探索"多规合一"的意义所在，更是解决多规之间空间协调矛盾，实现"一张图"管理、遏制空间规划失控无序的现实需求和重要手段（方创琳，2017）。

表 7.3　城市多规分治的基本情况简表

	项目	国民经济与社会发展规划	城乡总体规划	土地利用总体规划	环境保护总体规划	旅游总体规划
管理	主管部门	发展与改革部门	城乡规划部门	国土资源部门	环境保护部门	旅游管理部门
	规划类别	经济综合规划，区域空间规划	空间综合规划	空间专项规划	环保综合规划	旅游专项规划
	规划特性	综合性	综合性	专项性	专项性	专项性
编制	编制依据	主体功能区规划	主体功能区规划	主体功能区规划	主体功能区规划	主体功能区规划
	主要内容	发展目标和项目规模	项目空间布局、建设时序安排	耕地保护范围、用地总量及年度指标	环境保护、生态建设，年度环境总量控制指标	旅游资源开发与保护、景区建设
	编制方式	自上而下	独立	自上而下、统一	自上而下	独立
审批	审批机关	本级人大	上级政府	国务院、上级政府	本级人大	本级人大
	审查重点	发展速度和指标体系	人口与用地规模	耕地平衡和用地指标	总量控制指标	旅游环境容量控制指标
	法律地位	—	《城乡规划法》	《土地管理法》	《环境保护法》	《旅游法》
实施	实施力度	指导性	约束性	强制性	约束性与强制性	约束性与强制性
	实施计划	年度政府工作报告	近期建设规划	年度用地指标	年度计划控制指标	年度计划控制指标
	规划年限	5 年	一般 20 年	10～15 年	5～10 年	5～10 年
监督	监督机构	本级人大	上级政府、本级人大	国务院、上级政府	本级人大	本级人大
	实施评估	年度政府工作报告	规划修编	执法监察	执法检查	规划修编
	监测手段	统计数据	报告、检查	卫星、遥感	统计报告、检查	统计报告、检查

（三）城市多规合一是化解空间冲突，终结多规分治时代、提升空间配置效率的长远需求

中国当前的空间规划体系使得在同一个城市空间上，存在着由城市发展部门为主体编制的国民经济和社会发展总体规划、由建设部门为主体编制的城市总体规划、由国土部门为主体编制的土地利用总体规划、由环保部门为主体编制的环境保护总体规划等多项涉及空间利用的规划。由于规划主体、技术标准和编制办法不同，以及各部门规划目标的差异，

致使多项规划内容中的空间资源利用规划出现了技术标准不协调、坐标系不统一、用地指标不统一、用地分类标准不一致、表述方式不一致、规划周期不统一，甚至频频出现空间利用规划相互矛盾等问题，同一个指标，例如城市建成区面积，各部门有各部门的数字，而且数字差距较大，且相互不认可，直接导致了空间资源配置效率低下，空间利用效率不高，在一定程度上影响了城市经济社会的健康持续发展。可以说，从空间层次、规划内容和行政管理三个方面，理顺各类规划之间的关系，已成为关系到城市空间规划协调发展和空间合理开发利用的关键所在。因此，加快推进城市多规合一及其决策支持平台，是终结城市多规分治时代、提升城市空间利用效率、推进城市可持续发展的重要途径和长远需求（张永姣和方创琳，2016；张永姣，2016；方创琳，2017）。

（四）城市多规合一是城市政府开展正常业务工作的现实需求

将国民经济和社会发展规划、土地利用总体规划、城市总体规划、环境保护总体规划、旅游发展总体规划等规划中涉及的空间规划内容统一起来，并落实到一个共同的空间规划平台上，是城市政府开展正常业务工作的现实需求。从发改部门、国土部门、住建部门、环保部门和旅游部门编制各自规划的业务分析可知，各部门在做部门规划的时候，都需要充分了解其他部门的规划情况，才能做出准确的判断和决策。而实际情况是各部门之间尽管互为依据、互为指导，但实际上存在信息孤岛现象，导致某一部门在对某个项目做出规划或者行政审批，流转到下一部门，因为不符合该部门的规定而终止的现象。这样会导致部门之间工作缺乏协同，行政效率低下，规划缺乏全局性，资源配置利益不能最大化，城市空间不能得到很好的优化。因此，推进城市多规合一是城市政府开展正常业务工作的现实需求，是新型城镇化背景下提升城镇化发展质量和空间运行效率的迫切要求。

二、城市多规合一的核心实质与基本属性

（一）城市多规合一的实质：绘制一张核定地块主体功能并自由行使权力的约束蓝图

1. "一张蓝图"不是建设蓝图，是保护约束蓝图

"一张蓝图"包括绘制到底的蓝图和实施到底的蓝图两个层面。从"一张蓝图绘制到底"看，真正的囊括发改部门、住建部门、国土部门、环保部门各种规划意图的一张蓝图是无法绘制出来的，也没有必要绘制出来，真正能够绘制出来的图就是将各部门、各利益相关方都认可的不可建设空间边界画出来，以法定形式控制起来，以后任何一个部门都不能突破这一边界，这是各部门共同遵守的刚性选项。因此，真正的"一张蓝图"是一张不可建设用地边界刚性约束的蓝图，而不是绘制的建设用地蓝图，不是建设蓝图，是保护约束蓝图（方创琳，2017）（图7.3）。

例如，深圳市早在2005年就将1967km²的市域空间划分为不可建设和可建设空间，将不可建设空间确定为占总面积的48%左右，将这一不可建设空间边界通过人民代表大会赋予法律地位，这一刚性边界至今一直没有被突破，实质上是一张最大限度地保护深圳生态空间的刚性约束蓝图。

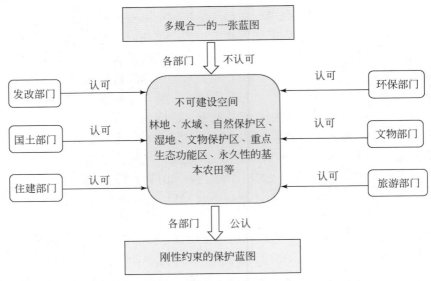

图 7.3　城市多规合一 "一张蓝图" 的实质示意图

2. "一张蓝图" 不是总体蓝图，是核定地块主体功能的蓝图

在绘制刚性约束的保护蓝图中，需要根据用地的自然属性和生产潜力，将每一个地块的主体性质、主体功能进行识别和核定，一旦核定并要求各部门强制性认可。以往是同一地块在不同的部门有不同的用途，国土部门是耕地用途，发改部门是工业区用地，住建部门是商业用地，环保部门是生态保护用地等。这种空间功能冲突导致各部门针对同一个地块相互打架，相互改变用地用途，变更用地性质。通过一张蓝图的编制，将每个地块的主体功能明确下来，该种地的种地，该建设的建设，该保护的保护，将用地冲突减到最低，将用地效益最大化（方创琳，2017）。

3. "一张蓝图" 不是抓总蓝图，是利益相关方自由行使权力的蓝图

不可建设空间范围确定之后，可建设空间相应就确定下来了，在可建设空间范围内，实现弹性规划制度。各行业部门行使各自的权利，在可建设空间范围内，建设空间的空间结构、形态如何，建设时序如何，建设规模、阶段、承载的人口、容积率等都是住建部门自己的事，至于建设范围里面如何建设，容积率有多大，那是住建部门的事，其他部门无权干涉；发展何种产业，建设何种产业园区，布局何种项目，主要是发改部门的事，国土部门无权干涉。用地指标住建部门可 1 年用完，也可 10 年用完，一旦用完，以后就没有新增的可建设用地，要继续进行建设，要么增加容积率，要么向立体空间拓展，推进城市垂直增长，充分利用地上空间和地下空间，容纳更多的产业和更多的人口。真正做到各部门各行其是，将管治权力放到最大，依法行使，不越位，不错位（方创琳，2017）。

（二）城市多规合一的基本属性：包容耦合与管制有度

由发改-住建-国土-环保系统融合而成的城市多规合一空间规划体系是中国最为理想的统一空间规划体系。该体系由住建系统的空间规划体系、发改系统的空间规划体系、国土系统的空间规划体系和环保系统的空间规划体系等构成，其中住建系统和发改系统的空间规划体系以发改和住建为主，国土系统和环保系统的空间规划体系以保护和约束为主，四者之间的关系是发展与保护、增长与约束的关系，只有在处理好四者协调互动关系的基础上，才能形成"四位一体"的城市可持续发展的空间规划体系。城市多规合一的空间规划体系具有如下基本属性（方创琳，2017）。

1. 城市多规合一的对冲性

城市多规合一是由于中国多部门规划的冲突问题而产生的，从一开始就担负着解决这些问题和推动中国空间规划改革的任务。在同一城市的国土空间上同时出现多个部门的空间规划带来的矛盾已深刻影响到中国城市空间治理和空间集约利用效率，开展城市多规合一就是为了解决多规冲突带来的诸多矛盾、提高国土空间资源配置效率，加强国土空间的集约利用与精细管理。在已经存在多规的情景下，推动城市多规合一就是要最大限度的化解城市多个空间规划之间的冲突，通过多规合一对冲部分冲突，甚至消灭冲突，真正实践一张图纸绘制到底的理想效果。

2. 城市多规合一的耦合性

城市"多规合一"过程承担着中国城市各类空间规划关系建构的"耦合器"和"协调器"的重任。因此，与其说城市多规合一是一个空间规划，不如说多规合一构建的是一种空间规划协调耦合机制，多规合一过程是将城市的各类空间规划采用通用的技术平台和制度平台高度耦合在一起，继而实现正常运转，类似过去在同一个城市空间上按照多个跑道平行奔跑的"多个独轮车"，现在转为按照一条轨道奔跑的"一个多轮车"，这种转换关系可理解为多个互不衔接、自成体系的空间规划建立起了一种动态协同耦合关系，其耦合效应的放大必将促进各类空间规划协同增效。

3. 城市多规合一的持续性

城市多规合一的空间规划体系是一种可持续发展的城乡空间规划体系。多规合一的空间规划体系同时兼顾了城市经济社会发展和生态环境保护与治理等方面的全部内容，实现了开发与保护并重，增长与约束互动的可持续发展新格局。避免了发展与建设系统空间规划体系突出发展目标和增长目标，淡化保护与约束目标的"重开发、轻保护"的现象；也避免了国土与环保系统空间规划体系突出约束与保护，反而影响国家经济发展与增长目标的"重保护、轻开发"的现象；因而是一种"多规合一"的城市可持续发展空间规划体系。

4. 城市多规合一的包容性

城市多规合一的空间规划体系具有的融合性与包容性。多规合一的空间规划体系由于是一种可持续发展的空间规划体系，把过去各自相对独立、相对综合、标准不一、技术不同、自成体系的发改系统、住建系统、国土系统和环保系统的四大空间规划有机地整合在一起，避免了四大系统的空间规划体系在编制和执行过程中相互重复、相互冲突、相互矛盾等不融合现象，因而具有高度的融合性和包容性。

5. 城市多规合一的传递性

城市多规合一的耦合属性决定了需要为各种空间规划留有必要的接口，实现多规合一的"一张图"在各个部门之间进行传导传递；需要为不同时期的"一张图"建立动态的应对协调机制，实现多规合一的"一张图"在各个时期之间的动态传递；需要为多规合一规划向更高阶段的演变以及中国空间规划体系变革的可能方案留有余地，探索多规合一的

"一张图"在不同相态之间进行传递；需要为相关学科研究成果的凝聚提供实现机制，鼓励多规合一的"一张图"所需的知识流在不同学科之间进行传递（齐清文等，2014；方创琳，2017）。

6. 城市多规合一的管制性

城市多规合一的空间规划体系的实施同样具有管制性和约束性。按照先行的空间规划编制体系，发改系统、住建系统、国土系统和环保系统四大空间规划按照各自的规划体系编制完成后，在实施过程中仍然依托各自的实施程序依法实施，依法监督实施过程，并对实施效果依法进行评估，评估结果作为编制新一轮国土空间规划的重要依据。

三、城市多规合一的技术路径

根据城市多规合一的核心实质和基本属性，城市多规合一的技术路径按照遵循一个协同的指导思想、建立一套统合的基础数据、制定一套可衔接的技术标准、编制一张可传递的目标指标表、绘制一张统领的空间布局图、建立一个共享的规划信息管理平台、形成一套统一的规划体系、创建一套综合协调机制等"八个一"的建设目标，具体的技术路径可概括为"123456"，即：一张蓝图绘制到底，两类空间上下协同，"三生"空间无缝对接，四种目标精准统一，五条红线刚性约束，六大统一推动落实（方创琳，2017）。

（一）一张蓝图绘制到底

通过不同利益相关方开展城市多规合一的试点，绘制一张能够核定地块主体功能、并能确保各利益相关方自由行使权力的约束蓝图，而不是建设蓝图或总体蓝图，这张蓝图约定的是将各部门、各利益相关方都认可的不可建设空间边界画出来，以法定形式控制起来，成为各利益部门共同遵守的刚性选项。真正的"一张蓝图"是一张不可建设用地边界刚性约束的蓝图，应该一绘到底、保护到底、刚性约束到底。"一张蓝图"之外的建设用地如何建设由住建部门自由行使权力，基本农田如何保护，由国土部门自由行使权力，产业园区如何建设，由发改部门自由行使权力等。

（二）两类空间上下协同

在城市多规合一的空间规划编制过程中，一定要突出地上地下空间的立体联动综合开发，综合利用地上地下两类空间，合理确定地上地下同位异类资源的综合利用顺序，做好地上地下灾害的综合防治。过去国土部门对地下空间重视较多，发改、环保部门重视不够，住建部门逐渐重视。未来实现城市多规合一目标，要把地上地下空间的集约开发利用视为同等重要的地位，把地上地下空间作为一个整体同时开发同时利用，只有做到了两类空间上下协同，才能真正提升城市空间立体运行效率。

（三）"三生"空间无缝对接

党的十八大报告提出了生产空间集约高效、生活空间宜居舒适、生态空间山清水秀的国土开发空间格局，生态空间、生产空间和生活空间"三生"空间的协调优化涉及国土、发改、住建、环保部门等。不同性质的空间主要发挥主体功能，兼顾发挥非主体功能，因而会出现功能叠加和多重功能现象（图7.4），其中生态空间主要发挥生态功能，积累生态资本，兼顾承载生产生活功能（图7.5），相当于国家主体功能区中的禁止开发区域；生产空间主要发挥生产功能，积累生产资本，兼顾承载生活功能，相当于国家主体功能区中的重点开发区和优化开发区；生活空间主要发挥生活居住服务功能，积累生活资本，兼顾发挥生产与生态功能，相当于国家主体功能区中的限制开发区。通过"三生"空间的识别、整合与划分，积累"三生资本"，进而理顺城市空间开发秩序，明确城市发展中哪些空间需要重点保护并禁止开发，哪些空间需要保护与开发并重，哪些空间需要重点开发和优化提升。

图 7.4　城市生态-生产-生活空间图谱

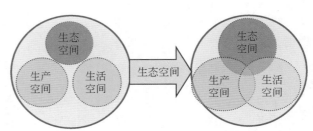

图 7.5　城市多规合一的"三生"空间示意图

（四）四种目标精准统一

通过城市多规合一，确保发改系统通过城市多规合一提供发展"目标"，国土系统通过多规合一提供用地"指标"，住建系统通过多规合一提供建设"坐标"，环保系统通过多规合一提供环境"限标"，确保实现发改部门的"目标"、国土部门的"指标"、住建部门的"坐标"和环保部门的"限标"的精准统一（图7.6）。如何协调好目标、坐标、指标、限标四者之间的关系，取决于四大部门的协调程度和城市多规合一的空间绩效大小

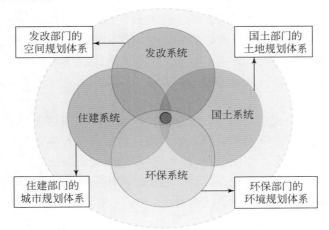

图 7.6　城市多规合一的四大板块交叉关系示意图

（方创琳等，2012）。另外，在前述"四标"基础上，还需要再加上一个"图标"，确保实现图标的统一，例如，黄色图斑在建设部门标注为居住用地，而在国土部门标注为基本农田，类似图标表达不一致的用地类型需要进一步统一。

（五）五条红线刚性约束

城市多规合一的空间规划是一个划定不可建设用地的刚性约束规划，期间红线管控发挥着至关重要的作用。在划定不可建设用地过程中，需要在一张图上同时画出国土部门的耕地"红线"，发改部门的资源环境承载"上线"，环保部门的生态"红线"（万军等，2009），住建部门的城市空间增长边界"红线"和水利部门的水"红线"，这五条红线虽有交叉重叠之处，但总体上都是刚性约束的管控红线，越过红线进行建设活动视为触及"高压线"，必将受到相关法律的严惩。因此，在推动城市多规合一的过程中，要严格遵守各类红线的刚性约束管控制度，凡事划入红线管控范围内的用地全部是依法保护的不可建设用地。

（六）六大统一推动落实

实现城市多规合一的战略目标，需要完成"六大一统"，即：一个总控、一个规划、一张图纸、一个标准、一个法规和一个平台。只有做到了六大统一，才能顺利推动城市多规合一的实施和运行。

1. 一个总控

这里的总控必须具有抓总功能，类似一个中枢系统，发挥"总控制器"的作用。到底哪个部门牵头引领？是国土部门引领还是发改部门引领，还是环保一票否决制引领，还是住建部门引领？只有总控部门明确了，才能进一步推动落实多规合一。2013 年以来国土部门、住建部门陆续开展了以本部门为主导的城市多规合一试点，2014 年 9 月国家发改委、国土部、环保部和住建部四部委联合下发了《关于开展市县"多规合一"试点工作的通知》，提出在全国 28 个市县开展"多规合一"试点。四部委联合发文表明，单独由哪一个部门单独牵头开展城市多规合一工作，都无法实现多规合一目标，需要成立一个有各部委参与的"多规合一"组织机构，围绕多规合一的工作背景、意义、工作方向、规划编制内容、管控体系建设、规划的实施等开展工作，制定一个跨部门的"多规合一"协调保障机制，探索和开创城市国民经济社会发展规划、城市土地利用总体规划、城乡规划、环境保护规划、旅游总体规划等多种规划之间高效协调的技术途径和行政途径（王吉勇，2013）。

2. 一个规划

城市多规合一之后的规划，叫什么规划名，叫城市空间规划带有国土部门的烙印，叫市域总体发展规划带有发改部门的烙印，叫城市总体规划带有住建部门的色彩。为了淡化规划名称中暗含的部门色彩，建议多规合一后的规划叫城市国土空间规划，该规划以城乡规划为基础、以经济社会发展规划为目标、以土地利用总体规划提出的用地为边界、以生态红线为底线，实现城市一张图、市域全覆盖。

3. 一张图纸

这是城市多规合一结果的最终表现形式，是多规合一发挥管控效用的核心依据。一张统领的空间布局图要求在城市国民经济和社会发展规划的指导下，通过协调和衔接城乡规划与土地利用总体规划，形成统一的建设用地边界，确保重大建设项目落地；通过自然生态空间和耕地资源评估，以及对各类生态环境保护规划和资源保护利用规划的协调，形成统一的生态保护红线控制边界和基本农田红线控制边界，保护生态安全和粮食安全。在此基础上给予建设用地一定弹性空间，划定城市开发边界红线（预估城市合理结构），形成城市合理的城镇、农业和生态空间。可见，这里的一张图就是各部门认可的对特定地块赋予主体功能的不可建设用地的约束边界图，因而是一张刚性约束图（方创琳和马海涛，2013）。除了这一张图之外，住建部门针对建设用地边界以内的部分，可根据城乡规划编制办法要求，自主编制建设用地规划，合理确定用地性质和容积率，国土部门可根据土地利用总体规划编制办法编制基本农田保护规划等，提出提高耕地集约利用效率的规划措施。

4. 一个标准

建立一套城市多规合一的标准规范体系，以保证城市政府各个部门信息化管理中的数据指标体系和格式的标准化和同一化、运行平台的网络一体化、信息共享的方便快捷和无障碍化。确保城市用地分类标准、技术标准、数据建设标准及其指标体系在各个利益部门能够实现统一编码、统一分类、统一统计、统一管理和统一共享。以用地分类标准为例，住建部门的用地分类与国土部门的用地分类有较多相似之处，但部分地类在定义和内涵上存在交叉，无法建立完全的对应关系，住建部门和国土部门对非建设用地的定义基本一致，但两者矛盾的焦点集中在建设用地内各类用地的定义与内涵上，包括对城乡居民点建设用地、区域交通设施用地、特殊用地分类和水域的分类表述均不一致。为此建议推进专业名词表述的一致性，夯实规划衔接与协调机制的标准话语体系（方创琳，2017）。

5. 一个法规

目前，城市各类规划编制依据各自的法规进行依法编制和实施，如国土部门依照《土地管理法》编制城市土地利用总体规划，住建部门依照《城乡规划法》编制城市总体规划，环保部门依照《环境保护法》编制城市环境保护总体规划，旅游部门依照《旅游法》编制城市旅游总体规划，发改部门编制的城市国民经济和社会发展规划通过同级人民代表大会赋予的法律地位。鉴于此，为了确保城市多规合一的综合规划的顺利实施，建议在不对相关法律法规修改的前提下，将多规合一的综合规划提交同级人民代表大会审批通过，赋予其法律地位和权威性（张永姣和方创琳，2016）。

6. 一个平台

这是实现规划"一张图"的重要载体，也是落实"多规合一"协调机制和管控内容的技术保障。重点研发和建设一个集城市经济社会发展和城市管理于一体的精细化、智能化、人性化管理的"多规合一"决策支持平台，包括数据平台、管理平台、共享平台和运行平台，提供统一的后台基础数据库、统一的规划编制平台、统一的规划审批信息查询平台和辅助决策系统（齐清文等，2014）。使发改部门、国土部门、住建部门、环保部门等多个部门既能够应用该平台分别编制各自的规划，又能在全市层面上应用该平台进行"多规"之间的统筹和协调，提高全市在制定产业发展方向、集约利用土地资源和优化城市空间布局的科学性、准确性和智能性，实现多种规划之间的"一张图"管理。以此平台来协调"多规"之间的矛盾，力求通过"多规合一"来强化城市发展的规划引领，统筹建设用地的有序利用，推动存量用地的高度开发，促进城市管理水平的有效提升。统一的规划信息平台有助于共享规划数据及成果、预警规划冲突、辅助规划决策、提高审批效率，可促进规划依规行政，规划管理更加透明，更有让权力在阳光下运作的特殊意义（方创琳，2017）。

第三节　国土空间规划

一、国土空间规划及编制体系

（一）基本内涵

国土空间规划是指对一个国家或地区所辖国土空间范围内的资源和布局进行长远谋划和统筹安排部署，旨在实现对国土资源集约利用、国土空间有效管控及科学精细治理，促进发展与保护的动态平衡。国土空间规划是国家可持续发展的空间蓝图，是各类开发保护建设活动的基本依据，是空间管控精细治理的行动指南。建立国土空间规划体系并监督实施，将主体功能区规划、土地利用规划、城乡规划等空间规划融合为统一的国土空间规划，实现"多规合一"，强化国土空间规划对各专项规划的指导约束作用，是党中央、国务院做出的重大部署。

（二）战略意图

2019 年 5 月 9 日，中共中央、国务院下发了《关于建立国土空间规划体系并监督实施的意见》，标志着中国自此终结了长达 40 多年之久的"多规演义"和各类空间规划"分治"冲突的不良局面，从此进入实现"多规合一"的国土空间规划新时代。这是中国空间规划编制与实施从"多规分治"的浅水区进入"多规合一"的深水区的重要里程碑，必将为优化中国国土空间格局、提高国土空间利用质量、为推动生态文明和美丽中国建设发挥重要作用，做出重要贡献。

国土空间规划总目标就是坚持美丽国土观、安全国土观和均衡国土观，建立健全国土空间规划体系，全面提升国土空间治理能力现代化水平，全面形成生态空间山清水秀、生产空间集约高效、生活空间宜居适度，安全和谐、既富又美、可持续发展的国土空间新格局。

（三）编制体系

按照《关于建立国土空间规划体系并监督实施的意见》，国土空间规划体系由五级、三类、四体系共同构成规划编制体系（图 7.7）。其中："五级"包括国家、省、市、县、乡镇的 5 个行政级别；"三类"包括国土空间规划的总体规划、专项规划和详细规划 3 种类别；"四体系"包括规划编制审批体系、实施监督体系、法规政策体系和技术标准体系。

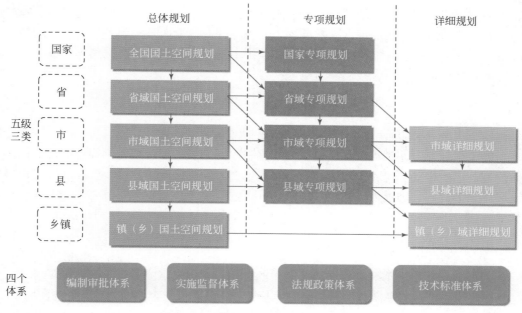

图 7.7　国土空间规划的编制体系图

二、国土空间规划的编制思路

科学解读《关于建立国土空间规划体系并监督实施的意见》可知，新形势下国土空间规划编制与实施的基本思路可归结为：整合形成"唯一"的国土空间基础信息平台，明确"两大规划"的上下位关系，贯穿"三合一"的主线思维，突出"四条红线"的刚性管控，强化"五大特性"的高度衔接，突出"六统一"的技术路径。

（一）整合成"唯一"的国土空间基础信息平台

将建立健全和完善统一的国土空间基础信息平台作为实现"多规合一"的底板，明确规定以自然资源调查监测数据为基础，并将其作为"多规合一"的战略资源，整合各部门空间关联数据，建立自下而上、全国统一的国土空间基础信息平台，推进政府部门之间的数据共享以及政府和社会之间的信息交互,确保主体功能区战略和各类空间管控精准落地，对推动国土空间规划"一张图纸绘制到底"、"一张图纸实施到底"发挥重要的基础支撑作用。这将从根本上解决长期以来存在的各部门基础数据不统一、平台自成体系,相互封闭、互不认可、互相推诿导致国土空间管控无序、利用效率低下等顽疾。

（二）明确"两大规划"的上下位关系

为加快统一规划体系建设，更好发挥国家发展规划战略导向作用，中共中央、国务院于 2018 年 11 月 18 日发布了《关于统一规划体系更好发挥国家发展规划战略导向作用的意见》,明确指出国家发展规划居于规划体系最上位,是一切规划的总遵循。国家级专项规划、区域规划、空间规划，均须依据国家发展规划编制。可见，国土空间规划是对国家发展规划的空间落地和落实，要体现国家发展规划的战略性，自上而下编制各类国土空间规划，为国家发展规划落地实施提供空间保障。强调国土空间规划重在落实国家安全战略、区域协调发展战略和主体功能区战略，体现国家意志。

（三）贯穿"三合一"的主线思维

自始至终将"多规合一"作为国土空间规划编制的总目标和主线，将不同空间尺度的主体功能区规划、土地利用规划、城乡规划等空间规划统一整合成为不同空间尺度的国土空间规划，逐步推动实现"多审合一"和"多证合一"制度改革，逐步优化现行建设项目用地用海预审、规划选址以及建设用地规划许可、建设工程规划许可等"多证多审合一"的审批流程，不断提高不同空间制度的国土空间规划审批效率与监管水平。

（四）突出"四条红线"的刚性管控

从"把每一寸土地都规划得清清楚楚"的管控目标出发，立足资源禀赋和环境承载能力，坚持底线思维，加快构建生态功能保障基线、环境质量安全底线、自然资源利用上线、生态保护红线等"四线"管控要求，体现国土空间规划在国土空间开发保护中的战略引领和刚性管控作用。

（五）强化"五大特性"的高度衔接

在国土空间规划编制中，要突出强调规划编制的战略性与系统性，提高规划编制的科学性和技术含量，强化规划实施的权威性，加强国土空间在时间尺度和空间尺度的纵横协调性，特别要强调规划实施的可操作性，制定的近远期目标可及，绘制的空间蓝图可期。通过规划的战略性、科学性、权威性、协调性和可操作性的衔接和落实，推动国土空间开发保护向更高质量、更高效率、更加公平、更可持续的方向发展。

（六）突出"六统一"的技术路径

提出统一的测绘基准和测绘系统、统一的规划用地分类体系、统一的规划技术标准体系、统一的规划编制审批体系、统一的规划监督实施体系、统一的规划法规政策体系。这六大"统一"为编制、审批、实施国土空间规划提供全过程控制的技术路径和制度保障。解决以往各类空间规划中存在的规划主体、技术标准和编制办法不统一、技术标准不统一、坐标系不统一、用地指标不统一、用地分类不统一、表述方式不统一、规划周期不统一等一系列不统一的现实问题。

三、国土空间规划的编制内容

国土空间规划以资源环境承载能力评价、国土空间开发适宜性评价（简称"双评价"）为基础，划定生态保护红线、永久基本农田保护线、城镇开发边界线（简称"三线"）等空间管制边界以及各类保护线，强化底线约束。突出规划编制的科学性、权威性、协调性、战略性和可操作性。市县和乡镇国土空间规划是对上级规划要求的细化落实和具体安排，可因地制宜，将市县与乡镇国土空间规划合并编制；也可以几个乡镇为单元编制，由当地人民政府组织编制。各级国土空间规划编制内容如下。

（一）全国国土空间规划：突出战略性

全国国土空间规划对全国国土空间所做的全局性和战略性安排，是全国国土空间高水平保护、高效能开发、高效率利用、高质量修复的政策和总纲。由自然资源部会同相关部门组织编制，由党中央、国务院审定后印发实施。按照 2019 年 5 月 28 日《自然资源部关于全面开展国土空间规划工作的通知》（自然资发〔2019〕87 号），编制内容如下：

（1）体现国家意志导向，维护国家安全和国家主权，谋划顶层设计和总体战略部署，明确国土空间开发保护的总战略、总目标和总任务。

（2）明确国土空间规划管控的底数、底盘、底线和约束性指标。

（3）协调区域发展、海陆统筹和城乡统筹，优化部署重大资源、能源、交通、水利等关键性空间要素。

（4）进行地域分区，统筹全国生产力组织和经济布局，调整和优化产业空间布局结构。

（5）合理规划城镇体系，合理布局中心城市、城市群或城市圈。

（6）统筹推进大江大河流域治理，跨省区的国土空间综合整治和生态保护修复，建立以国家公园为主体的自然保护地体系。

（7）提出国土空间开发保护的政策宣言和差别化空间治理的总体原则。

（二）省级国土空间规划：突出协调性

省级国土空间规划是对全国国土空间规划在省级层面的具体落实，也是指导市县国土空间规划编制的行动指南。由省级政府组织编制，经同级人大常委会审议后报国务院审批。按照 2019 年 5 月 28 日《自然资源部关于全面开展国土空间规划工作的通知》（自然资发〔2019〕87 号），具体编制内容如下：

（1）落实全国国土空间规划对本地区的要求，明确省域主体功能区划，制定省域国土空间开发保护总体战略目标，并拟定本省需要新增的约束性指标。

（2）提出省域国土空间组织的空间竞争战略、战略性区位、空间结构优化战略、空间可持续发展战略和解决空间问题的"一揽子"战略方案。明确省域空间结构、生态保护格局、农业发展格局和基础设施布局，统筹确定省域内三条控制线总体格局、重点区域和各市县规模。

（3）合理配置国土空间要素，划定地域分区，统筹优化重大基础设施布局，提出省域内重大资源、能源、交通、水利等关键性空间要素的布局方案。坚持历史文化和风貌特色保护，明确历史文化遗产保护底线，提出省域休闲空间规划指引，满足人民群众日益增长的美好生活需求。

（4）加强国土空间整治修复。统筹陆海、城乡空间以及流域上下游，明确生态保护修复的目标、任务、重点区域和重大工程，制定具体行动计划和进度安排。引导城市有机更新和乡村全域整治，修复大地景观风貌，实现国土空间生态整体保护、系统修复和综合治理。

（5）强化国土空间区际协调。强化区域协调发展，提出广域空间和省际、省内重点地区协调发展要求和措施。建立规划纵向传递和横向传导的管控机制，明确城镇体系结构和中心城市等级体系，提出下层次规划编制指引要求。划分中心城、新城、产业集聚区、重点镇、一般镇等功能分区，确定各级各类城市规模和结构。

（6）制定规划实施保障政策。优化省域主体功能区划，根据不同主体功能定位，制定差异的指标体系、配套政策和考核机制。明确三条控制线在下层次规划中的划定任务，细化三条控制线管控、转换和准入规则，实现分级分类管理。建立国土空间基础信息平台，完善规划实施动态监测和评估机制。

（三）市级国土空间规划：突出实施性

市级国土空间规划是对全国国土空间规划和省级国土空间规划等高层级规划的细化落实和具体安排。可因地制宜，将市县国土空间规划合并编制，由当地人民政府组织编制。编制内容如下：

（1）落实国家级和省级规划的重大战略、目标任务和约束性指标，提出提升城市能级和核心竞争力、实现高质量发展和创造高品质生活的战略指引。

（2）确定市域国土空间开发、利用、保护、修复、治理总体格局，构建"多中心、网络化、组团式、集约型"的城乡国土空间格局。明确市域城镇体系，划定国土空间规划功能分区。

（3）确定市域总体空间结构、城镇体系结构，明确中心城市性质、职能与规模，落实生态保护红线，划定市级城镇开发边界和城市周边基本农田保护区。

（4）落实省级国土空间规划分解提出的山、水、林、田、湖、草等各类自然资源的保护、修复规模和要求，明确约束管控的具体指标；明确国土空间生态修复目标、任务和重点区域，部署国土综合整治和生态保护修复重点工程的规模、布局和建设时序等。

（5）统筹安排市域交通、电力、能源等基础设施布局和生态廊道控制要求，明确重要交通枢纽地区的选址和轨道交通建设走向；提出城市公共服务设施建设标准和布局要求；统筹安排重大资源、能源、水利、交通等关键性空间要素的布局、规模和建设要求等。

（6）对城乡历史文脉传承、风貌特色、城市更新建设等提出原则性要求。划定城市交通红线、市政黄线、绿地绿线、水体蓝线、文保紫线、安全橙线、走廊黑线等管治要求。

（7）在国土空间规划的总体规划中提出分阶段建设目标和重点任务，明确下位规划需要落实的约束性指标、管控边界和管控要求；提出应当编制的专项规划和相关要求，发挥国土空间规划对各专项规划的指导管控作用；提出对功能区规划、详细规划的分解落实要求，健全规划实施传导机制。

（8）建立健全从全域到功能区、到社区、再到地块，从总体规划到专项规划、再到详细规划，从地级市、到县（县级市、区）、再到乡（镇）的规划传导机制、技术传导机制和措施传导机制等。

（四）县级国土空间规划：突出可操作性

县级国土空间规划是对全国、省域、市域等上层级国土空间规划要求的细化落实和具体安排，由当地人民政府组织编制。编制内容如下：

（1）落实国家和省域重大战略决策部署，省级和市级规划的目标任务和约束性指标，明确县域未来空间发展定位和发展方向。

（2）确定县域镇村体系和村庄布点原则；确定县域国土空间规划分区及其准入规则，统筹、优化和确定"三条控制线"等空间控制线，明确管控要求，合理控制整体开发强度；明确县域主要发展方向、空间形态和用地结构。

（3）统筹安排县域交通等基础设施布局和廊道控制要求，提出公共服务设施建设标准和布局要求；对城乡风貌特色、历史文脉传承、城市更新、社区生活圈建设等提出原则要求。明确县域镇村体系、综合交通、基础设施、公共服务设施及综合防灾体系。

（4）以县级城镇开发边界为限，形成县级集建区与非集建区，分别构建"指标＋控制线＋分区"的管控体系，划定县级集建区"五线"和公益性公共服务设施范围。

（5）明确县域国土空间生态修复的目标、任务和重点区，安排县域国土综合整治和生态保护修复重点工程的规模、布局和时序；明确县域各类自然保护地的范围边界，提出生态保护修复的基本要求。提出国土空间整治和生态修复的重大工程；开展耕地后备资源评估，明确补充耕地集中整备区规模和布局。

（6）划定乡村发展和振兴的重点区域，提出优化乡村居民点空间布局的方案，提出激活乡村发展活力和推进乡村振兴的路径策略。

（7）根据需要和可能，因地制宜划定县域国土空间规划单元，明确单元规划编制指引。

（8）明确县域国土空间用途管制、转换和准入规则。充分利用增减挂钩、增存挂钩等政策工具，完善规划实施措施和保障机制，提出保障规划落地实施的政策措施。

（五）乡镇级国土空间规划：突出可操作性

乡镇国土空间规划是对全国、省级、市级、县级等上层级国土空间规划要求的进一步细化落实和更具体的部署安排，由当地人民政府组织编制。编制内容如下：

（1）落实县级规划的战略、目标任务和约束性指标，确定不同时段发展定位和发展方向。

（2）落实县级规划关于统筹生态保护的修复要求。具体落实生态保护红线，开展山水林田湖草的系统修复，制定乡镇级国土空间整治和生态修复的项目规划。

（3）落实县级规划关于统筹耕地和永久基本农田保护的要求。落实永久基本农田，从严控制各项建设占用耕地特别是优质耕地，同时统筹耕地和其他农用地的空间分布，优化农用地空间格局。

（4）落实县级规划关于统筹农村住房布局的要求。依据县级国土空间规划确定的县域农村居民点布局和乡（镇）国土空间规划确定的村庄发展定位、建设范围及功能布局，加强规划设计，合理确定乡镇居民点的住房规模、选址、开发强度、建设风貌等。

（5）落实县级规划关于统筹产业发展空间的要求。制定乡村产业发展和新型业态发展规划，促进农村一二三产业融合发展。明确乡镇产业发展方向，制定村庄禁止和限制发展产业目录，引导产业空间高效集聚利用，推动城乡融合发展。

（6）落实县级规划关于统筹基础设施和基本公共服务设施布局的要求。制定完善提升乡镇基础设施和公共服务设施的实施规划，改善提升乡镇级农村人居环境。

（7）落实县级规划关于乡村综合防灾减灾的要求。编制乡镇综合防灾减灾规划。

（8）落实县级规划关于统筹自然历史文化传承与保护的要求。尊重乡村山水格局和自然脉络，顺应村庄地形地貌、河湖水系等自然环境，延续村庄传统空间格局、街巷肌理和建筑布局。深入挖掘和整理乡村历史文化资源，延续村落历史文脉，传承优秀乡村传统文化。

（9）根据需要因地制宜地进行乡镇国土空间用途编定，制定详细的用途管制规则，全面落地国土空间用途管制制度。

（10）根据需要并结合实际，在乡（镇）域范围内，以一个村或几个行政村为单元编制国土空间规划或村庄建设规划，规划成果纳入国土空间基础信息平台统一实施管理。

四、国土空间规划的关注重点

在全国和各地区国土空间规划编制中，需要全新审视国土空间，树立全域国土观、绿色国土观、美丽国土观、均衡国土观、安全国土观与和谐国土观，构建国土空间的高质量发展格局与高水平保护格局，构筑均衡国土空间，建设美丽国土空间，营造和谐国土空间，筑牢安全国土空间，实现国土空间的高水平保护、高质量发展、高品质利用、高效率修复和高强度协同，编制全域绿色、安全美丽、均衡和谐的国土空间规划。重点突出以下五方面的内容。

（一）树立全域国土观，规划全域国土空间，编制全域国土空间规划

把国土空间看作是由领陆、领海、领空三类国土空间的有机组成部分，不可缺少也不可替代，作为国土空间规划编制的空间对象，分别提出陆域国土空间、海洋国土空间和空域国土空间三大类空间的规划及管控思路与重点。同时协调好"两类空间"（地上空间与地下空间）、"三生"空间（生态空间、生产空间和生活空间）的无缝衔接。保障国土空间规划在领陆、领海、领空上全覆盖。

（二）树立美丽国土观，建设美丽国土空间，编制美丽国土空间规划

2018年5月，习近平总书记在全国生态环境保护大会上明确了建设美丽中国的"时间表"和"路线图"："确保到2035年，生态环境质量实现根本好转，美丽中国目标基本实现"，"到本世纪中叶，物质文明、政治文明、精神文明、社会文明、生态文明全面提升，绿色发展方式和生活方式全面形成，人与自然和谐共生，生态环境领域国家治理体系和治理能力现代化全面实现，建成美丽中国"。2020年2月28日国家发改委发布了《关于开展美丽中国建设进程评估指标体系与实施方案的通知》，要求在全国开展美丽中国建设评估，一直持续到2035年。这表明美丽中国建设将成为展现中国生态文明建设成果的集中体现（方创琳，2019），必将为优化中国国土空间格局、提高国土空间利用质量、为推动生态文明建设发挥重要作用。因此，在编制全国及各地区国土空间规划时，要突出美丽中国建设中的"空气清新、水体洁净、土壤安全、生态良好、人居整洁"五维美丽国土建设的目标，提出建设美丽国土轴的概念，统筹考虑全国不同区域的美丽中国建设的区域差异性，科学构建由4条"井"型美丽轴、八大美丽区和19个美丽城市群构成的"以轴串区、以区托群"的美丽中国建设空间格局，形成"美丽轴-美丽区-美丽群"三层级的美丽中国建设空间格局（图7.8）。

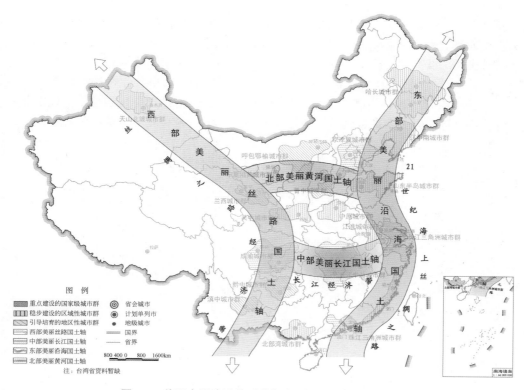

图 7.8　美丽中国建设的"井"字型美丽国土轴线格局

（三）树立均衡国土观，重组均衡国土空间，编制均衡国土空间规划

　　推动区域协调发展是国家重大发展战略之一，破解胡焕庸线，缩小东西部、南北部发展差距，推动全国共同富裕、均衡发展是编制全国及各地区国土空间规划秉承的重要原则。因此，在编制全国国土空间规划时，通篇需要倡导均衡国土概念，提出均衡国土轴的概念和均衡国土建设框架。可考虑将"博台线"作为中国区域发展均衡线和国家发展战略脊梁线。通过计算发现了垂直于胡焕庸线的"博台线"（连接新疆维吾尔自治区博乐市与台湾省台北市的西北—东南走向的轴线）可建成中国区域发展均衡线（方创琳，2020），可逐步解决区域发展不平衡不充分的现实问题，推动形成优势互补高质量发展的区域经济新格局，促进区域协调发展向更高水平和更高质量迈进。研究发现，垂直于胡焕庸线的"博台线"是中国自然与人文地理要素的渐变线，博台线与胡焕庸线交汇点位于甘肃省镇原县，垂直区域涉及甘肃省平凉、庆阳和陕西省宝鸡、咸阳 4 市交接地区（图 7.9）。2016 年"博台线"西南半壁与东北半壁国土面积占比约为 60%：40%，而两侧人口占比约为 45%：55%，经济总量占比约为 40%：60%，并分别向 50%：50%的平衡格局演变；两侧人均 GDP 比值为44%：56%，人口密度比值为 38%：62%，经济密度比值为 32%：68%，城镇化水平比值为48%：52%，主要均量指标都逐步趋向 1：1 的均衡发展格局。可见，"博台线"是连接"一带一路"双核心区的战略扁担线，是综合交通运输通道支撑连接的实体线和国家城市与城市群发展的琵琶型对称线，也是双向对外开放的中坚线、海陆联动发展的对接线，更是促

进东中西部、南北协调发展、解决地区发展不平衡不充分的重要分界线，"博台线"对推动国家区域协调均衡发展具有不可替代的重要功能与战略作用。建议将"博台线"纳入全国国土空间规划，以"博台线"沿线地区的天山北坡城市群、酒嘉玉城市群、兰西城市群、关中平原城市群、长江中游城市群等 6 个发育程度较低的城市群建设为鼎，支撑"博台线"从经济发展低谷区快速崛起，形成"3+6"的空间支撑格局，真正担当起国家发展战略脊梁线的重任，将其建成为推进区域协调均衡发展的新增长带和高质量发展带。

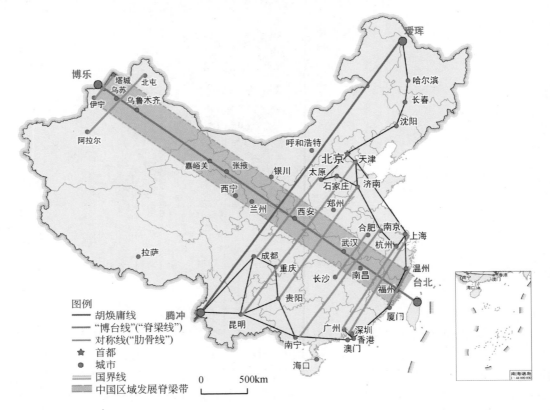

图 7.9   垂直于胡焕庸线的"博台线"作为中国国土均衡发展分界线的"琵琶"型骨架图

（四）树立安全国土观，夯实安全国土空间，编制安全国土空间规划

面对变幻莫测的世界大变局、周边地区复杂的地缘政治格局和中国国土空间中存在的不和谐不稳定因素，在编制全国及各地区国土空间规划时，从国家战略安全高度，强化安全国土思维，将"一带一路"、冰上丝绸之路等纳入到全国及各地区国土空间规划中去，树立安全国土观。

（五）树立和谐国土观，营造和谐国土空间，编制和谐国土空间规划

贯彻落实联合国可持续发展目标，坚持人与自然和谐共生，从"把每一寸土地都规划得清清楚楚"的管控目标出发，坚持底线思维，立足资源禀赋和环境承载能力，加快构建

生态功能保障基线、环境质量安全底线、自然资源利用上线、生态保护红线等"四线"管控的要求，体现了国土空间规划在国土空间开发保护中的战略引领和刚性管控作用。

主要参考文献

陈雯，闫东升，孙伟. 2015. 市县"多规合一"与改革创新：问题、挑战与路径关键. 规划师，（2）：17-21.

方创琳. 2007. 区域规划与空间管治论. 北京：商务印书馆.

方创琳. 2017. 城市多规合一的科学认知与技术路径分析. 中国土地科学，31（1）：28-36.

方创琳. 2020. 博台线——中国区域发展均衡线的重要功能及建设构想. 地理学报，75（2）：211-225.

方创琳，方嘉雯. 2012. 如何完善城乡环境保护总体规划体系. 环境保护，6：64-67.

方创琳，马海涛. 2013. 新型城镇化背景下中国的新区建设与土地集约利用. 中国土地科学，27（7）：1-9.

方创琳，王振波，刘海猛. 2019. 美丽中国建设的理论基础与评估方案探索. 地理学报，74（4）：619-632.

顾朝林. 2015. 论中国"多规"分立及其演化与融合问题. 地理研究，34（4）：601-613.

孟鹏，冯广京，吴大放 等. 2015. 多规冲突根源与多规融合原则——基于土地利用冲突与多规融合研讨会的思考. 中国土地科学，29（8）：3-9.

齐清文，方创琳，党安荣 等. 2014. 城市"多规协同"工程中的决策支持技术. 测绘科学，39（8）：11-15.

全国城市规划执业制度管理委员会. 2011. 城市规划原理. 北京：中国计划出版社.

全国人民代表大会常务委员会法制工作委员会编. 2009. 中华人民共和国城乡规划法释义. 北京：法律出版社.

万军，于雷，张培培 等. 2009. 城市生态保护红线划定方法与实践. 环境保护科学，2015，（1）：6-11.

王吉勇. 2013. 分权下的多规合一——深圳新区发展历程与规划思考. 城市发展研究，20（1）：23-29.

吴志强，李德华. 2010. 城市规划原理（第4版）. 北京：中国建筑工业出版社.

杨伟民. 2010. 发展规划的理论和实践. 北京：清华大学出版社.

张永姣. 2016. 城市多规合一的综合协调机制与模式研究. 中国科学院博士学位论文.

张永姣，方创琳. 2016. 空间规划协调与多规合一研究：评述与展望. 城市规划学刊，（2）：124-134.

中华人民共和国建设部. 1999. 城市规划基本术语标准（GB/T50280—98）. 北京：中国建筑工业出版社.

第八章 城市发展新动向与新模式

⊙ 导 读

伴随着全球城市化与工业化进程的持续推进，人口与产业在城市和城市群高密度集聚，世界各国大多从"农村社会"逐步迈入"城市社会"。人类在过去100多年对自然资源和能源的大量消耗，达到了人类历史上前所未有的程度，全球出现了生态系统退化、环境污染严重、资源约束趋紧、气候极端变化等突出的资源环境问题，以及城市创新乏力、竞争力不足等经济社会问题。为缓解日趋严重的城市病问题，全球城市均在探索新的城市发展理念和新的城市发展模式，科学技术的进步和互联网、云计算技术的兴起为革新城市发展模式、促进城市可持续发展提供了可能性。本章重点介绍创新型城市、低碳城市、韧性城市、智慧城市、收缩城市和美丽城市的基本内涵、主要特征、影响因素、识别标准和评价指标体系。

第一节 创新型城市

创新型城市是开展国家创新活动、建设创新型国家的重要基地，是推进国家创新体系建设的关键环节，是加快经济发展方式转变的核心引擎，是加快国家新型城镇化进程与乡村振兴的重要路径，是探索城市发展新模式和推进城市可持续发展的迫切要求，在建设创新型国家中具有非常重要的战略地位。《国家中长期科技发展规划纲要（2006—2020）》（国发〔2005〕第044号）、《国家国民经济和社会发展第十二个五年规划纲要》、《国家"十二五"科学与技术发展规划》（国科发计〔2011〕270号）、《国家发展改革委关于推进国家创新型城市试点工作的通知》（发改高技〔2010〕30号）和科技部等都先后提出建设创新型城市，2012年修订的《中国共产党章程》和党的十八大报告再次提出建设创新型国家，实施创新驱动发展战略。当前，中国已进入建成创新型国家的攻坚阶段，科学识别创新型城市的基本内涵与判断标准，借鉴国际经验和科学方法理性评估中国创新型城市建设现状与问题，分析城市创新的空间分异特征与规律，对增强中国自主创新能力和国际竞争力，加快建设创新型国家具有十分重要的现实意义。

一、创新型城市组成要素与判断标准

（一）基本概念

创新是人不同于动物的最基本特征，是国家兴旺发达的不竭动力，是一个民族进步的

灵魂，又是知识经济的核心。创新的过程就是提出新理论、发明新技术、创造新方法、建立新制度、制定新政策、组建新组织、构成新机制、提供新产品、获得新原料、开辟新市场、组成新文化、创造新艺术等方面。

国际相关文献对于创新型城市的英文表达有两种："creative city"和"innovative city"。这两种表达有其共通之处，又诠释着各自的特点。creative city 强调创造性的文化理念来带动城市的复兴，而 innovative city 则把重点放在对于知识、技术、人才和制度等综合要素的变革上。creative city 这种表达主要是出自英国和荷兰等欧洲国家的一些研究文献。彼得·霍尔将创新型城市界定为处于经济和社会的变迁中，许多新事物不断涌现并融合成一种新的社会形态的具有创新特质的城市（Peter，1998）。从对创新活动和国内外创新型城市概念的理解中，可对创新型城市的基本内涵做出如下定义。

创新型城市是指以科技进步为动力，以自主创新为主导，以创新文化为基础，主要依靠知识、科技、文化、人力、体制等创新要素驱动发展的城市。创新型城市建设需要经历资源型城市—资本型城市—创新型城市—智慧型城市四大阶段（方创琳等，2003）。当一个城市的可持续发展动力由原来的资本与资源驱动转变为技术和创新驱动的时候，就意味着该城市跨入了创新型城市建设的门槛。创新型城市一般具有创新要素聚集、创新产业发达、创新精神突出、创新环境优越和创新成果丰富等特征。

（二）组成要素

创新型城市由城市创新载体、城市创新平台、城市创新资源、城市创新环境、城市创新服务和城市创新通道六大要素构成（马海涛等，2013），六大要素存在密切的互动关系，推动城市创新系统有效运转。

（1）城市创新载体。城市创新载体包括国家自主创新示范区、国家科技创新型试点市示范区、产业转移示范区、国家高新技术产业开发区、国家经济技术开发区、省级开发区、市级开发区等，是城市各类创新企业、创新机构、创新活动、创新平台所依托的创新空间载体，空间载体的层次和类型直接影响空间内部的创新活动。

（2）城市创新资源。城市创新资源包括创新企业、科研机构、大学教育、创新人才、中介机构、金融投资、政府机构等，是构建城市创新体系和建设创新型城市的重要基础，创新资源越丰富的城市，其创新能力越强，创新潜力与动力就越大。

（3）城市创新平台。城市创新平台由科技研发平台、科技转化平台、高新产品孵化平台、高技术人才创业平台、科技服务平台五大类构成，重点为创新人才和创新企业提供专项的仪器设备、图书资料、知识信息、办公设施、网络平台等创新行为的必要资源。

（4）城市创新服务。城市创新服务包括科技金融服务、知识产权服务、高技术创业服务、技术交易服务、技术咨询服务、科技法律服务等，专业化的创新服务是城市产学研一体化创新顺利实施的重要保障。

（5）城市创新环境。城市创新环境包括高技术集群的深度、文化的融合程度、社会的包容程度、政策的公平程度、全民文化教育程度、法制监管完善程度与城市宜居宜业的程度等。

（6）城市创新通道。城市创新通道是创新主体之间的连接渠道，包括城市内部各创新主体之间的连接通道、城市创新主体同国内国际上其他城市之间的创新联系通道，这些通道建设对城市创新能力的提升和参与全球创新竞争具有重要的支撑作用。

（三）评判标准

参考国际上创新型城市评判的代表性标准，如欧盟创新记分牌、美国 3T 创新指数、国家创新能力指数以及全球创新指数等，国内创新型城市评判代表性指标体系如中关村创新指数、深圳创新指数、张江创新指数等，将创新型城市建设的评判标准确定为由一个 1 万美元、3 个 5%、3 个 60%和 3 个 70%组成的十大判断标准（方创琳等，2013，2014）：①人均 GDP 超过 10000 美元；②全社会 R&D 投入占 GDP 的比重超过 5%；③企业 R&D 投入占销售总收入的比重超过 5%；④公共教育经费占 GDP 比重大于 5%；⑤新产品销售收入占产品销售收入比重超过 60%；⑥科技进步对经济增长的贡献率超过 60%；⑦高新技术产业增加值占工业增加值的比重大于 60%；⑧对内技术依存度大于 70%；⑨发明专利申请量占全部专利申请量的比重大于 70%；⑩企业专利申请量占社会专利申请量的比重大于 70%。

凡是满足以上十大标准的城市就可认定为达到了创新型城市的建设标准，这是城市实现可持续发展的重要标志。

（四）创新内容

根据创新型城市的基本内涵，创新型城市建设的关键在于构建城市创新体系，其创新内容包括以下十大方面：

（1）城市技术创新：是城市创新的核心，包括新材料、新产品、新技术、新思路、新文化创新等。技术创新是科技成果产业化的催化剂，技术创新的主攻方向是大力发展高新技术产业。

（2）城市知识创新：这是城市创新的源泉，包括知识生产、知识溢出、知识贸易等，重点发展知识密集型经济。

（3）城市人才创新：这是城市创新的根本，包括引进和培养高端专业技术人才、管理人才和服务人才等。

（4）城市产业创新：这是城市创新的重点，包括第一产业、第二产业、第三产业创新与产业机构升级与高级化、高新技术产业和信息产业创新重点、产品结构创新等。

（5）城市环境创新：包括城市生态环境、城市人居环境、城市经济环境、城市社会环境和城市文化环境创新等，这是城市创新的重要基础。

（6）城市观念创新：这是城市创新的先导，代表着创新意识、创新精神与创新理念，观念在城市创新中起到至关重要的作用。观念先进，则容易创新；观念陈旧，则无法创新。

（7）城市制度创新：这是城市创新的保障。规范持续稳定的制度是确保创新活力和持久力的源泉。如果说技术创新是人为降低生产的直接成本，制度创新则是降低生产的交易成本，提高生产效率。

（8）城市政策创新：这是城市创新的重要支撑，包括各项优惠政的人才政策、税收政策、财政政策、产业政策、土地政策、投资政策、成果转化政策等的创新。

（9）城市市场创新：这是城市创新的宏观背景，包括建立健全市场经济体制、进行市场细分与渗透创新、提高工农业产品及服务的市场准入化程度和市场竞争能力等。

（10）城市管理创新：这是城市创新的保障。包括行政管理创新、企业战略管理创新、管理能力现代化的创新、智慧管理或智能管理创新等。

二、创新型城市建设现状与评估体系

（一）建设现状

中国创新型城市建设目前尚处于初级阶段。大多数城市先行编制了创新型城市建设规划，约 60% 的城市提出了建设创新型城市的发展战略，把自主创新作为城市发展主战略，出台了《中华人民共和国科学技术进步法》及创新型城市建设的配套政策，成立了创新型城市建设领导小组等机构；各具特色的城市创新体系正在形成，企业创新的主体地位明显加强；城市创新投入逐渐加大，各类专项创新基金陆续设立，城市创新试点全面展开，约 60% 的城市开展了不同类型的创新型城市试点工作，创新企业和创新园区试点同步推进；城市创新扶持政策陆续出台，创新评估机制正在形成；体制机制创新逐步强化，协同创新环境正在改善。总体来看，中国创新型城市建设取得了举世瞩目的成就，表现为：创新型城市试点建设工作取得阶段性显著成效；创新型城市建设的国际地位正在显著提升；城市创新成果已成为培育和发展战略性新兴产业的重要推动力；城市创新要素日趋完备，研发投入快速增长，高层次创新人才不断涌现；创新型城市建设成果惠及民生，对改善民生发挥了重要作用（经济日报社自主创新调研小组，2011）。

总体上说，尽管中国创新型城市建设取得了显著的创新成就，但无论采用单项指标判断，还是采用综合创新指数判断，中国创新型城市建设均处在初级阶段，尚未完成从要素驱动向创新驱动的战略质变，与真正意义上的创新型城市还有很大差距。中国没有进入高级阶段的创新型城市；中国只有北京、深圳、上海、广州 4 个城市处在创新型城市建设的中高级阶段；中国只有 1/4 的城市处在创新型城市建设的中级阶段；中国约 3/4 的城市处在创新型城市建设的初级阶段（方创琳，2013）。

（二）建设瓶颈

创新型城市建设面临着投入瓶颈、收入瓶颈、技术瓶颈、贡献瓶颈和人才瓶颈等 5 大瓶颈，存在着城市研发投入与企业研发投入占 GDP 比重低、城市新产品销售收入占产品销售收入比重低、城市高新技术产业产值占工业总产值比重低、城市对内技术依存度低、城市发明专利申请量占全部专利申请量比重低、城市科技进步对经济增长贡献率低、城市公共教育经费占 GDP 比重低等"七低"问题。

目前，中国约有 98.85% 的城市全社会研究与开发投入占 GDP 比例达不到创新型城市建设标准的 5%；约有 98% 的城市企业研究与开发投入占销售总收入的比例达不到创新型城市建设标准的 5%；99% 以上的城市新产品销售收入占产品销售收入比例达不到创新型城市建设标准的 60%；97.6% 的城市高新技术产业产值占工业总产值比例达不到创新型城市建设标准的 60%；绝大多数城市对内技术依存度与发明专利申请量占全部专利申请量的比例低于 70%；93.7%的城市科技进步对经济增长贡献率达不到创新型城市建设标准，132 个城市科技进步对经济增长贡献率低于全国平均水平（46.5%）；91.96%的城市公共教育经费占 GDP 比例达不到创新型城市建设标准的 5%。

（三）评估体系

按照"突出科学评估主线、突出自主创新模式，突出企业主体地位，突出经济结构转型，突出增长方式创新，突出体制机制创新"的思路，构建由城市科技发展与自主创新指数、城市发展方式转变与产业创新指数、城市节能减排与人居环境创新指数、城市体制改革与机制创新指数 4 个二级指标，由创新平台建设指数、创新要素投入指数、创新成果转化指数、企业创新指数、结构创新指数、科技惠民指数、节能减排降耗指数、人居环境改善指数、创新服务与文化建设指数、政策创新指数 10 个三级指标和 55 个四级指标组成的创新型城市综合评估体系，如表 8.1 所示。

表 8.1　创新型城市综合评估体系构成表

一级指标	二级指标	三级指标	四级指标
城市综合创新指数 A	城市科技发展与自主创新指数 B1	创新平台建设指数 C1	D1 百万人拥有国家高等院校数量（所/百万人）
			D2 百万人拥有国家重点实验室数量（个/百万人）
			D3 百万人拥有国家工程技术研究中心数量（个/百万人）
			D4 百万人拥有国家高新技术产业开发区数量（个/百万人）
			D5 百万人拥有国家创新型科技园区数量（个/百万人）
			D6 百万人拥有国家创新型企业数量（个/百万人）
			D7 百万人拥有的国家级孵化器数量（个/百万人）
			D8 百万人拥有博士后流动站数量（个/百万人）
			D9 百万人拥有博士后企业科研工作站数量（个/百万人）
		创新要素投入指数 C2	D10 全社会研究与开发投入占 GDP 比重（%）
			D11 教育经费支出占地方财政支出比重（%）
			D12 科技支出占地方财政支出比重（%）
			D13 研究与开发人员占全社会就业人数比重（%）
			D14 万人拥有在校大学生数（人/万人）
			D15 百人拥有互联网用户数（户/百人）
			D16 百人拥有移动电话数（部/百人）
		创新成果转化指数 C3	D17 百万人发明专利授权数（件/百万人）
			D18 人均技术市场成交合同额（元/人）
			D19 百万人商标有效注册量（个/百万人）
			D20 百万人拥有的中国驰名商标产品数（个/百万人）
			D21 百万人拥有的中国地理标志产品数（个/百万人）
			D22 百万人拥有的省级以上自主创新产品数（个/百万人）
			D23 百万人拥有的国家级重点新产品数（个/百万人）
	城市发展方式转变与产业创新指数 B2	企业创新指数 C4	D24 世界五百强企业入驻数占世界五百强企业比重（%）
			D25 百万人拥有的省级以上高新技术企业数（家/百万人）
			D26 规模以上工业企业拥有研发机构比重（%）
			D27 规模以上工业企业研发经费投入占企业主营业收入比重（%）

续表

一级指标	二级指标	三级指标	四级指标
城市综合创新指数 A	城市发展方式转变与产业创新指数 B2	结构创新指数 C5	D28 高新技术产业产值占工业总产值比重（%）
			D29 服务业增加值占 GDP 比重（%）
			D30 高新技术产品出口额占商品出口额的比重（%）
			D31 高新技术产业开发区产值占 GDP 的比重（%）
			D32 规模以上工业企业新产品销售收入占主营业务收入比重（%）
		科技惠民指数 C6	D33 人均 GDP（元）
			D34 全员劳动生产率（万元/人）
			D35 城镇居民人均可支配收入（元）
			D36 城镇登记失业率（%）
	城市节能减排与人居环境创新指数 B3	节能减排降耗指数 C7	D37 单位工业增加值综合能耗（吨标准煤/万元）
			D38 单位 GDP 能耗降低率（%）
			D39 万元 GDP 碳排放量（吨/万元）
			D40 城市节约用水率（%）
			D41 三废综合利用产品产值率（%）
		人居环境改善指数 C8	D42 城市空气质量指数（%）
			D43 城市污水处理率（%）
			D44 城市生活垃圾无害化处理率（%）
			D45 城市工业固体废弃物综合利用率（%）
			D46 城市建成区绿化覆盖率（%）
	城市体制改革与机制创新指数 B4	创新服务与文化建设指数 C9	D47 百万人拥有的人才中介服务机构数（个/百万人）
			D48 百万人拥有的国家级科技协会数量（个/百万人）
			D49 万人拥有公共图书馆藏书量（册/万人）
			D50 万人拥有的剧场及影剧院数（个/万人）
		政策创新指数 C10	D51 是否被列为国家发改委"国家创新型城市试点"
			D52 是否被列为国家科技部"国家创新型试点城市"
			D53 是否被列为国家科技部"国家可持续发展试验区"
			D54 是否被列为"国家知识产权试点城市"
			D55 是否被评为"全国科技进步先进城市"
指标数量	4	10	55

注：表中三级指标中加底色的指标为科技部印发《关于进一步推进创新型城市试点工作的指导意见》（国科发体〔2010〕155 号）所提出的《创新型城市建设监测评价指标（试行）》。

依据创新型城市综合评估监测系统软件，综合分析城市综合创新水平、城市科技发展与自主创新水平、城市转变发展方式与产业创新水平、城市节能减排与人居环境创新水平、城市体制改革与机制创新水平。通过分析发现，中国城市综合创新水平普遍偏低，各城市之间存在着明显的空间分异特征，东部地区城市的综合创新水平明显高于中西部地区。城市自主创新水平、产业创新水平、人居环境创新水平和体制机制创新水平呈现出与城市综合创新水平一致的空间分异规律。城市综合创新水平与城市经济发达水平呈密切的正相关关系，越是经济发达的城市其综合创新指数越高，相反，越是经济落后的城市综合创新指数越低。

三、创新型城市建设趋势与空间格局

（一）建设趋势

未来中国创新型城市建设将按照"自主创新、重点突破、市场主导、区域联动、人才支撑"的基本方针，把全面提升城市自主创新能力作为建设创新型城市的核心主线，把城市自主创新、产业创新、人居环境创新和体制机制创新作为创新型城市建设的四大重点方向；大力实施人才强市、产业优先、开放创新、名牌驱动和知识产权等战略，重点实施产业发展创新工程、创新人才引育工程、创新载体与体系建设工程、社会发展创新工程、知识产权保护工程、创新环境优化工程等六大工程，建设产业创新城、科学创新城、智慧创新城、协同创新城、绿色创新城和国际创新城，因地制宜地推行工业创新主导模式、科技创新主导模式、服务业创新主导模式、文化创新主导模式、体制机制创新主导模式、多驱联动模式等基本建设模式，最终建设一批在区域、国家乃至全球范围内辐射引领作用显著的创新型城市。

（二）空间格局

从建设创新型国家的战略目标出发，构建由全球创新型城市—国家创新型城市—区域创新型城市—地区创新型城市—创新发展型城市共 5 个层级组成的国家创新型城市空间网络结构体系。以自主创新为主导战略，以提升国际竞争力为目标，以实现科学发展为根本，以聚集创新人才为关键，以体制机制创新为依托，以产业创新为重点，促进经济、社会、文化等领域的全面创新，最终建成创新体系健全，创新特色鲜明，创新要素集聚，创新环境优良，创新人才汇集，创新活力充沛，自主创新能力强，经济社会效益好，科技支撑引领作用突出，在区域、国家乃至全球范围内辐射引领作用显著的创新型城市。

通过创新型城市的建设，将北京、深圳、上海、广州建成四大全球创新型城市，成为全球创新中心；把南京、苏州、厦门、杭州、无锡、西安、武汉、沈阳、大连、天津、长沙、青岛、成都、长春、合肥、重庆共 16 个城市建成国家创新型城市，成为国家创新中心，形成由 4 个全球创新型城市、16 个国家创新型城市、30 个区域创新型城市、55 个地区创新型城市和 182 个创新发展型城市组成的国家城市创新网络空间格局（表 8.2，图 8.1），进而为建成创新型国家做出贡献（方创琳等，2014）。

表 8.2　创新型城市建设的空间格局一览表

级别	全球创新型城市	国家创新型城市	区域创新型城市	地区创新型城市	创新发展型城市
判断标准（综合创新指数）	≥0.75	0.5~0.75	0.25~0.5	0.1~0.25	<0.10
	高级创新型城市	中高级创新型城市	中级创新型城市	低级创新型城市	初级创新型城市（潜在的创新型城市）
城市个数	4	16	30	55	182
创新地位	全球创新中心	国家创新中心	区域创新中心	地区创新中心	创新节点（中心）

续表

级别	全球创新型城市	国家创新型城市	区域创新型城市	地区创新型城市	创新发展型城市
基本功能	世界城市 国际大都市 国家中心城市	国家中心城市 国家区域中心城市	国家区域中心城市 地区中心城市	地区中心城市	地区次中心城市
区域辐射功能	世界级城市群的核心城市	国家级城市群的核心城市	区域性城市群的核心城市	地区性城市群的核心城市	地区都市圈的核心城市
代表城市名称	北京、深圳、上海、广州	南京、苏州、厦门、杭州、无锡、西安、武汉、沈阳、大连、天津、长沙、青岛、成都、长春、合肥、重庆	珠海、福州、常州、济南、宁波、南昌、哈尔滨、太原、镇江、烟台、海口、郑州、绍兴、兰州、昆明、东莞、佛山、银川、呼和浩特、温州、扬州、惠州、贵阳、台州、绵阳、石家庄、乌鲁木齐、南宁、汕头、唐山	威海、金华、芜湖、东营、湘潭、包头、舟山、克拉玛依、中山、淄博、铜陵、嘉兴、湖州、三亚、南通、宝鸡、泰州、潍坊、景德镇、江门、莱芜、泉州、大庆、株洲、鄂尔多斯、廊坊、连云港、嘉峪关、马鞍山、鞍山、金昌、本溪、长治、西宁、盐城、漳州、岳阳、淮南、蚌埠、莆田、拉萨、泰安、吉林、新余、徐州、秦皇岛、鄂州、洛阳、桂林、德阳、日照、宜昌、柳州、保定、德州	龙岩、晋城、三明、丽水、许昌、济宁、肇庆、安阳、襄阳、邢台、承德、乌海、平顶山、张家口、衢州、滨州、临沂、新乡、潮州、盘锦、韶关、淮安、聊城、枣庄、通辽、黄山、鹰潭、咸阳、营口、运城、漯河、淮北、自贡、常德、阳泉、石嘴山、大同、庆阳、辽源、衡水、铜川、北海、宿迁、玉林、梅州、延安、云浮、焦作、玉溪、沧州、张家界、丹东、邯郸、抚顺、榆林等

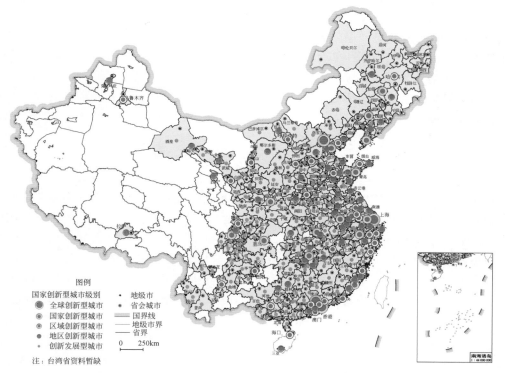

图例

国家创新型城市级别
◉ 全球创新型城市
◉ 国家创新型城市
◉ 区域创新型城市
◉ 地区创新型城市
· 创新发展型城市

· 地级市
◦ 省会城市
—— 国界线
—— 地级市界
—— 省界

0　250km

注：台湾省资料暂缺

图 8.1　国家创新型城市建设的空间格局示意图

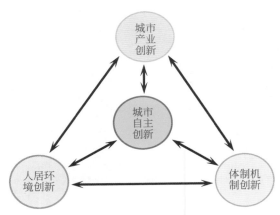

图 8.2   创新型城市建设的战略方向示意图

在创新型城市建设过程中，要突出自主创新模式、突出企业主体地位、突出经济结构转型、突出发展方式创新、突出人居环境创新、突出体制机制创新等"六突出"的建设思路，把城市自主创新作为创新型城市建设的核心和灵魂，把城市产业创新作为创新型城市建设的重要支撑，将人居环境创新作为创新型城市建设的重要基础，把体制机制创新作为创新型城市的重要保障，如图 8.2 所示。在四大重点方向中，其中：科技发展与自主创新从创新设施、创新平台、创新要素、创新成果等四个方面反映城市创新体系对于提升自主创新能力的支撑作用；发展方式转变与产业创新从结构创新、企业创新、科技贡献等 3 个方面反映城市自主创新对于调整产业结构、转变增长方式的引领作用；节能减排与人居环境创新从节能减排、人居环境、科技惠民等 3 个方面反映城市科技进步对于建设资源节约型和环境友好型社会、推进可持续发展带动作用；体制改革与机制创新从创新服务、创新政策、创新文化等 3 个方面反映城市创新环境对自主创新能力的支撑作用。

把全力推进城市群地区的创新作为建设创新型城市的重点地区。城市群是国家参与全球竞争与国际分工的全新地域单元，是中国未来经济发展中最具活力和潜力的核心增长极点，是中国加快推进城镇化进程的主体空间形态，在国家主体功能区规划中是重点开发区和优化开发区，但同时是一系列生态环境问题集中激化的高度敏感地区和重点治理地区，必然是中国建设创新型国家和创新型城市的战略重点地区。未来发展中，要加快构建中国城市群的区域创新体系，提升城市群地区的自主创新能力、产业创新能力、人居环境创新能力和体制机制创新能力，把城市群建成为国家创新体系的核心区和先行典范区，把城市群建设创新型城市群。

第二节   低 碳 城 市

城市是现代社会经济要素的高度集聚地，也是碳排放的集中区，更是实现碳达峰与碳中和的重点地区。城市仅占地球表面不到 1% 的面积，却消耗了 2/3 以上的能源（2030 年可能到 3/4），排放了全球 75%～80% 的温室气体（秦耀辰，2013）。随着城市化进程的不断加快，城市扩张速度越来越快，带来的高碳排放与环境污染使城市病问题日益突出，频繁发生的气候灾害威胁到了城市居民正常的生产生活。因此，城市发展的低碳化在全球碳减排中具有重要意义，它意味着城市经济发展必须最大限度地减少或停止对碳基燃料的消耗依赖，实现能源利用转型和经济转型，大力使用清洁能源。城市是碳排放量最大最集中的地区，也是碳减排的重要单元和责任主体，城市更是实现全球减碳和低碳城市化的关键地区。发展低碳城市，是应对全球气候变化、转变增长方式的必然选择，是资源节约型和环境友好型社会、生态文明建设的重要内容，也是可持续发展的内在要求。

一、低碳城市的概念与基本内涵

低碳城市概念提出的时间较短，涉及的相关概念及基本内涵较复杂，目前仍在不断探索和发展之中。这里介绍低碳城市提出的过程与背景、低碳城市的相关概念、基本内涵等，以增加对低碳城市概念和特点的了解。

（一）低碳城市概念及缘起

低碳概念最初产生于经济发展领域，是应对人类社会进入工业化以来大气中温室气体排放量过高而导致全球气候变暖而提出的（秦耀辰，2013）。英国在其 2003 年《能源白皮书》中首次正式提出"低碳经济"的概念，指出低碳经济是通过更少的自然资源消耗和环境污染，获得更多的经济产出，通过创造更高的生活标准和更好的生活质量的途径和机会，为其应用和输出先进技术创造新的商机和就业机会。可见，低碳经济是以低能耗、低污染、低排放为理念的新经济发展模式。2007 年日本开始致力于"低碳社会"建设，在全面反思传统工业社会的技术模式、社会结构、组织制度与文化价值基础上，把低碳社会建成为适应全球气候变化、能够有效降低碳排放的一种全新的社会形态，包括低碳文化、低碳政治、低碳消费、低碳交通和低碳生活的系统变革。

2007 年之后低碳城市的概念开始在全球发展起来。世界自然基金会（the world wide fund for nature，简称 WWF）把低碳城市（low carbon city）定义为，是指城市在经济高速发展前提下，保持能源消耗和二氧化碳排放处于较低的水平。而气候组织（the climate group）定义低碳城市是在城市内推行低碳经济，实现城市的低碳甚至是零碳排放；其中，低碳意味着经济发展必须最大限度地减少或停止对碳基燃料的过度依赖，实现能源利用转型和经济转型；经济则意味着要在能源利用转型基础上和过程中继续保持经济的持续稳定增长（秦耀辰等，2013）。

（二）低碳城市的基本内涵

对于低碳城市的标准和具体内涵，学术界目前还没有达成统一认识。但综合目前国内外的相关研究来看，以下主要观点可供借鉴：

（1）真正意义上的低碳城市应该是城市经济增长与二氧化碳排放绝对脱钩，即二氧化碳排放随经济增长表现为零增长或负增长；一般意义上的低碳城市应该是城市发展或城市经济增长与二氧化碳排放相对脱钩，即二氧化碳排放仍然正增长，但排放速率低于经济增长或低于不采取政策措施的所谓基准情景。

（2）低碳城市不仅仅是一个城市经济发展的概念，还涉及城市的资源环境承载力、空间结构、社会结构、制度结构等方面的内容。应从低碳技术、低碳经济、低碳能源、低碳社会（低碳交通、低碳建筑、低碳家庭、低碳社区等）和低碳环境等五个方面入手，构建低碳城市发展模式。

（3）低碳目标的实现以一定的经济发展速度为基础，以牺牲经济发展速度的方式实现城市低碳发展是不科学、不可取的；低碳城市的建设不能以降低或损害人民的生活质量为代价，需要在不断提高人民生活质量的前提下实现城市低碳发展；低碳城市建设是一个多目标问题，它不仅要降低温室气体排放量，也要保证经济的发展速度以及居民的生活质量。

　　综上所述，低碳城市是以使用低碳能源、推进低碳产业发展、大力发展低碳经济、在保障城市经济持续增长的同时最大限度地减少碳排放、建设低碳社会的城市。是城市可持续发展的一种新模式，也是城市环境保护和节能减排对城市提出的新要求。

二、低碳城市指标体系和评价方法

　　国内外政府、非政府组织机构以及学者都提出了低碳城市指标体系，以此反映低碳城市的概念内涵、发展目标、建设内容等，并采用各种方法对城市低碳发展水平进行评估。如国家发展和改革委员会从 2010 年就开展低碳省区和低碳城市试点工作，指标考核和评估是重要依据。因此，对一些较有代表性的低碳城市指标体系、评价方法进行简要介绍。

　　（一）低碳城市评价指标体系

　　低碳城市自 2007 年提出以后，国内外关于低碳城市的综合评价指标体系研究逐渐得到重视，许多学者从理论和实践层面均进行了有益尝试。但由于低碳城市建设的系统性和复杂性，以及低碳城市标准的非统一性，目前评价指标体系的科学性和权威性还有待进一步提高。尽管如此，这些指标体系仍然可以为科学认识低碳城市提供有益借鉴。

　　付允等（2010）综合考虑经济、社会和环境三个方面，描述了城市低碳的八大状态，使用了 23 项具体指标，构建了评价城市低碳水平的指标体系。其中，经济方面主要包括循环利用资源和提高能源效率、优化经济结构和提高经济效益、加大研究与开发的投入和促进技术创新 3 个状态共 10 个具体指标；社会方面主要包括提高人们的生活质量、大力发展快速公交系统（BRT）、培育人们低碳消费理念与方式和引导人们利用公共交通出行 3 个状态共 8 个具体指标；环境方面主要包括提升整体城市的碳汇能力、通过低碳设计降低对气候的影响 2 个状态共 5 个具体指标。

　　邵超峰等（2010）在分析低碳城市内涵的基础上，根据"驱动力—压力—状态—影响—响应"模型框架，建立了低碳城市建设与评价指标体系。其中，"驱动力"的影响因素主要包括社会经济发展和城市建设规模，"压力"的影响因素主要包括资源消耗强度和消费方式，"状态"的影响因素主要包括污染物排放水平和产业/能源结构，"影响"的影响因素主要包括社会经济、生态环境质量和社会评价，"响应"的影响因素主要包括物质减量化、污染控制、管理制度、基础设施建设。

　　中国社科院城市发展与环境研究所、湖南工业大学、经济日报社下属的经济杂志社等单位联合发起成立了"全球低碳城市联合研究中心"，于 2011 年发布了《中国城市低碳发展绿皮书 2011》，编制整理了 2008 年中国 110 个地级以上城市能源与碳排放数据，并建立了中国城市低碳发展排位指标体系。该指标体系分三级六个板块 12 个维度 12 个指标。一级指标分社会、经济、资源、环境、设施、政策 6 大块，强调对城市社会环境经济综合体的全覆盖。二级指标 12 个，着重描述系统特征。

　　鲍超等（2013）根据低碳城市内涵及相关研究借鉴（郑云明，2012），构建了由目标层、准则层、指标层三个层次组成的低碳城市评价指标体系（表 8.3）。其中，目标层为低碳城市综合水平指数，是城市低碳发展水平的综合评价值，该值是城市在发展低碳经济过程中能源优化、经济发展、社会进步、环境美化、低碳科技进步的综合体现；准则层包括低碳技术、低碳经济、低碳社会、低碳能源、低碳环境等五个方面，低碳能源发展指数主要反映能源利用效率和水平，低碳经济发展指数反映产业结构优化、经济效益和人民收入提高，低碳社会发展指数主要反映人民生活质量提高，低碳环境发展指数主要反映城市整体碳汇能力、生态环境改善状况，低碳技术进步指数主要反映科技进步对低碳发展的贡献；指标层共有 19 个具体指标。

表 8.3　低碳城市综合评价指标体系（鲍超，2013）

目标层	准则层	指标层	指标性质	计算或获取方法
低碳城市综合水平指数	低碳能源	煤炭占能源消费总量比重	负向	煤炭消费量/能源消费总量
		人均能源消耗	负向	能源消费总量/总人口
		人均碳排放量	负向	二氧化碳排放总量/总人口
		单位土地碳排放量	负向	二氧化碳排放总量/国土面积
	低碳经济	万元 GDP 能耗	负向	统计年鉴获取
		万元 GDP 二氧化碳排放量	负向	二氧化碳排放总量/GDP
		人均 GDP	正向	统计年鉴获取
		第三产业增加值比重	正向	统计年鉴获取
	低碳社会	万人公共汽车拥有量	正向	公共汽车拥有量/总人口
		每百人私家车拥有量	负向	私家车拥有量/总人口
		人均城市建设用地	负向	城市统计年鉴获取
		人均生活用电量	负向	生活用电量/总人口
		人均生活燃气用量	负向	生活燃气用量/总人口
	低碳环境	森林覆盖率	正向	统计年鉴获取
		建成区绿化覆盖率	正向	城市统计年鉴获取
		建成区人均绿地面积	正向	城市统计年鉴获取
		空气质量达到二级以上天数	正向	城市统计年鉴获取
	低碳技术	R&D 经费占 GDP 比重	正向	城市统计年鉴获取
		万人科技人员数量	正向	城市统计年鉴获取

（二）低碳城市评价方法

目前国内外对城市低碳发展水平的评价，一般采用主要指标法或综合指标法。总体来讲，综合指标法虽然计算复杂，但涵盖了主要指标法中的具体指标，反映的问题更为全面，是当前进行低碳城市综合评价的主要方向。其中：

主要指标法就是选择对低碳城市表征意义最强的、又便于统计的个别指标，来描述城市达到的低碳水平。通常采用单位 GDP 二氧化碳排放量、地均二氧化碳排放量、人均二氧化碳排放量、人均净碳源量等来描述。该方法的主要优点在于能够精确反映城市的低碳水平以及碳排放的动态变化，计算程序相对简单。缺点也比较明显，主要包括：没有统一的煤炭、石油、天然气等能源的碳排放系数；除单位 GDP 二氧化碳排放量具有空间可比性以外，其他指标均没有空间可比性，因为有的城市地域广阔但人口稀少，有的城市人口众多但地域面积较小，这样就会导致不同指标衡量的同一城市低碳水平相差很大。而且，对于这些主要指标究竟达到多少才能称为低碳城市，目前也没有绝对标准。

综合指标法就是选用与城市低碳发展有关的多种指标，建立低碳城市综合评价体系，然后选用层次分析法、主成分分析法等计算城市低碳发展水平的综合得分，以考察城市的低碳发展水平。由于低碳城市建设不单单是生产领域的问题，还涉及消费、建筑、交通、技术等其他领域。因此，综合指标法具有涉及广泛、考虑全面、时空可比等优点，但也存在一定缺陷，例如只能反映城市低碳发展的相对水平。

第三节 韧 性 城 市

在全球环境变化和城市化影响日益严峻的背景下，各种不确定性风险给城市可持续性产生深刻影响，韧性城市作为一种诠释城市人与环境的相互作用机制的创新途径，为应对城市风险提供了新视角与新工具，成为当前地理学、灾害学、城市规划学等学科应对人类—环境系统管理的热点研究领域之一。全球 100 韧性城市（100 resilient cities）、联合国 2030 年可持续发展目标（SDGs）、新城市议程（new urban agenda）等国际性项目或倡议越来越多地地关注全球环境变化和城市可持续发展问题，将"安全性、包容性、可塑性、韧性"列为城市可持续发展的核心目标（邵亦文和徐江，2015），韧性城市作为一种城市风险治理的新思路，重点提升城市系统自身组织、功能协调、适应不确定性能力（Ahern，2011），如何实现这些能力是适应全球城市化和保障城市可持续发展的关键。

一、韧性城市的基本内涵与特征

韧性城市是由城市设施韧性、城市生态韧性、城市经济韧性、城市社会韧性、城市制度韧性共同构成的综合韧性城市（赵瑞东等，2019，2021）。

（一）韧性城市的基本内涵

2007 年韧性联盟提出韧性城市的研究应包含代谢流、管治网络、社会层面、设施环境等内容（UN-Habitat，1996），其中设施环境是韧性城市的物质基石，代谢流是韧性城市的运转手段，管治网络和社会层面则是实现前两者的动力机制（马学成等，2018），彼此交互且共同影响着韧性城市的最终结果。由于城市系统的复杂性、开放性、自组织、阈值效应、历史依赖等特征（孙晶等，2007），而韧性评价又涉及城市的方方面面，不仅包括基础设施、生态环境等城市物理系统；而且包括社会文化、经济活动、制度管理等城市社会系统，指导着城市活动、回应城市需求并使城市保持竞争力，各系统层间形成动态交互的城市网络，既是城市系统应对各种风险的承受单元，也是城市能够高效运转的前提条件。

可以从基础设施、社会、经济、生态、制度 5 个层面去理解韧性城市的内涵（图 8.3）。韧性城市是由城市基础设施、生态、经济、社会、制度等物理、社会层面组成的高度复杂耦合系统,在应对各种自然和人为灾害等干扰时所展现出城市系统当前和未来时期的适应、恢复和学习能力，其过程要强调居民、社区、企业、政府及非政府机构（NGO）等不同利益主体的共同参与和多元协作。城市基础设施韧性是指基础设施韧性的分配；城市生态韧性是指城市的生态和环境恢复能力；城市经济韧性包括经济绿色发展、工业清洁水平、居民收入等经济发展韧性；城市社会韧性是指健康、教育、生活、社会保障等多方面的韧性能力；城市制度韧性是指城市治理和缓解政策的执行力，以及学习、预警、恢复等应急体系。

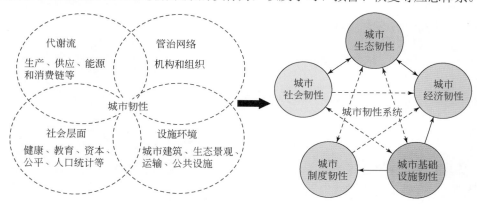

图 8.3　韧性城市概念的示意图（赵瑞东等，2020）

韧性城市是指在自然因素和人为因素的共同作用下，对城市发展水平的一种综合度量，城市发展过程中的人口增长、经济发展、资源利用、环境污染等，城市发展面对灾害和不合理、过度的人类活动扰动时，城市系统会表现出崩溃、人地关系对立，即其值达到系统边界或临界范围时，就会开始呈现不同的行为方式或进入另一个稳定状态，其变化过程在扰沌模型中得到充分体现。可以从韧性系统、不同管治主体、风险扰动、系统性能等四方面来理解韧性城市内涵（图 8.4）。人类开发利用自然资源会导致自然资源的消耗，如果自然资源开发超过了其恢复速度或无法恢复，就会影响到人类活动的可持续发展，当自然环境在城市经济社会发展过程中为其提供物质基础和空间支撑的能力比较差时，容易出现资源环境问题，影响城市正常发展（Zhao et al.，2021）。

（二）韧性城市的主要特征

韧性城市评价及相关研究离不开韧性系统特征的分析，韧性特征是衡量系统性能的标准，韧性城市的韧性特征见表 8.4。

表 8.4　韧性城市的主要特征

研究学者及机构	韧性城市特征
Wildavsky，1988	动态平衡性、兼容性、高效率的流动性、扁平性、缓冲性及冗余度
Bruneau M，2003	坚固性、冗余性、智慧性、快速性
Ahern，2011	多功能性、冗余度和模块化、生态和社会的多样性、多尺度的网络联结性、有适应能力的规划和设计
Carlos，2013	城市的学习能力和风险感知
Rockefeller Foundation	反思性、资源可用性、包容性、完整性、稳健性、冗余性和灵活性
邵亦文等，2015	多元性、高度的适应性和灵活性、足够的储备能力
修春亮等，2018	基础设施的冗余性、环境系统的可靠性、经济社会的保障力

资料来源：赵瑞东，2021，中国城市韧性的时空演变特征、机制与提升路径研究。

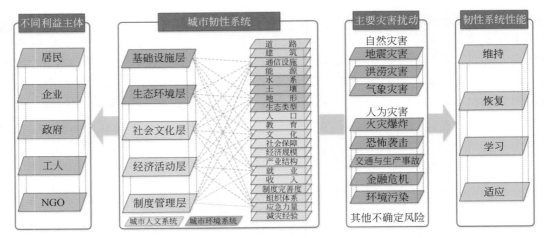

图 8.4　韧性城市的内涵认知及其概念框架（赵瑞东等，2020）

由表 8.5 可以看出，尽管关于韧性城市特征的归纳各有侧重，但可发现，衡量韧性城市最重要的 3 个要素为多样性、冗余度和整体性。

（1）多样性：城市作为一个自然有机体，符合典型社会生态系统的基本特征，其结构和功能的多样性对减缓外部干扰和冲击有重要影响，多样性会给城市带来更多解决问题的办法或思路，一个具有多样性的城市将会是更加有韧性的城市。

（2）冗余性：多种研究中都提到了冗余性，尤其是在关乎城市安全的关键性基础设施上，当外部风险扰动导致城市某种设施遭到损坏时，需要有相应的替代性备用设施或其他功能来承担确保城市核心功能正常发挥作用，其目的就是分散其在时空尺度上隐藏的各种危险，将损失降低到最小。

（3）整体性：城市是一个多要素、多层次、交互性的复杂系统，如果各要素间缺乏联系，则会导致整个系统缺乏韧性，如果通过城市系统使得不同利益主体间能够相互协调、共同参与、分工合作，则会发挥整体性功效，从而提高城市系统的韧性，可见整体性有助于增强城市的韧性。

二、韧性城市评价方法与韧性水平

（一）韧性城市评价方法

韧性城市评价作为沟通理论与实践的桥梁（孙鸿鹄和甄峰，2019），其韧性评价主要以 SESs 理论（史培军等，2014）、适应性循环理论、CAS 理论（Holland，2006）的系统内在演化理论为基础，来评价城市系统自控制、自组织、自适应的能力，不仅要承认不确定性扰动（自然、人为）和自身能力有限性对城市系统的影响，还要强调城市格局的完整性和功能运行的持续性，为城市可持续发展提供决策依据。韧性城市定量评价是韧性研究的一个重要研究方向，其评价重点关注以下几点：韧性城市的主要影响因素；韧性城市能力的特征、韧性城市的时空分布；如何科学应对。有关韧性计算方法与评价在全球经济韧性、灾害韧性、环境变化韧性、社区韧性等研究领域已取得一些进展，例如，数据包络分析法、函数模型法、遥感模型评价、集对分析法、网络韧性评价法等一些定量、定性的评价方法在城市韧性评价中得到应用。目前，韧性城市评价方法主要以建立指标体系为主，并利用不同数理方法测算出韧性城市，以此来判断韧性城市程度。关于韧性计算常用的方法是综合指数法（Kamila，2018）、函数模型法、阈值法，还有社会网络分析、RMM 成熟度（浩飞龙等，2019）、情景分析等评估工具。近年来 GIS 技术在韧性城市研究中也得到了广泛使用，而图层叠置法在韧性评价中应用逐渐增多（郑艳和林陈贞，2017）。不同的评价方法在评估分析韧性城市上各有利弊，可根据城市类型或评估目标来选择适当的方法（表 8.5）。

表 8.5　韧性城市评价方法

评价方法	基本原理	优点	不足
综合指数法	对选取的指标数据进行标准化处理，并利用综合加权求和、熵权系数、AHP、TOPSIS 等方法确定指标权重，进而综合评价韧性城市程度	计算过程相对简单，且容易操作	但在指标选取与权重确定过程中存在一定的主观性，且忽视要素间的关系
函数模型法	在韧性概念的基础上，构建由暴露-敏感性和应对能力组成的函数模型，用暴露-敏感性与应对能力的比值计算韧性指数	明确了构成要素间的相互作用，能解释韧性的成因和特征	但对韧性概念及构成要素间的相互关系还未统一观点
阈值法	阈值是系统的边界或不同尺度状态的连接点，通过 CENTURY、GAP 等模型可以估算出生态系统某些关键指标从胁迫状态恢复到稳定状态的时间	多适用于生态系统、社会-生态系统的人性能力的测算	忽略了有机体的个体变异性，限制了其应用
社会网络模型	网络结构韧性是指城市网络对区域应对冲击并恢复、保持或改善原有系统特征和关键功能的影响力，借助 Gephi 法对城市网络的结构韧性和空间评估	具有较强反映各利益人间及各组成系统间联系强度及韧性程度	网络结构不能反映空间模拟情形，存在着获取数据、信息误差、联系不真实等缺陷
韧性成熟度模型（RMM）	城市经历的五个连续阶段（开始、中级、高级、强健、更高级），从城市在韧性建设过程中的最初开始，到实现卓越的韧性能力为止，并提出各相应的对策	该模型适合于通过系统迭代过程及复杂相关问题相关的解释	但在空间模拟上相对不足，只针对特定城市或某个复杂系统
情景分析法	由于韧性被假设为社会-生态的属性而难以测算，情景分析是设定一个或多个变化背景，来模拟其对城市各系统结构、功能等影响的变化情形及路径选择	计算不同假设情景下多个因素同时作用的结果，进行空间模拟	主要针对如何降低某个扰动风险来设定的，对系统韧性和适应性等问题则关注不够
图层叠置法	根据韧性城市构成要素分别制图，将其进行空间叠置和图层叠置，形成整体韧性	实现了韧性评价结果的地图可视化和直观表达	但评价结果难以反映不同要素对整体韧性的影响程度

资料来源：赵瑞东，2021，中国城市韧性的时空演变特征、机制与提升路径研究。

（二）韧性城市水平指数计算

韧性城市水平指数是反映城市在经济、社会、生态、设施及制度 5 个方面抵御外向性扰动的能力，突出从城市系统内部练好内功提高城市的抗打击能力与恢复能力。由于对韧性概念的认知、对象、方法的不同，不同领域学者用不同的韧性度指数来指示韧性城市大小，目前常使用的主要有客观指标评价、遥感模型评价、韧性网络评价等，其中客观指标评价主要通过分析概念内涵对韧性城市进行分解，建立不同韧性城市要素的指标体系；遥感模型评价是通过遥感栅格数据、物理与社会经济模型、情景模拟工具来评估韧性城市，关注韧性城市的空间异质性和时空演变的定量化表征（李亚和翟国方，2017）；网络韧性评价指通过网络效率、多样性、连通性来评估韧性城市，其结构属性差异反映韧性城市的高低，另外还有生态环境韧性指数、基础设施韧性指数、经济韧性指数、社会韧性指数和系统韧性指数等，且每种指数存在一种或多种计算方法，上述方法的基本原理、描述和评价如表8.6。

表 8.6   韧性城市水平指数计算方法一览表

名称	计算公式	描述	文献来源
基础设施韧性指数	$R=\int_{t_2}^{t_1}[100-Q(t)]\mathrm{d}t$ $Q(t)=100-[L\cdot F\cdot\partial_R]$ $=1-[L(t_{OE})\cdot f(t,t_{OE},T_{RE})\cdot\partial_R]$	基础设施质量 Q 表示系统机能，$Q(t)$ 为系统机能曲线，当扰动发生即时 t_0，对基础设施造成破坏，$Q(t)$ 减小；随着采取应对措施，系统逐渐恢复，$Q(t)$ 逐渐增加；t_1 表示系统恢复至正常状态，L 表示系统所失去的设施机能，F 为灾害发展的时间点 t_{OE} 后恢复的机能，α_R 为相关系数	Bruneau，2007
生态环境韧性指数	$R_s=L_s/L_d$ $R_d=E_c（1-12\%）/E_f$ $R_m=L/L_d$	R_s 为城市规模韧性指数，L_s 为 EI 约束下适宜建设用地面积，L_d 为已建设用地面积；R_d 为城市密度韧性指数，E_c 为生态承载力，E_f 为生态足迹。根据 WCED 报告，12% 的生态容量被保留为保护生物多样性的面积；R_m 为城市形态韧性指数，L_d 为"源—汇"景观平均距离指数，L 为常数	修春亮等，2018
	$R_i=（2\times|E_{max}|/|E_{max}|+|E_i|）-1$	E_{max} 是最大水综合污染指数（WCPI），E_i 是时间点 T_i 的 WCPI，R_{max} 是最大韧性值，R_i 是 T_i 时的韧性，基线表示最低韧性系统（其指数属于0～1之间），其值越高其适应性也越强，当适应力接近基线来作为阈值，可导致水功能丧失，适应力影响关键水质变化，影响系统状态，会使韧性城市系统出现替代性的理想阶段	Yi L, Jan Degener, Matthew G, et al., 2016
经济韧性指数	$R=S/(S+\Delta S)=\int_{t_2}^{t_1}f(t)\mathrm{d}t/\int_{t_2}^{t_1}f'(t)\mathrm{d}t$	借鉴 Simmie 等提出的外界冲击事件发生后区域经济的增长轨迹建立模型，t_1 为地震灾害发生的时间点，$y'=f(x)$ 为未遭受灾害冲击而按照长期（t_0-t_1）趋势外推的假定增长轨迹，$y=f(x)$ 为受冲击后的实际增长轨迹；ΔS 表示实际增长与假定增长的差异，反映灾后经济损失程度，S 面积为冲击后实际增长情况，得出经济韧性指数（R）	周侃等，2019
	$\mathrm{Resis}_u=\dfrac{(\Delta G_u^{收缩期})_{实际}-(\Delta G_u^{收缩期})_{期望}}{|(\Delta G_u^{收缩期})_{期望}|}$	g_N^{t+k} 为收缩期或扩张期国家的 GDP 增长率；G_u^t 为某城市初期 t 的 GDP；Resis 为正表示某城市比国家更能抵抗收缩的影响（即受影响较小，增长能力较强），而负值表示具有较低抵抗能力（即受影响较大，增长能力较弱），Recov 与 Resis 同理	关皓明等，2018
社会韧性指数	$R_s=f(r_{eg},r_{hc},r_{pt},r_{sc})$	R_s 代表城市社会韧性，$f(x)$ 为社会韧性的函数，r_{eg} 代表城市包容性经济增长对社会韧性的影响，r_{hc} 代表人力资本或社会投资对社会环境的适应性影响，r_{pt} 代表社会政策工具对韧性的影响，r_{sc} 代表社会心理、健康文明对社会韧性的影响	王思斌，2016
城市系统韧性指数	$R=f(r_{设施},r_{生态},r_{经济},r_{社会},r_{制度})$	R 代表城市系统韧性，$r_{设施}$ 代表城市工程韧性，$r_{生态}$ 代表城市生态韧性，$r_{经济}$ 代表城市经济韧性，$r_{社会}$ 代表城市社会韧性，$r_{制度}$ 代表城市组织韧性	李艳等，2019

资料来源：赵瑞东，2021，中国城市韧性的时空演变特征、机制与提升路径研究。

三、韧性城市评价体系

由于韧性城市主要是评价城市在面对不确定性扰动时所表现出的自组织、自我恢复、自我调适、自学习的能力，其评估过程涉及城市的多个子系统，因此基于对韧性城市的理解差异，不同领域学者于是从自然、经济、社会、制度、基础设施等多维度构建了不同的指标体系。指标体系构建是城市评价研究的基础，而指标选择和权重确定等环节均会对研究结果产生重要影响，其中指标选择的方法通常有专家推荐法、数学分析法、反推法、信息量法等，权重确定的方法一般有专家打分法（Delphi）、层次分析法（AHP）、模糊综合评价法（FCE）、主成分分析法（PCA）、灰色关联法（GRA）、模糊逆方程法、熵值法等。总体来看，韧性城市评价主要从自然、经济、社会、基础设施、制度等层面来构建不同尺度城市的韧性评估体系。城市尺度韧性评价多考虑综合风险或某类风险，其目的是降低城市社会-生态系统的影响和提升系统的应对能力，减少诱发灾害发生的人为因素，面对冲击时积极进行自我调适与转型的能力。

根据当前国际社会对韧性城市的总体认知以及多维韧性指数（MRI）（Sajjad，2021），从经济、社会、制度管理、生态环境与工程设施维度测定多维韧性的整体思路可以认为，韧性不仅指基础设施的安全性，同样也体现在经济发展、社会管理、制度组织等方面。具体而言，韧性城市包含经济、社会、制度、生态环境和基础设施五个方面。韧性城市综合评价的指标体系如表 8.7 所示。

表 8.7　韧性城市综合评价指标体系表

目标层	系统层	准则层	指标层	属性
韧性城市评价（URE）	经济韧性子系统	经济发展水平	X_1 人均 GDP（元）	+
			X_2 GDP 增长率（%）	+
			X_3 对外开放水平（元）	+
			X_4 单位固定资产投资（元/km^2）	+
		产业转型水平	X_5 万元产值能耗（吨煤/万元）	−
			X_6 第三产业占 GDP 比例（%）	+
			X_7 科研经费投入强度[①]（%）	+
			X_8 城市产业创新指数[②]	+
	社会韧性子系统	居民生活水平	X_9 人均可支配收入（元）	+
			X_{10} 人均城镇住宅居住面积（m^2/人）	+
			X_{11} 城区人口密度（人/km^2）	+
			X_{12} 社会保障和就业支出占财政支出的比例（%）	+
		社会发展水平	X_{13} 城镇登记失业率（%）	−
			X_{14} 城镇恩格尔系数（%）	−
			X_{15} 城市居民教育水平（人/万人）	+
	制度韧性子系统	制度保障水平	X_{16} 户籍城镇人口占总人口的比例（%）	+
			X_{17} 城镇职工基本养老保险比例（%）	+
			X_{18} 人均财政支出费用（元）	+
			X_{19} 城市公用事业投入水平（元）	+
		卫生组织水平	X_{20} 企事业单位、政府工作人员占人口比例（%）	+
			X_{21} 医院和健康中心单位密度（个/km^2）	+
			X_{22} 万人拥有医生数（人/万人）	+

续表

目标层	系统层	准则层	指标层	属性
韧性城市评价（URE）	生态环境韧性子系统	生态环境水平	X_{23} 建成区绿地率（%）	+
			X_{24} 人均公共绿地面积（m²）	+
			X_{25} 生态系统扰动指数③	−
			X_{26} 空气质量优良天数比率（%）	+
		环境治理水平	X_{27} 城市生活污水处理率（%）	+
			X_{28} 工业固废综合利用率（%）	+
			X_{29} 城市空气质量指数	−
	基础设施韧性子系统	市政设施水平	X_{30} 人均道路拥有面积（m²）	+
			X_{31} 公共交通设施便利性（辆/万人）	+
			X_{32} 供水管网密度（km/km²）	+
			X_{33} 排水管网密度（km/km²）	+
		应急处置水平	X_{34} 互联网普及程度（户/百人）	+
			X_{35} 移动通信普及程度（部/百人）	+
			X_{36} 人均应急避险场地面积（m²/人）	+

注："+"表示正向指标，"−"表示负向指标。①城市科研经费投入强度采用科技投入占财政支出比重来表示；②城市产业创新指数来源于复旦大学产业发展研究中心寇宗来等出版的《中国城市和产业创新力报告 2000—2018》；③生态系统扰动指数依据生态环境部的《全国生态状况调查评估技术规范》计算，$ETI = (\sum_{i=0}^{3} A_i \times P_i)/3 \times \sum_{i=0}^{3} P_i$，式中：$A_i$ 表示第 i 级生态系统的分级指数，P_i 表示第 i 级生态系统的面积百分比，ETI 为生态系统扰动指数。

第四节　收　缩　城　市

收缩城市是城市发展到一定阶段后受各种自然人文因素综合影响而出现的人口流失、产业萎缩、功能衰退、生态环境质量改变的一种综合现象，是城市经济、社会、文化、资源利用、可持续性等发生积极或消极变化的外在表现。城市收缩是全球城市化进程中表现出的新特征，也是目前国际国内研究的前沿领域，不断引起国内外学术界的广泛关注，呈现出由发达国家向发展中国家扩散的新趋势，城市收缩研究与应对正在成为中国新型城镇化发展的新任务。

一、收缩城市演化的国际背景与内涵

收缩城市可理解为有别于城市衰退的中性词汇，指城市化水平较高或正快速增长的城市，在人口、经济、社会、生态环境等多维因素的突变或渐变作用下，表现出来的全域或局部范围经济减缓、人口减少、社会活力降低、生态环境变化等全方位的城市动态演变过程。城市收缩在引发经济衰退、人口流失、空间萎缩等过程的同时，也对城市生态环境带来了正面或负面的影响。20 世纪后期以来，城市收缩现象已经在德国、美国等高度城市化地区出现，成为西方政府关注的焦点和学者研究的热点。但随着世界城市化进程进入下半场，城市收缩现象愈发复杂和多样化。不少处在快速城市化进程中的发展中国家，尚未达到高度城市化阶段便显现出城市收缩的征兆，为城市可持续发展带来了严峻挑战，加剧了城市治理难度。

（一）收缩城市演化的国际背景

1. 收缩城市呈现出由发达国家向发展中国家扩散的新趋势

全球收缩城市数量呈现不断增加趋势，分布区域也从发达国家扩散至发展中国家。从世界范围来看，城市收缩现象已发生或正在发生于高度城市化地区和快速城市化地区。20世纪中期以来，城市人口开始呈回退趋势的是因工业化驱动而发展成为超级大都市的城市。如英国伦敦作为世界第一大城市长达100年后，20世纪初人口开始持续衰减。与此同时，许多工业城市也开始缩减，包括利物浦、巴黎、芝加哥、底特律等。20世纪末，由于全球政治局势的变动和东欧社会体制的变革，东欧成了人口收缩最集中的区域。相关研究表明，1990～2000年，全球超过1/4的城市人口在减少，约40%的欧洲城市人口在流失（Turok and Mykhnenko，2007）。21世纪以来，这一趋势逐步扩散至其他发达国家和广大发展中国家，引起了更广泛的关注，如日本、韩国、南非等。联合国人类住区规划署（2010）曾在世界城市报告中识别出中国约有50个城市正在收缩。

中国城市收缩程度逐步加重，收缩城市的数量和分布范围呈增加态势。从收缩数量上来看，龙瀛等（2015）利用中国第五次人口普查数据和第六次人口普查数据，对654个县级及以上城市人口进行分析，识别出180个城市人口总量或密度存在下降趋势。吴康等（2015）利用两次人口普查数据，基于4种属性地域单元，在京津冀181个和长三角282个研究区中，分别识别出18.8%和44%的人口收缩。李郇等（2015）利用人口普查数据和年鉴数据，以镇街和区县为单元，识别出珠三角地区604个镇街单元中，人口年均增长率出现收缩的占比达23.02%。张学良等（2016）对中国2865个县市（区）进行研究，结果显示其26.71%地级及以上行政单元、37.16%县市（区）发生收缩。从分布区域来看，东北地区是中国收缩城市最为集中、出现时间最早的区域，类似于美国五大湖地区"铁锈地带"。资源型工业城市人口的流失，致使城市出现经济衰退、闲置用地增加、基础设施浪费等一系列收缩城市特征，如辽宁省朝阳市、黑龙江省鹤岗市、吉林省吉林市（张明斗和肖航，2020）。西北地区、东部地区等也出现了部分收缩城市（郭源园和李莉，2019）。因此，有必要借鉴国际经验，开展基于中国国情、适合中国发展道路的城市收缩理论研究和政策调整。

2. 城市收缩研究在全球城市化进程中表现出新特征

城市的收缩同增长一样，取决于各种历史、经济、政治和人口因素，但追求城市化的快速发展却忽视城市的收缩状态是不可取的。联合国人类住区规划署（2010）在世界城市报告中认为，全球城市化进程加快意味着所有城市都在发展的假设是错误的。事实上，在世界所有地区特别是在发达地区，许多城市规模实际上都在缩小。尽管城市快速增长仍是大多数发展中国家的常态，但这种收缩也间或发生。通过对发展中国家1408个城市的分析表明，1990～2000年，143个城市（占样本总数的10.2%）人口出现了减少（即负增长）。联合国人类住区规划署（2020）在"世界城市报告"中指出，一些城市和地方政府为吸引人口回流，在市政厅内设立了专门欢迎难民和移民到来的"部门"。如德国城市慕尼黑、杜塞尔多夫、斯图加特和弗莱堡。因为对于欧洲、北美、日本和韩国正在收缩的城市来说，它们正经历着人口老龄化、低出生率和去工业化，移民的到来是它们恢复财富、重获活力的机会。

城市收缩在国际上虽然已经不是一个全新的概念，但20世纪末以来全球范围内收缩区域的增加和扩大，使不少国内外学者的研究内容呈现出独特的地域性和新特点。

（1）城市收缩现象的出现具有愈发明显的地区差异性和个体独特性。针对全球性城市人口的收缩，大量证据表明，世界上特别是工业化和城市化程度较高的国家和地区，城市人口在高度收缩。首先发生在英国，随后是欧洲、美国、日本等。也有像中国一样整体城市化进程仍在增长时期就出现城市收缩现象的国家。

（2）城市收缩的内涵和研究内容更丰富。全球对城市概念的界定标准不一，导致收缩城市的划分"因地而异"，尚未达成一致。发展阶段和政治体制的不同让城市收缩研究关注城市发展的经济、文化、社会、空间、环境等多个不同方面。

（3）城市收缩的影响因素研究和过程研究更加深入。对城市收缩的研究逐渐由现象分析延伸至过程、机制的探讨，从单纯数量、区域的研究转向对收缩过程的动态观测，从人口、产业等单要素驱动扩大到经济-社会-环境多因素循环反馈机制。

（4）研究的学科领域增多，交叉融合研究趋势增强，研究方法和研究手段趋于多样化。

3. 城市收缩研究在国际国内学术界密切关注中产生"新活力"

长期以来，城市的健康、可持续发展一直是国际性组织、机构以及各国关注的焦点。国际上对于城市收缩的关注和讨论较为热烈，早在2002年由德意志联邦文化基金会启动的研究计划"收缩的城市"，对比了德国和其他国家城市收缩的异同点及其带来的社会影响。菲利普·奥斯瓦尔特（Philip Oswalt）主编的《收缩的城市》一书是该计划的一个重要成果，系统介绍了英国曼彻斯特/利物浦、美国底特律、俄罗斯伊万诺沃、德国哈勒/莱比锡及日本东京等城市的收缩情况，2012年中文版出版。成立于2004年的"收缩城市国际研究网络（SCIRN）"，是由来自14个不同国家的30位学者和专家组成的研究联盟，致力于在全球范围内开展收缩城市的研究，涉及定义、原因、表现、空间差异以及政策和规划干预等内容。国际学术研究方面，2012年的 International Journal of Urban and Regional Research、2012年的 Build Environment 和2015年的 European Urban and Regional Studies 期刊上均出版了收缩城市的专刊（张贝贝和李志刚，2017）。为跟进国际城市收缩研究进展并开展国内收缩城市的研究，2014年相关学者共同组织发起了"中国收缩城市研究网络"，并定期举办中国收缩城市学术研讨会，至2022年1月已举办六届。2020年的《国际城市规划》、2019年的《北京规划建设》、2019年的《热带地理》、2018年的《西部人居环境学刊》、2017年的《规划师》、2015年的《现代城市研究》等期刊分别发布了收缩城市专辑。国际国内对城市收缩现象的密切关注，为城市收缩研究的展开增添了更多支持与动力。

4. 城市收缩研究与应对正在成为中国新型城镇化发展的新任务

我国政府也为城市收缩研究提出了新要求和新的政策依据。国家发展和改革委员会文件在2019年3月发布的文件《2019年新型城镇化建设重点任务》中，首次提到收缩型城市的发展，代表政府开始关注国内的城市收缩现象。2020年4月，国家发展和改革委员会在《2020 年新型城镇化建设和城乡融合发展重点任务》中再次提到，"统筹新生城市培育和收缩型城市瘦身强体……稳妥调减收缩型城市市辖区，审慎研究调整收缩型县（市）。"两则任务指出，城市收缩现象的出现不容忽视，应当正视城市的收缩并采取谨慎的科学研究和政策调控措施，由增量规划的思维转变为存量甚至是减量发展的思维。对于城市收缩现象的研究，是新时期面向国家需求、顺应中国城市发展面临的内部调整和外部压力双重条件下而开展的重要研究命题，也是优化国家城市体系布局、推动城市治理能力现代化和建设可持续城市的全新命题。

（二）收缩城市的基本内涵

收缩城市一词最早出现于 1947 年的美国（高舒琦，2017），1988 年德国学者 Häußermann 和 Siebel 在德国鲁尔区的实证研究中正式应用了"收缩城市"这一概念（吴康和孙东琪，2017），用以描述人口大量流失区域的城市经济衰退问题，城市收缩开始被广泛关注。

收缩城市国际研究网络（SCIRN）将收缩城市定义为：1 万以上人口密集区，连续 2 年内该地区经历人口流失，并正经历结构性经济危机的城市区域（Wiechmann，2008）。这是目前较受认可的收缩城市定义，其他有关收缩城市的不同内涵见表 8.8。

表 8.8　不同学者/机构对收缩城市的概念界定

学者或机构	年份	概念界定
Häußermann，Siebel	1988	去工业化影响下城市人口不断下降和经济发生衰退现象的城市
国际收缩城市网络（SCIRN）	2008	由于经历某种结构性经济危机而造成本土人口流失现象持续两年以上、总人口大于 1 万人以上的人口密集城市地区
收缩城市项目（SC Project）	2006	流失人口占总人口 10%或年均流失人口超过 1%的城市区域
Hoekveld	2012	一个特定区域内城市总人口在至少 5 年时间内出现减少
Schilling，Logan	2008	40 年间城市人口流失率达 25%或以上，空置、废弃的房屋和土地不断增加，包括破败的住宅、商业和工业建筑
Reckien，Martinez	2011	在过去 40~50 年，持续经历人口减少、就业下降、经济衰退的城市地区（城市和城镇）或区域
徐博	2014	狭义是指城市人口的持续流失；广义是指人口、经济、社会、环境和文化在空间上的全面衰退
李郇等	2015	一段时期（5 年以上）人口年均增长率出现负值的城镇
张帅等	2020	以人口规模和劳动力规模的减少为主要标志，同时经济发展停滞甚至衰退和社会活动减少甚至萧条并存的一种城市发展特征
孙平军，王柯文	2021	不仅是以人口为核心的相关发展要素总量水平的绝对缩减，更是城市因嵌于全球化、区域一体化浪潮而使其在区域城镇体系（或地域功能综合性）中的地位、作用和辐射影响范围的相对下降，从而引发人口等经济发展要素的再区位、呈现出要素流的空间流动与溢出的过程或状态

数据来源：陈丹，方创琳，刘志涛. 2022. 城市收缩及生态环境效应的研究进展与重点方向。

结合城市收缩的已有内涵，可将收缩城市定义为：是城市化水平原本较高的城市或区域在发展过程中受各种自然人文因素相互作用影响而出现的人口流失、产业萎缩、功能衰退、生态环境质量改变的一种综合现象，是城市经济、社会、文化、资源利用、可持续性等发生积极或消极变化的外在表现。不同于"城市衰退（urban decline）"的消极含义，城市收缩更为中性。

二、收缩城市演化的影响因素与评价指标

（一）收缩城市演化的影响因素

城市收缩现象是一个复杂的经济-社会-环境要素相互作用、共同影响的动态变化过程，许多区域内部要素和外部要素的变化会直接作用于城市本身而产生收缩迹象，但也有较多潜在因素会间接导致城市的收缩。城市收缩在全球层面受不同地域自然和人文环境多要素驱动，包括资源枯竭、技术进步、政策实施、文化差异、地理位置、交通开放、全球化、郊区化等影响，在地方层面受特定自然资源禀赋条件和不同政策体制发展背景下人口、经济、生态、空间等全方位的影响（图8.5）。需要结合多学科背景知识将研究对象置于全球-区域-国家-地方不同尺度，"因地制宜"的深入剖析各影响因素的互馈作用方式和强度，借鉴复杂模型和计算机方法等深入研究城市收缩的动态驱动机理。地理学、规划学、管理学、经济学、人口学、环境学等不同学科背景的学者借鉴生命周期理论、资本循环理论、集聚经济理论、城镇化阶段理论、供给需求理论、人口迁移理论、紧凑城市理论等，从多视角剖析和解决城市收缩问题。无论是自然环境驱动因素还是社会经济驱动因素，其相互作用关系在内外部变量参与下，逐渐由单维作用变为多维作用，由单纯的线性关系转变为复杂网络和循环反馈模式。整体而言，影响城市收缩的因素极为复杂，但人口、产业、政策、重大事件、资源枯竭、交通开放等因素的变化是主因。

图 8.5 收缩城市的影响因素与驱动机理分析框架图（陈丹等，2022）

（1）人口迁移与流失是影响城市收缩的主要因素，也是判定收缩程度的核心依据。从人口视角出发，基于城市或区域人口总量、人口结构、家庭规模变化等人口指标对城市人口收缩格局、空间分异规律和城市收缩影响因素进行分析。

（2）产业结构升级难度大与产业转移导致的经济衰退是城市收缩的经济性因素。全球化和城市化双重作用下的城市发展，需要为满足市场需求而适时进行产业的升级、更替。技术壁垒、资金缺乏、人才限制、环境制约等因素都可能造成城市发展的减缓、迟滞，进而诱发城市经济活力下降等收缩现象。经济全球化、不同体制背景下经济消费理念、经济制度的施行也是致使城市产生收缩的原因。在城市群尺度的经济体系中，处于体系底层的城市则会因区域差异而成为依附性收缩城市或城市群区域内的局部收缩地区。

（3）政策疏解、体制转轨和行政区划调整引发的人口外流是城市收缩的政策因素。人口疏解政策的调整实施、规划策略转变等一系列国家体制机制、规划调控手段的变化，均可能使部分城市产生真实的人口外流趋势。

（4）重大突发事件引发短期内城市人口减少是城市收缩的不可控因素。金融危机、气候变化、自然灾害等突发重大事件的发生，可能导致城市人口在短期内的缩减。气候的突变会影响古代王权的稳定性或农作物的生长，造成异常气象条件、粮食减产、战争，进而使城市中人口减少。

（5）资源能源枯竭与生态环境的刚性约束是城市收缩的关键因素。资源枯竭、环境污染严重是导致资源型城市人口减少、经济快速衰退的重要因素，同时通过影响产业的转型升级和城市宜居性间接造成城市收缩。

（6）交通可达性与文化因素对城市收缩起到了一定的催化作用。交通网络的通达性和连通度对人口在空间上的集疏格局和迁移、流动起到了至关重要的作用。对于全国的中心城市和大部分增长型省会城市而言，交通是吸引人口、加强贸易联系、促进经济增长、提升城市活力的重要方式。而对于城市收缩区域而言，交通的连接在带来潜在发展机遇的同时，也有可能加速城市的收缩。实证结果表明，高铁的建设会进一步加剧中国的城市收缩现象，高铁对城市人口的影响可能存在时滞效应（Deng，2019）。

（7）其他因素如区位、生态环境及其保护力度等，也可能导致城市收缩。程艺等（2019）研究了中国 141 个边境城市的收缩情况，发现 26%的边境城市存在收缩现象，从空间上看东北是主要收缩区域。Branislav 等（2020）认为城市收缩或许是地方环境保护和生态法规收紧的结果，相反在法律缺失或执行不力的情况下城市也可能收缩，并以墨西哥林业管理为例进行阐述。并认为生态环境如严重污染可能是导致城市收缩的直接原因，更严重的干旱导致了澳大利亚内陆城市的收缩。环境问题对城市收缩的影响虽不如经济因素明显和直接，但环境对城市收缩的影响可以是长期的和短期的并会导致不同类型的收缩城市。

（二）收缩城市评价指标体系

2019～2020 年国家发展和改革委员会在新型城镇化建设和城乡融合发展重点任务中连续两次提到城市收缩与收缩型城市建设调控的目标，说明加强对城市收缩现象的研究和科学认识，建立基于中国本土化的城市收缩城市评价体系，是满足国家发展战略需求的紧迫需求。但通过对国内文献的梳理发现，目前基于中国本土的城市收缩案例研究仍然较少，长时间的跟踪研究也较少，测度城市收缩的指标体系各不相同，缺少科学性强的城市收缩综合测度指标体系，更缺乏对城市收缩过程的监控、预警和调控机制。为尽可能揭示城市收缩的丰富内涵，定量刻画多维度收缩作用下所体现的城市收缩现象，需要构建涵盖人口、经济、社会、资源、生态环境、空间六个维度的城市收缩度计算指标体系（图8.6）。在该指标体系中，人口是衡量城市是否发生收缩的核心因素，如年末总人口、年平均人口等人口规模指标的减少情况可以清晰刻画出人口的时空分异规律和流失状况；经济是表征城市发展实力和潜力是否下降的重要因素，如经济增速减缓代表了城市未来发展可能的疲软态势，引起城市经济收缩；社会、空间、资源、生态是刻画城市内部空间、城市功能、城市活力、生活质量是否降低的关键因素，需要综合主客观判读进一步直接或间接断定城市收缩的程度和潜在收缩的可能性。

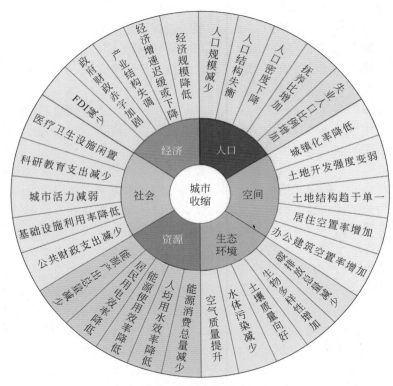

图8.6　收缩城市价指标体系图（陈丹等，2022）

第五节　智　慧　城　市

智慧城市是指综合采用物联网技术、云计算技术、传感技术、下一代通信技术在内的新一代信息技术，充分整合城市资源、科学感知城市、精细管理城市、从而减少资源消耗、降低环境污染、解决交通拥堵、消除安全隐患等城市病的一种新型城市发展模式。建设智慧城市，可及时整合、传递、交流、使用城市公共资源、经济、文化、管理服务、市民生活、生态环境等各类信息，提高人与人、物与物、物与人的互联互通互信，全面提升感知和利用信息的能力，提高政府管理和服务能力，提升人民群众的物质和文化生活水平，让城市发展更可持续，让城市生活变得更健康更美好。因此，智慧城市是未来转变城市发展的必然选择，更是提升城市高质量水平的重要方向。本节在主要参考杨冰之等（2015）关于智慧城市的系统研究以及国内外发展经验的基础之上，介绍了智慧城市提出的背景和概念内涵、指标体系、应用体系等。

一、智慧城市的基本内涵与构架

（一）基本内涵

智慧城市是以互联网、物联网等通信网络为依托，通过互联化、物联化与智能化方式，以智慧技术高度集成、智慧产业高端发展、智慧服务高效便民为主要特征发展起来的城市发展新模式（杨冰之等，2015）。充分利用现代信息通信技术，赋予物以智能汇聚人的智慧，使具备智能的物与汇集智慧的人互存互动、互补互促，实现信息网络泛在化、城市运行智能化、城市生活数字化、公共服务网络化、经济发展绿色化、城市管理高效化、城市发展最优化。智慧城市中的"智"，犹如城市的智商，主要体现城市中物的智能化、自动化；智慧城市中的"慧"，犹如城市的情商，主要体现城市中人的灵性、人文化、创造力。智慧城市的基本内涵包括：

（1）智慧城市以互联网、物联网等信息技术为关键技术支撑，尤其是物联网技术将成为植入智慧城市机体的智慧基因，为建设智慧城市打下坚实的技术基础；

（2）智慧城市中的人与人、人与物、物与物之间存在着密切的互联互通、互感互知、互交互流过程，具有比一般城市更强的信息共生共享能力；

（3）智慧城市中的资源实现了高度整合和集约高效利用，公共管理更加高效，公共服务更加便捷，智慧产业更加发达，人居环境更加绿色低碳，是一种最佳的城市可持续发展图景；

（4）智慧城市内部呈现出本身不断成长、不断复制、不断自净、不断融合和不断创新的变化过程，具有更强的集中智慧发现问题、并解决问题的超强能力。

智慧城市建立在无线城市、数字城市、互联城市、智能城市等基础上，但具有本质特征的区别，体现在一体化、互动化、协同化、最优化等方面：①一体化主要是信息系统的高度整合，现实世界与虚拟世界融为一体，信息化与工业化、城镇化、国际化、市场化、生态化融为一体；②互动化主要体现在智慧城市能够更好地进行物物互动、人物互动、人人互动等方面，能够实现政府、企业、居民之间的互动；③协同化主要体现在智慧城市能够使城市规划、建设、管理、服务等各功能单位之间，城市政府、企业、居民等各主体之间更加协同；④最优化主要体现在智慧城市能够使城市经济社会活动做到成本更低、精度更高、效益更好、速度更快、满意更多。

（二）技术构架

智慧城市建设的技术构架包括感知层、网络层、应用层 3 个层面。三层之间递进支撑，为智慧城市建设提供技术支撑和安全保障，使智慧城市达到更加广泛的连接、更加透彻的感知、更加集中和更有深度的计算，从而实现智慧城市的高效服务，精准管理及创新发展等（李林，2012；杨冰之等，2015）。

1. 感知层

感知层是指利用传感器、无线射频识别（RFID）、二维条码、摄像头、遥测遥感等传感设备和技术，实现对城市中人与人、人与物、物与物的全面感知。智慧城市的感知对象包括城市各种相关群体与居民个体，以及各种有形及无形的城市组成部件。智慧城市的组成部件包括城市道路、桥梁、基站、水厂等基础设施，厂房、住宅等基础城市实体，交通、物流等基础服务体系，地表、地质、河流等城市资源与环境。

2. 网络层

网络层是架设在智慧城市感知层与应用层之间的重要桥梁，犹如人体血管一样，主要负责各种感知信息的传输。主要任务是通过通信网、传感器网、互联网等各种网络进行信息汇总与输送，进而将大范围内的海量信息进行整合、融合，以备处理。

3. 应用层

应用层是智慧城市建设与运营的核心，主要进行海量数据的处理、多元信息的集成、多样化的服务发现及多形式的服务呈现等，为智慧城市的发展运营（包括智慧产业体系、公共服务体系、公共管理体系与支撑保障体系）提供最直接的服务。智慧城市的应用对象包括政府、企业和个人，不分单位大小，不分地点和场合，不分贫富贵贱。个人可以分为城市市民、从业者、旅游者和商务来访者等，对个人的服务水平最能体现智慧城市建设的水平。政府是智慧载体的整体组织者、管理者、保障者和直接参与者，是智慧载体发展的直接动力。企业是城市发展动力的提供者。

二、智慧城市的评价体系

（一）国外典型的智慧城市评估指标体系

美国智慧社区论坛（intelligent community forum，ICF）的智慧社区评估是智慧城市评估方面的重要代表和先驱之一。ICF 从宽带连接、创新、数字包容、知识型劳动力、营销和宣传 5 个维度来对智慧社区发展水平进行评估。基于以上 5 个维度，将智慧社区评估指标细分为 18 项二级指标，并对每个指标的标准进行了定性说明。ICF 评估方法共分为 3 个步骤：第一步根据各城市提供的申请材料，评选"Smart 21"；第二步采用问卷调查和专家打分法评选"TOP 7"；第三步由独立研究公司和论坛评议团（包括学者、政府官员、商界领袖等）评选年度"智慧社区奖"。总体而言，ICF 评估指标体系偏重于定性说明，但从这些定性的指标体系也能把握智慧城市建设现状、建设需求、发展目标与重点方向。

欧盟于 2005 年 7 月正式实施"i2010"战略，欧盟的智慧城市建设更多关注信息通信技术在城市交通、医疗、生态环境、智能建筑等民生领域的作用。2007 年 10 月，欧盟首次正式提出了智慧城市愿景及发展目标，并确定了智慧民众、智慧产业、智慧移动、智慧治理、智慧环境和智慧生活 6 个评价维度，并对欧洲中等城市的智慧城市进行了评估。在评估过程中，这 6 个维度被进一步细化为 31 个要素和 74 个具体指标，在所有 74 个指标当中，有 48 项指标属于区域性数据，26 项指标属于国家性的数据，最终的评价结果采用层次分析法计算求得。与 ICF 评估指标体系相比，该指标体系具有明确、量化的评估指标。

（二）国家部委发布的智慧城市评价指标体系

国家住房和城乡建设部办公厅 2012 年 12 月发布了《国家智慧城市（区、镇）试点指标体系（试行）》，同时，启动了第一批国家智慧城市申报试点工作。该指标体系共包括保障体系与基础设施、智慧建设与宜居、智慧管理与服务、智慧产业与经济等 4 个一级指标，11 个二级指标，57 个三级指标。总体来讲，该指标体系与 ICF 评估指标类似，提出了智慧城市评价的导向性指标和基本框架，主要偏重于定性的智慧城市发展目标、方向与重点。

国家工业和信息化部信息化推进司委托中国软件评测中心（CSTC）于 2012 年 10 月研究制定了《智慧城市评估指标体系（征求意见稿）》，下发各地的工业和信息化主管部门开展了广泛的意见征集活动，并于 2013 年 1 月发布了正式的评估指标体系。该智慧城市评估指标体系建立在 SMART 理论模型之上，而 SMART 模型包括服务、管理与运营、应用平台、资源、技术 5 个方面，具体的评估指标体系又分为智慧准备、智慧管理、智慧服务 3 大维度，各类维度又可以细分为诸多指标及细化指标，为智慧城市建设指明了方向。

（三）国内部分城市及学者的智慧城市评价指标体系

国内部分城市，如上海浦东、南京、宁波等，在国内较早提出了相应的智慧城市评价指标体系。部分研究机构也开展了大量相关研究，例如，上海浦东智慧城市发展研究院相继提出了智慧城市指标体系 1.0、2.0 和 3.0，全国智能建筑及居住区数字标准委员会编写了《中国智慧城市标准体系研究》，中国智慧工程研究会在北京发布了中国智慧城市（镇）发展指数，北京赛迪世纪信息工程顾问有限公司发布了《中国智慧城市发展评价与研究报告（2012）》。国内不少学者也提出了智慧城市评价指标体系与方法，例如，李贤毅（2011）构建了包括泛在网络、智慧应用、公共支撑平台、价值实现 4 个一级指标、19 个二级指标、57 个三级指标构成的智慧城市评价指标体系，并推荐采用经济数学模糊综合评价模型进行评价；顾德道等（2012）从智慧经济、智慧基础设施、智慧人群、智慧治理、智慧民生、智慧环境与智慧规划建设 7 个层面构建了智慧城市评价指标体系，该指标体系二级指标有 11 个，三级指标有 29 个；申剑（2013）采用"专家评分法"和"德尔菲法"相结合的方法，构建了由智慧经济、智慧设施、智慧应用、智慧生活等 4 项一级指标，以及 15 项二级指标构成的智慧城市评价指标体系，每项指标均按照 0~10 分进行评分。总体上看，国内智慧城市评价指标体系仍处于不断探索和逐渐深化阶段。

三、智慧城市的应用体系

智慧城市应用体系是指包括智慧产业、智慧管理、智慧民生等内容，且具有智能创新、协同高效、全面感知、自我完善等特点的城市应用体系（杨冰之等，2015）。加强智慧城市应用体系建设，可以不断增强智慧城市的感知、认知、学习、创新、成长、决策、调控及自我完善等各项能力，全面提高其智慧化水平；而且可以不断提高公共管理服务与产业体系等协同发展水平，进一步完善智慧城市建设体系，为全面提高其功能及承载力提供支撑；还将不断激发出新的理念、思路及城市运营发展模式等，促进智慧城市的创新发展，不断提升智慧城市的发展潜力及竞争力。

（一）智慧产业

智慧产业是直接或间接利用人的智慧进行研发、生产、创造、管理等活动，形成有形或无形智慧产品以满足社会需要的产业。直接利用人的智慧的产业包括教育、培训、咨询、策划、广告、设计、软件、动漫、影视、艺术、出版等；间接利用人的智慧的产业主要指由于新一代信息技术在研发、生产制造、管理、销售及服务等环节广泛应用而出现的产业，其智慧的特征可以体现在生产的某个环节，也可以是反映在产品的技术含量等方面。智慧产业大题可分为以下两类（杨冰之等，2015）。

1. 新兴智慧产业

是由新一代信息技术，尤其是物联网技术快速发展而催生的新兴智慧产业。这一类智慧产业包括以传感器产业、嵌入式系统产业、物联网基础支撑产业为代表的物联网制造业，以及以云计算服务、物联网网络服务为代表的物联网服务业等。其中，物联网制造业涉及对物联网产业相关的各种软硬件设备与基础设施的研制与应用，包括传感器的制造，具有计算能力、感知能力、信息传输能力的微型、小型计算设备制造，微纳元器件、集成电路、微能源、新材料等物联网基础支撑设备的制造等；物联网服务业是一种融合管理理论、高新技术、创新模式的新业态，是现代服务业的重要组成部分，对智慧城市建设具有重要作用。

2. 传统产业智慧化改造

是现代产业体系的延伸，大部分是在传统产业的基础上发展起来的，具体指对传统的第一、二、三产业的智慧化改造后发展起来的智慧农业、智慧工业和智慧服务业。其中：

（1）智慧化改造第一产业后发展起来的智慧农业。指充分利用互联网、物联网等信息技术，实现农业生产、加工方式的智能化，流通与销售过程的智能化服务，实现农产品更绿色且更有价值的一种农业发展新模式。一是可以运用无线传感器、遥感技术、GIS 技术等物联网技术改造农业生产、加工、储运、营销等环节，推广应用农业信息化管理系统和农业专家咨询服务系统；二是可利用传感器、互联网等技术实时监测农作物生长过程中的温度、湿度、光照、二氧化碳、土壤微量元素等参数，自动进行滴灌、控温、通风、补光等操作，实现农业生产的精准化和智能化；三是通过建立农产品可追溯系统，加强对农产品加工企业和批发市场等关键环节质量安全检测的数字化管理，大力推广连锁经营、电子商务、订单农业等现代农业生产经营方式；四是围绕智慧农业生产设备的研发、生产与制造等，积极发展食品安全设备、食品饮料加工设备、节水灌溉设备、农副产品深加工设备、农业生物资源化设备等的研制，不断完善智慧农业体系。

（2）智慧化改造后发展起来的智慧工业。是指充分利用互联网、物联网等信息技术，在采矿业、电力、制造业、能源、建筑业等第二产业在研发设计环节实现研发设计数字化、虚拟化；在生产制造环节，使生产制造可以自动识别、判读、反馈及人机交互等，全面实现生产制造环节的自动化、智能化与绿色化；在生产管理环节，实现对人、财、物的实时、高效、动态管理，不断降低管理成本、提高综合效益；在营销服务环节，根据产品特点，积极拓展信息化营销、文化营销等方法与模式，提高售后的智能服务水平。

（3）智慧化改造后发展起来的智慧服务业。是指以物联网、互联网等通信网络及信息技术为基础，发展智慧物流、智慧旅游、智慧金融、智慧贸易等产业。其中，智慧物流主要是使物流中的订单、运输、仓储、配送等各环节信息实现实时共享并协调运作，是精准高效的物流发展新模式；智慧旅游是研发智慧旅游信息服务系统，为游客提供餐饮娱乐消费导引、远程资源预订、自导航、自导游、电子门票、服务信息即时推送等多种智慧旅游信息服务，为旅游企业提供服务资源管理、游客流量控制、车辆调度、远程监控、自动收费等多种智慧经营管理服务，为管理部门提供环境监测、交通管理、资源调度、应急处理等多种政务管理服务等；智慧金融是通过动态的 IT 基础架构及时响应金融业务的需求、对海量数据的智能分析与优化、感知客户行为模式的变化等，使现代金融行业在组织结构、业务流程、业务开拓以及客户服务等得到全面提升；智慧贸易主要是促进商贸交易市场与行为的规范化、标准化、安全化、网络化与全球化，降低贸易活动的风险、成本与门槛，提高贸易市场流通效率与信息透明度。

（二）智慧管理

智慧管理是指以信息资源管理为核心，通过感知化、互联化与智能化方式，运用决策、计划、组织、指挥等一系列机制，采用法律、经济、行政、技术等手段，通过政府、市场与社会的开放互动，形成共同参与、服务为主的智慧城市管理模式，其目的是实现智慧城市智能高效、安全低碳运营。

智慧管理是城市治理的新模式，通过智慧管理，使得治理理念从经济主导型转向社会服务型，治理架构从垂直独立型转向扁平协同型，管理对象从主要对人的管理转向对人、物和信息流的共同管理，管理方式从行政管理转向行政管理与社会自我调节相结合，管理制度从单一的供给体系转向多样化的供给体系。智慧管理具体包括以下内容：

1. 智慧政务管理

是以公共管理高效精准、公共服务便捷惠民、社会综合效益显为特征的一种全新政务运营模式。智慧政务管理体系一般是由公共数据中心、智慧行政服务中心、移动电子政务、智慧的领导决策等组成。以物联网、云计算、移动互联网、人工智能等现代信息技术为基础，实现资源整合、流程优化、业务协同等，其核心是资源整合、信息共享，其关键是体制、机制创新，其目的是实现政府各部门的信息共享及业务协同，为社会各机构及公众等提供高效便捷的服务。

2. 智慧安全管理

是以互联网、物联网为基础，通过城市安全信息的全面感知、各子系统间协同运作、资源共享，建立统一的公共安全系统及应急处理机制，实现对公共安全的应急联动、统一调度、统一指挥，达到对公共安全的智慧化管理。其内容主要包括生产安全管理、社会治安管理自然灾害安全管理等。其核心是通过安全信息的整合、加工处理，实现有效预测预警，并通过资源整合与联动，实现高效智能化的应急处理。

3. 智慧交通治理

是通过感知化、互联化、智能化的方式，形成以运输装备智能、交通信息网络完善、运输效率和服务水平高为主要特征的现代交通发展新模式。其核心是通过信息资源的自动整合与智能共享，使城市具有高度的分析与预测能力，实现交通运输的便捷、安全、经济、高效，为城市运营及经济发展提供支撑。

4. 智慧管网管理

是以互联网、物联网等信息技术为基础，通过感知化、互联化、智能化的方式，形成以基本信息实时准确、运行状况动态可视、日常管理智能精准，应急处理安全高效的城市管网管理新模式。其关键是通过物联网技术促进城市电力、电信、燃气、热力、网络、通讯、给水、排水等管网的智能化转型，实现对城市管网的信息共享、资源整合、精准管控及智能决策等。

5. 智慧城建管理

指运用互联网、物联网等信息技术，构建以基础服务、数据交换、GIS 共享服务、统一 GNSS 监管、统一视频监控为应用支撑，以数字城管、应急指挥、队伍管理、网上办案、决策辅助、行业监管为主要功能的城市管理新模式。为城市管理提供智能化的决策支撑服务。

6. 智慧环保治理

是以物联网、互联网等通信网络及信息技术为基础，使环境保护中的监测、预警、综合治理及环保诚信体系等各个环节信息共享和协调运作，形成以精准高效、绿色低碳为主要特征的环境保护新模式，为不断提升城市生态环境和人居环境质量提供智能化服务。

7. 智慧水利治理

是以互联网、物联网等信息技术为基础，通过感知方式对水资源实施监控、分析、保护、管理和利用，建设融合各种水文模型和水利业务的专业化系统平台，实现对水资源的智慧运用、对水体灾害的高效预防与治理、对自然水循环与水生态的智能感知与调节。

8. 智慧能源管理

是以互联网、物联网等信息技术为基础，建构新型能源生产、消费的交互架构，形成以信息资源充分共享、应用管理精准高效、系统分配合理稳定等为特征的能源管理新模式。为城市见能源消费结构和生产结构的优化、综合能源的实施调动、清洁可再生能源的利用提供智能化服务。

9. 智慧人口管理

是以互联网、物联网为基础，通过感知化方式，实现户籍人口、流动人口在公安、民政、社保领域的信息资源共享、管理业务协同、服务智能高效的人口管理新模式。其核心是利用信息技术，实现城市人口流动分布信息的全面感知及动态精准管理。

10. 智慧档案管理

是以互联网、物联网等信息技术为基础，通过感知化、互联化、智能化的方式，灵活利用信息技术对传统的城市档案管理模式进行智慧化改造，如利用智能分析技术对档案资料库内的海量信息自动进行归纳与筛选，利用信息存储技术实现档案资料库的稳定、齐整与安全，综合利用信息加密、隐藏与备份技术对重要资料文献进行严密的、全方位的保护等，进而提高城市档案的利用效率。

（三）智慧民生

智慧民生是指以互联网、物联网等信息技术为基础，通过感知互联方式，实现以智能高效、便民惠民为特征的民生服务新模式。其核心是加强智慧城市资源的合理、有效配置，通过为人们提供智能便捷的服务、创造和谐优美的城市生活环境，不断提高人们的幸福指数。智慧民生具体包括以下内容（杨冰之等，2015）。

1. 智慧社会保障

是以互联网、物联网等信息技术为基础，通过感知互联方式，建立智能化社会保障公共服务平台，集约整合社保资源与社保用户，形成信息健全完善、资源合理分配、规范统一的智慧化社保体系，为社保管理服务部门提供高效便捷的执行手段与智能信息系统支持，为公众提供快捷的信息咨询服务等。

2. 智慧健康保障

是以互联网、物联网等信息技术为基础，通过感知互联方式，形成健康信息健全完善、医疗资源充分共享、医疗流程科学高效、服务手段高端智能的健康保障新模式，也成智慧医疗服务，从患者从就诊、处方、手术、康复全过程提供智能化可视化的服务。

3. 智慧教育文化

是以互联网、物联网、云计算等信息技术为依托，通过感知互联化方式，构建一个完善高效的现代教育文化平台，实现以信息资源充分共享、智慧整合、模式开放协作为特征的教育文化新形态。重点采用数字化、网络化、多媒体化手段，开发利用教育资源，促进技术创新、知识创新和创新成果共享，构建全面的教育文化体系。

4. 智慧社区服务

是以互联网、物联网等信息技术为基础，通过感知手段，为社区生活提供全方位多元化服务，确保社区生活环境舒适，构建一个便捷、低碳、安全的智能化社区服务体系，保障社区居民生活得更舒适、更安全、更具幸福感。

第六节　美丽城市

建设美丽中国是落实联合国 2030 年可持续发展目标的中国实践和国家样板，是推进人与自然和谐发展，守住绿水青山，赢得金山银山的重要手段，是中国生态文明体制改革创新的战略举措与高质量绿色发展的成果检验，也是国家基本实现现代化和实现两个一百年奋斗目标的中国梦的现实选择。2018 年 5 月，习近平总书记在全国生态环境保护大会上明确了建设美丽中国的"时间表"和"路线图"："确保到 2035 年，生态环境质量实现根本好转，美丽中国目标基本实现"、"到本世纪中叶，物质文明、政治文明、精神文明、社会文明、生态文明全面提升，绿色发展方式和生活方式全面形成，人与自然和谐共生，生态环境领域国家治理体系和治理能力现代化全面实现，建成美丽中国"。可见，建设美丽中国是中华民族伟大复兴的根本大计，完成美丽中国建设的路线图和时间表，需要以美丽城市的建设做支撑。

一、美丽城市的基本概念及重要意义

（一）美丽城市的广义和狭义内涵

1. 美丽城市的广义内涵

从广义内涵分析，美丽城市是指在特定时期内，遵循城市经济社会可持续发展规律、自然资源永续利用规律和生态环境保护规律，将城市经济建设、政治建设、文化建设、社会建设和生态建设"五位一体"的总体布局落实到具有不同主体功能的城市国土空间上，形成山清水秀、强大富裕、人地和谐、文化传承、政体稳定的城市建设新格局。广义美丽城市建设将生态、经济、社会、政治、文化等"五位一体"的核心要素作为美丽城市建设的基本框架，形成由生态环境之美、绿色发展之美、社会和谐之美、文化传承之美和体制完善之美构成的"五维一体"的美丽城市建设基本框架（图8.7）。青山绿水但落后贫穷不是美丽城市，繁荣昌盛但环境污染同样不是美丽城市，只有实现生态、经济、社会、政治、文化的和谐发展，才能真正实现美丽城市的建设目标。

2. 美丽城市的狭义内涵

从狭义内涵分析，美丽城市是指在特定时期内，遵循城市经济社会可持续发展规律、自然资源永续利用规律和生态环境保护规律，将城市经济建设、社会建设和生态建设落实到具有不同主体功能的城市国土空间上，实现生态环境有效保护、自然资源永续利用、经济社会绿色发展、人与自然和谐共处的城市可持续发展目标，形成天蓝地绿、山清水秀、强大富裕、人地和谐的城市可持续发展新格局。既要创造更多物质财富和精神财富，满足人民群众对美好生活的追求，也要生产更多优质生态产品满足人民对优美生态环境的向往。其建设的基本框架包括天蓝、水清、地绿、土净、人居5个方面，重点是实现城市空气清新、水体洁净、土壤安全、生态良好、人居整洁的美丽城市建设目标，推进城市生态文明建设和高质量发展（图8.8）。

图8.7　美丽城市的广义内涵

图8.8　美丽城市的狭义内涵

（二）美丽城市是美丽中国建设之鼎

美丽中国建设的两大重要载体就是美丽城市与美丽乡村。目前全国已有60%以上的人口居住在城里，未来有望超过75%左右的人口长期生活在城里，城市成为今天和未来承载全国人口居住生活的最大载体。城市生态环境和人居环境改善程度如何直接影响着美丽城市建设，直接关乎着广大公民对美好生活的向往。美丽城市建设成功与否，又直接影响着美丽中国建设进程和成效。可见，美丽城市既是改善城市生态环境和人居环境、促进城市高质量发展和可持续发展的重要手段，也是美丽中国建设的重要支撑和载体，以城市之美作为重要的竞争力，把城市之美转化为现实的生产力（方创琳，2020）。

正由于如此，全国住房和城乡建设工作会议明确提出，着力提升城市品质和人居环境质量，建设"美丽城市"，建立和完善城市建设管理和人居环境质量评价体系，开展"美丽城市"建设试点。把美丽城市建设成为富强文明民主美丽的社会主义现代化强国的重要支撑，成为美丽中国建设之"鼎"。

二、美丽城市的评估体系

（一）广义层面的美丽城市评估指标体系

美丽城市建设符合自然发展的规律，依据党的十九大报告提出建设美丽中国的四大举措与现代化建设要求，统筹考虑广义美丽城市建设的"五位一体"的总体布局，因地制宜地构建包括生态环境之美、绿色发展之美、社会和谐之美、体制完善之美和文化传承之美等多维度、多层次、多目标的美丽城市建设评估体系。该指标体系包括5类目标、31个具体指标（方创琳等，2019）（表8.9）。

表8.9　广义层面的美丽城市建设评估指标体系

美丽维度		指标名称	单位	指标方向	指标说明
A 生态环境之美	A1	国家各类生态功能区数量	处	+	包括世界自然遗产数量+国家级风景名胜区+国家级自然保护区数量
	A2	生态用地面积比例	%	+	指市域行政区内森林+草地+水系的面积占比
	A3	污水处理率	%	+	数据来自《中国城市统计年鉴》
	A4	生活垃圾无害化处理率	%	+	数据来自《中国城市统计年鉴》
	A5	细颗粒物（PM$_{2.5}$）年平均浓度	μm/m^3	−	数据根据国控空气质量检测站点汇总
	A6	空气质量优良率	%	+	数据来自生态环境部网站
B 绿色发展之美	B1	人均GDP	元	+	数据来自《中国城市统计年鉴》
	B2	第二产业占GDP比例	%	−	数据来自《中国城市统计年鉴》
	B3	第三产业占GDP比例	%	+	数据来自《中国城市统计年鉴》
	B4	单位GDP能耗	吨标准煤	−	数据来自《中国城市统计年鉴》和夜间灯光反演能源数据

美丽维度		指标名称	单位	指标方向	指标说明
B 绿色发展之美	B5	单位 GDP 水耗	m³	−	各地级市统计年鉴或统计公报
	B6	人均财政收入	元	+	数据来自《中国城市统计年鉴》
C 社会和谐之美	C1	城镇化率	%	+	数据来自各地级市统计年鉴或统计公报
	C2	城镇人均可支配收入	元	+	数据来自《中国城市统计年鉴》
	C3	农村人均可支配收入	元	+	数据来自《中国城市统计年鉴》
	C4	教育支出占公共财政预算支出比例	%	+	数据来自《中国城市统计年鉴》
	C5	每万人拥有卫生技术人员数量	人	+	数据来自《中国城市统计年鉴》
	C6	科学技术支出占公共财政预算支出比	%	+	数据来自《中国城市统计年鉴》
	C7	路网密度	km/km²	+	根据市域内铁路、国道、省道长度计算
	C8	互联网用普及率	%	+	各地级市统计年鉴或统计公报
D 体制完善之美	D1	信用制度和基础建设		+	数据来自中国城市营商环境调研
	D2	近 5 年重大环境污染事件发生次数	次	−	根据公开网站收集统计
	D3	近 5 年重大腐败案件发生的频次	次	−	根据公开网站收集统计
	D4	近 5 年恶性事件发生次数	次	−	根据公开网站收集统计
	D5	近 5 年重大自然灾害发生次数	次	−	根据公开网站收集统计
E 文化传承之美	E1	每百万人拥有公共图书馆图书总藏量	千册	+	数据来自《中国城市统计年鉴》
	E2	每万人在校大学生数	人	+	数据来自《中国城市统计年鉴》
	E3	世界文化遗产地数量	个	+	数据来自中国文化遗产研究院、世界遗产网等
	E4	世界非物质文化遗产数量	个	+	数据来自中国文化遗产研究院、世界遗产网等
	E5	国家级文物保护单位数量	个	+	数据来自中国文化遗产研究院、世界遗产网等
	E6	国家非物质文化遗产数量	个	+	数据来自中国文化遗产研究院、世界遗产网等

广义层面的美丽城市建设框架与"五位一体"的生态、经济、社会、政治、文化等核心内涵基本一致，参考国家《生态文明建设考核目标体系》、《绿色发展指标体系》等，构建包括生态环境、绿色发展、社会和谐、体制完善、文化传承等 5 个美丽维度的美丽城市建设评估指标体系。美丽中国建设评估方法主要采用联合国人类发展指数（HDI）测评法（Wang，2020）。

（二）狭义层面的美丽城市评估指标体系

狭义层面的美丽城市评估指标体系参考国家发展和改革委员会发改环资〔2020〕296号文件《美丽中国建设评估指标体系及实施方案》制定。该评估指标体系重点聚焦生态环境改善和人居环境改善两大方面，包括空气清新、水体洁净、土壤安全、生态良好、人居整洁五类指标。按照突出重点、市民关切、数据可得的原则，注重美丽城市建设结果性评估，分类细化提出 22 项具体指标（表 8.10）。

表 8.10 狭义层面的美丽城市建设评估指标体系

评估指标	序号	具体指标（单位）
城市空气清新 B_1	C_1	地级及以上城市细颗粒物（$PM_{2.5}$）浓度（$\mu g/m^3$）
	C_2	地级及以上城市可吸入颗粒物（PM_{10}）浓度（$\mu g/m^3$）
	C_3	地级及以上城市空气质量优良天数比例（%）
城市水体洁净 B_2	C_4	地表水水质优良（达到或好于III类）比例（%）
	C_5	地表水劣V类水体比例（%）
	C_6	地级及以上城市集中式饮用水水源地水质达标率（%）
城市土壤安全 B_3	C_7	受污染耕地安全利用率（%）
	C_8	污染地块安全利用率（%）
	C_9	农膜回收率（%）
	C_{10}	化肥利用率（%）
	C_{11}	农药使用率（%）
城市生态良好 B_4	C_{12}	森林覆盖率（%）
	C_{13}	湿地保护率（%）
	C_{14}	水土保持率（%）
	C_{15}	自然保护地面积占陆域国土面积比例（%）
	C_{16}	重点生物物种种数保护率（%）
城市人居整洁 B_5	C_{17}	城镇生活污水集中收集率（%）
	C_{18}	城镇生活垃圾无害化处理率（%）
	C_{19}	农村生活污水处理和综合利用率（%）
	C_{20}	农村生活垃圾无害化处理率（%）
	C_{21}	城市公园绿地 500m 服务半径覆盖率（%）
	C_{22}	农村卫生厕所普及率（%）

数据来源：《美丽中国建设评估指标体系及实施方案》（发改环资〔2020〕296号），国家发展和改革委员会，2020年2月28日。

城市空气清新类指标包括地级及以上城市细颗粒物（$PM_{2.5}$）浓度、地级及以上城市可吸入颗粒物（PM_{10}）浓度、地级及以上城市空气质量优良天数比例 3 个指标。

城市水体洁净类指标包括城市地表水水质优良（达到或好于III类）比例、地表水劣V类水体比例、地级及以上城市集中式饮用水水源地水质达标率 3 个指标。

城市土壤安全类指标包括城市受污染耕地安全利用率、污染地块安全利用率、农膜回收率、化肥利用率、农药使用率 5 个指标。

城市生态良好类指标包括城市森林覆盖率、湿地保护率、水土保持率、自然保护地面积占陆域国土面积比例、重点生物物种种数保护率 5 个指标。

城市人居整洁类指标包括城镇生活污水集中收集率、城镇生活垃圾无害化处理率、农村生活污水处理和综合利用率、农村生活垃圾无害化处理率、城市公园绿地 500m 服务半径覆盖率、农村卫生厕所普及率 6 个指标。

三、美丽城市的建设思路

美丽城市建设的总体思路为：协调好城市生态、营商与人居"三类环境"、城市生态、生产、生活"三生空间"、城市改性、改馅和改架"三改"、城市建设美、强和富"三目标"之间的关系；做好城市内在美与外在美、城市共性美与差异美、城市内循环美与外循环美之间的有机结合，适时做好美丽城市建设进程的综合评估（方创琳，2020）。

（一）协调好改善城市生态、营商与人居"三类环境"的关系

城市以美为荣，以让生活最美好为宗旨，在美丽城市建设中要处理好改善城市生态环境、城市营商环境、城市人居环境三者的互补互惠关系，将改善城市生态环境作为美丽城市建设之根本，以城市的山清水秀作为城市品质的外在表征；将改善城市营商环境作为美丽城市建设之支柱，以城市的富强繁荣作为城市竞争力的内在表征；将改善城市人居环境作为美丽城市建设之归宿，以城市的宜居舒适作为提升居民幸福感和获得感的最终表征。

（二）协调好优化城市生态、生产、生活"三生空间"的关系

在城市国土空间规划编制与实施中，处理好城市生态空间、生产空间和生活空间的关系，将生态空间转化为生态资本，作为城市发展的最大财富和最大资本，通过生态资本积累城市生产资本，提升城市生活资本，从浏览城市美丽风光转变为发展美丽经济，通过生态红利催生并提升城市可持续发展能力。

（三）协调好城市改性、改馅和改架"三改"的关系

美丽城市建设触及城市性质的改变，城市职能的重新组织、城市产业结构的优化调整和城市空间结构的调整重组。从城市"改性"角度分析，美丽城市建设要求城市发展定位要由过去传统的资源型城市和重化工业城市转变为山水园林城市和综合型生态文明城市；从城市"改馅"分析，美丽城市建设要求城市产业由过去的资源密集型和资本密集型产业（产品）转变为技术密集型和知识密集型产业（产品），不断延伸产业链，提升产品的附加值及滚动增值效益；从城市"改架"分析，美丽城市建设要求城市空间结构由传统的以生产空间为主的结构转变为生态-生产-生活空间结构优化的新型空间结构框架，城市改性、改馅和改架过程就是城市更新过程，城市更新则活则美，反之则衰则亡。

（四）协调好城市建设美强富"三目标"的关系

美丽城市建设既要追求将城市建成具有国际竞争力的世界城市、国际大都市或国家中心城市，又要建成全球最靓、全国最美的城市，还要追求让城市居民更加富裕的目标，城市美丽但很落后不是美丽城市，城市富强但生态环境破坏严重同样不是美丽城市，城市的美与城市的强和居民的富，是美丽城市建设不可分割的三大目标，三者缺一不可。

（五）协调好城市共性美和差异美之间的关系

我国城市数量众多，城市自然地理环境和人文地理环境虽然千差万别，但体现出差异之美，锦绣河山各有各的秀美之处，东部地区、中部地区和西部地区城市，以及北方和南方城市建设的自然环境千差万别，这就要求我们在开展美丽城市建设中一定要坚持因地制宜原则，不可搞"一刀切"或"一把尺子"度量每一座城市的美丽程度，既要按照全国通用的建设指标体系去评判各地美丽城市建设成效，又要突出各地美丽城市建设的差异性和个性，提出差异化的美丽城市建设目标和行动计划，把共性美和差异美有机结合起来，把彰显美丽城市建设的特色和美色凸显出来。因地制宜地做好美丽城市建设综合区划，先行开展美丽城市建设的区域样板试点，总结美丽城市建设的区域模式，确保中华大地各城各展风采，各显其美，共同富裕，确保城市在"比美健美"的竞建行动中实现美丽城市建设目标，为美丽中国建设提供支撑。

（六）协调好城市内在美和外在美的关系

外在美通过城市生态修复实现城市美容美化，改善城市生态环境、城市风貌和城市形象，提升城市"颜值"得以体现；内在美通过城市有机更新、功能提升、内涵挖掘、提升城市生态品质、生活品质和文化品质得以体现。美丽城市建设必然是外在美和内在美的高度融合，是"以内促外、以外推内"的完美统一。

（七）协调好城市内循环美和外循环美的关系

美丽城市建设要时刻应对百年未有之大变局，近期按照以国内循环为主，国内循环和国际循环有机结合的城市建设阶段性新思路，统筹美丽城市建设中的对外开放和练好内功之间的关系，夯实美丽城市建设的内涵和根基，根据国际环境变化随时借力国际大循环，实现内循环美和外循环美的有机对接，推动美丽城市建设向高级化和国际化方向发展。

（八）协调好美丽城市建设与评估的关系

在美丽城市建设的推进过程中，建设进展程度如何，建设效果如何，综合美丽程度如何考量？回答这些问题需要开展美丽城市建设进程的动态评估与监测。需要按照美丽中国建设评估指标体系及实施方案，采取"空气清新、水体洁净、土壤安全、生态良好、人居整洁"五个维度的美丽国土建设目标，开展美丽城市建设进程评估。需要研发美丽城市建设进程动态评估监测系统，编制《美丽城市建设进程评估技术规程》，研制美丽城市建设满意度调查 APP 系统；提出美丽城市建设的分区方案与差异化评估指标体系。通过动态评估和监测，确保美丽城市建设的时间表和路线图与美丽中国建设的时间表和路线图同时同表同线，最终支撑实现美丽中国建设目标（方创琳，2020）。

未来建成的美丽城市必将是既富又美的城市，必将是"让生活更美好，让生产更高效，让生态更良好"的城市，必将是城市的人与城市的自然协调共生、高质量发展与生态环境高水平保护的城市，必将成为确保美丽中国建设向着更高质量、更高效率和更加美丽方向发展的韧性城市。

主要参考文献

鲍超, 罗奎. 2013. 中国省会城市低碳发展水平的综合测度及分析. 中国科学院大学学报, 30(4): 497-503.

程艺, 宋涛, 刘海猛. 2019. 我国边境收缩城市: 格局、类型与影响因素. 北京规划建设, (3): 48-52.

方创琳. 2013. 中国创新型城市建设的总体评估与瓶颈分析. 城市发展研究, 32(3): 12-18.

方创琳. 2018. 城市群发展能级的提升路径. 人民日报社. 国家治理, 216(48): 5-12.

方创琳. 2020. 美丽城市"鼎"力支撑美丽中国建设. 中国建设报, 2020-11-25.

方创琳, 刘毅, 林跃然. 2013. 中国创新型城市发展报告. 北京: 科学出版社.

方创琳, 马海涛, 王振波. 2014. 中国创新型城市建设的综合评估与空间格局分异. 地理学报, 69(4): 459-473.

方创琳, 王振波, 刘海猛. 2019. 美丽中国建设的理论基础与评估方案探索. 地理学报, 74(4): 619-632.

付允, 刘怡君, 汪云林. 2010. 低碳城市的评价方法与支撑体系研究. 中国人口·资源与环境, 20(8): 44-47.

高舒琦. 2017. 收缩城市的现象、概念与研究溯源. 国际城市规划, 32(3): 50-58.

葛全胜, 方创琳, 江东. 2020. 美丽中国建设的地理学使命与人地系统耦合路径. 地理学报, 75(6): 1109-1119.

顾德道, 乔雯. 2012. 我国智慧城市评价指标体系的构建研究. 未来与发展, (10): 81-85.

关皓明, 张平宇, 刘文新 等. 2018. 基于演化弹性理论的中国老工业城市经济转型过程比较. 地理学报, 73(4): 771-783.

郭源园, 李莉. 2019. 中国收缩城市及其发展的负外部性. 地理科学, 39(1): 52-60.

浩飞龙, 施响, 白雪 等. 2019. 多样性视角下的城市复合功能特征及成因探测——以长春市为例. 地理研究, 38(2): 247-258.

经济日报社自主创新调研小组. 2011. 自主创新年度报告 2011. 北京: 经济日报出版社.

李林. 2012. 智慧城市建设思路与规划. 南京: 东南大学出版社.

李贤毅, 邓晓宇. 2011. 智慧城市评价指标体系研究. 电信网技术, (10): 43-47.

李郇, 杜志威, 李先锋. 2015. 珠江三角洲城镇收缩的空间分布与机制. 现代城市研究, (9): 36-43.

李亚, 翟国方. 2017. 我国城市灾害韧性评估及其提升策略研究. 规划师, 33(8): 5-11.

李艳, 陈雯, 孙阳. 2019. 关联演化视角下地理学区域韧性分析的新思考. 地理研究, 38(7): 1694-1704.

龙瀛, 吴康, 王江浩. 2015. 中国收缩城市及其研究框架. 现代城市研究, (9): 14-19.

马海涛, 方创琳, 王少剑. 2013. 全球创新型城市的基本特征及对中国的启示. 城市规划学刊, 1: 67-77.

马学成, 巩杰, 柳冬青 等. 2018. 社会生态系统研究态势: 文献计量分析视角. 地球科学进展, 33(4): 435-444.

秦耀辰. 2013. 低碳城市研究的模型与方法. 北京: 科学出版社.

邵超峰, 鞠美庭. 2010. 基于 DPSIR 模型的低碳城市指标体系研究. 生态经济, (10): 95-99.

邵亦文, 徐江. 2015. 城市韧性: 基于国际文献综述的概念解析. 国际城市规划, 30(2): 48-54.

申剑. 2013. 智慧城市"矩阵式"评价体系研究. 城市管理与科技, (4): 60-62.

史培军, 汪明, 胡小兵 等. 2014. 社会-生态系统综合风险防范的凝聚力模式. 地理学报, 69(6): 863-876.

孙鸿鹄, 甄峰. 2019. 居民活动视角的城市雾霾灾害韧性评估——以南京市主城区为例. 地理科学, 39(5): 788-796.

孙晶，王俊，杨新军. 2007. 社会-生态系统恢复力研究综述. 生态学报，27（12）：5371-5381.

王思斌. 2016. 社会韧性与经济韧性的关系及建构. 探索与争鸣，（3）：4-8.

吴康，龙瀛，杨宇. 2015. 京津冀与长江三角洲的局部收缩：格局、类型与影响因素识别. 现代城市研究，（9）：26-35.

吴康，孙东琪. 2017. 城市收缩的研究进展与展望. 经济地理，37（11）：59-67.

修春亮，魏冶，王绮. 2018. 基于"规模—密度—形态"的大连市城市韧性评估. 地理学报，73（12）：2315-2328.

杨冰之，郑爱军. 2015. 智慧城市发展手册. 北京：机械工业出版社.

张贝贝，李志刚. 2017. "收缩城市"研究的国际进展与启示. 城市规划，41（10）：103-108.

张明斗，刘奕，曲峻熙. 2019. 收缩型城市的分类识别及高质量发展研究. 郑州大学学报（哲学社会科学版），52（5）：47-51.

赵瑞东. 2011. 中国城市韧性的时空格局演变、影响机制及提升路径研究. 新疆大学博士学位论文.

赵瑞东，方创琳，刘海猛. 2020. 城市韧性研究进展与展望. 地理科学进展，39（10）：1717-1731.

郑艳，林陈贞. 2017. 韧性城市的理论基础与评估方法. 城市，（6）：22-28.

郑云明. 2012. 低碳城市评价指标体系研究综述. 商业经济，4：28-30.

周侃，刘宝印，樊杰. 2019. 汶川 Ms8.0 地震极重灾区的经济韧性测度及恢复效率. 地理学报，74（10）：2078-2091.

Ahern J. 2011. From fail-safe to safe-to-fail: Sustainability and resilience in the new urban world. Landscape and Urban Planning，100（4）：341-343.

Branislav A，Aleksandra D. 2020. Environmentally-Friendly Planning for Urban Shrinkage. IOP Conf. Ser. : Earth Environ.

Bruneau M. 2007. Exploring the concept of seismic resilience for acute care facilities. Earthquake Spectra，23（1）：41-62.

Deng T T，Wang D D，Yang Y，et al. 2019. 8 Shrinking cities in growing China: Did high speed rail further aggravate urban shrinkage? Cities，6：210-219.

Fang C L，Wang Z B，Liu H M. 2020. Beautiful China Initiative: Human-natural harmony theory，evaluation index system and application. Journal of Geographical Sciences，30（5）：691-704.

Holland J. 2006. Studying complex adaptive systems. Journal of Systems Science and Complexity，19（1）：1-8.

Kamila B，Peter N，Porfirio G. 2018. Urban resilience patterns after an external shock: An exploratory study. International Journal of Disaster Risk Reduction，31（10）：381-392.

Muhammad S. 2021. Disaster resilience in Pakistan: A comprehensive multi-dimensional spatial profiling. Applied Geography，126：102-167.

Peter H. 1998. Cities in Civilization. London: Weidenfeld and Nicolson.

Turok I，Mykhnenko V. 2007. The trajectories of European cities，1960-2005. Cities，24（2）：165 - 182.

UN-Habitat. 1996. An Urbanizing World: Global Report on Human Settlements. Oxford: Oxford University Press.

Wiechmann T. 2008. Errors Expected—Aligning Urban Strategy with Demographic Uncertainty in Shrinking Cities. International Planning Studies，13（4）：431- 446.

Yi L，Jan Degener，Matthew G，et al. 2016. Adaptive capacity based water quality resilience transformation and policy implications in rapidly urbanizing landscapes. Science of the Total Environment，569（11）：168-178.

Zhao R D，Fang C L，Liu H M，et al. 2021. Evaluating urban ecosystem resilience using the DPSIR framework and the ENA model：A case study of 35 cities in China. Sustainable Cities and Society，72（9）：102-197.

第九章　未来城市的发展愿景

　　　　导读

　　城市的未来是什么？人们期望的未来城市是什么样？不同的人都会有不同的回答。为了充分发挥学生的超级想象力和预见性，连续 8 年以"未来城市的发展愿景"为主题开设了课堂报告，由学生分组收集资料，做成课件视频，在课堂上面向老师和全体同学介绍，通过充分交流互动辩论，从不同视角展望未来城市的发展愿景，激发学生对未来城市研究的兴趣和对未来城市的向往和憧憬，增强学生热爱城市、建设城市、保护城市的责任感。本章是在连续 8 届研究生和 4 届本科生课堂报告的基础上，通过分类梳理、总结归纳和提炼，吸收其中较有代表性的城市愿景片段，重点分析未来城市的生产方式、生活方式、发展特点、基本功能、空间布局和主要形态等，介绍未来城市的发展愿景，勾画未来城市的发展蓝图，探索城市发展的未来之路。认为未来城市的发展将呈现出立体性、浮动性、智慧性、包容性、公平性、安全性、活性和韧性等发展特点，城市向着更加多维、更加智慧、更加包容、更加公平、更加安全、更具活力和韧性的可持续方向发展，未来可建设智慧城市、垂直城市、漂浮城市、折叠城市、海上城市、海下城市、共享城市、文化城市、品质城市、活性城市、韧性城市等多种形态和模式的城市类型。未来的农业、未来的智能工厂、未来的旅游、未来的快递服务、未来的无人驾驶交通、未来的城市文化、未来的游戏、未来的影视、未来的博物馆、未来城市主题公园、未来的智能住宅和太空住宅、未来的购物、未来的电子家庭、未来的衣物、未来的食物等等都将使得城市更加智能化，未来智慧城将确保城市让生活更加美好！

第一节　未来城市的生产生活方式

　　城市与未来，相依相存。在未来的城市，随技术爆炸式的进步，人类的生产与生活方式都会重构并发生翻天覆地的变化，而等到这些方式比较稳定时，整个世界的制度、文明，经济、社会、环境都将发生翻天覆地的改变。而未来理想的城市生活，也只有通过创新才能让我们的想象落地。面对未来，通过科技与艺术在更多方面、更深层次的融合，来为人们创造更具有想象空间的生活可能性，已成为不可逆的趋势（王琰，2018）。在接下来的日子，我们要以人为本，激发城市未来的智慧，从而为多元共享、智慧化生长的城市发展模式带来新的动力[①]。

　　[①] 未来生产与生活方式根据方慧芬、梁晓璇、邹露、廖毛微、雷若然、冯鑫 2020 年度课堂报告提供的素材改写而成。

一、未来城市的生产方式

对于未来的生产方式，普遍认为生产活动离不开市场，市场则与人们对商品的需求有关，而人们对商品的需求又和很多因素相关。人类对新物质的探索欲望是无穷无尽的，除了人们所必需的日常用品，未来将有更多的产品。科技发展的程度越高，人们越趋于购买多种多样的新式商品。这里的商品，包括第一产业、第二产业，乃至第三产业。另一方面，未来的生产模式很有可能会改变，这也得益于科技的发展，人工智能的出现代替了劳动力，更多的劳动力解放出来，使得更多的人转变为各具特色的生产者，于是商品多样化成为可能。总的来说，未来科技的发展以及生产模式的转变，会带来更多、更新的产品，这些产品满足人们内心无穷无尽的消费欲望。关于未来生产模式的改变，从要素来讲，可以具体到生产的内容、生产的主体、生产的形式、生产的地点等等。但这些要素背后都呈现一定的趋势特点，根据其内在逻辑（经济—生产—公司—产品）分析未来城市生产模式的可能趋势。

（一）生产由集群化转为分散化，公司由群体化转为微型化

城市经济一直呈现出集中化特征，而在未来城市，经济却可能呈现出分散化的趋势。经济分散化指的是一种向新的适当规模的转变，这一规模直接可以缩小到个人，是无数个人、公司和行业为各自利益奋斗时交互影响的过程。随着科技的进步，应运而生的互联网、物联网、人工智能等已经使得人们能够管理极其繁杂的事务，也使得分散化的商业成为可能。中国的 B 站（视频网站）就是一个例子，在 B 站，有很多的驻站主播，他们自己拍摄、剪辑，以个体的身份运营生计，这最终导致了企业（或称之为公司）非群体化的特征。

为适应群体化社会发展的需要，产生了公司，而现在群体化社会本身正在出现非群体化的现象。不仅是生产、家庭生活、市场地点、劳动就业，还有信息、服务等，都开始分化得更小，更加多样化。群体化市场不断分裂形成千变万化的微型市场，适应微市场需求需要求不断扩大产品品种型号、尺寸、式样、颜色和定制的范围。在技术高度发达的国家中，商品品种和服务项目急剧增加，这反映了第三次浪潮社会实际需要，价值和生活方式日益增长的变化。社会多样化水平日益提高，是劳动市场进一步分工造成，在这种环境下，职业互相交换的可能性下降，职业种类增加，每个人都强调其工作的独特性，这与以前强调的"一体化""共同化"不同。在未来，非群体化将不断地加深其程度，这种特征体现在方方面面，在生产方面，职业门类将更意想不到地增加，位于这个世界上各个地方的人将进行各种各样的合作，生产与服务等。在经济层面，即将呈现的趋势蕴含着文明的交汇与个体独特性的凸显。

（二）生产更加灵活化和高速化，"规模"的作用将会下降

经济的分散化、企业的群体化伴随着人们需求的不断改变和科技进步带来的反应能力的提升，生产也呈现出灵活与高速的特征。如今，这种变化已经发生。市场的更新速度极

其迅速，生产也随之做出迅速反应，这也对应着企业的非群体化，相对于大公司，小公司反映能力更敏捷。更多个体代表公司，并且能准确地把握信息、转化成果，即对市场做出迅速的反应。在未来城市中，"速度"是一个重心，"规模"的作用将会下降，高速化将瓦解过去社会中形成的意识形态与物质形态。在生产方面，大企业将遭遇危机，这是因为其体量在高速、灵活的市场变化下的劣势，但是大企业可能以另外一种形式存在，即包含更多小企业或者个体企业，而承担迅速反应、调节能力的作用。

（三）生产更趋家庭化，居家办公将把人们从"奔波"中解放出来

生产的非群体化，体现在个体公司的兴起，其实也包括以家庭为单位的小群体化，这里侧重讨论生产场所的改变。未来城市的空间布局将会出现很大的变化，经济的分散化与个体公司的兴起将带来空间的分散。这契合沙里宁在城市规划理论中提出的有机疏散理论，但与之不同的是，规划是人为地调控空间，而未来城市可能会自发地形成分散化的趋势。这是由于生产地点可以实现分散化。

在以往，规划者对城市的交通拥挤以及伴随产生的污染问题十分关注，社会学家、心理学家关注人们通勤时间过长对人心理造成的压力等问题，而经济学家，围绕因经济地理位置造成的房价等诸多问题进行研究。实际上，这些大的问题与每个个体的生产生活模式离不开，尤其是生产模式。大多数现代人仍然保持着去特定地点上班的模式，在未来，信息的不断高速进步，人们将不再受限于位置，而选择在家工作。目前部分群体已经实现了在家工作，主要是从事线上培训、计算机等行业。去特定地点，如公司上班的原因，主要是为了交流方便，未来 AR 的应用、5G 甚至 6G 网络、人工智能将为我们扣除交流的成本、实现在家即可交流的可能。这样，不仅很多城市问题将随之而去，城市也可能变成一个不那么吸引人的地方，交通的进步、乡村的发展、人们对体验的重视、零通勤时间将使得人们从"奔波"中解放出来。

（四）产品更趋向定制化，私人订制将成为常态，知识将代替物质

在未来，产品中将有更多内容是消费者自己参与生产的。这样的结果，将最终发展成为产品的个性化与定制化。例如一个人想要拥有某样衣服，她可以将自己想要的形式表达给制造商，制造商（在将来或许有某种技术可以实现自己在家生产服装）将根据需要生产出产品。由于技术的进步，这种在很久以前由上层阶级可以享受到的服务将在未来普及，这是因为定制成本将趋于为零的缘故。并且由于人们更加在意自我，更在意个人体验，因此商品将更加具有个性化特征。但是市场未必会消失，旧市场也许会发生某种意义的改变，但新市场也会形成，新市场会贩卖"生产模式"等技术产品，毕竟人的精力是有限的，虽然有更多消费者参与到"自己动手"过程中，但还是会有许多专业化部门，只是这些专业化将趋于精尖领域。

在未来，产业结构将发生更大变化，信息产业已经逐渐占据了发展势头，"知识"将取代"物质"，成为更为人所需的产品。如同马斯洛需求理论描述的，在基本生活诉求满足的情况下，人们会去追求更上一层次的东西，例如精神层面的事物。21 世纪兴起的"知识付费"现象已经凸显了这种势头。伴随着知识共享与知识爆炸，未来社会的人类更需要

知识管理能力。

（五）产品的边际成本趋零化，人们的生活将从视觉化变成场景化

在更长远的未来世界，激烈的市场竞争迫使科技发展，创新性的技术使生产率迅速提升，每一单位新增产品的成本趋向于零，生产力得到极大的进步。在该趋势下，消费者购买商品或服务时需要承担的仅为边际成本，且数额越来越低，越来越多的商品、服务逐渐转为零边际成甚至是免费的。零边际成本的触角不断延伸至更多领域，包括可再生能源、3D 打印、在线教育等方面。如在可再生能源方面，技术爆炸式的发展使太阳能、风能的开采更容易，利用太阳能、风能设施的固定成本在短时间内即可回收，这些可再生能源的成本几乎为零。除此之外，物联网的发展将使得全球共享时代来临。物联网是由通信互联网、能源互联网和物流互联网协同组成的有机整体，它持续不断地通过调度能源、生产并分销商品或服务以及回收废物的方式寻找提高热力效率和生产率的新手段。物联网能将人与物通过点对点的方式进行集成和连接，使人与物共同组成一个全球性社区。在这种背景及普遍的零边际成本现象下，人们成了产销者，每个人参与生产的机会增多，与社会经济的协同关系更加紧密，市场交换行为不断减少，而产销者协同共享的行为则越来越多。

从产品的视觉化与顾客的体验化角度分析，我们已经从印刷时代进入到了视觉时代，电影、电视等视频的出现，让我们趋于追求更加丰富的视觉体验。传统的一些视角产品正在被一些新产品所替代，例如报纸，已经被电子新闻、电子音频、视频等替代。如今，AR（虚拟现实）已经成为人们关注的热点，人们可以利用 AR 模拟真实场景，进行游戏、场景体验等娱乐活动，在未来，这种 AR 技术将得到进一步应用，不仅仅用于娱乐方面，人们可以利用虚拟场景，进行工作、学习和生活（贾鹏，2018）。人们的生活将从视觉化变成场景化，反映了人们对体验需求的深度加深，未来产品与未来市场也会更侧重于这方面。

二、未来城市的生活方式

未来城市的生活方式构想源于当今社会环境行为下的模式。随着科技的不断进步、物质的不断丰富，人们的生活方式也会相应地改变。在现代社会，人们的生活方式会随着技术的发展而改变着。科学技术是推动社会变革的革命力量，也是创造城市未来的主导力量。而人们对精神文化需求与物质需要的不断地提高，导致人们在生活方面也提出了新的精神与物质的诉求（宋立民，2018）。基于这些因素的考虑，未来城市将在"衣食住行"四个方面发生革命性的改变。

（一）未来的衣物

1. 个性表达将代替大众着装

未来越来越多小众和新奇的指标将代替原来的流行，衣服从很早开始就不只是单独为遮体和保暖而设计了，而是成为职业、阶级的一种区分方式，是人们身份的表征。这一功

能在未来将更被发挥得淋漓尽致。随着"产销合一"成为新的发展趋势，作为以往服装消费者的大众与生产将更加紧密地结合在一起。比如你自己设计了一套衣服，计算机将会按照你的尺寸进行剪裁缝制。并且伴随着机器人对于普通劳动力的替代，服装生产成本更加低廉，款式也将更加多样，以满足人们对于个性化表达的需求（向明，1994）。

2. 智能服装、可穿戴设备代替传统衣物

衣物的人性化是科技的表达和进步，未来衣物的功能将得到极大拓展，服装产业将摘掉传统产业的帽子成为真正的朝阳产业。比如设计师 Rosie Broadhead 设计的益生菌服装，当身体开始出汗时，益生菌将会被激活，从而消除掉难闻的气味；耐克做的 Air Max 球鞋，当你的脚伸进鞋里时，鞋子感受到了压力，就会自动系紧鞋带；苹果推出的 iwatch 也引领了可穿戴设备的革命。许多国家和科技企业都正致力于开发功能服装，像是用衣服的零件控制手机的智能服，随气温变化来调节温度的调温服；满足个性化设计的变色服和用特殊材料制成，不会吸附污物的不洗服等等。

（二）未来的食物

1. 美味保健营养食品将代替温饱食品

在未来，人类不仅永远摆脱饥饿，还将甩掉营养不良这一难题。就像是前几年 Harvest Plus 和国际马铃薯中心的植物科学家培育出富含维生素 A 且耐旱抗病毒的红薯，以解决在撒哈拉以南非洲地区的孩子们因缺乏维生素 A 和饥饿而患疾病的孩子们。除此之外，由于未来人类生命极限将不断被突破，长寿和保持健康成为大多数人的追求。人们一日三餐的数据将被智能监控和处理，以对人们的饮食提供建议和精准控量，未来食物也将朝向更加饱腹、美味、保健和疾病预防的方向发展。

2. 人造肉、人造蛋、3D 打印肉等人工肉将可能代替天然肉

伴随科技进步和人们对于环境质量的追求、对动物饲养的争议，使得人工食品将成为人们喜闻乐见的产品，而且这一趋势已经越来越明显，因为人造肉、人造蛋这样的食品已经进入市场，人工食品的研制成为投资家的风向标（刘严，2014）。就像李嘉诚投资的人造蛋，Modern Meadow 公司研制出 3D 打印肉。人工合成食品在生产过程中所产生的能耗远小于正常的养殖，也不需要因为担心动植物生病而使用过量抗生素等，并且还具有营养价值高，价格低廉，口感更好的优点（毛巍，2018）。也许现在我们仍然秉持着"天然的就是好的"这样的想法，但未来人们对于人工肉、蛋、鱼肉等这样的产品将会像接受合成纤维和人造奶油一样自然。

3. 外卖的快速食品将成为主流食品

近几年外卖的高速发展证明正是这一趋势的高端，随着生产力的解放，越来越多的女性踏入社会，人们围于厨房的时间越来越短，厨房不再是家居的必备单元，因此未来食物的运输将更加便捷高效。并且减少日常为果腹而进行的做饭时间成为大众的需求，快速食品的市场仍有很大潜力，而且由于人们对于环保和健康的重视，快速食品也将更加卫生、美味、实用可降解包装。

（三）未来的住宅

未来住宅将向生态文化型住宅发展。住宅建设重视环境保护，建立了良好的住宅生态系统，有利于改善城市居民心理健康；住宅个性化设计强，满足各类人群需求，不再是单一的；开放性设计和交往性设计强，扩大公共交往的空间，促进居民之间的交流；注重地域差别和文化差异在住宅上的表现，建造符合地域特征、融入各类交通工具无地域文化的住宅，增强认同感与归属感。

1. 智能住宅

自工业革命以来，人类的生活环境发生了巨大变化，生活品质得到了极大提升。这一点尤其体现在建筑上。在未来，人类的住宅会产生更大的变化。如今，智能家居在现代住宅中已经有所应用，未来的住宅将会进入数控智能化时代，中央处理器帮助人们处理日常生活中的琐事。建筑材料将大部分适用环保材料，可以提供大部分生活所需的能源、资源。例如，房屋外立面装有能转化太阳能的发电器，雨水净化器能收集、净化雨水以供日常生活所需。未来玻璃新材料能够根据房屋内的明亮程度自动调节颜色和透明度。中央温度控制器能够自动调节温度，使室温达到人体舒适温度。此外，各种室内设施能够根据住户的需求自动调整，房间可以从卧室的格局变化为客厅、餐厅、书房等，大大减少空间（周星宇，2012）。未来社会将大大减弱对化石能源的依赖，甚至摆脱化石能源，新的清洁能源将会大量使用于未来建筑，将未来建筑的节能性提上一个新高度，而且能提供更加安全、更加舒适的生活环境。

2. 太空住宅

除了在地球上建设智能住宅外，在未来，科技水平能够支撑人们在太空中建造人类陆地上的住宅——太空站。人们的日常活动空间还将向太空中伸展，像建造太空站一样在太空中建造住宅，甚至可能建造太空城。此外，由于全球气候变暖，如果这一趋势无法遏制，地球表面滨海城市将可能被海水淹没。为应对这一情况，在未来，在海底建造城市也将成为可能，人类可能生活在海底。

（四）未来的出行

在未来，人类的交通运输方式即将发生根本性变化。各种新颖的交通工具能够"上天入地"，无所不往。未来城市交通将依靠一体化、人性化的轻松工具打造卓越的旅行和交通体验。电动汽车和自动驾驶汽车等事物让今天的人们兴奋不已，但这只是个开始。

1. 智能交通

目前人工智能、GNSS 自动导航已经部分应用于汽车驾驶，在未来这将成为常态，并且产生新的交通系统。未来交通智能系统会监控各个路段的车流量，进而通过 GNSS 导航系统调整各个车辆的路线，以防止或者减少堵车的情况。在未来城市中，不仅有地面交通，还有空中交通——各种飞行载器将穿梭于建筑群中，而地下交通也会更加发达。未来的公共交通也将更加便捷，更加快速。例如，在现有的道路上建造超宽高架有轨电车能够增加客流承载量，优化空间使用。有时，未来的技术在世界为它们做好准备之前便已出现。磁悬浮技术便是如此。未来的磁悬浮技术将更近一步，采用高架或地下的部分真空管道来减小阻力，从而实现 1000km/h 的速度。

2. 胶囊或吊舱

各种规模的胶囊或吊舱的多模式连接也是未来交通的重要主题之一。多式联运也许是未来交通运输的发展方向，即一种可安装、拆卸并自动在不同运输模式之间切换的联运乘客舱。想象一下，从家里出发去公司，你只要向系统发一条指令，接着打开房门，进入吊舱，然后吊舱会自动把你送到目的地，当你打开吊舱门的时候，办公室出现在你的眼前。在未来，这些出行方式都将成为常态。

3. 无人驾驶交通工具

未来城市交通动力系统将逐渐向高端化、智能化、无人化和网络化方向转变，交通的能源供给向绿色化、循环化与安全化转变，交通工具将向现代综合交通运输体系转变。人们出行将以公共交通为主，各种共享类交通工具普及。无人驾驶使交通事故发生概率大幅减小，智能交通工具使驾驶或乘坐体验舒适而安心，切换方便人们出行。清洁能源主导汽车能源市场，对环境友好，促进可持续发展。地上交通和地下交通发展完善，地面交通逐渐萎缩，留出了更多地面空间供人类进行生产生活活动。无人机应用到了外卖、快递等各个领域，交通系统效率极大提高。

（五）未来的电子家庭

电子家庭是美国未来学家阿·托夫勒对社会信息化后社会基本单位的称谓。他认为，社会信息化将使生产非中心化和非城市化，千百万职工从工厂或办公室解放出来，回到家庭中。人类在经过工业社会后，回到更先进的以电子科学为基础的家庭工业时代，重新突出家庭作为社会中心的重要作用（刘建明等，1993）。

出现电子家庭的原因是：现代的生产方式越来越向分散化、微小化方向转变，一旦电子计算机安置在人们家中，在家办公就成为现实；日益严重的交通和能源问题，迫使人们要寻找不出家门而办事的途径，当互联网和电讯设备的装置运转费低于交通运输费的时候，电子家庭将普遍出现，社会因素也支持向电子家庭的转移，这种情形将大大鼓励电子家庭的增多。电子家庭的出现将带来社会稳定、减少环境污染，未来的劳动世界，越来越依赖抽象的符号。从一个方面看，这种工作环境会造成更非人性化；另一方面，工作转移到家中，又意味着家庭成员和邻里间富于感情的面对面接触（刘建明等，1993）。

第二节　未来城市的发展特点与形态

未来城市的发展将呈现出立体性、浮动性、智慧性、包容性、公平性、安全性、活性和韧性等发展特点，城市向着更加多维、更加智慧、更加包容、更加公平、更加安全、更具活力和韧性的可持续方向发展[①]。

---

① 本部分内容参考了徐植钫、杨静銮、黄宇金、许堞 2020 年度课堂报告提供素材的内容。

一、立体性和浮动性：未来的多维空间城市

随着科学技术的发展，未来城市的立体性表现在城市向着地上、地下、海上、海下、太空等多维空间拓展，城市位置将由固定到不固定，出现垂直城市、航母城市、漂浮城市等城市形态。

（一）未来的垂直城市

垂直城市最早源于美国作家梵尼·赫斯特（Fannie Hurst），通过《垂直城市》（*The Vertical City*）一书进入大众视野。后来被学者运用到建筑规划中，用作解决城市高密度建设的理论集合。世界高层建筑与都市人居学会（简称"CTBUH"）于 2010 年 2 月在孟买举行了"垂直时代的可持续城市全球会议"，2014 年 9 月在上海召开了以主题为"未来城市——迈向可持续的垂直城市主义"等会议均已将垂直城市的可持续发展提上议程，2016 年的"构建高密度的垂直城市主义"会议上，作为国内垂直城市理念的发起人，美籍建筑师金世海正式将垂直城市理念引入国内[①]。

从垂直城市的基本特征来看，主要包含两部分的内容：①垂直分区（vertical zoning），在单体和规划上体现功能的垂直分区是垂直城市最重要的原则。②可持续性（sustainability），垂直城市的可持续性发展需要体现在三个领域，生态、经济和社会政治。可持续性在生态学指的是生态系统长期保有的多样性和丰富性，经济和社会政治亦然。可持续性具体落实在建筑学中指的是在建造和设计中充分使用自然资源并保证不无效和浪费使用，这种思路可以在建筑建造和材料运输中减小碳排；可持续性在垂直城市中的表达，综合了生态学和建筑学的含义，更进一步指的是垂直城市在解决高密度的城市化困境的同时，在建造和运行中保持经济、社会多样化前提下的可持续性发展并将对环境的影响尽可能地减少（葛海涛，2017）。

垂直城市指一种能将城市要素包括居住工作、生活、休闲、医疗、教育等一起装进高层建筑体里的建筑形态。一般垂直建筑的中央是镂空的，形状可以是正方形、三角形、心形、不规则形等。垂直城市由于楼层较高，为了给背阳面和内部空间有充足的阳光，设计者采用各种反光技术。白天阳光从建筑的顶端射入，通过反光可以把光传递到建筑的任何一个角落（俞挺等，2012）。

未来垂直城市的农业垂直分布在建筑物中，采用无土栽培技术、精准农业技术、设施农业技术等不仅节省了传统农业使用机械、农药、除草剂、化肥、运输和其他方面的成本，还缓解了世界人口增长所带来的土地和水资源的紧张，此外垂直农业有效减少城市热岛效应的作用。

未来垂直城市的制造业采用大量的机器人，人类只需要远程遥控，实现了全过程的人工智能化。人类不需要土、砖、水泥、钢筋等传统建筑材料，而是采用坚韧的纳米型材料，其硬度远超过钢材，所有的建筑材料都可以通过 3D 打印技术生产，再由机器人拼装建材。

---

① 垂直城市的内容根据李建刚、孙继明、靳传芬、孔璐、王浩、伏润得 2019 年课堂报告素材改写而成。

基于现代化技术手段，人类已经可以安全使用太阳能、风能、热能建立循环系统，通过太阳光、风力和温度产生大量的电力，以供照明等使用。

　　未来垂直城市的交通将会从目前的二维平面横向发展转向三维空间立体发展的新结构。建筑与城市在地上、地下及上空构成立体化交通组织，通过不同高度的交通组织，减少不同交通之间的干扰，大大提高交通可达性与交通效率。垂直城市高层建筑之间贯通相连，由最初的独栋发展，逐渐形成建筑之间的线性相连，从未来发展方向分析，未来城市垂直交通逐渐朝更复杂的网状交通体系发展，逐渐向垂直社区发展，利用网状连接而形成的空中露台与公共广场解决城市公共空间的缺失问题。利用螺旋上升的交通空间，将城市空间引入超高层建筑中，解决超高层建筑垂直交通问题。

（二）未来的浮动城市

　　浮动城市的提出，就是为了让人类免受海平面上升的影响，并解决城市经济适用房供应紧张的问题，才考虑寻求更大的生存空间——海洋，对于居住地，未来浮动城市若想被大众所接受，并愿意体验居住，安全则居于首位。浮动城市并不仅仅具有生活功能，它还是人们日常消费、娱乐、休闲的多功能场所，城镇、小区、学校功能完备，设施齐全。未来的设计有无数的可能性，那么未来的漂浮城市究竟是什么样的呢？它有怎样的功能分区，什么样的建筑？人们如何获取食物与水源、处理各种生产生活垃圾以及保证城市的安全性？[1]

　　漂浮城市都将拥有舒适的住宅办公区、充分的娱乐休闲空间。如法国著名建筑设计师文森特·卡勒波特设计了一艘"挪亚方舟 Lilypad"，将拥有海上体育馆、圆形剧院，医院、户外公园、高尔夫球场等各种设施；AT Design Office 建筑事务所设计的漂浮城市水底部则将建成各种酒店，为人们提供独一无二的夜泊环境……让居住在海上的居民跟居住在陆地上的居民一样方便惬意。卡勒波特创作了一个鲸鱼形漂浮花园（Physalia）。漂浮花园的目的是利用生物过滤来减少水污染，可以帮助漂浮城市更好地满足居民需求。Physalia 是一个自给自足的生态系统，在建筑物外层涂满二氧化钛，通过与紫外线发生反应来净化水，屋顶被太阳能电池板覆盖，船底流水带动水电涡轮机产生能源来满足花园能源需求[2]。

　　在漂浮城市下方建立一个海水淡化工厂，利用海洋的水资源来提供城市日常所需用水。而漂浮城市中的居民所需食物也全部在本地种植。例如，利用户外垂直耕作去种植生菜一类的作物，其他的方法还有水培、空气培养等。

　　漂浮城市将利用太阳能、风能、潮汐能、生物质能等提供主要能源。水上部分的所有建筑外立面都可采用特殊材料通过吸收阳光产生光合作用形成能源；位于建筑底部的流水带动水电涡轮机产生能源，因此能量都是可再生的。

　　由于潮水相较陆地有许多不稳定因素，一旦在海洋上遇到风暴等恶劣天气，漂浮在海上的城市将十分危险。因此未来城市可参考 Artisanopolis 设计中的外围圆形墙"破潮墙"，

---

① 漂浮城市根据任浩敏、张晗、崔明洁 2020 年度课堂报告素材改写而成。
② 清理世界河流的鲸鱼形漂浮城市，archgo 建筑网，2017. http://www.ArchGo.com.

它可维持城市内部空间的水面高度，避免气候导致的激烈水平面起伏从而造成的影响；oceanix city 的设计构想是使用一种称为 biorock 的材料锚定在海底，可以抵御洪水、海啸与五级飓风等自然灾害。

早在 2003 年，美国 Freedom Ship 公司就构思了漂浮城市设计，将这座城市设计成为一只容纳 5 万人的大船。船长 1372m，宽 229m，高 107m，共有 25 层，18000 个居住单元，10000 个房间，3000 个商用单位和 2400 个服务室住宅。这艘船会建设学校、医院、购物中心、美术馆、机场、赌场以及一个 100 多英亩的室外公园等，满足居民生活休闲功能。船上需要的能量是海水波浪发电和太阳能以及储备的化石燃料。另外行驶的航线是固定的，主要从美国东海岸经由大西洋进入欧洲，通过意大利前往非洲，路过澳大利亚向北进入亚洲，最终返回美国西海岸，可能这座城市会成为旅游爱好者向往的圣地。Freedom Ship 同样有很多问题，易受天气影响、垃圾处理很难。这座城市相对于其他"浮漂城市"来说更像是一只海上环游的综合性游轮。

2019 年，在联合国人居署举行的一次会议上，BIG 建筑事务所公布了一个可以容纳约 10000 名居民的浮动城市概念设计[①]。BIG 事务所表示浮动城市的出现可以解决住房短缺以及海平面上升带来的危机。他们设想这座城市是一个完全闭环的浮动城市，闭环内是由 6 个群落组成，每个群落又由 6 个六边形模块构成，总共占地约 12hm²。在这些岛上建筑物不能太高，要保持在 7 层以下，创造一个低重心和抗风能力。考虑到自然灾害的影响，利用 biorock 材料将岛屿锚定在海底。这种材料对环境十分友好，硬度比混凝土大三倍，并且随着时间的推移会变得更强来抵抗洪水、海啸等恶劣天气环境。

这座浮动城市区别其他城市在于其可拓展性，他们想未来攻克利用六角形浮动村庄岛屿的效用原理，实现无限复制这座村庄的可能性。居民在岛上生活如同陆地一样，到处都是绿色植物和精美的小型建筑，他们可以轻松漫步穿梭在不同岛屿之间，同时也能利用海上交通工具，驰骋在海上。并且 BIG 事务所对于如何维持浮动城市可持续发展提出部分解决方案，城市需要的水资源可以从天空、海洋和空气中收集，利用净水系统、海水淡化厂将收集的水源变成饮用水。食物来源一方面可以在某些岛上专门种植，以及每个六边形城市分出 32000 平方英尺（1 平方英尺=0.092903m²）用于食物种植，还可以利用海洋养殖，来保证居民自给自足。浮动城市产生的垃圾会被全部收集起来统一识别处理，避免对环境造成污染。

二、包容性与共享性：未来的包容共享城市

（一）未来的包容城市

城市包容性从人本主义出发，可理解为两个层次，一为兼容，即在城市规划、宏观制度方面打破各种排斥性、隔离性、歧视性壁垒，赋予各个阶层、各个族群公平公正的发展机会；二为宽容，即在城市管理、文化建设方面着力营造异质文化族群之间互相尊重、互

---

① 现实版挪亚方舟：BIG 提出"浮动城市"新设想，搜狐网，2019，https://www.sohu.com/a/308181763_656460.

相欣赏、互相接纳的文化氛围和人文心理（王兴周，2017）。未来城市是包容的，它允许任何人，不论贫富、性别、年龄、种族或宗教有何差异，均能积极的、富有成效的参与到城市提供的发展机遇中来，提升自我价值；它允许任何文化，不论来源、历史、形式、群体范围有何差异，均能有效、公平的获得被人尊重、欣赏、接纳的可能，实现文化多元。当然，这里的人或文化都以不破坏公众利益为前提，而且符合时代、社会、城市的主流价值观。

当代城市，不论地域，都存在一定程度的包容性缺失问题，这导致了一系列社会问题的产生，其中国际上城市贫民窟、跨国移民（难民）排斥、种族宗教空间隔离问题，国内城乡二元结构尚存、农民工市民化难的问题较为突出（赵明阳，2018）。这些问题不利于人的全面发展，也给城市带来了未知的隐患。在《新城市议程》中也明确指出，"包容性城市"是三大城市治理目标之一（UN-HABITAT，2015）。

未来城市的包容性体现在对上述社会问题的积极回应。有效改善贫困人口的生活，切实把城市发展的果实惠及给每一个人，消灭贫民窟。处理好移民群体与本土居民的诸多矛盾与冲突，在不损害双方利益的基础上实现共同利益的最大化，增加沟通交往的关键渠道。充分尊重不同的种族或宗教，合理布局城市功能区域，建设融合社区。打破城乡二元结构，消除制度障碍，让每一个人都能公平的享有各项权益。

未来城市包容性的实现路径主要有三个方面，建设完善具有包容内涵的制度，保障各群体的合理利益（何丰等，2012）；多方位深度应用科技，让更多的群体发声，表达合理诉求；注重城市规划与精细化管理，让各项措施有序展开（郑浩生等，2018）。其中，制度建设是根本，科技应用是支持，规划管理是落实。以规划为例，未来城市中开放式街区会是一种趋势，提倡家庭取向的邻里关系，提升街区开放度和包容性，旨在营造文化交流的良好氛围，让城市生活回归人际关系的充分交往。另外，开放而又保留私密的社区空间是未来城市建设的新选择，它鼓励多阶层、多族群、多文化背景的人们混合居住在一起，形成一种超越本底的新社区共识，实现多方位的融合。

（二）未来的共享城市

伴随城市人口增长、低密度蔓延、交通拥堵、职住分离、贫富差距、资源低效利用、环境破坏等一系列城市病的发生，今天的城市最大限度地彰显了文明成果，但也充分体现为这样的文明所付出的代价！让共享重塑我们生活的城市迫在眉睫[①]。

共享城市是在整个城市中，通过商品、空间、服务等资源的快速流通，实现共享剩余资源，降低边际成本，提高城市的经济效益和社会效益，实现所有的市民都能共享到城市文明的发展成果。其目标是使城市居民更加公平、有尊严地享有更加美好的城市生活。

共享城市建设的理论依据包括：①资源具有稀缺性，资源的供给相对需求在数量上的不足。②商品具有交换价值，可以以一定的比例与另一种使用价值的商品进行交换，可在市场上流通。③马克思的货币流通规律，货币的流通次数增加，流通中所需要的货币量就会减少；流通中实际所需要的货币量总是小于商品的价格总额。④供求关系，在商品经济条件下，商品供给和需求之间具有相互联系、相互制约的关系，供求关系直接影响商

---

① 共享城市内容根据韩燕、王宝盛、吴笛、王云、武承钦2017年课堂报告内容改写总结而成。

品价格。

共享城市是按照各尽所能、各取所需原则使劳动者有序自由联合的社会经济形态。在共享社会里，使用权胜过了所有权，可持续性取代消费主义，合作压倒了竞争，"交换价值"被"共享价值"取代。任何可以被共享的事物——金钱、情绪、思想、健康、时间，都将在适当的条件和适当的回报下被共享。任何可以被共享的都能以上百万种尚未实现的方式被更好、更快、更便利、更长久地共享（图9.1）。

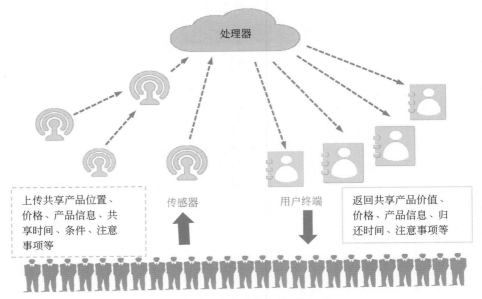

图 9.1　共享城市的运行机制示意图

共享城市的核心理念是，资源的流通速度大幅提高，在不减少社会各群体满意度的情况下，实现人均资源占用量的最小化，降低价格，增多社会总财富，改善职住分离，城市生活的尊严、公平、美好和幸福。共享城市中通过对各类交通工具的共享，交通将变得更加便捷化。通过共享住房或是共享工作空间等措施，职住分离问题将得到有效缓解。

共享城市的主要内容包括：共享单车、共享汽车、共享食品、共享住宅、共享屏幕、共享数据、共享知识、共享其他基础设施等一切可以共享的产品。

三、品质性与文化性：未来的文化品质城市

未来的城市将向着城市品质提升、城市文化底蕴增加的方向演化，把建设高品质城市和文化城市作为重点方向。

（一）未来的文化城市

未来文化城市就是以文化为导向的城市发展思路，促进传统文化和现代文明融合共生，关注营造人文氛围和塑造宜居空间，打造城市品牌，提升城市美誉度，聚焦文化与现

代科技融合培育创新动力，创造永续的经济社会价值。未来城市的文化发展，应在保护与建设的基础上，进一步推进文化的创新。其中，腾讯公司 2018 年在泛娱乐基础上提出"新文创"这一概念，是一种全新的文化生产和传播方式。其更加注重文化内容中的人文价值和文化底蕴，城市文化发展并不局限于传统的历史文化名城名镇，而是全面充分挖掘城市文化特色而形成独特的文化生产机制，生产出有巨大价值的文化产品。未来，新文创将更多地把城市文化元素与商业结合，通过连接多类型的文化业态，实现城市文化价值的最大化；突破作品与产业边界，打通游戏、动漫、电影、小说等界限，在各行各业加入文化元素，进一步营造文化场景，彰显城市文化意象，最终达到用成熟的作品来带动文化产业整体发展。如成都将火锅、川剧变脸、熊猫谷、太阳神鸟等文化元素融入游戏场景中，让更多人通过游戏了解并爱上成都文化；再如敦煌主题的中秋月饼、"王者荣耀"游戏中的杨玉环"遇见飞天"的皮肤等[①]。

1. 未来的主题文化公园

未来文化城市生活中，必不可少的是对那些充满浓郁历史气息的主题公园再现与展示，进而渲染整个城市的文化气息。例如对包公园这种文化气息浓厚的主题公园建设，应以包公故事这种非遗主题文化、精神贯穿整个包公园空间中，再结合现代先进技术真正实现古韵文化与现代科技的完美融合。具体方式可利用数字技术和 3D 体感试衣镜选择包拯时期宋代官服颜色和配饰，从而使市民了解宋代服饰文化知识。利用虚拟编钟，让市民通过可触摸电子屏幕的提示，进行敲击编钟，让廉政等相关歌曲奏响，渲染整个公园的廉洁气息。市民还可通过佩戴 AR 眼镜，进而沉浸在多剧种、高科技、全创新的传统戏曲艺术的文化公园里。

2. 未来的 3D 历史遗址

历史文化遗产凝聚着中华民族博大精深的文化传承，为我们展现了丰富的历史文化故事。具体可分为物质文化遗产与非物质文化遗产两种类型，而作为物质文化遗产的历史遗址，如何正确保护与开发，是城市文化特色传承的重要环节。衡山古窑为唐、北宋和元代时期古窑遗址，它是湖南境内首次发现的具有独特风格的粉底彩釉绘花或高温彩釉绘花瓷器。那么在保护这些遗址不受破坏的前提下，对这些瓷器完美再现给游客全新的视觉体验变得至关重要。具体实现方式可通过激光束投射实体的三维影像，将氮气和氧气在空气中进行小型爆破，从而使其不断发散混合，进而使古窑遗址得以呈现。还可通过空气投影和交互技术，利用分子震动不均衡原理形成层次和立体感很强的古窑遗址图像。

3. 未来的 VR 和 360 全景技术"游览"建筑

我国著名建筑学家梁思成曾经说过，一个东方老国的城市，在建筑如果完全失掉自己的艺术特性，在文化表现及观瞻方面大可痛心。例如，中国传统民居中最经典的建筑形式——老北京地区的四合院建筑，在北京的老四合院建筑上的一砖一瓦，一草一木都很好地体现了中国人"天人合一"思想。那么在未来文化城市中，在对北京四合院建筑进行保护的同时，还可以利用 VR 和 360 全景技术，让游客借助 VR 可穿戴设备或手机"游览"北京的胡同和四合院，在虚拟画面中"穿越"到一二百年前的京城，一睹古都古建筑之美。

---

① 文化城市根据郭炎堤、李雪琴、马丁 2020 年度课堂报告素材改写而成。

4. 未来的城市书房

未来文化城市发展中,书店和图书馆是满足人们精神需求必不可少的存在方式。传统书店应与网上书店错位竞争,扬长避短。传统书店不必与网上书店拼价格、拼书目全面,而是应该在书店环境、氛围上下功夫。选择咖啡馆式的经营,销售饮料、提供沙发,将书店转型为舒适的阅读场所等多元化经营模式至关重要,也可以组织签名售书、专题讲座、读者沙龙等丰富的读书活动,使保留下来有特色的传统书店成为一个城市新的文化地标。以国外的独立书店和国内诚品书店(文创品牌"诚品生活")为例,未来文化城市建设中传统书店应是向独立书店和品牌书店的方向打造。城市书房运用现代化技术实现一体化图书馆服务并具备多项图书馆基本服务功能。城市书房是一种藏书场馆的体验形态,给未来的城市惠民提供更好的阅读体验和更加丰富多彩的文献资源。城市书房因工程小,在城市分布广泛弥补了大型公共图书馆这一缺点。城市书房可以满足读者就近借还图书,给读者带来了巨大便利,并且24小时免费开放,给读者提供了更加灵活的阅读时间。总体来说,城市书房可解决城市中图书馆分布不均衡的现象,补充完善公共图书馆体系,深化公共图书馆服务。未来城市文化发展中,城市书房可能会覆盖更多的大中小城市。

5. 未来的博物馆

野生动物康复中心可发展为活态文物的诠释性策展,它将濒临灭绝的动物置于休养所,帮助其繁衍生息,借此教育公众。野生动物康复中心目的是恢复动物与人类文化和自然环境的和谐共处。"活态文物博物馆"包括"活着的"动物以及可能在博物馆中赢得"文物"地位的动物。纳入"猛禽主题""野生动物教育""城市化对野生动物的影响""城市居民在野生动物管理中发挥的作用""牧场文化中心展品"等主题。未来的博物馆将会有以下发展趋势:①可及性。②更加注重用户体验,根据观众而量身定制博物馆的内容和体验。③改进内容策略,为观众提供有意义的以用户为导向的内容。④互动式、浸入式讲故事的体验并配有高清的图像。⑤应用程序完善,室内定位技术还需要改进。⑥数字化战略。⑦数据分析,让博物馆改进服务效果。⑧虚拟现实,让虚拟现实提供有意义的浸入式体验,在于对内容和情境的打磨。⑨信息开放聚焦青少年观众。并鼓励公众参与。

6. 未来的学习型社区

开展社会学习活动、创造不断进步、不断创新的城市精神文化氛围的社区为学习型社区。以南京市推进学习型城市建设为例。强化热爱社会教育事业的社区教育工作队伍;开放线上学习网络体系,提供图书阅读、信息交流、慕课学习、资源管理及社会服务,包含社区建设、法律法规、养生保健、文化艺术、心理健康、企业管理、生活休闲、时事民生、生态环境等知识体系,适用全年龄阶段人群。建设老年大学、推广学习资源,做到"老有所学、老有所乐、老有所为"。未来文化城市建设中,学习型社区十分重要。

(二)未来的品质城市

城市发展的品质是指城市发展的质量及人高质量生活的满足程度。高品质的城市要求在城市基本功能充分发挥,人的基本需求充分满足的基础上,给予人们更舒适的生活和更和谐的人地关系。

1. 未来城市的环境品质

未来城市的品质也体现在环境、交通、住房和社会的优化改善。环境方面，生产生活中实现资源节约和环境友好，污染物大幅度减少，并在部分部门实现零排放，同时人文与自然景观的相融合，人与自然能够有机融合和互动。交通方面，拥有安全、快速、便捷的交通体系，实现需求和交通设施供给间的平衡。住房方面，每个人能拥有舒适得体的住宅和私人空间，住宅用地得以充分利用，既没有"蜗居"现象，也没有空城空房，同时房屋质量得以提升，生活基础设施得到保障。社会方面，不同人群的生活需求得到充分满足，"老有所终，壮有所用，幼有所长，矜、寡、孤、独、废疾者皆有所养"，同时，未来城市能够为满足不同个体的社会需求创造多样化条件，生活品质提升的同时其社会价值也得以实现。

2. 未来城市的服务品质

城市建设过程中，提升城市品质主要通过基础设施的优化调整得以实现。未来城市建设将围绕全生活链服务需求展开，以人本化、生态化、数字化为价值导向，以邻里、教育、创业、居住、交通等场景创新为引领。智慧化管理能源、水电、通信网络等市政基础设施，最大限度为人们生产生活的需求提供坚实保障。住宅用地的按需规划，现有住房的合理整合，市场和政策手段相互配合调节住房价格，保障住房品质。优化学校、医院、博物馆等公共服务设施及相关专业人员的配置和布局，巧妙利用技术实现部分服务的远程化，满足人们生理和精神多层次的需要。建设多维度、网络化的交通体系，智能化管理和调配交通工具的分布和调度，以缩短人们出行的时间成本。街道是与居民关系最密切的公共场所，也是最基本的公共产品，通过以"人"为核心而不是以房子或以车为核心的街道设计，为人们提供舒适的生活体验。公共空间在城市中扮演更加核心的角色，穿插构建更加包容的公共空间，整合居民的日常生活，人们随时都能与他人交往、与自然接触。同时，城市建设应与当地自然环境相适应，与生态功能相协调，结合规划、治理、设计、科技多种手段改善环境，减少污染，并建立人与自然维系起来的纽带。

四、公平性和安全性：未来的公平安全城市

（一）未来的公平城市

城市的公平是指空间单元的城市公共服务设施可达性与居民的社会经济地位或社会需要程度是否存在联系（湛东升等，2019），其内涵一般认为包括水平公平和垂直公平，水平公平认为相同环境的人应该被同等对待，而垂直公平则认为处于不同环境的人应该有区别对待（Truelove，1993）。城市公平是针对现实中许多城市服务分布存在着不公正现象，在国外主要表现为种族的隔离，而在中国则表现为半市民化的外来人口与中低收入群体（江海燕，2011）。

公平分配有限的公共物品是政府的重要职能之一，但改革开放后，我国偏重效率的发展道路使得城市在效率优先的指导下，以各类建设项目的快速开展、人口的大量集聚为目标。当今城市存在的二元城乡问题、城市中的社会问题就是由于效率放在首位而少考虑其

他社会要求而导致的。《国家新型城镇化规划（2014—2020）》将"以人为本，公平共享"定为首要原则，强调人的全面发展和人的公平正义，在追求经济发展的过程中，城市发展的公平性需要被提到更重要的地位。

在过去的城市发展中，追求高经济增长的发展与城市中"人"个体需求矛盾的日益激化，城市公平研究中，经历了从"地的公平"转而关注"人的公平"的变迁，越来越体现对人个体的关注，更关注实际享有结果的公平性而非空间单元上的均衡性。随着地理信息技术与区位配置模型的快速结合，不同社会群体的人、微观个体的人的各种公共服务可达性和满意度得以被更好的测度，公共服务能够被更好地配置。在城市发展的过程中，无论是发展的外部环境还是内在逻辑，都要求城市发展必须对公平更加关注。

可以预想，未来的城市，一定是更为公平的城市，不同类型的公共服务设施建设能够为全体城市居民共享，走向公共服务的均等化。医疗、教育、开敞空间、绿地……未来的城市公共服务设施，将走向每个人，无论是外来流动人口、低收入群体，还是残障人士、老年人、儿童，都将享受到公平的待遇，城市将是一个充满公平的和谐城市。

（二）未来的安全城市

人类已经进入风险社会。城市作为最复杂的人造物，承受着多种灾害和自身多重脆弱性的极大风险。在面临未来城市多元不确定风险和挑战的趋势下，保证城市安全是城市发展的首要原则，也是城市管理的核心目标。从社会认知的角度看，安全是一种相对认知，其在本质上体现了一个社会或其社会成员在互动中对其生存环境的一种判断（李格琴，2009）。在马斯洛的需求理论中，安全感位于最底层，是实现人类更高层次需求的基础。安全需求的满足与否是城市健康发展的基础，是衡量城市安全的重要标准。

从自然灾害对城市安全的危害到社会治安案件对城市的影响，从工业灾害到地下管线发生问题对城市产生的损失，从火灾到交通事故频繁发生，以及公众场合的踩踏事件、中小学幼儿园的伤害事件等，说明了城市安全问题存在的现实及其严重性（任致远，2011），也让人们认识到建设"韧性城市"来系统化解风险、抵御灾害、应对挑战的重要性。城市发展韧性主要表现为在各种慢性压力和急性冲击下，特别是在遭受突发事件时，例如2020年初的新冠肺炎疫情就是一种典型的急性冲击，城市能够凭借其动态平衡、冗余缓冲和自我修复等特性，依然保持抗压、存续、适应和可持续发展的能力。城市作为一个社会系统与外部扰动之间循环实现平衡的过程，其发展和进化就是这一动态平衡的结果。城市安全性高低实质上取决于城市韧性的强弱，韧性强的城市具备多样性、适应性、模块性、创新性、快速反应能力、充足的社会资本以及良好的生态系统，对不确定性扰动的适应和调整能力强，遭受外部冲击时损失小，存续机会大。

基于韧性城市的视角，城市安全管理策略主要体现在基于韧性的灾害管理、基于韧性的城市规划和基于韧性的城市社区建设三个层次，由此形成了城市对灾害韧性、规划韧性和社区韧性（高恩新等，2016）。灾害韧性需要未来城市在面对自然或人为的原生或次生灾害时，构建一种把抵御性思路与地理空间、经济社会等有机结合的措施，充分利用城市各要素适应灾害。第二个层次是韧性规划，无论我们如何严阵以待，下一个灾害永远有可能在人类最不设防的地方袭来。规划应具有前瞻性和危机意识，为城市预留处理紧急公共卫生事件的空间。传统城市安全规划主要是根据灾害源分门别类制定的专项规划，多为针对自然灾害或单一灾害的安全措施，然而在未来风险社会背景下，单一的城市防灾规划已经难以应对（陈宇琳等，2013），亟待开展系统性反思，结合突发事件影响范围和严重程度的差异，制定更多的发展情境（从 plan B 到 plan X），提前做好韧性空间规划，且与灾时更扁平化的治理体系相协调。

社区是城市安全防御最基本的社会单元，建设韧性城市要匹配韧性智慧社区，层层落实网格化覆盖至每个封闭管理的最小空间单元。基于数据和科技的支撑，未来社区管理将由粗放型向精细化转变，业务模块从单一作战、单向传输变为联合协同、双向传输，从而实现以人为本的人居新体验，例如门禁系统管理、楼宇对讲管理等。另外，基于条块事权切分的常态管理机制，由于管理层级过多和跨部门信息不对等，难以满足城市应急状态下的高效性要求，因而未来需要借助大数据和互联网等技术，以及民间专业救援机构、志愿者等力量，推进治理体系的扁平化建构，构建有效地公共政策参与机制，注重社区邻里空间的营造，通过有效地信息传播和自组织推动适应性社区建设。

五、活性与韧性：未来更具活力韧性的城市

（一）未来的活力城市

城市活力是指一个城市对实现经济社会发展目标及对生态环境、能力提升的综合支持程度（刘黎等，2010）。包括经济、社会、环境、文化等多个方面的活力，且这些方面联系紧密，共同构成城市活力的多个维度。城市空间是活力的具体表达场所，具有代表性的如街区、公园、滨水空间等，近些年受到诸多学者的重视（陈喆等，2009）。城市空间活力是一种受城市空间形态影响的城市活动。未来城市是有活力的城市，它具备旺盛的生命力，适度的人口，繁荣的经济和丰富的功能，经济、社会、文化各要素协调持续发展。人类在其中能够充分表达自我意愿，并且人与人的充分交流碰撞出无限的火花，个人价值也随之得到有效实现，这与马斯洛需求理论的最高层级相互呼应。

简·雅各布斯在《美国大城市的死与生》中从特性、多样化的条件、衰退和更新等方面生动地解构了缺乏活力的城市（俞孔坚，2006）。由于社会、经济、文化发展不充分，当代城市活力表现确有不足。经济方面，劳动力、资本、技术、资源等生产要素在空间中流动不够通畅，配置不尽合理，无法形成有层次的、强有力的经济活力节点，应对经济危机的能力较差。社会方面，个体市民的意愿无法充分得到有效的表达，受技术等限制尚未形成系统的渠道，政府和个体之间缺乏有序组织的小规模群体层级，信息流动效率低，活动组织难度大。文化方面，人与人之间缺少思想交流的空间和机会，无法形成受众广、价值高、持续长的新思想和新潮流，人类对于陌生文化思想的接受度、包容度较低，精神需求经常被忽略。城市成了只是工作、休息的场所，缺乏对人文精神的深度关注，也就无法吸引新要素的加入。

城市地理学主要从空间角度回答未来城市活力的实现路径。街道作为多种功能的复合体，不仅提供者交通功能，而且也融入了人们的日常生活、商业、游憩等多种功能。它就

像城市的血管和动脉，是城市建设中最基础、最重要的活力源泉。对于城市街道的良好设计，不仅能塑造城市形象，也是在重新组织人们细碎生活。未来城市的街道设计相比物质要素更注重人的活动，以营造活力为目的。例如以慢行（步行与自行车交通合称）优先的规划。公园是城市开放空间中较为集聚、空间类型多样的绿地形式，成为城市居民闲暇放松、恢复体力和进行日常游憩活动的首选场所。未来城市的公园会嵌入进城市空间，以数量多、功能全、人性化为特点，满足市民生态需求和精神放松。另外，未来城市强调混合用途开发是城市生活的精华，其核心是在场所中融入惊奇与愉悦感，可以通过特别社区活动、有趣的公共艺术、恰当的组合等来实现。当然，未来城市活力的空间设计还有许多方面，其核心是对公共空间重新认识和有效利用（童明，2014）。

未来城市充满了无限的可能，它的社会特点亦是无可详尽。反映对当下世界的反思以及对未来社会的期待。同时，这些社会特点随着人的需求层次提升而递进，而且相互联系紧密，不可分割。或者说它们本身就是一个整体的不同侧面。未来城市社会结构实现路径，需要经济、政治、管理等多学科的共同参与。

（二）未来的韧性城市[①]

韧性（resilience）是指系统在外部扰动时恢复稳态的能力（Holling，1973），通过系统对扰动的抵抗能力和系统恢复到平衡状态的速度来衡量韧性大小。从工程、生态、社会等多个方面考察韧性的定义后，学者们认为韧性具有抵御外来冲击的吸收、适应、恢复等能力（Berkes，1998）。具体而言，这些能力体现在应对冲击的不同阶段：前期抵御阶段吸收扰动带来的负面影响，进而保持核心功能；中期恢复阶段主要修复前期受损部分以恢复原有功能；后期适应阶段通过学习来改变自身结构特性来应对未来的不确定性干扰（邹亮，2018）。

城市韧性是指城市（个体、社区、机构、商业体或系统）在遭受到任何持续慢性的压力或突然的灾害冲击时生存、适应并发展的能力，是降低风险和应对"未知"的城市基本特性。城市韧性以注重效果为导向，更加关注城市的灾害抵御能力、影响吸收能力、未来适应能力和自我恢复能力。其中，灾害抵御能力是城市面临自然灾害的第一层防护，城市各系统具有鲁棒性，在灾害突发时，即使没有及时的预警，也可以依靠自身的抵御能力较为稳定地运行，为采取有效应急措施争取时间；影响吸收能力是城市通过本身物质系统和社会群体，在采取应急措施之后对于冲击带来的负面影响进行一定程度的吸收，甚至可以通过智能化、高科技手段充分利用灾害中的能量，将其储存起来以备城市日常使用；未来适应能力是指城市在经历风险之后能够自我适应以获得对应风险的"免疫力"，即通过基础设施、制度、社会等方面的规划设计，主动或被动地调整原有的生产组织方式，提前预防可能发生的干扰和冲击；恢复发展能力是城市在应对灾害、冲击之后具有趋向于原有稳定状态或者新的均衡状态的恢复与发展的能力，即通过灾后重建等方式快速恢复原有城市功能，同时对原有功能进行一定改进或衍生出新的功能。

[①] 韧性城市根据鲍文楷、郭越、黄莘绒、薛嘉顺、杨航 2020 年度课堂报告提供的素材改写而成。

城市韧性包含可持续的物质系统和社会群体两部分，具体的实现路径可以从基础设施韧性、生态韧性、经济韧性和社会韧性等角度理解（Alberti，2003）。其中：

基础设施韧性是指在灾害发生时抵御灾害、吸收损失并及时恢复至正常运行状态的能力，包括生命线工程的畅通和城市社区的应急反应能力（邵亦文等，2015），在未来的智慧城市阶段，应当具有一定的自我恢复能力，物联网、互联网、通信网等智能化网络及管理体系能够在一定干扰限度内保持正常运行。

生态韧性的主要特点是可能存在多个稳态，甚至形成新的平衡状态（Holling，1996）。在城市建设过程中生态韧性更加关注城市系统的生存能力，而不着重考虑城市能否恢复到原有状态。生态韧性不是指城市生态系统的韧性，而是从生态系统的运行规律中得到的启发而形成的一种理解认识，其建设应注重参考生态学思维。

经济韧性是系统面对冲击时，抵抗冲击影响避免脱离发展轨迹或通过适应恢复实现经济持续发展的能力（李连刚，2019）。在宏观层面上，城市韧性表现为城市经济和产业系统应对冲击的能力（Martin，2007）；在中微观层面上，主要表现为公司、家庭、个人等的经济干扰应对能力（Rose，2004）。尽管同样强调气候变化带来的冲击和影响，经济韧性更加关注其对经济活动和居民生活的影响。

社会韧性是社区或者人群应对由社会、政治和环境变化带来的外来压力的能力（Adger，2000）。可以通过健全城市各种网络组织的保障体系、灾难预警机制以及紧急应对策略，来提高城市系统的社会韧性，提升社区层次为主的抗压能力（蔡建明等，2012）。城市社会韧性能够在一定程度上应对交通堵塞、股市动荡、房价波动等问题，在社区、企业、个人等方面均有体现。

未来韧性城市通过完善城市规划、建设与管理，能够在灾前预防，灾中应急以及灾后恢复方面对极端天气事件引发的气象灾害有效应对，保证城市生命线系统正常运行，保障人民的生命财产安全，保持城市经济、社会运行的稳定。将具备气候适应性的城市基础设施与建筑、智能高效的风险预警系统、完善的灾后恢复体系和反馈机制。未来韧性城市可以以较高的灾后重建速率，通过空间再造、功能重组、生态修复等规划手段解决城市建设中对于气候灾害应对能力欠缺的历史遗留问题。同时，基层社区管理能力充分发挥，对居民进行经济财产、身体健康、心理创伤等多维度的灾后评估并提供物资、医疗援助，对社会弱势群体的灾后救援有适当倾斜，以最大限度实现在会后社会和谐稳定（肖文涛等，2020）。

未来韧性城市不仅能够针对疫情发挥抵御、吸收、恢复、适应等功能，更体现在快速、高效等方面，能够有效预防风险、快速识别危机、及时采取措施、有效调整适应，最小化负面影响的同时对于未来防控做出预测性安排。将通过大数据和数字化平台等智能化管理手段，有效调动公众参与，完善防疫宣传，保障公共卫生，降低疫情风险；通过智能化、精细化的措施，应对疫情冲击，满足社会公众差异化、个性化的健康需求（梁浩等，2020）。将健全免疫机制，通过大数据智能化分析和社会各界经验指导，针对性地开展应急处置与救援协调指挥、突发公共卫生事件的预警控制、流行性传染病患者的安置与隔离等日常管控，应急处理能力得到进一步的加强，城市韧性进一步提升。

第三节　未来城市的主要功能

同今天的城市一样，未来城市的主要功能仍然包括数字经济功能、智能社会功能、智慧服务功能、创意文化功能和立体生态功能等，只是城市发挥这些功能的表现形式及技术手段完全不一样①。

一、数字经济功能

（一）未来的都市农业

未来城市的农业活动将以可持续为目标，高效利用生产空间，发展都市农业。都市农业，以大都市市场需求为导向，以园艺化、设施化、工厂化生产为主要手段，以发展观光休闲农业、市场创汇农业、生态绿色农业、高科技现代农业为标志，是一种融生态性、生产性、生活性于一体、高质高效和可持续发展相结合的高科技现代农业（刘长运，2006）。

联合国粮食及农业组织 FAO（Food and Agriculture Organization of the United Nations）在 21 世纪初将都市农业定义为，在城市或城市周边进行农业种植和家禽家畜养殖，为城市提供新鲜农产品的同时具有生态、社会、休闲娱乐等功能。它是一种在城市范围内进行的，直接服务于城市需求的特殊的农业活动（Smit，1996）。

都市农业既可为市民提供所需的各种鲜活农产品，也提供了独特优美的休闲娱乐互动场所，同时提高了人们的生活意境和品质，全国各地开展的多种"农业嘉年华"活动，就是具有浓烈都市农业性质的活动。都市农业有着生产性、可持续发展性、休闲观赏性以及现代科技性四个特征。

第一，生产性。具有传统农业的生产与经济功能，可向城市提供清洁无污染的新鲜蔬果，满足城市居民物质生活的需要。

第二，可持续性。都市农业的农田、菜园、果园、草坪、花园等是城市之"肺"，可以净化环境，维护生态平衡，提高城市环境质量，创造良好的生活空间。

第三，休闲观赏性。都市农业具有传统农业和观赏性景观的双重特征，除了传统农业的休闲娱乐功能外，还有现代景观的观赏功能。例如，秋季成熟的果实不仅可以供市民进行采摘活动，体验从事农耕的乐趣，还形成了独特的景观观赏效果。

第四，现代科技性。与传统农业相比较，都市农业处于优势地位的不是劳动力（数量）和土地等资源，而是先进的技术资源。因此，都市农业是科技型农业。

基于目前已有的都市农业概念设计，已有的芝加哥北格兰特农业公园、北加州苹果园别墅、土耳其屋顶花园、加拿大城市蜂巢、法国罗曼维尔农业塔楼等都市农业模式可供我们借鉴参考。其中法国罗曼维尔农业塔楼这个涉及未来感更强烈一点，它的设计理念基于

---

① 本节根据段帅飞（经济功能）、冉娇娇（社会功能）、孙晨曦（服务功能）、张树宝（文化功能）、任庆柳（生态功能）2020 年度课堂报告提供的素材改写而成。

两个基本概念，①通过优化建筑体量来使更多的农作物接收到阳光；②在结构的处理上，考虑了其作为住宅建筑的可能性，这也意味着，它是一座垂直型的社区农场。

我国现代都市农业的实践探索始于 20 世纪 90 年代初以上海都市农业模式为例，上海先后在浦东孙桥、闵行马桥、宝山罗店、东海农场以及南江新场等五处开展了都市农业试点，应用高新技术建设设施农业，分别从荷兰、以色列引进了自控温室工程，采用无土栽培、电脑温控、园艺化生产等世界最先进的农业科学技术，开展了以温室工程、种苗工程、生物疫苗和生物农药工程、绿色工程为主要内容的研发和建设，取得了丰硕成果。未来都市农业将成为大中小城市郊区发展的主要方向。

（二）未来城市的人工智能产业

未来城市的人工智能产业是创新能力较强、市场引领作用显著的产业，如传感器制造业、基础集成电路支撑产业、量子计算机终端制造业、万物互联与智慧产业等，这些产业具有高增长、高技术、高附加值等特征，对优化产业整体结构、提升区域劳动生产率具有重大促进作用。以人工智能技术和物联网为核心的科学技术及服务成为现代城市发展的动力，推动着城市优化资源，改善结构，智慧运营。

未来城市建设离不开物联网、云计算等技术的支持，而物联网涉及的技术是一个大集成，将带动大规模产业链的形成（表 9.1），包括物联网网络服务业、物联网基础设施服务业、物联网设备与终端制造业、物联网基础支撑产业、物联网软件开发与应用集成服务业和物联网应用服务业（巫细波，2010）。与现有的通信网络技术相比，物联网不但增加了传感器等数据采集设备，还增加了数据处理设备和软件，不但大大提高了信息传输和数据处理速度及效率，还极大扩展了城市功能，创造了新的服务模式，为工业企业服务转型提供良好契机。

表 9.1　物联网产业类型

服务业	应用服务业	行业服务、公共服务、支持性服务等
	应用基础设施服务业	云计算、存储、数据分析服务等
	网络服务业	M2M 信息通信、行业专网信息服务等
	软件开发与应用集成服务	基础软件、软件服务、软件中间件、系统软件
制造业	设备与终端制造业	网络通信设备制造、导航定位设备制造、计算机设备制造等
	传感器制造业	传感器产业、RFID 产业、智能仪表仪器
	基础支撑产业	集成电路、嵌入式系统、微机电、微能源

以人工智能技术为依托，发展全领域的人工智能产业。技术改变生活，人工智能技术将重新定义我们的生活状态。当人工智能介入我们的生活，特别是娱乐的时候，一切又将大为不同。以娱乐相关产业为例，如教育的游戏化、基于人体传感器的饮食智能化以及人和机器人之间的幽默博弈等。

（三）未来城市的智能服务业

在未来，随着物联网、大数据、人工智能等技术的发展，未来城市的现代都物业将进一步拓展。一方面，人们日常活动的空间范围已经突破传统实体空间的桎梏，发展成为实体空间与虚拟空间并存与交互联系的局面，另一方面，城市居民日常活动受时间的约束越来越小，生活空间将表现出多样化、复合化、移动化等特征，城市服务业的形式也越来越多样化、个性化和智能化。在先进技术支撑下，未来城市的服务活动从居住和活动场所，到交通运输、再到城市治理和公共服务等方面都将会焕然一新。

1. 居住和智能机器人服务

在居住和活动环境方面，未来人类的生活居住和活动范围将不只局限于陆地，会慢慢扩展至地下、海洋甚至太空之中，会出现地下娱乐区、海上小区、太空活动区等不同的类型。在居住和活动场所内部，智能显示、设备互联以及 AI 等技术将充分应用。全息投影、VR、建筑级数字显示屏幕等智能显示技术的应用将极大改变居民的生活娱乐方式；设备互联技术的应用使我们用一台手机就可以管理和控制家中、办公室的设备；高度智能化的机器人可以成为人类的家庭或单位管家，极大减轻人类的劳动压力。

2. 高效快捷、自动驾驶的立体交通运输服务

在未来，交通运输技术将会得到极大发展，人们的交通出行将更高效、快捷。

（1）新型交通工具的出现将扩展人类的出行方式，加快出行速度，如真空管道中的轨道运输、新型飞机和船舶、个人飞行器、航天运输机等。新技术的产生使得高效的综合交通枢纽的建设成为可能。通过地上、地面及地下空中空间的综合利用，可以有效地将城市间、城市内甚至星际间多种交通方式的站点集中在相近区域内，提高运输效率。

（2）立体交通网络、自动驾驶以及车联网等技术的应用极大提高城市内部的通行效率。地上、地面以及地下三个层面共同构成立体的城市交通网络，维持着城市的高效运行；自动驾驶技术的应用解放了驾驶员，改变了人们的出行方式，能够满足特殊条件下的交通需求；车联网技术可以通过大数据计算优化交通出行方案，提高交通系统的互联互通水平，有利于扩大交通运输系统的通行能力，缓解交通压力。自动驾驶技术不仅解放了双手，还可让城市中所有的汽车通过网络互连，统一由控制系统协调调度，甚至未来的路口都可以考虑取消红绿灯。在未来，自动驾驶汽车可以用手机选择行程的起始地和目的地，汽车就会自动过来将你送到目的地，极大地提高行驶效率。

（3）快递派送将摆脱人工配送，转而采用无人机快递配送、无人车等方式进行配送；伴随着大型高层建筑的增加，电梯的使用方式或得到进一步发展，例如大型建筑内的横向运行电梯等。

3. 更加完善健全的教育服务

未来的教育将充分运用先进的技术，从而实现 VR 下的虚拟网课和 AR 下的未来课堂。随着人脸识别技术的发展，老师可以利用人脸表情识别系统，来判断学生上课时的状态，进一步判断学生对所讲内容是否掌握；基于机器视觉的自动批改技术不断进步，智能批改作业机器人将对作业自动批改，从而减少教师的工作量；基于大数据的自适应学习技术，系统通过图像识别、表情识别等手段收集了学生学习大数据后，可以针对不同学生提供个性化的教育；VR 技术的发展使学生们可以在家里甚至任何地方进行学习、上课，一些因病不能到校的学生也可以实时参与课堂学习。

　　未来的教育将从目前的个性化精英教育阶段，演化为集体性的大众教育阶段、再演化为个性化的大众教育阶段。在未来，快速搜索、阅读、整合、比较、利用知识的能力比起背诵、记忆大量知识更加重要，比起写作文更加重要。可以将孩子安全地接入到网络虚拟世界的工具。随着移动技术的发展，可让虚拟与现实世界重合，让知识从"失去情境"的书本上，重新回到知识发生的地方再现，让孩子可在现实世界中随时随地的学习，强化记忆，增加无穷的乐趣。

（四）未来城市的旅游业

1. 实现全民深度旅游

　　未来城市不仅充分发挥原始的旅游资源价值，而且其他虚拟形式的旅游资源将更加丰富。MR 深度旅游结合了 VR 和 AR 旅游的优点，实现了真实和虚拟两种信息的相互补充与叠加。不同于 VR 的完全虚拟和 AR 的随时移动虚拟，MR 实现了游客不同定位的实时场景变换。比如，城市当中的旅游，游客通过 MR 清楚了解城市各个地域空间的前世今生，且随自身移动实时变换场景，身临其境地体验过去街区、建筑的模样和它们背后的故事。未来城市的旅游发展不仅是游客自身的旅游享受及体验，同时也便利居民的享受。导游的居民化，当地居民成为导游向导，成为全新的"城市炼金师"和"形象代言人"，与游客亲密互动，利用灵活的城市公共空间、讲述未知而有趣的知识，复魅城市文化，同时带领游客成为更好的"城市居民"①。

2. MR 全感交互的想象城市，太空中转城市出现

　　MR 全感交互技术，在声觉、听觉的基础上实现人类全感官体验，穿戴设备也将极简化，使得旅游体验更加多元且深入。MR 旅游全感交互的出现将会极大突破这种地域限制。不同的人、不同的时间对每个城市的全感官体验会有极大不同，我们会借助 MR 的全感实现，根据每个人的不同心境和自身爱好，放大感官感知，呈现不一样的城市场景。城市之间的公共场所服务信息实现全感官的信息记载，可实时且真实地全感官传达给游客。例如，想要体验的美食店，美食的情况实时全感官传给游客。其次，游客还可以拥有个人专属的虚拟旅游伙伴。虚拟旅游伙伴会根据个人游客兴趣爱好和实时的城市服务场所信息，安排私人专属行程并全程陪伴。这种情况下，每个城市都将变成个性化的想象城市。

　　全球高速远航，太空中转城市的出现。火箭实现地对地城市之间的旅行，带人们全球高速远航。火箭可以在 1 小时内到达地球任意地点，多数国际航线仅需半小时完成。火箭交通方式的转变，国际旅游变得更加便利，而各个城市之间的空间联系也将变得更为紧密。地对地旅游更加便捷的同时，地对空的各类旅游服务设施也逐步完善，真正的太空平民旅游将不再是梦想。旅游过程不只是太空的单纯观光游览，还有各类太空中转站，实现各类旅游服务补给，提供食住行游购娱的全方位服务。

---

　　① 未来城市的旅游业、影视业、游戏产业由李云瑶、郑陈柔雨、张静、张梦朔 2019 年度课堂报告改写而成。

3. 将迈向宇宙旅游时代

人类去往各个行星居住，若干个星球或星系组成城市经济区，一个星球具备城市功能，其他星球或星系是其腹地。经济区管辖下的部分星球或星系因具备回忆资源和未知探索资源而被开发为旅游点。游客若前往旅游点，需要在具有城市功能的城市星球中转，城市星球提供信息咨询、通行入球证、游玩设施设备供给和游玩能量补给等服务。游客在旅游点的游玩过程中，有极大的旅游自主权，可以完全根据自己的兴趣爱好进行追忆及未知探索。若有求助的时候，可直接联系旅游点所属的城市星球。综上，未来的宇宙旅游城市将主要集中于旅游中心枢纽和旅游服务设施供给补给功能，提供旅游中转、旅游进入、旅游咨询、旅游补给、旅游救助等服务。

（五）未来城市的影视产业

1. 个性化影视作品制作，郊区影视城迅速发展

影视作品将会趋于多元化，剧情走向不再是单一化设定，观众可以根据自己的喜好，选择悲剧、喜剧等，在剧情重大转折处也可以选择观看主角不同选择之后的不同剧情走向。私人观影体验将逐步接近于影院体验，影院在音效、视觉感受以及观影舒适度方面会进一步改进，在 3D 效果、IMAX 等私人观影较难具备的优势会被影院进一步放大。在线下影视体验方面，游客参与体验方式更加多样。现在的体验形式多是影视城的参观游览以及内部的实景演出，景区可以招募有兴趣的游客培训参演影视城内演艺节目。游客参与体验方式更多的注入高科技元素，除了 MR 等技术让游客切身体会外，在真实场景中，游客可以亲身体验拍摄制作，尤其对于科幻或玄幻题材电影，体验特效场景，自助拍摄自己喜欢的片段。随着影视作品对取景地需求的增多，郊区影视城会越来越多的涌现。影视城的出现可以带动一大批与影视产业相关的产业发展；可以改善当地旅游交通，拓展城市空间；优化当地产业结构，带动第三产业发展。但是近期内影视城的无序同质竞争可能依然会存在，横店影视城等高品质的影视城依然保持较大竞争优势。

2. 私人订制影视作品，形成影视主题城市

影视作品更加趋于多元化、个性化，通过大数据、芯片等途径采集观众的性格、观看倾向等信息，个性组合观众喜欢的剧情，甚至根据观众潜意志决定剧情导向，使得影视作品可以进行智能化的私人订制。私人观影体验将等同于影院体验，影院的强竞争力主要体现在表现形式与感官刺激上，成为对影视作品由衷偏好的特定人群的选择。在表现形式方面，影视作品与话剧的优点能够互相结合，既能有话剧身临其境的融入现场的感觉，又保持影视作品中的场景快速转换以及视觉特效等特点。随着太空间交通的便捷，宇宙间其他星系可以成为电影取景地。

（六）未来城市的游戏产业

1. 电竞综合体与电竞小镇不断出现

未来城市游戏产业主要分为两大部分，一是网络游戏的线下衍生模式，二是实体游戏产业。现在已有网络游戏的线下衍生模式主要有角色扮演、城市赛等体验形式，少数游戏得到了近似真实的还原，例如真人 CS 等。在网游和电竞的推广方面，在大城市交通便利、

人口密集的场所出现许多电竞沉浸式体验馆，增加游戏竞技性、互动性的魅力；在游戏涉及人群方面，逐渐从核心人群向泛人群辐射，生成泛娱乐电竞综合体；除了大城市以外，一些小城镇在政策和资金支持下，形成富有活力的电竞小镇。在实体游戏产业，主要表现形式有主题公园、商场中的游戏厅、桌游屋、迷宫、鬼屋等形式。除主题公园以外，其他游乐形式多以点状分布在城市中，在近期发展过程中，会结合 MR 元素，并且设备会不断更新。主题公园在发展过程中会越来越像一个独立的城市，多位于交通便利、地价便宜的郊区，已有大品牌的主题公园会不断增加市场份额，科技元素和全感官冲击体验会越来越强。

2. 网游线下全感官体验，游戏城市全生态链发展

网络游戏线下体验模式会越来越逼真，体验者可以在家中使用相关 MR 的设备，进行线上全感觉游戏体验；在体验馆中，网游英雄技能将走下电子屏幕，体验者可以携带相关英雄的技能和装备，和其他玩家进行实景打斗；利用全息影像，体验者可以与其他玩家面对面进行在线游戏。娱乐综合体和电竞小镇体验形式将更加多样。实体游戏产业中主题公园形式将会继续衍生，与电竞相结合，出现游戏城市。在游戏城市中，提供游戏服务成为城市基本职能。游戏城市以游戏体验区为主，有些子区域提供一些大型游乐设施，有些提供例如真人版绝地求生的大型游戏场景，有些提供高科技游戏体验。游戏形式也会更加多样，除了已知结局的游戏，会有许多不同玩家会有不同结局的游戏，游戏的神秘感与不确定性会增加。除此之外，还有游戏教育区，科创孵化区，配套服务区，由游戏城市衍生出其他一系列提供计算机服务、游戏设备、游戏设计等相关行业，形成由"产业、创业、生活"三位一体的全生态链，带动游戏高端设备制造产业、游戏教育产业、软件开发科技产业及相关服务产业的发展。

3. 游戏星球兴起

随着人们与太空其他星球探索交流加深，会有部分星球开发成游戏星球，部分超大型游戏或者对居住环境造成较大负面影响的游戏会在此驻扎。不同星际之间，游戏者可以在此进行远程操作打斗或者真人 PK。

二、智能社会功能

当今中国社会结构是一种城乡分割的二元社会结构。随着社会发展与进步，社会事业和社会保障体系深度重构，城乡统筹和城乡一体化发展加快推进，共享型社会建设迈出实质性步伐，未来城市将形成一种"橄榄型的社会结构"（陈鹏，2020）。该社会阶层结构中极富极穷的"两极"很小而中间阶层相当庞大，这种橄榄型的社会结构中各阶层的差异会产生激励作用，推动社会不断进步。

（一）未来城市的交通服务

未来城市的交通体系将实现动力系统向高端化、智能化与网络化转变，能源供给向绿色化、循环化和安全化转变，交通工具将向现代综合交通运输体系转变。人们出行将以公共交通为主，各种共享类交通工具普及。无人驾驶使交通事故发生概率大幅减小，智能交通工具使驾驶或乘坐体验舒适而安心，缝切换方便人们出行。清洁能源主导汽车能源市场，对环境友好，促进可持续发展。地上交通和地下交通发展完善，地面交通逐渐萎缩，留出了更多地面空间供人类进行生产生活活动。无人机应用到了外卖、快递等各个领域，交通系统效率极大提高。

1. 超级高铁将出现

这是一种磁悬浮列车和真空管道结合的交通工具，也被称为胶囊高铁、高速飞行列车。2s 提速 640km/h，理想时速 1200km。超级高铁采用"磁悬浮+低真空"模式。通过磁悬浮减小摩擦阻力，利用低真空环境和超声速外形减小空气阻力，实现超声速运行的运输系统。这种高铁不仅可以修筑在地表，也可以开挖地下或海底隧道。可推进乘客或货物。20 世纪 90 年代就有工程师提出这样的设想，2013 年企业家马斯克发布了白皮书 *Hyperloop Alpha*，在对超级高铁技术进行了分析的同时，提出了超级高铁在连接相距 1500km 的大流量城市之间运输的适用性。超级高铁具有超高速、高安全、低能耗、噪声小、污染小、不受天气条件影响等特点。优势是无须车载电源，安全性高，能静止悬浮，启动耗能很少，运行噪声小，车体轻，适合高频率发车，大大降低路基和轨道成本。

2. 空轨成为悬挂式单轨交通系统

空中轨道在列车上方悬挂，由钢铁或水泥立柱支撑在空中，适用于中小城市交通工具。无须扩展城市现有公路设施的基础上缓解城市交通难题。空轨交通优点是：将地面交通移至低空中，无须扩展城市现有公路设施，可缓解城市交通拥堵；空轨为全封闭的电力驱动，占地面积极小，可从一处很容易拆卸后移至另一处，无噪音，无任何污染，是最环保的交通工具。空轨的轨道全封闭在轨道梁内，行驶时几乎不产生噪音。所有的输电线、通信线也全部封闭在轨道梁内，外观整洁、美观；形成立体化综合运输网络格局，就地便捷换乘、中转或配送，提高交通运输效率，降低交通能耗。

空轨为全程全自动的无人驾驶系统，采用自动列车控制系统，全程由计算机控制。而自动列车保护子系统能保证列车不会超时、冒进，发生追尾等事故。空轨的轮子是在封闭环境下运行，当遇到大雪、冰冻等恶劣天气其他公交工具无法行驶时，空轨可以照常运营，所以不受恶劣天气影响。

空轨的缺点是建在空中，靠下面的钢柱支撑。因此它的承载量有限。目前都是两节编组，如果编组过多，钢柱就无法支撑。为了减轻重量只能是小编组运行。一旦遇到突发状况，只能原地停留等待救援设备到来。

2016 年初，中国自主设计建造的世界首个新能源悬挂式空轨——成都熊猫空轨在成都试运行，中国成为继德国、日本后第三个掌握空轨技术的国家。

（二）未来城市的医疗活动

个体化精确医疗不断出现。我们将拥有自己的医疗数据信息系统（人体 GIS），它将包括你的全基因组序列、传感器数据、医疗记录、扫描影像等。

远程在线医疗成为常态。未来的医院可以不直接接触患者，患者完全可以在家中享受医疗服务。

AI 医生将成为医生的好助手，辅助医生了解患者情况，完成健康咨询和开具智能药方的整个流程；各种智能器械在医生诊断中发挥重要作用。例如，AI 实时检查癌症，消融医疗辅助机器人、妙手机器人、胶囊胃镜等；纳米医疗成为未来医疗的一个重要趋势，纳米人工细胞、纳米贴片、纳米晶体都运用到医学当中；甚至在遥远的未来我们可以想象，人人家里都有一个医疗仓，当我们生病时，只需要躺在医疗仓内，医疗仓便会自动给我们进行检查和治疗。

（三）未来城市的公共服务

随着物联网的发展，世界逐渐走向"万物互联"的时代，人类对生活、生产物品的了解可以直接通过物品本身直接获得。人与人的交往不仅仅局限在自己的朋友圈之内，更多的是与世界各地的陌生人之间的交流。未来的通讯，人类的交流对象已经拓展到整个生物圈里，不仅可以畅所欲言的与小鸟交流，还可以与鱼儿对话。以移动数字化为技术特征，以智能手机为中心平台，"使所有人都可获取"医疗数据，实现信息对等和公平。

未来城市的公共服务将以城市大脑为核心的智能治理服务为主。未来的城市治理将向着智能化、便捷化方向发展。每个城市都将建立一个完整的智慧城市治理平台，这个平台包括了数据层、服务层和应用层，它可以将监测数据、地理空间数据等各种各样的数据进行集合叠加，建立城市状态检测系统、智能信息发布系统、政务分析决策系统等，为公众提供各式各样的服务，人们将不再需要去税务局、交通局等单位，只需要在网络上便可以一站式办理各种业务。例如杭州市正在建设的"城市数据大脑"，在大数据、互联网、AI 智能等技术的支撑下，"城市数据大脑"就如同一个人工智能中枢，能够帮助城市进行思考、决策和管理。

（四）未来城市的购物活动

1. 购物中心趋向郊区化

在未来的 10 年里，我们购买最多的东西依然是实体商品，体验型的消费会越来越多，并且主要是通过购物中心及网上消费这些现在已经具备的方式。随着技术的提升，可以与感兴趣的产品进行无缝互动，从而做出更好的购买选择。例如，不用真正的试穿即可达到试穿的所有效果，拿起衣服站在镜子前，镜子就会显示已穿上的三维立体图，还能连接手机发送给朋友实现共享，向排队和脱脱穿穿的试衣服时代告别[①]。

2. 出现复合型购物中心，线上虚拟购买代码

万物互联的时代之后，代码将是我们的日常生活的一部分。人们对代码的需求将大大提升，日常购物是代码。在 50 年后，我们只需要穿着简单的打底衣服，然后购买代码。空中飘浮着微小的"飞行器"以及实体物品都相当于"投影仪"，只要我们"穿上"代码衣服就可以随时随地进行变换，发型、饰品等均是如此。由于 1024 在互联网行业的奠基作用，10 月 24 日会成为新的购物狂欢节。未来城市购物中心、社区购物中心、郊区购物中心的界限将被打破，购物中心将更加分散化，出现复合型的购物中心，主要体现在功能的复合化、城市空间利用的多样化。简单的代码以及产业化后，未来最火爆的是有个性、有人文

---

① 未来城市的购物活动、社交活动由李云瑶、郑陈柔雨、张静、张梦朔 2019 年度课堂报告素材改写而成。

内涵的被饥饿营销的"代码"。

3. 购物中心形成体系

未来我们购买行星的居住权/有关行星的"制造业"及相关产业/具有人文、艺术情怀的星际产品。由于量子物理、外太空探索的进一步发展，使外空居住成为可能。由于人类需求的不断提升以及移居星球产业的发展，行星供不应求。故开始了制造行星。"行星的制造业"不断发展并成为最火爆的商品。由于100年后的移居，形成了星际星球体系，可能会形成"球体化"版的中心地理论。购物中心也相应地呈现这种体系特征，并且会形成在太空中浮动的购物中心。虽然技术的不断进步，科技的不断发展，但是我们认为情感会更加珍贵，未来的购物中心主要服务于情感，购买回忆及情感体验。

（五）未来城市的社交活动

1. 在线社交实现全息投影，城市社交场景多样化

随着通信技术进一步发达，虚拟现实技术将应用于社交软件领域，在视频社交时代之后，人与人基于通信技术的社交，将在虚拟现实仪器的帮助下，实现虚拟的面对面交流，在视觉上看到对方的全息投影。全息投影既可以真实地反映人的身体样貌，模拟真实见面，也可以根据人们的需求变成各种形态，增加社交的趣味性。随着城市化和闲暇时间的增多，现实的社交活动也将更加多样化。一方面，酒店、茶馆、影院、商场、网吧的社交属性将更加增强，更注重给人多样化的社交体验，大型娱乐消费综合体和小型交流中心将会继续共存。另一方面，会有更多基于爱好的社交场景出现，特别是冷门、小众的爱好，譬如喜欢天文学、喜欢国学、喜欢侦探推理的人们，都可以在城市便捷地找到合适的社交场景。一方面，线上的社交体验，可以实现部分工作的在家或异地办公，使职住空间进一步分离。另一方面，由于社交需求的增加，城市的空间格局中，服务于社交的空间将进一步扩大。

2. 在线社交使职住空间完全分离，城市中人与机器人共同生活

虚拟现实技术进一步发展，距离作为人与人交往隔阂的作用更加削弱，不同地区的人不仅可以看见对方的全息投影，在触觉等其他感官上，也将实现对"面对面"的精准模拟。即使人们彼此相隔距离很远，也可以通过虚拟社交技术，在一起聚会，在各种感官上与现实面对面几乎相同。现实社交的场景也将更加多元化，基于爱好的社交将在人们的社交生活中占据主流，绝大部分兴趣爱好，都可以在城市中找到对应的社交场景，使人们都可以很方便地与兴趣相投的人社交。而与此同时，传统的基于血缘、工作、同学、生意的社交关系，或许会削弱。与此同时，人工智能与机器人技术可能会出现质的飞跃，从而社交不仅是人与人，可能也包括人与机器人的交往。城市不仅是人类居住的城市，更是人与机器人共同生活的城市。这可能导致在家办公时代的真正来临，而城市交通发达的中心、次中心成为各种社交场景集聚的场所，市内交通可能更多为社交而不是上班服务。城市更多是社交、消费中心，而不是生产或者工作中心。服务于社交的空间，将是城市空间最核心的部分。

3. 面对面社交成为城市存在的理由

通信技术高度发达，无论身处何处，都可以享受实时、逼真的社交体验，无论是感官上的模拟，虚拟或者现实社交场景的切换，社交方式的多样化，都将在技术上达到成熟。

但是，面对面社交依然不会被取代，甚至成为人们的核心需求，成为城市存在的重要理由之一。

三、智慧服务功能

（一）服务主体的多元化

未来城市服务主体包括政府、企业与市民，政府对城市运行进行管理，企业和市民享受城市政府为其提供的发展和活动场所及服务（续合元等，2011），同时积极参与城市治理。未来城市服务聚焦经济、治理、环境、人、移动方式和生活方式等六大系统性的特征，依托无处不在的数据传感器与智慧城市大脑，对城市交通、空气质量等公共信息进行监测并处理，对城市治理、城市规划、市民生活进行有效评估分析，使城市服务更加高效、人性化的运行。

（二）服务的高度虚拟化和精准化

虚拟信息的公共服务可以实现边际成本趋近零，真正具有非竞争性与非排他性，有可能实现更大范围的"公共"，称得上纯粹的公共服务（刘淑妍等，2019）。但是，虚拟的信息与知识必须依靠实质载体，即未来高度智能化与广泛遍布的传感器。传感器与智慧大脑、传感器之间的联系，传感器自身智能化处理将成为未来趋势。

未来城市服务政府与企业提供，政府提供生活必须服务，如用水、用电、通讯等，精准的公共服务由政府外包的企业提供。未来每个居民的出行、城市的运行都将映射至一个虚拟城市空间，交通工具的运营、各类资源的消耗都将更加精准地实时监测。一方面，精准化服务能锁定消费群体与过程，实现"谁享受谁付费"；另一方面，精准服务有利于实现个性化定制。

（三）服务的深度定制化和透明化

深度定制的城市服务对于城市而言能够降低供给成本，对于市民而言则能够提高福利水平，公共服务应体现以人为本原则，满足个性化需求，改进公共服务的重点是提高每个消费者的服务体验。同时，定制化的服务有利于改变"信息不对称"，城市能有效改变私人消费的效率性缺失与公共消费的主体性缺失，通过为"小众"提供定制化服务，更好利用服务消费过程的正外部性，进而改善社会服务总效率（巴永青，2018）。

在未来的城市里，城市系统能够映射到虚拟信息世界，市民的行动轨迹将变得更"透明"、更"可追踪"。各种公共服务的消费对象能从"不确定的多数"变为"确定的多数"。精准的公共服务谁受益谁承担，提高了公众为公共服务付费的积极性，且能够实现个性定制化的公共服务，提高公众对服务的满意度。

未来城市居住与工作可能呈现分散化趋势，因此远程医疗、VR 教育等新形式的城市服务将更为广泛应用。而定制化公交等出行方式也将解决分散化问题，同时降低社会成本，提高社会效率。将社区与城市大脑连接，实现城市救助与服务的无死角，达到智慧的社区管理。

四、创意文化功能

在未来城市的形成发展过程中，人类的交往活动不断增多，人的综合素质不断提高，城市居民对于城镇生活质量要求不断增强，从原有的物质生活逐渐向精神生活转变，对城市文化底蕴的传播和发展有了更高的要求。城市文化在经历长期的历史演进之后，逐渐形成了具有独特的文化背景和地方特色的文化记忆，既包含了世界观、价值观、人生观等意识形态，也包含了民间风俗、生活方式等直观表现（单霁翔，2007）。如果说城镇化赋予了城市骨骼，那么城市文化就是赋予了城市灵魂。

在未来城市，对于"文化城市""文明城市"等的建设愈加重视，同时对传统文化的传承和发展有着高度重视，符合时代潮流又不摒弃城市内涵的"文化创意产业园区"、"城市地标"等城市品牌逐渐增多，城市的文化内涵得到了提高，城市居民的文化认同感和城市归属感得到大幅提高。这里主要从城市文化品牌、文化创意产业、文化遗产以及互联网和自媒体进行未来城市一些畅想和展望。

（一）城市文化更加本土化和品牌化

城市文化品牌指的就是城市建设过程中在文化领域形成的品牌现象（高迎刚等，2019）。未来每一座城市基本都拥有属于自身城市的文化品牌。城市文化品牌的塑造不仅局限于符号、标志、名称等显性特点，更注重城市文化涵养和社会价值观等隐性特征的培养。未来城市将会从传统文化入手，结合时代潮流和先进科技，兼顾文化和城市两个角度，从而准确确定城市定位，打造既容易被人接受，又不忘城市文化核心的城市文化品牌，使城市品牌不仅能具备较高的辨识度，更能具有永葆活力的生命力。

现代建筑在未来城市文化品牌建设中的作用逐渐增大，越来越多的办公楼、住宅、体育馆等标志性建筑融合了地方文化，在能够满足人们日常工作和生活的同时，更能够提升民众的生活乐趣，为城市的文化建设贡献了重要力量。

（二）文化创意产业日趋国际化

文化创意产业是以创意为核心，以文化为依托，以现代科技为支撑的新兴产业，向大众提供了文化、精神、娱乐等方面产品，是文化产业中具有较高创造性的创新型产业（张振鹏，2009）。中国城市文化创意产业呈快速发展态势，已经成为东中部许多大城市经济的支柱产业，在提高城市竞争力和城市软实力中发挥了重要作用。

未来城市中的文化创意产业逐渐向国际化迈进，对宣传城市文化和城市魅力具有较高的积极作用。目前，世界文化创意产业蓬勃发展，在大众视野中的曝光度逐渐提高，文创产品日渐走进人们的生活，如"故宫博物院文创品""国家博物馆文创品"等，城市底蕴和文化也正在以越来越贴近大众贴近生活的方式被城市居民接受和传承。

（三）文化遗产的保护意识日趋增强，由实地观看逐渐转向网络直播

城市现存的文化遗产呈现了一部城市发展史，是城市灿烂文化的重要载体和稀世物

证，也是市民与祖先联系沟通的唯一物质渠道。未来城市在经历了城市的发展和变迁，越来越多的文化产物变为文化遗产，文化遗产的保护和城市文化的建设息息相关。在未来城市，文化遗产保护逐渐由政府和国家的保护演化为全社会和全人民的保护，人们的思想觉悟和行为素质得到大幅提升，人们对文化遗产的认同感逐渐增强，对文化遗产保护产生了积极作用。同时，文化遗产的观光更采取了全新形式，由原有的实地观看逐渐转向网络直播，"云旅游"和"VR 旅游"逐渐普及，同时配备专业的语音解说，在能够满足民众旅游体验的同时，又能够对文化遗产得到有力的保护和宣传。

（四）互联网和自媒体将加大城市文化的传播力度

随着互联网和现代技术的普及，城市的各项管理措施逐步走向智能化，城市文化的建设离不开城市管理和治理体系的升级。未来城市利用互联网技术，将城市的各项文化产物信息综合，进行智能化管理。另外，智慧城市的建设又给大众的衣食住行等提供了便利，方便民众办理各项事务，增强了民众对城市管治的信心。未来城市公共服务能力的提升，也为城市文化的建设提供了有利帮助。

随着自媒体平台的蓬勃发展，未来城市利用这种新型网络传播渠道加大了城市文化的传播力度，使城市文化传播在城市建设的方方面面，将城市的灵魂利用新手段新技术展现在大众视野之中。

综上，未来城市在营造城市物化文化的同时，更注重人的文化培养，力求从人的衣、食、住、行等方面提升居民的文化认同感，在提升人的综合素质的同时，更注重城市文化和文明的传承，真正达到了城市文化和人类文明的融合。

五、立体生态功能

未来城市的立体绿化将会成为现实，这是指除平面绿化以外的所有绿化，都称为立体绿化。未来城市绿化趋势，让建筑也能成为"有生命力的绿地"。将绿色植物引进室内已不是单纯的"装饰"品，而是提高室内环境质量，满足人们心理需求的重要物件。

（一）花园功能

1898 年，英国霍华德出版了《明天的花园城市》，提出了"田园城市"理论，在实践中常被理解为未来城市应具有的园林绿化功能。

花园系统的建立可以带来大范围的植被增绿，可加快实现"有路皆绿、有城皆绿、有村皆绿"的目标；并可节约能源，吸收大气中二氧化碳，减少洪水径流，减弱噪声，遏制土地沙化，减少浮尘天气，改善空气质量等生态效益。"花园中的城市"新加坡就是裹有花园功能的未来城市先例。

（二）海绵功能

习近平总书记在 2013 年 12 月召开的中央城镇化工作会议上发表讲话时提出，建设自然积存、自然渗透、自然净化的"海绵城市"，在实践中常被理解为未来城市应具有的海绵功能。海绵系统的建立可使城市在面对自然灾害时能够像海绵一样去缓解自然灾害，在严重降雨时，海绵系统可以渗水、吸水、储存水以及净化水（孙荣琪，2019）。城市海绵系统的建立可防洪排涝、减轻热岛效应，避免洪涝等自然灾害；另外，海绵系统也可以改善水质，实施低影响开发，利用科学配置植物方法，真正发挥生态处理的作用，相较于以往的排水方法这种处理方式更加具有优势，有助于建设低碳环保城市和低碳社会。

（三）生态系统服务功能

未来城市还应具备生态系统服务功能，如物质循环功能、生产功能、能量流动功能和信息传递功能。生产功能是指生物生产和非生物生产共同创造物质和精神财富的过程；物质循环是指各种物质随着生命活动的发生在生物群落与无机环境中的循环过程；能量流动是指在一个完整的生态系统中，能量输入、转化、传递和散失的过程；信息传递功能是指在一个完整的系统中，各类信息进行传递，从而促使生物生命活动正常进行的过程，包括声、光、温度等物理信息；生物碱、有机酸等化学信息，蜜蜂的"圆圈舞"等行为信息。

第四节　未来城市的空间布局

未来城市的主要生产生活功能将落实到特定空间上，这种空间可能是实体的地球空间，包括地表空间、地下空间和海洋空间，也可能是太空空间，包括月球城、火星城等，更有可能是虚拟空间[①]。

一、实体空间

未来城市体系应该是一个渐进发展，走向太空的模式。一方面，人类有探索未知的欲望；另一方面，伴随着人口增长，未来社会的土地、资源和环境压力将越来越大。因此，未来人类的生活居住范围将不只局限于陆地，会慢慢扩展至地下、海洋甚至太空之中。因此，根据城市所处实体空间的差异可将未来城市的实体空间划分为地上空间（地上城市）、地下空间（地下城市）、海上空间（海上城市）、海下空间（海下城市）、太空空间（太空城）五种类型（表9.2）。每类城市都具有不同的城市特点和布局特征。

未来城市的实体空间布局会覆盖实体空间的各个部分，形成垂直的空间利用格局。一方面，单个城市会占据多个实体空间，会形成城市内部的垂直利用格局。如：陆上城市包括地上、地面以及地下等组成部分。另一方面，多种不同类型组成的未来城市体系会在更大空间范围内形成垂直的空间利用格局。如太空城市占据太空，地上和海上城市占据地球表面，地下和海下城市占据地球表面以下空间。可以想象的是，在未来多样化的城市空间里，我们的生活会更加便捷、美好！

---

① 以下内容根据陶蕾（实体空间）、徐少杰（虚拟空间）、杨欣雨（生产空间）、孙曼（生活空间）、叶海鹏（生态空间）2020年度课堂报告提供的素材改写而成。

表 9.2 未来城市的实体空间比较表

城市空间		城市类型	城市特点	布局特征
地球空间	陆地空间 地上空间	地上城市	城市主体位于地上空间，由传统城市发展而来，且在很长时间内会是未来城市的主要类型	由极核式发展到轴线式，最终形成网络式空间布局
	陆地空间 地下空间	地下城市	城市主体位于地下空间，是人类向地下拓展生存空间的结果。此类城市对地上城市的依赖性较强，多为地上城市的附属城市	依附于单个或多个地上城市，通过地上城市与外界交往，围绕地上城市进行空间布局
	海洋空间 海上空间	海上城市	城市主体位于海上空间，是人类科技高度发展之后重要的一种城市类型，极大地扩展了人类生产生活空间	由近海逐渐扩展至远海，从最开始依附于滨海地上城市逐渐发展出具有海洋特色的城市布局体系
	海洋空间 海下空间	海下城市	城市主体位于海下空间，规模较小。其建设目的多为服务海上城市和滨海地上城市。此类城市是未来城市体系的重要补充	依附于海上城市或滨海地上城市，通过海上城市或滨海地上城市与外界交往，围绕海上城市或滨海地上城市进行空间布局
太空空间		太空城市	城市主体位于太空空间，是一种极具潜力的城市类型。短期内，此类城市难以建立，但长远看，此类城市将成为人类步入"星际时代"的主要城市类型	由近地球空间逐渐扩张至远地球空间，从最开始依附于地球城市逐渐发展出独立自主、空前复杂和庞大的太空城市体系

（一）地上城市

地上城市的主体位于地上空间，由传统城市发展而来，是未来高度科技化背景下的产物。与现代城市不同的是，其具有更高的生产效率、更绿色的生态环境以及更便捷的生活方式。可以预见，由于科技发展水平的制约和人类对地上空间的依赖，地上城市在很长时间内仍将是未来城市的主要类型。与现代城市体系发展类似，未来地上城市布局将不断克服自然地理和社会经济要素的不均匀分布，由极核式发展到轴线式，最终形成复杂的网络式布局（刘卫东，2013）。

（二）地下城市

地下城市的主体位于地下空间，是人类向地下拓展生存空间的结果。可以想象的是，其建设目的最开始一般是服务于地上城市或者开发特定的地下资源，但随着要素的集聚，其规模越来越大，逐渐形成一个完整的生产生活空间。在保持与地上空间紧密联系的同时，其功能也逐渐多样化。此类城市的建设目的和发展过程决定了大部分地下城市需要依附于单个或多个地上城市，通过地上城市与外界交往，因此其城市布局也会围绕地上城市进行。

（三）海上城市

海上城市的主体位于海上空间，其发展依赖于发达的科技，是人类科技高度发展之后一种重要的城市类型，极大地扩展了人类生产生活空间，也极大便利了人类开发利用海洋资源。可预见的是，此类城市最先出现在近海，与滨海陆上城市联系紧密。但随着科技的进步和海洋资源的进一步开发，远海也出现了海上城市。海上城市之间通过通信技术以及船舶、飞行器、潜艇等交通工具进行连接，不断发展并最终形成了一个与地上城市体系不同的、复杂的海上城市体系。

（四）海下城市

海下城市的主体位于海下空间，是人类向海洋空间进一步拓展的产物，是未来城市体系的重要补充。此类城市建设之初主要服务于其所依托的海上城市和滨海陆上城市，承担着特定的功能。如科研、海洋旅游观光、海洋资源开发等。但随着其规模的不断扩展，其功能也逐渐多样化，成为海洋城市体系中重要且特殊的一部分。海下城市的功能特点决定了其必须围绕海上城市或滨海地上城市进行空间布局。

（五）太空城市

太空城市的主体位于太空空间，是一种极具潜力的城市类型。短期内，受限于人类技术水平，此类城市难以建立。但长远来看，随着科技的进步，人类必将走出地球，迈入太空。届时，太空城市必将成为"星际时代"的主要城市类型。其空间布局将从近地球空间扩展至远地球空间。其与地球城市之间的关系也将从依赖地球城市转变为独立自主，并最终发展出包括在轨城市和星球城市在内的、空前复杂和庞大的太空城市体系。值得一提的是，在太空城市体系中，或许有众多类似地球的星球，发展出自己的城市体系，地球将不再孤单！

二、虚拟空间

城市空间承载着城市内的各项活动，伴随着人类城镇化进程的加快，当前的城市空间主要以土地利用变化为主要形式，进行物质实体空间的拓展与扩张。而由于土地资源供需的不平衡，城市实体空间的过度扩张引发了一系列城市治理问题，如城市交通拥堵、人口过于密集、生态环境破坏等。随着信息技术的进步和网络空间的发展，城市内的各项生产生活活动逐渐向虚拟的网络空间靠拢，如网络购物、网络社交、智慧城市管理平台等，这标志着未来的城市空间将由物质实体空间向虚拟网络空间拓展。

（一）虚拟空间的概念

城市实体空间是指人类真实生存的物质实体空间，包括城市土地、环境、道路、交通等物质对象。与此对应的虚拟城市空间是指以网络空间为载体承载着城市规划建设、运行管理、社会经济、日常消费等活动的非物质化的虚拟空间，包括各类基于现代新兴技术的网络资源空间、信息管理空间、社会交往空间、产业经济空间等虚拟化空间对象（牛强，2018）。毋庸置疑，虚拟空间具有活动承载和动态演变的特性，首先，虚拟空间是一个活动的场所，可以承载人类现实生活中的多种居民活动；其次，由于信息网络技术和人类活动的动态演变特性，虚拟空间也将是一个瞬息万变、动态复杂的系统，它将映射和延伸人类在现实空间中的各种生产生活活动。

在目前来看，虚拟空间扩展了实体城市空间的活动场所，降低了实际的用地需求（阎川，2001），促使经济产业等多样化发展，最重要的是为城市活动及城市居民活动提供了便捷，促进城市高效健康地运行，也推进了社会交流与信息流通（吴茜等，2010）。同时，空间网络化发展趋势不仅整合了科技，而且也连接了人类的组织、社会、文化，从而极大地延伸了人类发展的时空界域（孙中伟，2013）。

（二）虚拟空间的特征

空间的无边界性。实体空间严格受限于物理规律而存在。无论是城市的行政边界、道路交通、建筑单体，还是人类进行物质实体活动的范围，都有严格的空间边界。但在虚拟空间中没有这一障碍，信息交流无须跨越现实中的各种"边界"，人类可以自由的进行公共活动，打破实体空间的隔离是虚拟空间最重要的特征。

时间的可重塑性。人类现实世界中的时间严格遵守着不可逆转的物理规律，历史无法改变，未来更不可预知。但在虚拟空间，时间是可以进行重塑的，可以反复回看网络课堂的内容，也可以利用 3D 虚拟技术模拟城市未来发展状态。

承载力的无限性。物质实体空间的承载力是有限的，城市发展和人类生存所需要的资源是有容量限制的。而虚拟空间从概念上看，由于没有物质空间的限制，其容量理论上应该是无限的。在当前时代，考虑到网络空间的存储技术和存储成本的限制，虚拟空间的承载力存在一个上限，但随着科技的发展和技术的进步，虚拟空间的承载能力将不断提升。

信息传递的瞬时性。实体空间的信息传递需要一定的媒介，如利用公路、铁路等传递信件，同时传递效率非常低下。而在虚拟空间，信息传递拥有远距离瞬时传达的特征，如某一信息在虚拟空间中发布，其他用户可在世界各地通过"终端"瞬时接收该信息，极大地保证了信息的时效性。

（三）虚拟城市

伴随着社会需求的增加和科学技术的进步，人类对虚拟空间的开发利用将从"智能化"阶段演变到"智慧化"阶段，即"人类可以在虚拟空间中实现某一特定功能"逐渐向"人类将这些在虚拟空间中实现的功能复合，建立虚拟城市"转变（吴嘉琦，2018）。由此，便产生了虚拟城市的概念（图 9.2），即依托于由互联网络、数据计算、移动通信等新兴信

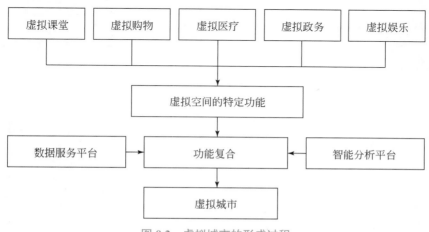

图 9.2　虚拟城市的形成过程

息技术构成的虚拟城市空间系统，凭借信息数据优势和智能化基础，进行信息整合、智能集成和智慧分析，打造成一个有机的智慧化系统，促进城市活动智慧发展，继而实现城市全方位智慧化目标的城市发展新模式（宋刚等，2012）。

虚拟城市的建设涵盖了城市发展的方方面面，如虚拟智慧教育、虚拟智慧医疗、虚拟智慧旅游、虚拟智慧商务等，未来人类的生活场所将不局限于物质实体空间，除了最基本的饮食、睡眠等活动，其他各项日常活动都可在虚拟空间中完成，人类可以摆脱地理空间的阻碍，在虚拟的世界中进行社会交往，相信在不久的未来，人类的生活水平将因虚拟空间的发展而更加幸福、包容和公平。

主要参考文献

蔡建明，郭华，汪德根. 2012. 国外弹性城市研究述评. 地理科学进展，31（10）：1245-1255.

陈鹏. 2020. 全面建成小康社会背景下的中国社会结构变迁. 行政管理改革，（2）：44-51

陈宇琳，李强，张辉 等. 2013. 基于风险社会视角的城市安全规划思考. 城市发展研究，20（12）：99-104

陈喆，马水静. 2009. 关于城市街道活力的思考. 建筑学报，（S2）：121-126.

高恩新. 2016. 防御性、脆弱性与韧性：城市安全管理的三重变奏. 中国行政管理，（11）：105-110.

高迎刚，丛晓煜. 2019. 城市文化品牌塑造原则与路径探析. 艺术百家，35（6）：58-62.

何丰，高礼霞，葛俊. 2012. 城市包容性发展的制度重构. 南京理工大学学报（社会科学版），25（5）：25-34.

贾鹏. 2017. 2016 年改变人类未来生活的七大黑科技. 计算机与网络，43（Z1）：24-25.

江海燕，周春山，高军波. 2011. 西方城市公共服务空间分布的公平性研究进展. 城市规划，35（7）：72-77.

杰里米·里夫金. 2014. 零边际成本社会：一个物联网、合作共赢的新经济时代. 赛迪研究院专家组译. 北京：中信出版社.

李格琴. 2009. 从社会学视角解读"安全"本质及启示. 国外社会科学，（3）：82-89.

李连刚，张平宇，谭俊涛 等. 2019. 韧性概念演变与区域经济韧性研究进展. 人文地理，34（2）：1-7.

梁浩，龚维科，杨洋 等. 2020. 疫情防控背景下关于韧性城市建设相关问题的思考与建议. 建设科技，（6）：31-34.

刘长运. 2006. 国外都市农业发展经验对我国的启示. 世界地理研究，15（2）：74-79.

刘建明，王泰玄 等. 1993. 宣传舆论学大辞典. 北京：经济日报出版社.

刘黎，徐逸伦，江善虎 等. 2010. 基于模糊物元模型的城市活力评价. 地理与地理信息科学，26（1）：73-77.

刘卫东，等. 2013. 经济地理学思维. 北京：科学出版社.

刘严. 2014. 未来食物人工化. 宁波经济（财经视点），（9）：48-49.

毛巍. 2018. 未来之食物. 世界科学，（12）：18-21.

牛强，卢相一，魏伟. 2018. 虚拟智慧城市初论——基于虚拟城市空间的智慧城市建设方式探索. 城市建筑，（15）：26-30.

任致远. 2011. 城市安全：生命的呼唤. 城市发展研究，18（3）：1-7.

单霁翔. 2007. 关于"城市"、"文化"与"城市文化"的思考. 文艺研究，（5）：35-46.

邵亦文，徐江. 2015. 城市韧性：基于国际文献综述的概念解析. 国际城市规划，（2）：48-54.

宋刚，邬伦. 2012. 创新 2.0 视野下的智慧城市. 城市发展研究，19（9）：53-60.

宋立民. 2018. 未来生活方式：盲区与拼图. 人民论坛·学术前沿，（6）：84-90.

孙荣琪，肖耀廷. 2019. 论海绵城市理论对我国未来城市建设的影响. 产业与科技论坛，18（19）：84-85.

孙中伟. 2013. 网络虚拟空间对城市现实空间作用机理及规划启示. 规划师，29（2）：43-47.

童明. 2014. 城市肌理如何激发城市活力. 城市规划学刊，（3）：85-96

王兴周. 2017. 族群性、都市乡民与包容性城市建设. 民族研究，（1）：8-20.

王琰. 2018. 从环境行为模式预测未来生活方式. 艺术与设计（理论），2（6）：26-28.

巫细波，杨再高. 2010. 智慧城市理念与未来城市发展. 城市发展研究，17（11）：56-60.

吴嘉琦. 2018. 基于公众参与的虚拟城市认知研究——以"雨中城"为例. 建材与装饰，（26）：69-70.

吴茜，王兴中，孙洁 等. 2010. 基于虚拟地理学观下的虚拟空间对现实（社会）空间互动关系的初探. 现代城市研究，25（11）：80-84.

向明. 1994. 未来服装的新天地——功能各异的衣服. 北京工人，（2）：14-15.

肖文涛，王鹭. 2020. 韧性视角下现代城市整体性风险防控问题研究. 中国行政管理，（2）：123-128.

阎川. 2001. 互联网下的城市虚拟空间探讨. 城市规划汇刊，（6）：58-60.

俞孔坚. 2006. 高悬在城市上空的明镜——再读《美国大城市的死与生》. 北京规划建设，（3）：97-98.

俞挺，邢同和. 2011. 垂直城市理论简述. 建筑创作，（8）：132-136.

湛东升，张文忠，谌丽 等. 2019. 城市公共服务设施配置研究进展及趋向. 地理科学进展，38（4）：506-519.

张振鹏，王玲. 2009. 我国文化创意产业的定义及发展问题探讨. 科技管理研究，29（6）：564-566.

赵明阳. 2018. 包容性城市：缘起、蕴涵与治理路径. 山东大学硕士学位论文.

郑浩生，黄紫琼. 2018. 城市包容性更新：内在逻辑、现实困境与发展路径. 广东行政学院学报，30（3）：26-32.

周星宇. 2012. 未来建筑的发展趋势及影响因素研究. 天津大学博士学位论文.

邹亮. 2018. 城市防灾中的韧性理念. 北京规划建设，（2）：18-21.

Adger W N. 2000. Social and ecological resilience：Are they related? Progress in Human Geography，24（3）：347-364.

Alberti M，Marzluff J，Shulenberger E，et al. 2003. Integrating Humans into Ecosystems：Opportunities and Challenges for Urban Ecology. Bio Science，53（4）：1169-1179.

Berkes F，Folke C，Colding J. 1998. Linking social and ecological systems：management practices and social mechanisms for building resilience. Linking social and ecological systems. Cambridge：Cambridge University Press.

Holling C S. 1973. Resilience and stability of ecological systems. Annual Review of Ecology& Amp；Systematics，4（4）：1-23.

Holling C S. 1996. Engineering Resilience versus Ecological Resilience//Engineering Within Ecological Constraints. NewYork：National Academies Press.

Martin R，Sunley P. 2007. Complexity thinking and evolutionary economic geography. Journal of Economic Geography，7：573-601.

Rose A. 2004. Defining and measuring economic resilience to disasters. Disaster Prevention and Management，13（5）：307-314.

Smit J A. Ratta J. 1996. Urban Agriculture：Food，Jobs，and Sustainable Cities. United Nations Development Programme（UNDP），New York.

Truelove M. 1993. Measurement of spatial equity. Environment and Planning C：Government and Policy，11（1）：19-34.